Alfred Hitchcock a fait
53 films et une fille.
Je dédie ce livre à
Patricia Hitchcock O'Connell,

François Truffaut
octobre 83

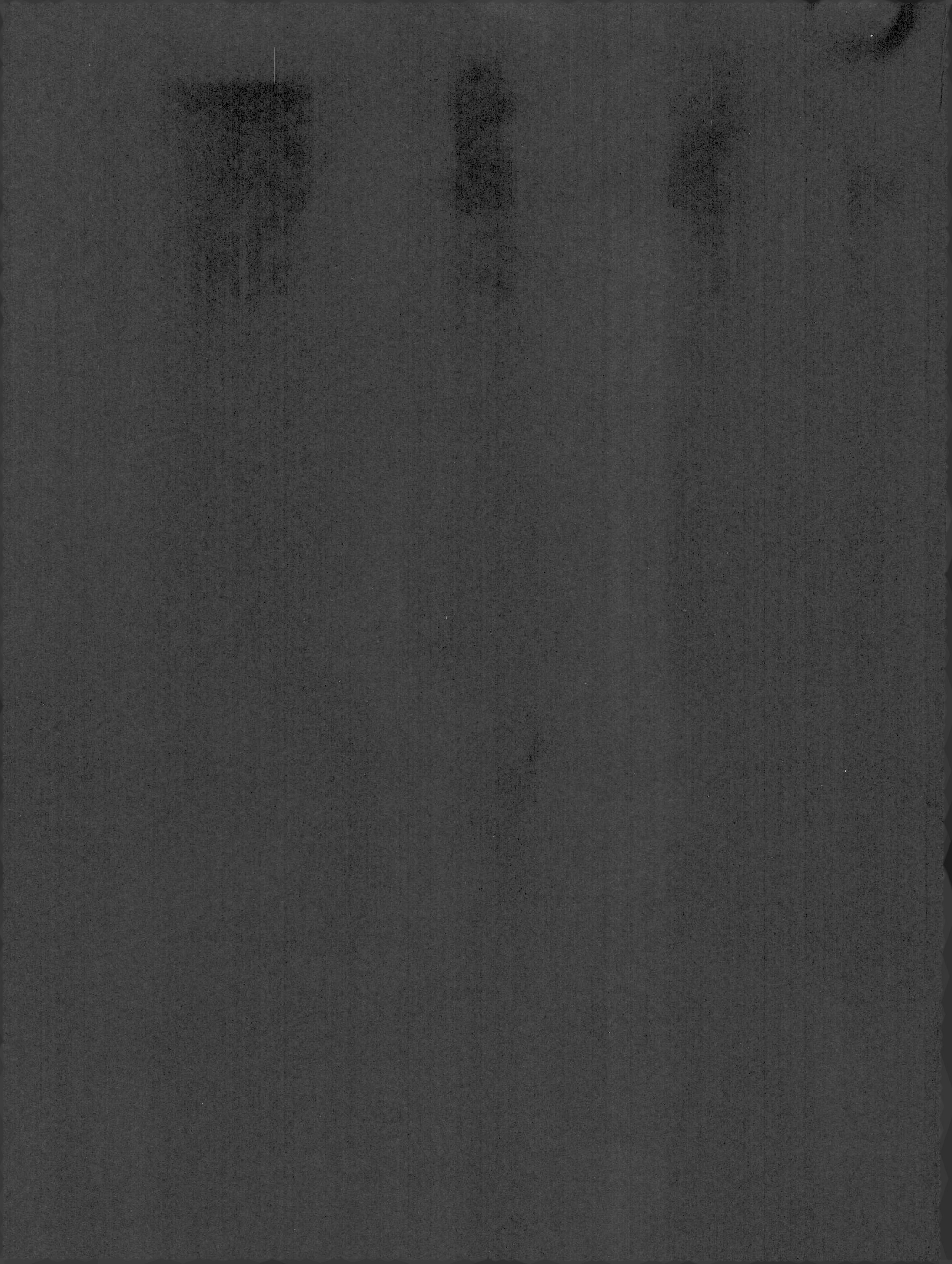

HITCHCOCK TRUFFAUT

ENTREVISTAS

EDIÇÃO DEFINITIVA
COM A COLABORAÇÃO DE HELEN SCOTT
PREFÁCIO À EDIÇÃO BRASILEIRA DE ISMAIL XAVIER
TRADUÇÃO ROSA FREIRE D'AGUIAR

9ª reimpressão

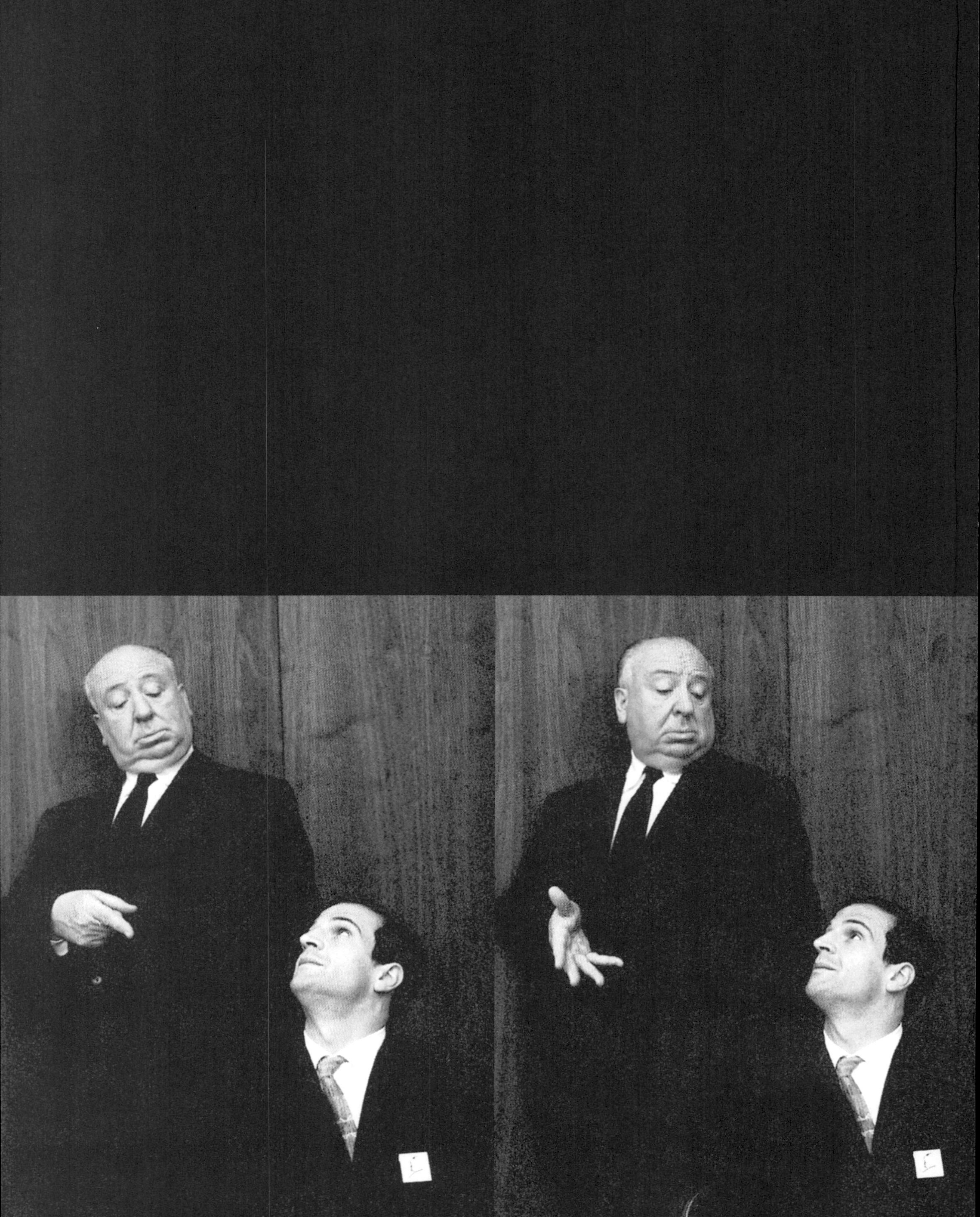

Alfred Hitchcock nasceu em Londres, em 13 de agosto de 1899. Fez seus estudos no Saint Ignatius College de Londres. Em 1920, entrou para a Famous Players-Lasky, companhia americana, que tinha aberto um estúdio em Islington, Inglaterra. Durante dois anos, escreveu e desenhou as legendas de inúmeros filmes mudos: *Call of youth* e *The great day*, de Hugh Ford (1921), *The princess of New York* e *Tell your children*, de Donald Crisp (1921), *Three live ghosts*, de George Fitzmaurice (1922).

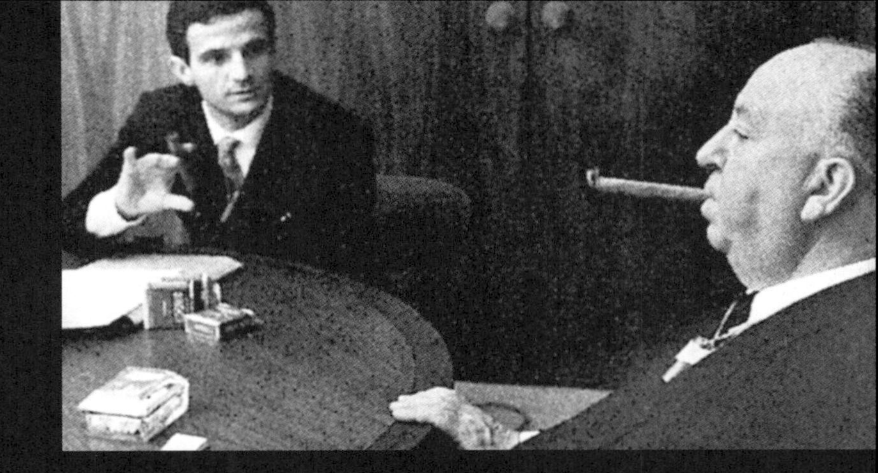

PREFÁCIO À EDIÇÃO BRASILEIRA — Ismail Xavier

* Ao longo do livro, os filmes são citados com o título comercial que receberam no Brasil, quando foram lançados no país. Os títulos originais aparecem na filmografia de Hitchcock (p. 349) e no índice de filmes (p. 359). (N. E.)

** Ver André Bazin, *O cinema da crueldade* (org. François Truffaut), São Paulo, Martins Fontes, 1989.

As duas fotos que abrem este prefácio, capa e contracapa da edição francesa deste livro, nos oferecem um ponto de partida sugestivo, pelo cotejo dos gestos e de seu sentido. A da página ao lado nos traz Janet Leigh (Marion, no filme) na célebre sequência do assassinato em *Psicose** (1960); a anterior focaliza Hitchcock em plena entrevista com François Truffaut.

Na imagem de *Psicose*, Marion se despede da vida: braço esticado, mão acima do rosto, espalmada, não mais se defendendo dos golpes, mas já submergindo na zona escura em que se aloja o seu corpo quase inerte. Tudo compõe, na passagem da luz à sombra (de cima para baixo), um quadro de valores que muitos dirão expressionista. Tal efeito se deve mais ao tratamento dado à imagem no livro do que à textura do fotograma, mas a aproximação com o expressionismo é válida desde *O inquilino sinistro* (1926), ela se fez visível e deixou traços ao longo da carreira do cineasta. De qualquer modo, tudo se acentua nesta imagem fixa. No filme, Marion não está assim tão disponível, pois a vemos num paroxismo de violência construído pela montagem, em que a sucessão rápida de fragmentos compõe, na mente do espectador, todo o horror de uma retaliação que não se mostra em nenhum plano. Ao final da sequência, lá está a vítima, sozinha, no último aceno para um olhar que não é senão o do aparato, e o de todos os que, atrás da câmera e na sala de projeção, fruem, não importa se com temor e tremor, a morte como espetáculo. Está composto mais um quadro na galeria de mulheres assassinadas no cinema, situação-limite em que se pode decidir a reputação de um cineasta.

Pela intensidade e duração, a cena da morte de Marion é um momento especial no percurso de Hitchcock, sempre em lida com essa questão-tabu que tanto mobilizou a crítica: a reprodução, pela imagem em movimento, do instante "sagrado" de passagem, quando esse momento único, de solidão intransferível, se faz presente na tela. A morte e o sexo — ou também o crime, que os une — compõem a cena proibida que o fundador dos *Cahiers du Cinéma*, André Bazin, via como uma profanação, uma ferida dolorosa a se exibir no cinema, notadamente no caso dos cineastas mais afinados com o estilo que Truffaut, seguindo o espírito de seu tutor e mestre, denominou "cinema da crueldade". Essa é a expressão-título do livro póstumo de Bazin, que o diretor de *Jules e Jim* organizou em 1975, reunindo artigos sobre vários cineastas, com destaque para Hitchcock e Luis Buñuel.** Cada um a seu modo, esses dois autores confrontaram essas experiências — o sexo, a morte, a violência dirigida ao próprio olho — e mergulharam no que, para o desconforto lúcido de Bazin, é o ponto focal de atração das plateias ansiosas por incursões simuladas em zonas de risco. A experiência do medo assegurado é constitutiva e marca a afinidade eletiva do cinema clássico com o "lugar do crime", com a violenta ruptura da ordem moral que os espectadores simulam temer mas desejam, num sistema de projeções que o bom cineasta incorpora e tematiza, faz valer e submete ao debate.

Caminhar nessa zona de risco, ser o mestre maior na modulação dos sentimentos da plateia diante da exposição do que está implicado no desejo de cada personagem (e de cada espectador) é uma condição ímpar, que fez de Hitchcock objeto de exaltação especial dentro da "política dos autores" levada a efeito nos anos 1950 pelos jovens dos *Cahiers du Cinéma*, os afilhados de Bazin que, anos a fio, debateram com ele os méritos de Hitchcock, sem nunca convencê-lo plenamente. Desse modo, quando Truffaut concebe o projeto da longa entrevista, traz consigo essa herança crítica, move-se dentro de uma problemática que já ganhara seus contornos pelo que ele (Truffaut) e Jean Douchet haviam escrito nos *Cahiers* e, de forma mais sistemática, pelo que Eric Rohmer e Claude Chabrol haviam elaborado em livro.* Nesse livro, encontramos a defesa mais radical da conexão entre forma e conteúdo em Hitchcock, com destaque para a dimensão moral e metafísica tanto do suspense quanto do mecanismo de transferência da culpa, constantes fundamentais da obra hitchcockiana.** A ideia de gravar a longa conversa em Los Angeles coroou, portanto, um esforço de elucidação para que se consagrasse aquele que se julgava deter os segredos, a figura que justificava a travessia do Atlântico em 1962, para "consultar o oráculo" (Truffaut usa essa expressão na introdução do livro).

Feita a entrevista, após lenta preparação, tarefas em que o cineasta contou com a colaboração de Helen Scott, a primeira edição veio a público em 1967. Depois da morte de Hitchcock, Truffaut fez acréscimos e preparou a edição ampliada (1983). Finalmente, em 1993, a Editora Gallimard lança a edição de luxo, "definitiva", com nova moldura textual e com o tratamento gráfico que requerem as obras clássicas — edição que serviu de base para esta tradução. O movimento de consagração se completa, emoldurado pelas fotos aqui evocadas.

Se, na foto de *Psicose*, o gesto de Marion é a imagem do abandono e da impotência (a mão se eleva, mas o corpo se encolhe, a sucumbir), na outra foto — de Hitchcock —, as mãos espalmadas detêm um senso claro de energia e movimento, marcas de quem comanda. Agitadas, saem ligeiramente borradas na impressão, sugerindo potência, magnetismo. O cineasta parece descrever uma cena, que poderia ser a de Marion, efetivamente comentada na entrevista. O gesto e o olhar dirigido ao extracampo sugerem a visualização-imaginação do que as palavras enunciam. Completa-se o quadro do criador diante do espectador atento: o François Truffaut que está lá visível, mais ao fundo, um interlocutor generoso a estimular a performance que o fotógrafo registra de modo a compor a figura de Hitchcock no apogeu.

A entrevista deu toda a ênfase ao percurso da obra, não propriamente à biografia do cineasta, embora uma referência à sua formação tenha feito parte da conversa. Interessava, mais do que tudo, o relato das circunstâncias de cada produção, os problemas técnicos e as soluções capazes de descrever o método. A conversa nos revela um Truffaut sempre disposto a opinar, ativo na conformação das ideias. Dada a empatia entre os interlocutores, Hitchcock se permite expansões, mas poucas vezes sugere, pelo menos no texto impresso, o sentido de entusiasmo e gesto largo da foto; resulta mais forte a impressão que confirma a sua imagem usual de contenção, de reserva. Não se dissolvem, nesse jogo, os traços daquela marca pessoal deliberada construída por quem sabia as regras

* Ver Eric Rohmer e Claude Chabrol, *Hitchcock*, Paris, Éditions Universitaires, 1957. Os artigos de Jean Douchet foram reunidos em livro em 1967: *Hitchcock*, Éditions de l'Herne, reeditado em 1999 pela *Petite bibliothèque des* Cahiers du Cinéma.

** Sobre essas constantes, ver, em português: Inácio Araujo, *Alfred Hitchcock: o mestre do medo*, São Paulo, Brasiliense, 1982; e Heitor Capuzzo, *Alfred Hitchcock: o cinema em construção*, Vitória, Fundação Ceciliano Abel de Almeida, UFES, 1993.

* Ver Pascal Bonitzer, "Le suspense hitchcockien", em *Le champ aveugle: essais sur le cinéma* (Paris, Gallimard, 1982).

do melodrama e que, ao montar a trama e a cena que lhe são próprias, compensou, na performance cool do maestro, o que na fatura era a lida com excessos, emoções e pavores. Vale a fleugma como estratégia, o *understatement* como sugestão de um saber jamais enunciado, bem ao gosto do esteta que compõe a própria imagem com o mesmo zelo com que compõe seus filmes, sugerindo ao mesmo tempo um tímido frágil que recua (e observa) e um voyeur calculista que busca o domínio das situações. Embora se proclame temperado pelo medo, seu olhar revela sempre uma ciência do controle, impedindo-nos de separar as esferas do saber e do poder.

Em seu cinema, o ponto essencial é este: o domínio dos meios, a orquestração do olhar capaz de capturar o espectador. Não admira que o privilégio recaia sobre a questão do suspense. Medo e expectativa compõem o lastro dessa captura, qualquer que seja a opinião que se tenha sobre o valor de tal experiência e de sua filosofia. Não se trata aqui de entrar a fundo no problema, como o fizeram Chabrol e Rohmer, mas vale esclarecer o que há de próprio no suspense de Hitchcock. Há um aspecto que a entrevista explica bem: a diferença entre "suspense" (a expectativa diante do desdobramento de uma situação de risco da qual o espectador possui todos os dados e, por isso mesmo, tem o que temer) e "surpresa" (a violência inesperada, instância do choque). No entanto, há outro aspecto igualmente decisivo: Pascal Bonitzer, com perspicácia, distingue o suspense de Griffith (baseado na montagem alternada e no movimento físico que marca a corrida contra o relógio: chegarão a tempo?) daquele que é típico de Hitchcock, ou seja, o suspense psicológico, apoiado na pura dimensão do olhar, quando o que parece ser uma configuração de rotina, a paisagem, a rua ou a casa de todo dia, de repente se revela uma anomalia, uma mancha, um ponto de incongruência que atiça a percepção e aguça as expectativas, suscita indagações. O insólito dentro do cotidiano faz da cena inocente uma sugestão sinistra, produz insegurança e a vontade de decifrar.*

Truffaut, por sua vez, concentra as intervenções na moldura mais geral do estilo, em particular na descrição (e elogio) do que chama de "cinema puro". Ou seja, da forma como a mise-en-scène de Hitchcock — posições de câmera, gestos e olhares dos personagens — revela o fluxo subterrâneo de interesses e emoções, o que está além do que se expõe nos diálogos. O cinema puro se dá quando a lógica das imagens e sons diz mais sobre a verdade dos comportamentos (não excluído o da própria plateia) do que a superfície do enredo. Não surpreende que Truffaut e Hitchcock descartem a pertinência da questão do verossímil diante desse cinema, pois aí o teor da fábula é mesmo o de uma fantasia cuja dimensão "revelatória" vem do que se extrai do "fluxo subterrâneo".

Embora preocupado com esse movimento em direção ao fundo, o entrevistador se detém mais nas perguntas dirigidas à fatura do cinema puro, aos procedimentos recorrentes e seus efeitos, deixando que a filosofia do estilo se insinue nas entrelinhas. Ironia, humor, um quê de mistério se entretecem, portanto, no comentário a certos roteiros, na autocrítica de Hitchcock e no seu bem-humorado reconhecimento das vicissitudes de quem opera na indústria cultural e tem de conciliar o imperativo da pedagogia e das convenções com as suas ansiedades autorais, terminando por fazer da pedagogia e das convenções um assunto central do filme. Para Truffaut, isso introduz uma alteração fundamental na regra do jogo: quando parece fazer o convencional, Hitchcock está, em verdade, construindo, em outro plano, um atalho em direção à observação psicológica e à inquietação moral, cujo lastro não se reduz ao teor melodramático da história mas se aloja de modo decisivo na viagem do espectador — sua identificação com os piores sentimentos o transforma em mais um ator, dentro do sistema de transferência da culpa. É nessa linha de raciocínio que se encaixa a explicação do papel do "MacGuffin",* motivo-pretexto que, no fundo, não tem importância, funcionando como pseudomotor de uma trama cuja parte essencial está em outro lugar. Valem mais os percursos do desejo (de personagens e de espectadores) e o que se apreende com a dissecação dos medos e dos prazeres.

Tais esclarecimentos quanto ao essencial — o "fluxo subterrâneo" — levam a uma tematização incipiente, embora pouco desenvolvida na entrevista, de uma questão privilegiada pela crítica recente: a da reflexividade programada (o cinema que, enquanto se faz, discute o próprio cinema) de alguns filmes de Hitchcock. Presença de uma teoria do cinema nos filmes que o cineasta projeta, com valorização positiva, no espaço da modernidade estética, confirmando a sua condição de figura que compõe a passagem entre o clássico e o moderno, tão fundamental quanto Orson Welles.**

Numa visão à distância, certos combates de Truffaut em defesa do Hitchcock artista podem parecer excessivos, pois o quadro atual, embora ainda às voltas com a problemática relação entre estética e indústria cultural, evidencia uma discussão levada em outros termos, não mais dentro daquela dicotomia "cinema de arte" versus "cinema comercial". É preciso lembrar que o aspecto polêmico da política dos *Cahiers* foi, naquele momento, um dos fatores que contribuíram para o deslocamento da questão da arte, pelo menos no âmbito do cinema, onde não cabe a mecânica associação de indústria com deserto estético. A defesa do autor-artista a partir da mise-en-scène, de sua fatura como agenciador de imagem e som, contra a ideia de qualidade apoiada nas virtudes "literárias" do roteiro, deu à "política dos autores" uma enorme ressonância, desinibindo admiradores de Hitchcock do outro lado do Atlântico. Tem razão, portanto, o cineasta francês quando reclama do preconceito dos intelectuais norte-americanos contra o realizador de *Janela indiscreta*, pois a recepção dos filmes de Hitchcock nos Estados Unidos tendia a ser mesquinha, até que a campanha dos *Cahiers* fizesse seus maiores efeitos.***

Entre o momento da entrevista e o atual, só cresceu o prestígio do cineasta no ensaísmo e na historiografia, uma consagração evidenciada pela bibliografia sempre renovada que seu cinema tem encontrado, seja no âmbito das revistas de cinema, seja no da produção universitária, dos dois lados do Atlântico. O que é notável, neste grande documento das convicções de Truffaut, é a franqueza com que conduz o diálogo,

* Sobre o MacGuffin, ver p. 137 desta edição.

** Para essa questão da teoria do cinema exposta nos filmes, ver Ismail Xavier, "O lugar do crime: a noção clássica de representação e a teoria do espetáculo, de Griffith a Hitchcock", em *O olhar e a cena: melodrama, Hollywood, Cinema Novo, Nelson Rodrigues*, São Paulo, Cosac & Naify, 2003.

*** Dentro desse contexto reticente, uma exceção foi o livro de Robin Wood, *Hitchcock's Films*, Londres, Studio Visa, 1965. Bem mais tarde, ainda em diálogo nítido com a política dos *Cahiers*, William Rothman fez a defesa apaixonada do autor em *The Murderous Gaze*, Cambridge, Harvard University Press, 1982. Para um panorama da produção em inglês nos anos 1970-80, ver a coletânea *A Hitchcock Reader* (ed. Marshall Deutelbaum & Leland Poague), Ames, Iowa University Press, 1986.

cuja aparente simplicidade não sonega, pelo contrário, ressalta, o conhecimento do ofício e de suas implicações que têm os interlocutores. Tudo se expressa aqui sem a saturação teórica que marcou a análise do cinema de Hitchcock a partir dos anos 1970, período em que se adensou a conexão direta entre a explicação dos seus filmes e uma teoria geral do cinema de base psicanalítica: a polêmica teoria do "dispositivo cinematográfico".* Os caminhos de tal psicanálise foram variados e, através deles, Hitchcock terminou por ganhar, novamente, o estatuto de oráculo, agora numa chave distinta: aquela que vê na obra, em estado prático, não só uma reflexão sobre o lugar do espectador diante do aparato do cinema (posição subjetiva), mas sobre a própria exposição de um quadro conceitual complexo em sua lida com a psique.**

Uma coletânea relativamente recente de ensaios sobre Hitchcock, organizada por Richard Allen e S. I. Gonzalès, oferece ao leitor interessado uma amostra da questão na virada do século.*** Destaco o texto "The Dandy in Hitchcock", em que Thomas Elsaesser, após lembrar o período de hegemonia da psicanálise, volta-se a estudar como a bagagem cultural do cineasta lhe ofereceu modelos para a construção da figura do dândi, incluindo a exploração deliberada da sua *englishness* em Hollywood. Essa análise define um dos aspectos do retorno ao sócio-histórico e às questões ideológicas presentes no livro, que discute, entre outros temas, a relação dos filmes de espionagem com a Guerra Fria, e também os limites que separam o clássico do moderno, quando Joe McElhaney, em "Touching the Surface: *Marnie*, Melodrama, Modernism", compõe uma interessante reflexão sobre as inquietações de Hitchcock nos anos 1960, diante da emergência das novas linguagens no cinema europeu de autor. Dado curioso: na entrevista feita em 1962 nada evidencia tais inquietações; há apenas a nota irônica sobre a distinção dos terrenos, tratada por Hitchcock com a *nonchalance* usual, que, enfim, pode não corresponder ao que ele sentia ao fazer os filmes posteriores a *Psicose*. De qualquer modo, não era mesmo o caso de se esperar algo desse tipo, como não seria também o caso de buscar, nas entrevistas do cineasta, o quadro pessoal angustiante da sua relação com o establishment industrial do cinema no final de sua carreira, tema do texto que Truffaut acrescentou a este livro na edição de 1983, reprisando o tom de combate bem próprio à célebre ocasião em que fora "consultar o oráculo".

O diálogo Truffaut/Hitchcock marca a idade de ouro da cinefilia como religião produtiva, na França, na Itália e na América Latina, fundamental no avanço do cinema moderno. A conjunção foi especial, pois os cineastas que lideraram as transformações, ao proclamarem as virtudes intelectuais e morais da mise-en-scène, não sonegaram sua reverência aos mestres do cinema clássico, chegando, no caso de Hitchcock, a definir uma quase identidade entre a compreensão de sua obra e a do próprio cinema.

* O texto capital dessa teoria geral é "Le dispositif", de Jean-Louis Baudry, publicado na revista *Communications* nº 23 (1975), dedicada a cinema e psicanálise, a mesma em que Raymond Bellour publicou extenso e influente artigo sobre Hitchcock, embrião de seu livro *L'analyse du film*, Paris, Albatros, 1983.

** Isso ganhou sua melhor expressão no livro organizado por Slavoj Žižek, com o irônico título *Everything You Always Wanted to Know about Lacan (But Were Affraid to Ask Hitchcock)*, Londres, Verso, 1992.

*** Ver Richard Allen & S. Ishii Gonzalès (org.), *Alfred Hitchcock: Centenary Essays*, Londres, BFI Publishing, 1999.

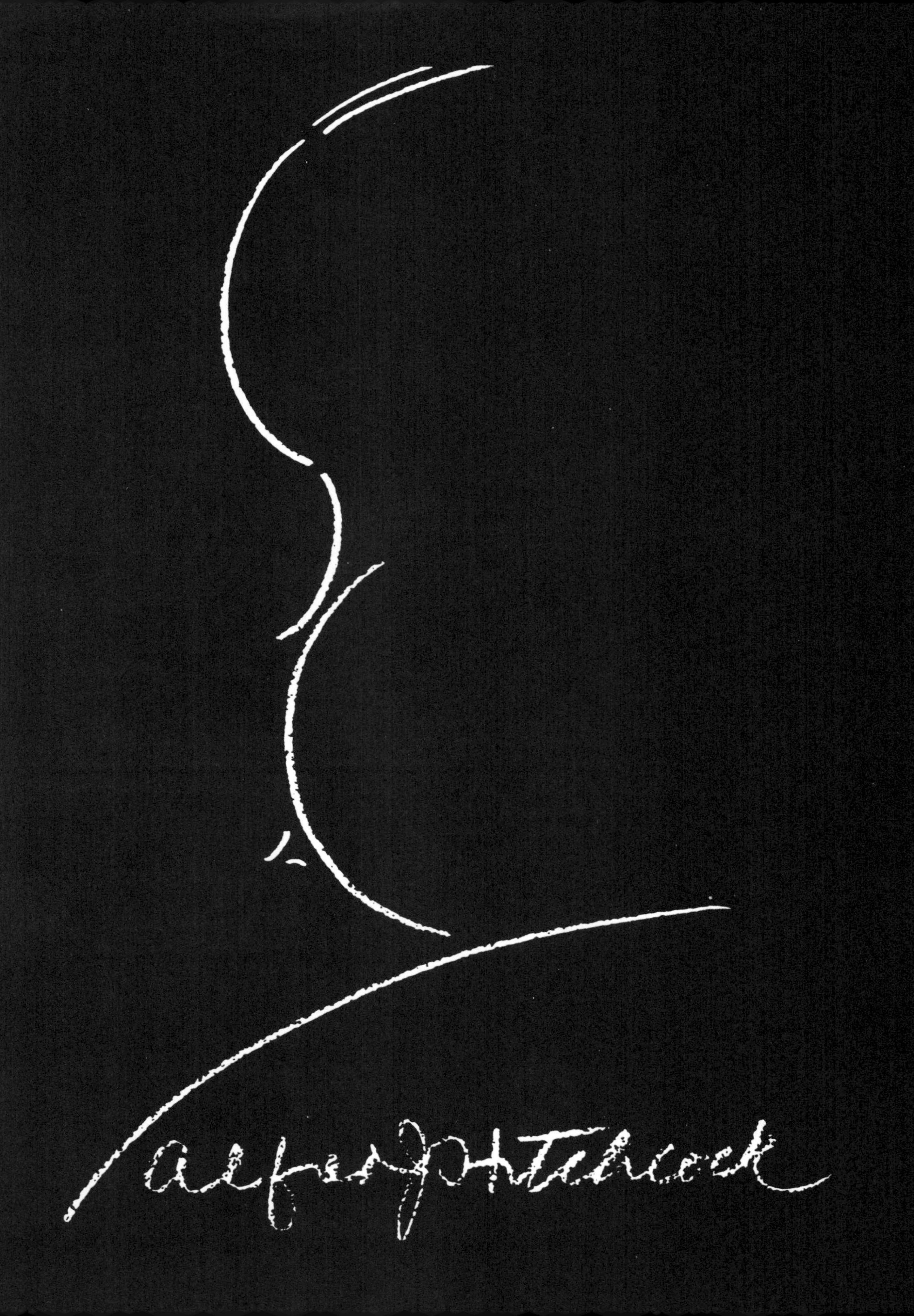

PREFÁCIO À EDIÇÃO DEFINITIVA — François Truffaut

A obra de Alfred Hitchcock é hoje admirada no mundo todo e os jovens que atualmente descobrem, graças às reprises, *Janela indiscreta*, *Um corpo que cai*, *Intriga internacional* provavelmente pensam que sempre foi assim. Não foi, nem de longe.

Nos anos 1950 e 1960, Hitchcock estava no auge de sua criatividade e de seu sucesso. Já famoso pela publicidade que David Selznick lhe garantira durante os quatro ou cinco anos do contrato que os uniu, colaboração ilustrada por *Rebecca, a mulher inesquecível*, *Interlúdio*, *Quando fala o coração*, *Agonia de amor*, Hitchcock tornou-se mundialmente famoso ao produzir e apresentar a série de programas de televisão *Suspicions*, e em seguida *Alfred Hitchcock presents*, em meados dos anos 1950. A crítica americana e europeia iria fazê-lo pagar por esse sucesso e essa popularidade, examinando seu trabalho com certa condescendência, depreciando cada filme, um após o outro.

Em 1962, estando em Nova York para apresentar *Jules e Jim*, percebi que todo jornalista me fazia a mesma pergunta: "Por que os críticos dos *Cahiers du Cinéma* levam Hitchcock a sério? Ele é rico, faz sucesso, mas seus filmes não têm substância". Um desses críticos americanos, para quem eu acabava de elogiar *Janela indiscreta* durante uma hora, me respondeu com esta barbaridade: "Você gosta de *Janela indiscreta* porque, não estando familiarizado com Nova York, não conhece muito bem Greenwich Village". Respondi: "*Janela indiscreta* não é um filme sobre o Village. É um filme sobre o cinema, e eu conheço cinema".

Voltei para Paris estarrecido.

Meu passado de crítico ainda era muito recente, ainda não me livrara desse desejo de convencer, que era o ponto comum a todos os jovens dos *Cahiers du Cinéma*. Então me veio a ideia de que, nos Estados Unidos, Hitchcock, cujo gênio publicitário só se compara com o de Salvador Dalí, tinha afinal sido vítima, entre os intelectuais, de suas muitas entrevistas galhofeiras e deliberadamente voltadas para o ridículo. Para quem assistia a seus filmes era evidente que esse homem tinha refletido sobre todos os meios de sua arte, mais que qualquer de seus colegas, e se aceitasse, pela primeira vez, responder a um questionário sistemático, daí poderia resultar um livro capaz de modificar a opinião dos críticos americanos.

É a história deste livro. Pacientemente elaborado com a ajuda de Helen Scott, cuja experiência editorial foi decisiva, nosso livro, creio poder afirmar, atingiu seu objetivo. No entanto, quando foi publicado, um jovem americano, professor de cinema, me previu: "Esse livro será mais nocivo à sua reputação nos Estados Unidos do que o seu pior filme". Felizmente, Charles Thomas Samuels estava enganado e se suicidou um ou dois anos depois, por melhores razões, espero. Na verdade, os críticos americanos tornaram-se, desde 1968, mais atentos ao trabalho de Hitchcock — hoje consideram *Psicose* um filme clássico — e os cinéfilos mais moços adotaram definitivamente Hitchcock sem condená-lo por seu sucesso, sua riqueza e sua celebridade.

Quando eu gravava essas conversas com Hitchcock em agosto de 1962 na Universal City, ele terminava o trabalho de montagem de *Os pássaros*, seu 48º filme. Demorei quatro anos para transcrever as fitas gravadas e sobretudo para reunir a iconografia, o que me levava a interrogar Hitchcock toda vez que o encontrava, a fim de atualizar o livro que eu chamava de *Hitchbook*. A primeira edição, publicada em 1967, vai, portanto, até *Cortina rasgada*, seu quinquagésimo filme. No final desta edição o leitor encontrará um capítulo suplementar incluindo observações sobre *Topázio*, *Frenesi* (seu último relativo sucesso), *Trama macabra* e, por fim, *The short night*, filme que ele preparava e remanejava incessantemente como se nada houvesse, enquanto todo o seu círculo sabia que um 54º filme de Hitchcock era impensável, de tal forma seu estado de saúde — e de espírito — tinha se deteriorado.

No caso de um homem como Hitchcock, que só vivera de seu trabalho e para ele, a interrupção da atividade significava uma sentença de morte. Ele sabia, todos sabiam, e por isso é que os quatro últimos anos de sua vida foram tão tristes.

Em 2 de maio de 1980, dias após sua morte, rezou-se uma missa numa igrejinha de Santa Monica Boulevard, em Beverly Hills. No ano anterior, na mesma igreja, a despedida era para Jean Renoir. O caixão de Jean Renoir ficou diante do altar. Lá estavam família, amigos, vizinhos, cinéfilos americanos e até simples passantes. Com Hitchcock foi diferente. O caixão estava ausente, tendo tomado um rumo desconhecido. Os presentes, convocados por telegrama, eram anotados e controlados na entrada da igreja pelo serviço de segurança da Universal. A polícia mandava que os curiosos se dispersassem. Era o enterro de um homem tímido que se tornou intimidante e que, pelo menos dessa vez, evitou a publicidade que não podia mais servir ao seu trabalho, um homem que desde a adolescência se exercitara em *controlar a situação*.

O homem estava morto, mas não o cineasta, pois seus filmes, realizados com um cuidado extraordinário, uma paixão exclusiva, uma emotividade extrema disfarçada por um domínio técnico raro, não deixariam de circular, distribuídos mundo afora, rivalizando com as produções novas, desafiando o desgaste do tempo, confirmando a imagem de Jean Cocteau ao falar de Proust: "Sua obra continuava a viver como os relógios no pulso dos soldados mortos".

INTRODUÇÃO [1966]

Tudo começou com um tombo na água.

Durante o inverno de 1955, Alfred Hitchcock veio trabalhar em Joinville, no estúdio Saint-Maurice, na pós-sincronização de *Ladrão de casaca*, cujas externas tinha filmado na Côte d'Azur. Meu amigo Claude Chabrol e eu resolvemos ir entrevistá-lo para os *Cahiers du Cinéma*. Tínhamos pedido emprestado um gravador para registrar a entrevista, que gostaríamos que fosse longa, precisa e fiel.

Estava bastante escuro naquele auditório onde Hitchcock trabalhava, enquanto na tela desfilava sem parar, como que rolando, uma cena curta do filme que mostrava Cary Grant e Brigitte Auber pilotando um barco a motor. No escuro, Chabrol e eu nos apresentamos a Alfred Hitchcock, que nos pede que o esperemos no bar do estúdio, do outro lado do pátio. Saímos, ofuscados pela luz do dia, e, comentando com a empolgação de verdadeiros fanáticos por cinema as imagens hitchcockianas que víramos em primeira mão, dirigimo-nos, sempre em frente, para o bar que ficava logo ali, a quinze metros. Sem perceber, nós dois pulamos no mesmo passo a borda estreita de um laguinho congelado, da mesma cor cinza do asfalto do pátio. O gelo quebrou imediatamente e fomos parar no fundo, com água até o peito, aparvalhados. Pergunto a Chabrol: "E o gravador?". Ele ergue devagar o braço esquerdo e tira da água o aparelho, pingando.

Como num filme de Hitchcock, era uma situação sem saída: naquele laguinho inclinado, em declive muito suave, era impossível alcançarmos a beira sem escorregar de novo. Foi preciso a mão prestativa de um passante para nos tirar dali. Finalmente saímos, e uma roupeira, na certa com pena de nós, levou-nos para um camarim onde pudéssemos nos despir e secar as roupas. No caminho, disse-nos: "Puxa! meus filhos, coitados! Vocês são figurantes de *Rififi chez les hommes?*". "Não, senhora, somos jornalistas." "Então, nesse caso, não posso cuidar de vocês!"

Portanto, foi tiritando dentro de nossas roupas encharcadas que minutos depois nos apresentamos diante de Alfred Hitchcock. Ele olhou para nós sem fazer comentários sobre nosso estado e propôs um novo encontro para aquela noite, no hotel Plaza Athénée. No ano seguinte, quando voltou a Paris, nos identificou de imediato, Chabrol e eu, no meio de um grupo de jornalistas parisienses, e nos disse: "Cavalheiros, penso em vocês toda vez que vejo pedras de gelo chocando-se num copo de uísque".

Anos mais tarde eu seria informado de que Alfred Hitchcock havia floreado o incidente, enriquecendo-o com um final bem a seu jeito. Na *versão Hitchcock*, tal como ele a contava aos amigos de Hollywood, quando nos apresentamos depois do nosso tombo no laguinho, Chabrol estava vestido de padre e eu de policial!

Se, dez anos depois desse primeiro contato aquático, tive o imperioso desejo de interrogar Alfred Hitchcock, assim como Édipo ia consultar o Oráculo, foi porque nesse meio-tempo minhas próprias experiências na realização de filmes me fizeram apreciar cada vez mais a importância de sua contribuição para o exercício da direção de cinema.

Quando se observa atentamente a carreira de Hitchcock, desde seus filmes mudos ingleses até seus filmes coloridos de Hollywood, encontra-se a resposta para certas perguntas que todo cineasta deve se fazer, entre as quais a menor não é esta: como se expressar de modo puramente visual?

Hitchcock/Truffaut é um livro do qual não sou autor, mas apenas o iniciador e, atrevo-me a esclarecer, o provocador. Trata-se mais exatamente de um trabalho jornalístico, pois um belo dia (sim, para mim foi um belo dia) Alfred Hitchcock aceitou começar uma longa entrevista de cinquenta horas.

Assim, escrevi a Hitchcock propondo-lhe que respondesse a quinhentas perguntas exclusivamente sobre sua carreira, analisada de um ponto de vista cronológico.

Propus que a conversa tratasse mais exatamente de:

a) as circunstâncias que cercaram o nascimento de cada filme;

b) a elaboração e a construção do roteiro;

c) os problemas de direção específicos de cada filme;

d) a avaliação por ele mesmo do resultado comercial e artístico de cada filme em relação às expectativas iniciais.

Hitchcock aceitou.

A última barreira a vencer foi a da língua. Dirigi-me a minha amiga Helen Scott, do French Film Office em Nova York. Americana criada na França, dominando perfeitamente o vocabulário cinematográfico nas duas línguas e dotada de uma verdadeira solidez de julgamento, suas qualidades humanas raras tornavam-na a cúmplice ideal.

Num 13 de agosto — dia do aniversário de Hitchcock — chegamos a Hollywood. Toda manhã Hitchcock passava para nos pegar no Beverly Hills Hotel e nos levava para seu escritório no estúdio Universal. Cada um de nós munido de um microfone de lapela e, na sala ao lado, um engenheiro de som gravando nossas palavras, mantínhamos todo dia uma conversa ininterrupta das nove da manhã às seis da tarde. Essa maratona verbal prosseguia em torno da mesa até mesmo durante as refeições, que fazíamos lá.

De início, Alfred Hitchcock, em plena forma, mostrou-se, como sempre nas entrevistas, anedótico e divertido, mas já no terceiro dia se revelou mais grave, sincero e realmente autocrítico, contando em minúcias sua carreira, seus lances de sorte e de azar, suas dificuldades, suas pesquisas, suas dúvidas, suas esperanças e seus esforços.

Progressivamente, notei o contraste entre o homem público, seguro de si, naturalmente cínico, e o que me parecia ser sua verdadeira natureza, um homem vulnerável, sensível e emotivo, vivendo profundamente, fisicamente, as sensações que deseja comunicar a seu público.

Esse homem, que filmou o medo melhor que qualquer outro, é ele mesmo um amedrontado, e suponho que seu sucesso esteja ligado a esse traço de caráter. Ao longo de toda a carreira, Alfred Hitchcock sentiu a necessidade de "se proteger" dos atores, dos produtores, dos técnicos, já que as menores falhas ou os menores caprichos de um deles podem comprometer a integridade de um filme. Para ele, a melhor maneira de se proteger foi tornar-se o diretor por quem todas as estrelas sonham ser dirigidas, tornar-se seu próprio produtor, aprender a técnica mais a fundo que os próprios técnicos! Também seria preciso proteger-se do público, e para isso Hitchcock decidiu seduzi-lo aterrorizando-o, fazendo-o reencontrar todas as emoções fortes da infância, quando brincamos de esconde-esconde atrás dos móveis de uma casa sossegada, quando vamos ser pegos no jogo de cabra-cega, quando à noite, na cama, um brinquedo esquecido em cima de um móvel torna-se uma forma misteriosa e inquietante.

Tudo isso nos leva ao suspense que alguns — sem negar que Hitchcock seja o mestre — consideram uma forma inferior de espetáculo, quando na verdade é, em si mesmo, *o* espetáculo. O suspense é antes de tudo a dramatização do material narrativo de um filme ou ainda a apresentação mais intensa possível de situações dramáticas.

Um exemplo. Um personagem sai de casa, entra num táxi e corre para a estação a fim de pegar o trem. É uma cena banal num filme médio. Mas, se antes de entrar nesse táxi, o homem olha o relógio e diz: "Meu Deus, que horror, nunca pegarei esse trem", seu trajeto vira uma cena de puro suspense, pois cada sinal vermelho, cada cruzamento, cada guarda de trânsito, cada placa de sinalização, cada freada, cada mudança de marcha vão intensificar o valor emocional da cena.

A evidência e a força persuasiva da imagem são tamanhas que o público não pensará: "No fundo, ele não está tão apressado" ou "Ele pegará o próximo trem". Graças à tensão criada pelo frenesi da imagem, será impossível questionar a urgência da ação. Obviamente, uma opção dessas pela dramatização tem um aspecto arbitrário, mas a arte de Hitchcock está justamente em impor esse arbitrário contra o qual, vez por outra, os espíritos de contradição se rebelam, argumentando que é inverossímil. Hitchcock costuma dizer que não liga para o verossímil, mas no fundo é raro que seja inverossímil. Na verdade, organiza seus enredos a partir de uma enorme coincidência, que lhe fornece a situação forte necessária. Em seguida, seu trabalho consiste em alimentar o drama, em amarrá-lo cada vez mais apertado, dando-lhe o máximo de intensidade e plausibilidade, até afrouxá-lo muito rapidamente, depois de um paroxismo.

Em geral, as cenas de suspense formam os *momentos privilegiados* de um filme, aqueles que a memória guarda. Mas ao se observar o trabalho de Hitchcock percebe-se que, em toda a sua carreira, ele tentou construir filmes em que cada momento seria um *momento privilegiado*, filmes, como ele mesmo diz, sem "buracos" nem "manchas".

Essa vontade ferrenha de prender a atenção custe o que custar e, como ele mesmo diz, de criar e em seguida preservar a emoção, a fim de manter a tensão, faz com que seus filmes sejam muito especiais e inimitáveis, pois Hitchcock exerce sua influência e seu domínio não só nos momentos fortes da história, mas também nas cenas de exposição, nas de transição e em todas as cenas habitualmente ingratas nos filmes.

Com ele, duas cenas de suspense jamais serão ligadas por uma cena banal, pois Hitchcock tem horror ao banal. O "mestre do suspense" é também o mestre do anormal. Exemplo: um homem que tem problemas com a justiça — mas que sabemos ser inocente — vai expor seu caso a um advogado. É uma situação cotidiana. Tratada por Hitchcock, o advogado, desde o início, parecerá cético, reticente e talvez até, como em *O homem errado*, só aceite defender a causa depois de confessar ao futuro cliente que não está habituado a casos desse tipo e não garante ser o homem adequado... Percebemos que, ali, criaram-se um constrangimento, uma instabilidade e uma insegurança que tornam a situação eminentemente dramática.

Mais uma ilustração de como Hitchcock trucidará o cotidiano: um rapaz apresenta à sua mãe a moça que conheceu. Naturalmente, a moça morre de vontade de agradar à senhora, que talvez será sua futura sogra. Muito descontraído, o rapaz faz as apresentações, enquanto a moça, ruborizada e atrapalhada, aproxima-se timidamente. A senhora, cujo rosto vimos mudar de expressão enquanto seu filho terminava (em *off*) as apresentações, encara então a moça bem de frente, olhos nos olhos (todos os cinéfilos conhecem esse olhar puramente hitchcockiano que quase encosta na lente da câmera); um ligeiro recuo da moça marca seu primeiro sinal de aflição, e mais uma vez Hitchcock acaba de nos expor, num só olhar, uma dessas horripilantes mães possessivas que são uma de suas especialidades. Daí em diante, todas as cenas "familiares" do filme serão tensas, contraídas, conflituosas, intensas, pois em seus filmes tudo acontece como se Hitchcock quisesse impedir que a banalidade se instalasse na tela.

A arte de criar o suspense é ao mesmo tempo a de botar o público "por dentro da jogada", fazendo-o participar do filme. Nesse terreno do espetáculo, um filme não é mais um jogo que se joga a dois (o diretor + seu filme) e sim a três (o diretor + seu filme + o público), e o suspense, como as pedrinhas brancas do Pequeno Polegar ou o passeio de Chapeuzinho Vermelho, transforma-se em um elemento poético, já que seu objetivo é nos emocionar mais, é levar nosso coração a bater mais forte. Censurar Hitchcock por fazer suspense equivaleria a acusá-lo de ser o cineasta menos maçante do mundo, equivaleria também a criticar um amante por dar prazer à sua parceira em vez de só se preocupar com o seu. No cinema que Hitchcock pratica, trata-se de concentrar a atenção do público na tela a ponto de impedir que os espectadores árabes descasquem seus amendoins, os italianos acendam um cigarro, os franceses bolinem a vizinha, os suecos façam amor entre duas filas de poltronas, os gregos... etc. Mesmo os detratores de Alfred Hitchcock concordam em lhe atribuir o título de primeiro técnico do mundo, mas será que compreendem que a escolha dos roteiros, sua construção e todo o seu conteúdo estão estreitamente ligados a essa técnica, da qual dependem? Todos os artistas se indignam com razão contra a tendência da crítica de separar a forma e o fundo, e esse sistema, aplicado a Hitchcock, esteriliza qualquer discussão, pois, como definiram Eric Rohmer e Claude Chabrol,* Alfred Hitchcock não é um contador de histórias nem um esteta, mas "um dos maiores inventores de formas

* *Hitchcock*, de Eric Rohmer e Claude Chabrol, Paris, Editions Universitaires, 1957.

de toda a história do cinema. Só talvez Murnau e Eisenstein possam, nesse capítulo, sustentar a comparação com ele... Aqui a forma não embeleza o conteúdo, mas o cria".

O cinema é uma arte especialmente difícil de dominar, devido à multiplicidade de dons — às vezes contraditórios — que exige. Se tantas pessoas muito inteligentes ou muito artistas fracassaram como diretores, foi porque não possuíam a um só tempo o espírito analítico e o espírito sintético, os únicos que, mantidos simultaneamente em alerta, permitem evitar as inúmeras armadilhas criadas pela fragmentação da decupagem, da filmagem e da montagem dos filmes. De fato, o perigo mais grave que um diretor corre é perder o controle de seu filme no meio do caminho, o que acontece mais frequentemente do que se pensa.

Cada plano de um filme, de uma duração de três a dez segundos, é uma informação dada ao público. Muitos cineastas dão informações vagas e mais ou menos legíveis, seja porque suas intenções iniciais eram vagas, seja porque eram precisas mas foram mal executadas. Talvez você me pergunte: "A clareza é uma qualidade tão importante?". É *a mais* importante. Um exemplo: "Foi então que Balachov, compreendendo ter sido enganado por Carradine, foi encontrar Benson para lhe propor contactar Tolmachef e rachar o butim entre eles etc.". Você ouviu no filme um diálogo desse tipo e, durante essa tirada, ficou perdido e indiferente, pois se os autores do filme sabem muito bem quem são Balachov, Carradine, Benson e Tolmachef, e que caras atribuir a esses nomes, *você* não sabe, e mesmo que antes tenham lhe mostrado três vezes o rosto deles você já esqueceu, por causa dessa lei fundamental do cinema: tudo o que é *dito* em vez de ser *mostrado* está perdido para o público.Hitchcock, portanto, está pouco ligando para os Balachov, Carradine, Benson e Tolmachef, já que escolheu expressar tudo isso visualmente.

Será que se pensa que ele consegue essa clareza por uma simplificação que o condena a só filmar situações quase infantis? De fato, essa é uma crítica que volta e meia lhe fazem e que vou logo refutando, pois afirmo que, pelo contrário, Hitchcock é o único cineasta capaz de filmar e tornar perceptíveis os pensamentos de um ou de vários personagens sem o recurso do diálogo, e isso me autoriza a vê-lo como um cineasta realista.

Hitchcock realista? Nos filmes como nas peças, o diálogo apenas exprime os pensamentos dos personagens, ao passo que sabemos muito bem que na vida real é totalmente diferente, mais ainda na vida social, sempre que participamos de uma reunião — coquetéis, jantares mundanos, encontros familiares etc. — cujos personagens não são íntimos uns dos outros.

Se assistimos como observadores a uma reunião desse tipo, sentimos à perfeição que as palavras ditas são secundárias, de conveniência, e que o essencial se passa em outra esfera, nos pensamentos dos convidados, pensamentos que podemos identificar observando seus olhares.

Imaginemos que, convidado para uma recepção, mas me colocando como observador, eu olhe para o senhor Y..., que conta a três pessoas as férias que acaba de passar na Escócia com a mulher. Se observo atentamente seu rosto, posso acompanhar seus olhares e percebo que no fundo ele se interessa muito mais pelas pernas da senhora X... Agora chego perto da senhora X... Ela fala da escolaridade medíocre de seus dois filhos mas seu olhar frio não para de esquadrinhar a silhueta elegante da jovem senhorita Z...

Portanto, o essencial da cena a que acabo de assistir não está no diálogo, estritamente mundano e puramente convencional, mas nos pensamentos dos personagens:

a) desejo físico do senhor Y... pela senhora X...

b) inveja da senhora X... pela senhorita Z...

Atualmente, de Hollywood a Cinecittà, nenhum outro cineasta além de Hitchcock é capaz de filmar a realidade humana dessa cena conforme a descrevi, e no entanto há quarenta anos cada filme seu contém várias cenas do tipo, baseadas nesse princípio da defasagem entre a imagem e o diálogo, que permite filmar simultaneamente a primeira situação (óbvia) e a segunda (secreta), e obter assim uma eficácia dramática estritamente visual.

Alfred Hitchcock é quase o único a filmar diretamente, ou seja, sem recorrer ao diálogo explicativo, sentimentos como a desconfiança, o ciúme, o desejo, a inveja, o que nos leva ao seguinte paradoxo: Alfred Hitchcock, o cineasta mais acessível a todos os públicos pela simplicidade e clareza de seu trabalho, é ao mesmo tempo o mais perfeito ao filmar as relações mais sutis entre as criaturas.

Nos Estados Unidos, os maiores avanços na arte da direção ocorreram entre 1908 e 1930, graças principalmente a D. W. Griffith. A maioria dos mestres do cinema mudo, todos influenciados por ele, tais como Stroheim, Eisenstein, Murnau e Lubitsch, morreu; outros, ainda vivos, não trabalham mais.

Como os cineastas americanos que começaram depois de 1930 nem sequer tentaram explorar um décimo do terreno desbravado por Griffith, não me parece exagero escrever que, desde a invenção do cinema falado, Hollywood não gerou nenhuma grande personalidade visual, com exceção de Orson Welles.

Creio sinceramente que, se da noite para o dia o cinema tivesse de se privar mais uma vez da trilha sonora e voltasse a ser o *cinematógrafo arte muda* que foi entre 1895 e 1930, a maioria dos diretores atuais seria obrigada a mudar de profissão. Por isso é que, se observamos Hollywood em 1966, Howard Hawks, John Ford e Alfred Hitchcock nos aparecem como os únicos herdeiros dos segredos de Griffith, e como imaginar sem melancolia que, quando encerrarem suas carreiras, teremos de falar de "segredos perdidos"?

Não ignoro que certos intelectuais americanos se espantam com o fato de cinéfilos europeus, os franceses em especial, considerarem Hitchcock como um *autor de filmes* no sentido que se dá à expressão quando se fala de Jean Renoir, Ingmar Bergman, Federico Fellini, Luis Buñuel ou Jean-Luc Godard.

Ao nome de Alfred Hitchcock, os críticos americanos contrapõem outros, prestigiosos em Hollywood há vinte anos, e, sem que seja necessário iniciar uma polêmica citando nomes, é aqui que surge o desacordo entre os críticos nova-iorquinos e os parisienses. De fato, como considerar os grandes nomes de Hollywood, talentosos ou não, colecionadores de Oscars, mais do que simples *executantes*, quando os vemos passar, ao sabor das modas comerciais, de um filme bíblico a um western psicológico, de um panorama de guerras a uma comédia sobre o divórcio? O que é que os diferencia de seus colegas diretores de teatro se, como eles, de ano em ano terminam um filme tirado de uma peça de William Inge e começam outro adaptado de um grosso livro de Irving Shaw, enquanto preparam um *Tennessee Williams's picture*?

Sem sentirem a menor necessidade imperiosa de introduzir em seu trabalho as próprias ideias sobre a vida, as pessoas, o dinheiro, o amor, são apenas especialistas do show business, simples técnicos. São grandes técnicos? Sua perseverança em só utilizar uma ínfima parcela das possibilidades extraordinárias que um estúdio de Hollywood oferece a um diretor de cinema pode nos levar a duvidar disso. Em que consiste o trabalho que fazem? Armam uma cena, colocam os atores no cenário e filmam a totalidade da cena — ou seja, do diálogo — de seis a oito modos diferentes, variando os ângulos das tomadas: de frente, de lado, de cima etc. Depois, recomeçam tudo, mudando, agora, as lentes utilizadas, e então a cena é toda filmada em plano geral, depois toda em plano próximo, depois toda em primeiro plano. Não se trata de jeito nenhum de considerar como impostores esses grandes nomes de Hollywood. Os melhores deles têm uma especialidade, alguma coisa que sabem fazer muito bem. Uns dirigem magnificamente as estrelas e outros têm faro para revelar desconhecidos. Uns são roteiristas particularmente engenhosos; outros, grandes improvisadores. Há os exímios em planejar cenas de batalhas, e os peritos em dirigir uma comédia intimista.

A meu ver, Hitchcock os supera porque é mais completo. É um especialista, não desse ou daquele aspecto do cinema, mas de cada imagem, de cada plano, de cada cena. Gosta dos problemas de construção do roteiro mas também gosta da montagem, da fotografia, do som. Tem ideias criativas a respeito de tudo, cuida de tudo muito bem, mesmo da publicidade, mas isso todos já sabem!

Porque domina todos os elementos de um filme e impõe ideias pessoais em todas as etapas da direção, Alfred Hitchcock possui de fato um estilo, e todos reconhecerão que é um dos três ou quatro diretores em atividade que conseguimos identificar só de assistir a poucos minutos de qualquer filme seu.

Para conferir o que digo, não é necessário escolher uma cena de suspense, pois o estilo "hitchcockiano" será reconhecível até mesmo numa cena de conversa entre dois personagens, simplesmente pela qualidade dramática do enquadramento, pelo modo realmente único de distribuir os olhares, simplificar os gestos, repartir os silêncios durante os diálogos, pela arte de criar na plateia a sensação de que um dos dois personagens domina o outro (ou está apaixonado pelo outro, ou tem ciúme do outro etc.), de sugerir, fora dos diálogos, todo um clima dramático preciso, pela arte, enfim, de nos levar de uma emoção a outra ao sabor de sua própria sensibilidade. Se o trabalho de Hitchcock me parece tão completo é porque nele enxergo pesquisas e achados, o sentido do concreto e o do abstrato, do drama quase sempre intenso e do humor às vezes finíssimo. Sua obra é a um só tempo comercial e experimental, universal como *Ben Hur* de William Wyler e confidencial como *Fireworks*, de Kenneth Angers.

Um filme como *Psicose*, que atraiu massas de espectadores no mundo inteiro, supera, contudo, por sua liberdade e selvageria, esses filmezinhos de vanguarda que certos jovens artistas filmam em 16 milímetros e que nenhuma censura liberaria. Essa maquete de *Intriga internacional*, aquela trucagem de *Os pássaros* têm a qualidade poética do cinema experimental praticado pelo tcheco Jiri Trinka com marionetes, ou pelo canadense Norman McLaren com seus filmezinhos desenhados diretamente no negativo.

Um corpo que cai, *Intriga internacional*, *Psicose*: esses três filmes foram, nos últimos anos, constantemente imitados, e estou convencido de que o trabalho de Hitchcock influencia há muito tempo grande parte do cinema mundial, mesmo o de cineastas que não gostam de admiti-lo. Essa influência direta ou subterrânea, estilística ou temática, benéfica ou mal assimilada, exerceu-se em diretores muito diferentes, por exemplo Henri Verneuil (*Gângsteres de casaca*), Alain Resnais (*Muriel*; *A guerra acabou*), Philippe de Brocca (*O homem do Rio*), Orson Welles (*O estranho*), Vincente Minnelli (*Correntes ocultas*), Henri-Georges Clouzot (*As diabólicas*), Jack Lee Thompson (*Círculo do medo*), René Clément (*O sol por testemunha*; *O dia e a hora*), Mark Robson (*Os criminosos não merecem prêmio*), Edward Dmytryk (*Miragem*), Robert Wise (*Terrível suspeita*; *Desafio ao além*), Ted Tetzlaff (*Ninguém crê em mim*), Robert Aldrich (*O que terá acontecido a Baby Jane?*), Akira Kurosawa (*Céu e inferno*), William Wyler (*O colecionador*), Otto Preminger (*Bunny Lake desapareceu*), Roman Polanski (*Repulsa ao sexo*), Claude Autant-Lara (*Le meurtrier*), Ingmar Bergman (*Prisão*; *Sede de paixões*), William Castle (*Trama diabólica* etc.), Claude Chabrol (*Os primos*; *L'oeil du Malin*; *A espiã de olhos de ouro contra o dr. Ka*); Alain Robbe-Grillet (*L'immortelle*), Paul Paviot (*Portrait-robot*), Richard Quine (*O novo mandamento*), Anatole Litvak (*Uma sombra em nossas vidas*), Stanley Donen (*Charada*; *Arabesque*), André Delvaux (*O homem da cabeça raspada*), François Truffaut (*Fahrenheit 451*), sem esquecer, é claro, a série dos James Bond, que representa nitidamente uma caricatura grosseira e canhestra de toda a obra hitchcockiana, e mais especialmente de *Intriga internacional*.

Se tantos cineastas, dos mais talentosos aos mais medíocres, assistem atentamente aos filmes de Hitchcock, é que sentem neles um homem e uma carreira surpreendentes, uma obra que examinam com admiração ou inveja, ciúme ou proveito, sempre com paixão.

Não se trata de admirar candidamente a obra de Alfred Hitchcock nem de decretá-la perfeita, irrepreensível e sem falhas. Creio apenas que essa obra foi até hoje tão gravemente subestimada que o mais importante é colocá-la em seu verdadeiro lugar, um dos primeiríssimos. Em seguida, sempre estará em tempo de se abrir um debate que lhe faça restrições, tanto mais que o próprio autor, como veremos, não se priva de comentar com severidade grande parte de sua produção.

Os críticos ingleses, que, no fundo, dificilmente perdoam a Hitchcock seu exílio voluntário, estão certíssimos de se maravilharem ainda, trinta anos depois, com o arrebatamento juvenil de *A dama oculta*, mas é inútil ter saudades do que passou, do que deve necessariamente passar. O jovem Hitchcock de *A dama oculta*, alegre e cheio de entusiasmo, não teria sido capaz de filmar as emoções sentidas por James Stewart em *Um corpo que cai*, obra de maturidade, comentário lírico sobre as relações entre o amor e a morte.

Um desses críticos anglo-saxões, Charles Higham, escreveu na revista *Film Quarterly* que Hitchcock foi sempre "um farsante, um cínico astucioso e sofisticado"; fala de "seu narcisismo e de sua frieza", e de "seu sarcasmo implacável", que nunca é um "sarcasmo nobre". O sr. Higham acha que Hitchcock tem um "profundo desprezo pelo mundo" e que sua habilidade "é sempre exibida da maneira mais chocante quando ele tem um comentário destrutivo a fazer".

Creio que o sr. Higham dá ênfase a um ponto importante mas se engana quando duvida da sinceridade e da gravidade de Alfred Hitchcock. O cinismo, que pode ser real num homem forte, não passa de uma fachada nas criaturas sensíveis. Pode disfarçar um profundo sentimentalismo, como era o caso em Eric von Stroheim, ou simplesmente o pessimismo, como em Alfred Hitchcock.

Louis-Ferdinand Céline dividia os homens em duas categorias, os *exibicionistas* e os *voyeurs*, e é mais que evidente que Alfred Hitchcock pertence à segunda categoria. Não se mistura à vida, olha-a. Quando Howard Hawks filma *Hatari*, satisfaz sua dupla paixão pela caça e pelo cinema. Alfred Hitchcock, por sua vez, só vibra com o cinema, e exprime muito bem essa paixão quando responde a um ataque moralista feito a *Janela indiscreta*: "Nada poderia me impedir de fazer esse filme, pois meu amor pelo cinema é mais forte do que qualquer moral".

O cinema de Alfred Hitchcock nem sempre é exaltante mas é sempre enriquecedor, quando nada pela lucidez assustadora com que denuncia os ultrajes dos homens contra a beleza e a pureza.

Se queremos, na época de Ingmar Bergman, aceitar a ideia de que o cinema não é inferior à literatura, creio que devemos classificar Hitchcock — mas, pensando bem, por que classificá-lo? — na categoria dos artistas inquietos como Kafka, Dostoiévski, Poe.

Evidentemente, esses artistas da ansiedade não podem nos ajudar a viver, pois para eles viver já é difícil, mas sua missão é nos fazer compartilhar suas obsessões. Nisso, mesmo se eventualmente sem querer, eles nos ajudam a nos conhecermos melhor, o que é o objetivo fundamental de toda obra de arte.

F.T.

01

A INFÂNCIA
O DELEGADO ME PRENDEU
OS CASTIGOS CORPORAIS
EU DISSE: "ENGENHEIRO"
CHEGOU O DIA
UM FILME INACABADO: *NUMBER THIRTEEN*
WOMAN TO WOMAN
MINHA FUTURA MULHER...
MICHAEL BALCON ME PERGUNTOU
THE PLEASURE GARDEN
COMO FOI MEU PRIMEIRO DIA DE FILMAGEM
THE MOUNTAIN EAGLE

François Truffaut — Alfred Hitchcock, você nasceu em Londres no dia 13 de agosto de 1899. De sua infância, só conheço uma história, a da delegacia. É uma história verdadeira?
Alfred Hitchcock — É. Eu devia ter quatro ou cinco anos... Meu pai me mandou à delegacia de polícia com uma carta. O delegado leu e me trancou numa cela por cinco ou dez minutos, me dizendo: "É isso que se faz com os garotinhos levados".
E o que você fez para merecer isso?
Não consigo imaginar — meu pai sempre me chamava de "minha ovelhinha imaculada". Realmente não consigo imaginar o que pude ter feito.
Parece que seu pai era muito severo.
Era um grande ansioso; minha família adorava teatro; formávamos um grupinho bastante excêntrico, mas eu era o que se chama de criança bem-comportada. Nas reuniões familiares, ficava sentado no meu canto sem dizer nada, olhava, observava muito. Sempre fui assim, e continuo igual. Era o oposto do expansivo. Muito solitário também. Não me lembro de ter tido nenhum companheiro de brincadeiras. Divertia-me sozinho e inventava minhas brincadeiras.

Fui interno desde muito moço, em Londres, numa escola jesuíta, o Saint Ignatius College. Minha família era católica, o que na Inglaterra é quase uma excentricidade. Foi provavelmente durante minha temporada com os jesuítas que o medo se fortaleceu dentro de mim. Medo moral, de ser associado a tudo o que é mau. Sempre me mantive afastado do que era mau. Por quê? Por medo físico, talvez. Tinha horror aos castigos corporais. Naquela época havia a palmatória. Acho que os jesuítas ainda a empregam. Era de borracha muito dura. Não batiam de qualquer jeito, não, era como a execução de uma sentença. Mandavam você ir ver um padre no final do dia. Esse padre escrevia solenemente o seu nome num registro com a menção do castigo a ser infligido, e você passava o dia inteiro nessa expectativa.

Li que você era um aluno bastante mediano, bom só em geografia.
Geralmente ficava entre os quatro ou cinco primeiros da turma. Nunca fui o primeiro e só fui o segundo uma ou duas vezes, mais frequentemente era o quarto ou quinto. Criticavam-me por ser um aluno muito distraído.
E sua ambição, nesse momento, era se tornar engenheiro, não?
Pergunta-se a todos os garotinhos o que querem ser quando crescer, mas devo dizer, em meu favor, que nunca respondi: "*policeman*". Disse: "engenheiro". Então meus pais levaram isso a sério e me mandaram para uma escola especializada, a School of Engineering and Navigation, onde estudei mecânica, eletricidade, acústica, navegação.
A partir de tudo isso pode-se supor que sua curiosidade era essencialmente científica?
Sem dúvida. Dessa forma adquiri certos conhecimentos práticos da profissão de engenheiro: a teoria das leis da força e do movimento, a teoria e a prática da eletricidade. Em seguida, tive que ganhar a vida e entrei para a Companhia Telegráfica Henley. Ao mesmo tempo, fazia cursos da Universidade de Londres, no departamento de Belas-Artes, para aprender desenho.

Na Henley me especializei em cabos elétricos submarinos. Era encarregado de fazer as avaliações técnicas. Eu tinha uns dezenove anos.
E já se interessava por cinema?
Já, fazia muitos anos. Eu era empolgadíssimo com os filmes, o teatro, e volta e meia saía sozinho de noite para assistir às pré-estreias. Desde os dezesseis anos lia publicações sobre cinema; não as *fan magazines* nem as *fun magazines*, mas só publicações profissionais, sindicais, corporativas. Ainda trabalhando na Henley, estudei arte na Universidade de Londres: graças a isso fui transferido para o departamento de publicidade, ainda na Henley, o que me permitiu começar a desenhar.
Que tipo de desenhos?
Desenhos para ilustrar anúncios publicitários, sempre para os cabos elétricos. Esse trabalho me aproximava do cinema, ou, mais exatamente, do que logo eu iria fazer no cinema.
Lembra-se do que, nessa época, mais o interessava em matéria de cinema?
Eu ia muito ao teatro, mas o cinema me atraía mais e eu tinha mais interesse pelos filmes americanos do que pelos filmes ingleses. Assistia aos filmes de Chaplin, Griffith, todos os filmes Famous Players da Paramount, Buster Keaton, Douglas Fairbanks, Mary Pickford, e também a produção alemã da Companhia Decla-Bioscop. É uma empresa que precedeu a UFA e onde trabalhou Murnau.
Lembra-se de um filme que o tenha impressionado especialmente?
Um dos filmes mais conhecidos da Decla-Bioscop era *Pode o amor mais que a morte?* [*Der müde Tod*].
Era um filme de Fritz Lang, que na França se chamou *Les trois lumières*.
Deve ser esse; o ator principal era Bernard Goetzke.
E tinha interesse pelos filmes de Murnau?
Tinha, mas eles chegaram mais tarde. Em 23 ou 24.
O que podia ver em 1920?
Lembro-me de uma comédia que vinha da França: *Monsieur Prince*. O personagem se chamava, em inglês, Whiffles.*

* Trata-se de um dos inúmeros filmes feitos pelo mais ilustre rival de Max Linder, Charles Seigneur, vulgo Rigadin, grande artista cômico dos filmes Pathé entre 1910 e 1920. "Rigadin pôde se gabar de ser conhecido por diferentes nomes: Moritz na Alemanha, Tartupino na Itália, Sallustino na Espanha, Whiffles na Inglaterra, e 'Príncipe Rigadin' no Oriente." (Georges Sadoul, *Histoire générale du cinéma*.)

É muito citada uma de suas declarações: "Como todos os diretores de cinema, fui influenciado por Griffith".

Lembro-me sobretudo de *Intolerância* e de *O nascimento de uma nação*.

Como trocou a Henley por uma empresa de filmes?

Lendo uma revista corporativa, fiquei sabendo que a firma americana Famous Players-Lasky, da Paramount, estava abrindo uma filial em Londres. Iniciava a construção de estúdios em Islington e anunciava um programa de produções. Entre outros projetos, um filme adaptado de um romance cujo título esqueci. Sem largar meu trabalho na Henley, li atentamente esse romance e fiz vários desenhos que eventualmente pudessem ilustrar os letreiros.

Você se refere às legendas que constituíam o diálogo dos filmes mudos?

É isso. Nessa época todos os letreiros eram ilustrados. Você tinha em cada cartão a própria legenda, o diálogo e um pequeno desenho. O mais conhecido desses letreiros narrativos era "Chegou o dia...". Também tinha "Na manhã seguinte...". Para lhe dar um exemplo, se o letreiro dizia: "Nessa época Georges levava uma vida devassa", embaixo dessa legenda eu desenhava uma vela com uma chama em cada ponta. Era muito ingênuo.

Então foi esse trabalho que você resolveu fazer e apresentar à Famous Players?

Fui mostrar meus desenhos e eles me contrataram na hora; depois virei chefe da seção de letreiros. Fui trabalhar no estúdio, no serviço de montagem. O chefe desse serviço tinha dois escritores americanos sob seu comando, e quando se terminava um filme o chefe montador escrevia as legendas ou reescrevia as do roteiro original: porque nessa época, graças à utilização das legendas narrativas, podia-se desfigurar totalmente a concepção do roteiro.

Ah, é?

Exatamente, pois o ator fazia de conta que falava e o diálogo vinha em seguida, num letreiro. Podia-se fazer o personagem dizer qualquer coisa, e graças a esse processo muitas vezes se salvaram filmes ruins. Se um drama tinha sido mal filmado, mal interpretado e estava ridículo, então se escrevia um diálogo de comédia e o filme virava um grande sucesso porque era considerado uma sátira. Podia-se realmente fazer qualquer coisa... Pegar o fim de um filme e colocá-lo no início... é, tudo era possível.

Foi assim, provavelmente, que você começou a observar os filmes bem de perto?

Foi nessa época que conheci escritores americanos e aprendi a escrever roteiros. Além disso, às vezes me mandavam filmar cenas "extras" nas quais os atores não figuravam... Mais tarde, quando percebeu que os filmes feitos na Inglaterra não faziam sucesso nos Estados Unidos, a Famous Players parou sua produção e alugou seus estúdios aos produtores britânicos.

Foi então que li uma novela numa revista e, para treinar, fiz uma adaptação. Sabia que os direitos eram propriedade exclusiva e universal de uma companhia americana, mas para mim tanto fazia, pois só se tratava de um exercício.

Quando as companhias inglesas foram ocupar os estúdios de Islington, nos dirigimos a eles para continuarmos a trabalhar, e consegui um posto de assistente de direção.

Para o produtor Michael Balcon?

Primeiro trabalhei num filme, *Always tell your wife*, interpretado por um ator londrino muito conhecido, Seymour Hicks. Um dia, Michael brigou com o diretor e me disse: "Por que você e eu não acabamos o filme sozinhos?". Ajudei-o a finalizar o filme. Nessas alturas, a companhia formada por Michael Balcon alugou os estúdios e virei assistente de direção. Era a companhia que Balcon tinha fundado com Victor Saville e John Freedam. Eles andavam à procura de uma história, um argumento. Indiquei-lhes uma peça que se chamava *Woman to woman*, cujos direitos eles compraram. Em seguida, quando disseram: "Agora precisamos de um script", eu me ofereci: "Gostaria muito de fazer o script". "Você? O que já fez?" "Vou lhes mostrar uma coisa..." E mostrei a adaptação daquela história que havia escrito como exercício. Ficaram impressionados e consegui o emprego. Foi em 1922.

Você tinha, portanto, 23 anos. Mas antes houve esse pequeno filme, o primeiro que dirigiu e do qual não falamos: *Number thirteen.*

Ah! isso nunca foi terminado! Eram dois rolos.

Um documentário?

Não. Uma mulher que trabalhava no estúdio tinha sido colaboradora de Charles Chaplin, e, naquele tempo, considerava-se genial qualquer um que tivesse trabalhado com Chaplin. Ela havia escrito uma história e conseguimos um pouco de dinheiro... Realmente, não era bom. E coincidiu com o momento em que os americanos estavam fechando o estúdio...

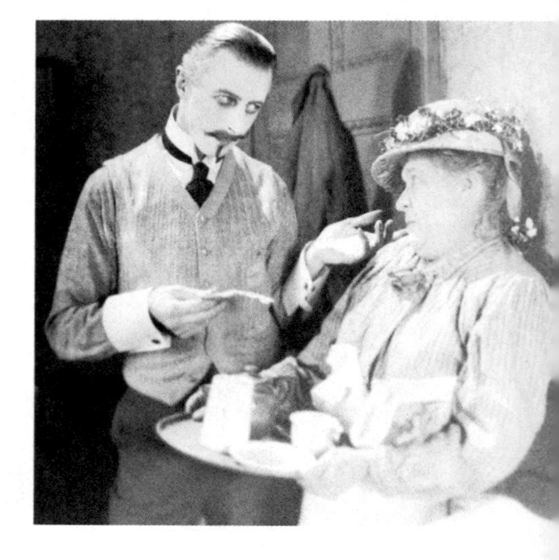

Nunca vi *Woman to woman* nem conheço o roteiro...

Como estava lhe dizendo, eu tinha 23 anos e nunca havia saído com uma moça. Nunca havia tomado um copo de bebida. A história era tirada de uma peça que fizera sucesso em Londres. Era sobre um oficial do exército inglês durante a Primeira Guerra Mundial. Tendo obtido uma permissão, ele vai para Paris, tem uma aventura com uma bailarina, depois volta para a frente de batalha. Lá, é vítima de um choque... perde a memória. Retorna à Inglaterra e se casa com uma mulher da alta sociedade. Depois reaparece a bailarina, com um filho. Conflito... A história termina com a morte da bailarina.

Então, nesse filme dirigido por Graham Cutts, você era o adaptador, o autor dos diálogos e o assistente de direção?

Ainda mais que isso. Como um amigo meu, cenógrafo, não pôde trabalhar no filme, eu disse: "Serei também o cenógrafo". Então fiz tudo isso e participei da produção. Minha futura mulher, Alma Reville, era ao mesmo tempo a montadora e a continuísta do filme. Na época, continuísta e montadora eram a mesma pessoa. Hoje, a continuísta cuida de tantos livros, como você sabe, que é uma autêntica perita-contadora. Portanto, foi fazendo esse filme que conheci minha mulher.

Em seguida, exerci minhas diferentes funções em diversos filmes. O segundo foi *The white shadow*. O terceiro, *The passionate adventure*. O quarto, *The blackguard*, e em seguida *The prude's fall*.

NUMBER THIRTEEN, DE 1922 (FILME INACABADO).

BETTY COMPSON E CLIVE BROOK EM *WOMAN TO WOMAN* (1922).

CENÁRIO CONCEBIDO POR HITCHCOCK PARA *WOMAN TO WOMAN*.

MOULIN ROUGE
BAL
Bar et Soupers
toute la Nuit
ROUGE

E todos esses filmes, quando os revê em sua memória, considera-os em pé de igualdade ou prefere alguns deles?

Woman to woman foi o melhor e o que fez mais sucesso. Quando filmamos o último, *The prude's fall*, o diretor tinha uma namorada e partimos para filmar as externas em Veneza... Era tudo caríssimo, de verdade. A namorada do diretor parecia não gostar de nenhuma das locações, e voltamos para o estúdio sem ter filmado nada. Quando o filme ficou pronto, o diretor disse ao produtor que não queria mais saber de mim. Aí fui despedido. No fundo, sempre desconfiei de que uma pessoa da equipe — o diretor de fotografia, um recém-chegado — fazia intrigas.

Em quanto tempo se rodava um filme desses?

Seis semanas.

Imagino que o critério para medir o talento era filmar com o mínimo possível de letreiros?

Exatamente.

E no entanto frequentemente eram roteiros tirados de peças de teatro?

Fiz um filme mudo, *A mulher do fazendeiro*, que era todo com diálogos, mas tentei utilizar o mínimo de letreiros e me servir dos recursos da "produção de imagens". Acho que o único filme que não tinha nenhum letreiro foi *A última gargalhada*, com Jannings.

Um dos melhores filmes de Murnau...

EM *THE WHITE SHADOW* (1923), HITCHCOCK É ROTEIRISTA, CENÓGRAFO E MONTADOR.

VIRGINIA VALLI É A CORISTA PATSY, EM *THE PLEASURE GARDEN* (1925).

Foi filmado quando trabalhava na UFA. Em *A última gargalhada*, Murnau tentou inclusive estabelecer uma linguagem universal, servindo-se de uma espécie de esperanto. Todas as indicações de rua, por exemplo, as placas, os letreiros das lojas, eram escritas nessa linguagem sintética.

Na verdade, há certas indicações em alemão no prédio onde mora Emil Jannings, é no grande hotel que elas estão em esperanto. Imagino que você devia se interessar cada vez mais pela técnica do cinema, e que era muito atento...

Eu era muito consciente da superioridade da fotografia dos filmes americanos em relação à dos filmes ingleses. Aos dezoito anos já havia estudado isso, por puro prazer. Tinha observado, por exemplo, que os americanos sempre se esforçavam em isolar a imagem do segundo plano, colocando luzes atrás dos primeiros planos, ao passo que nos filmes ingleses os personagens se fundiam no segundo plano, não havia separação, não havia relevo.

Estamos em 1925. Depois da filmagem de *The prude's fall*, o diretor resolve dispensá-lo como assistente. Michael Balcon lhe oferece o posto de diretor?...

Michael Balcon me perguntou: "Você gostaria de dirigir um filme?". Respondi: "Nunca tinha pensado nisso". E era verdade, estava muito contente em escrever roteiros e fazer o trabalho do diretor de arte, não me imaginava de jeito nenhum como diretor.

Então Balcon me disse: "Temos uma proposta para um filme anglo-alemão". Deram-me um segundo escritor para fazer o roteiro e parti para Munique. Minha futura mulher, Alma, devia ser minha assistente. Ainda não estávamos casados mas não vivíamos em pecado, éramos muito puros.

Tratava-se de *The pleasure garden*, tirado de um romance de Sandys. Só o vi uma vez e guardo a lembrança de uma história muito movimentada...*

Melodramática, mas com certas cenas interessantes. Vou lhe contar os primeiros dias de filmagem, pois se trata de meu primeiro filme como diretor. E, naturalmente, eu tinha o sentido do drama.

* Patsy, uma corista da companhia de teatro Pleasure Garden, consegue um lugar para Jill, sua protegida. Esta é noiva de Hugh, que embarca para os trópicos. Patsy casa-se com Levett, um amigo de Hugh. Viagem de lua de mel no lago de Como, e depois disso Levett também parte para os trópicos. Jill posterga constantemente o momento de encontrar seu noivo e leva uma vida devassa. Patsy, por sua vez, vai encontrar o marido, Levett, e o descobre, depravado, nos braços de uma nativa. Quer se separar. Levett enlouquece, impele a nativa ao suicídio e deixa-a se afogar. Depois, quando tenta matar Patsy, é morto pelo médico da colônia. Patsy refará sua vida com Hugh, abandonado por Jill.

Pois então, no sábado à noite, às vinte para as oito, estou na estação de Munique, prestes a viajar para a Itália, onde devemos filmar as externas. Na estação, esperando a partida do trem, penso: "É meu primeiro filme como diretor". Quando hoje vou para as locações, estou acompanhado de uma equipe de cento e quarenta pessoas! Mas ali, naquela plataforma da estação de Munique, só tinha comigo o ator principal do filme, Miles Mander, o câmera Baron Ventimiglia e a moça que devia fazer a nativa e cair na água. E, por último, um cinegrafista de atualidades, já que no porto de Gênova teríamos de filmar a partida de um navio. Essa partida seria filmada com uma câmera no cais e uma no convés. Depois o barco pararia, os atores desceriam e o cinegrafista se encarregaria então de filmar os passageiros fazendo suas despedidas.

A segunda cena que tenho de filmar é em San Remo. É com a moça nativa que vai se suicidar, e Levett, o vilão da história, precisa entrar no mar, manter a cabeça da moça debaixo d'água, ter certeza de que ela morreu, trazer seu corpo para a praia e dizer: "Fiz o possível para salvá-la". As cenas seguintes se passarão no lago de Como, no hotel da Villa d'Este... Lua de mel... Cenas de amor na beira do lago... Doce idílio... Minha mulher (que ainda não o era) está comigo na plataforma da estação e conversamos. Ela não pode ir conosco. Sua função — ela é deste tamanhinho, sabe, e na época tinha vinte e quatro anos — era ir a Cherbourg receber a estrela do filme, que chegava de Hollywood. Tratava-se de Virginia Valli, uma superstar, a maior estrela da Universal, que fazia o papel de Patsy. Portanto, minha noiva precisa ir recebê-la em Cherbourg, na chegada do navio *L'Aquitaine*, levá-la para Paris, comprar seu guarda-roupa e ir com ela ao nosso encontro na Villa d'Este. Só isso.

O trem vai partir às oito horas. Faltam dois minutos para as oito. O ator Miles Mander me diz: "Meu Deus, esqueci minha maleta de maquiagem no táxi", e sai correndo. Grito para ele: "Estaremos no hotel Bristol, em Gênova. Pegue o trem amanhã à noite, já que só filmaremos na terça-feira".

Repito que estamos no sábado à noite e devemos chegar a Gênova no domingo de manhã para preparar a filmagem.

São oito horas... O trem não sai. Passam-se alguns minutos... São oito e dez. Há uma grande altercação na barreira de controle e vejo Miles Mander pulando por cima da barreira, perseguido por três empregados da estação. Encontrou sua maquiagem e consegue, por um triz, pular no último vagão.

Foi esse o meu primeiríssimo drama no cinema, mas isso é só o começo!

O trem vai andando. Devo cuidar eu mesmo da contabilidade, pois não tenho ninguém para fazê-la. É quase mais importante do que dirigir o filme... O dinheiro me preocupa imensamente. Temos leitos reservados. Chegamos à fronteira austro-italiana. Então Ventimiglia me diz: "Tome muito cuidado porque temos a câmera mas não devemos declará-la de jeito nenhum, do contrário vão nos taxar todas as objetivas". "Mas como, por quê?" "A companhia alemã nos recomendou que passássemos a câmera de contrabando." Então pergunto: "Onde está a câmera?". Ele me responde: "Debaixo do seu leito". Como você sabe, sempre tive medo dos policiais; então começo a suar, e sou informado,

VIRGINIA VALLI EM *THE PLEASURE GARDEN*.

naquele momento, que há três mil metros de filme virgem nas nossas bagagens e que também não devemos declará-los... Aparecem os guardas alfandegários, e para mim é um grande suspense. Não descobrem a câmera, mas acham a película, que, como não foi declarada, é confiscada.

Chegamos a Gênova no domingo de manhã e, claro, sem filme virgem. Durante o dia inteiro tomamos providências para tentar encontrar película cinematográfica. Na segunda de manhã, digo: "Temos de mandar o cinegrafista de atualidades a Milão para comprar filme na Kodak". Eu me atrapalho na contabilidade, é uma confusão terrível entre as liras, os marcos e as libras. O cinegrafista volta ao meio-dia e traz o equivalente a vinte libras esterlinas de filme. Agora, os três mil metros de filme virgem que foram confiscados na fronteira chegaram, e nos esperam na alfândega, onde tenho de pagar o imposto. Portanto, gastei vinte libras à toa, o que no nosso orçamento representa muito, pois temos o dinheiro contado para a filmagem dessas externas.

Na terça-feira, o navio levanta âncora ao meio-dia. É o *Lloyd Prestino*, um navio grande, que vai para a América do Sul. É preciso alugar um bateau-mouche para irmos do cais ao navio, e isso representa mais dez libras. Finalmente, está tudo certo. São dez e meia e pego minha carteira para dar uma gorjeta ao sujeito do *bateau-mouche*. Minha carteira está vazia, não tenho mais um tostão.

Desapareceram dez mil liras. Volto ao hotel e procuro por todo lado, até debaixo da cama... Não encontro o dinheiro. Vou à polícia e digo: "Alguém deve ter entrado no meu quarto, de noite, enquanto eu dormia", e, sobretudo, digo a mim mesmo: "Ainda bem que você não acordou, porque com certeza o ladrão o teria apunhalado". Estou muito triste, mas me lembro de que temos de filmar e, emocionado pela ideia de dirigir minha primeira sequência, esqueço o dinheiro.

Quando acabo de filmar, sinto-me novamente arrasado e peço dez libras emprestadas ao câmera, quinze ao ator. Sei que não será suficiente. Então escrevo a Londres, pedindo um adiantamento de meu salário, e escrevo também à empresa alemã, em Munique: "Talvez eu vá precisar de um dinheiro extra". Mas não me atrevo a pôr no correio essa segunda carta, pois poderiam me responder: "Como já pode saber que precisará de dinheiro extra?". Assim, só mando a carta para Londres. Em seguida voltamos ao hotel Bristol, almoçamos e saímos a caminho de San Remo. Depois do almoço vou até a calçada e lá estão meu câmera Ventimiglia, a moça alemã que deve fazer a nativa que se joga na água e o cinegrafista das atualidades, que acabou seu trabalho e deve voltar para Munique.

Ali estão os três, de cabeças juntas, numa conversa muito solene! Então me aproximo e pergunto: "Tem algo errado?". "Tem, a moça, ela não pode entrar na água." "O que você quer dizer com: 'ela não pode entrar na água'?" "Ela *não pode* entrar na água, não está entendendo?"

Insisto, e digo: "Não, não entendo, o que quer dizer?". E ali na calçada, os dois câmeras são obrigados a me explicar que é o período de menstruação etc. Nunca em minha vida tinha ouvido falar nisso. Então, com as pessoas passando na nossa frente, dão-me todos os detalhes, ouço atentamente e, quando me contam tudo, continuo

A LUA DE MEL NA VILLA D'ESTE, E A VIDA NOS TRÓPICOS, ONDE PATSY (VIRGINIA VALLI) ENCONTRA O MARIDO LEVETT (MILES MANDER) QUASE À BEIRA DA LOUCURA. *THE PLEASURE GARDEN*, 1925.

aborrecido, furioso ao pensar em todo o dinheiro que desperdicei, as liras, os marcos, para trazer essa moça conosco. Muito zangado, pergunto: "Por que ela não disse isso em Munique, há três dias?". Nós a mandamos de volta junto com o cinegrafista e partimos para Alassio. Encontramos outra moça mas, como é um pouco mais gorda do que a nossa alemã "incomodada", meu ator não consegue carregá-la no colo; sempre a deixa cair no chão. Há uns cem curiosos que rolam de rir. Quando finalmente consegue trazê-la, eis que uma velhinha que catava conchas atravessa o campo olhando para a câmera bem de frente!

Agora estamos no trem que nos leva à Villa d'Este. Estou muito nervoso porque a estrela de Hollywood, Virginia Valli, acaba de chegar. Não quero que saiba que é meu primeiro filme, e a primeira coisa que digo à minha noiva é: "Você tem dinheiro?". "Não." "Mas tinha?" "Pois é, mas ela chegou com outra moça, uma atriz chamada Carmelita Geraghty; eu queria levá-las para o hotel Westminster, na rua de la Paix. Elas insistiram em ficar no Claridge..." Então conto à minha noiva minhas próprias agruras. Finalmente, começamos a filmar e tudo funciona sem maiores problemas. As cenas correm bem. Nessa época, filmávamos cenas de luar em pleno sol, e mandávamos tingir de azul o filme. Depois de cada tomada, eu olhava para minha noiva e perguntava: "Ficou bom, deu certo?".

Agora tenho coragem de mandar um telegrama a Munique dizendo: "Acho que precisarei de dinheiro extra". Nesse meio-tempo, recebo uma ordem de pagamento de Londres, o famoso adiantamento de meu salário. E o ator, muito pão-duro, exige o dinheiro que me emprestou. Pergunto: "Por quê?", e ele responde: "Porque meu alfaiate está pedindo um sinal para o meu terno". Não era verdade.

O suspense continua. Recebo bastante dinheiro de Munique, mas a conta do hotel, os aluguéis dos barcos a vapor no lago, e todo tipo de coisas me preocupam o tempo inteiro. Estou nervosíssimo. Estamos na véspera de nossa partida. Não só não quero que a estrela saiba que é meu primeiro filme, mas não quero que saiba que não temos dinheiro e que somos uma equipe miserável. É aí que faço uma coisa realmente feia, com óbvia má-fé: deformo os fatos, repreendo minha noiva por ter

trazido a jovem amiga de Virginia. “Por conseguinte”, digo-lhe, “você vai encontrar com a estrela e lhe pedir duzentos dólares emprestados.” E ela vai e me traz. Foi assim que consegui pagar a conta do hotel e as passagens para o vagão-leito. Vamos pegar o trem, teremos de baldear na Suíça, em Zurique, para estar em Munique no dia seguinte. Chegamos à estação e me cobram o excesso de bagagem, pois as duas americanas tinham malas desse tamanho... e agora praticamente não tenho mais dinheiro... Recomeço minhas contas, a contabilidade, e, como você já sabe, peço para a minha noiva fazer todo o serviço sujo. Digo-lhe: “Você poderia ir perguntar às americanas se querem jantar”. Elas respondem: “Não, trouxemos sanduíches do hotel porque desconfiamos

A MOÇA NATIVA E AS CIMITARRAS, EM *THE PLEASURE GARDEN*, O PRIMEIRO FILME QUE HITCHCOCK DIRIGIU.

da comida nesses trens estrangeiros". Então, graças a isso, pudemos jantar. Novamente recomeço minhas contas minuciosamente e percebo que, no câmbio das liras para francos suíços, vamos perder uns tostões. E também estou preocupado com o atraso do trem. Temos uma baldeação em Zurique. São nove horas da noite e vemos um trem saindo da estação. É o nosso... Seremos obrigados a passar uma noite em Zurique com tão pouco dinheiro? Então o trem para e agora o suspense vai além de tudo o que consigo aguentar. Os carregadores se oferecem mas os afasto — muito caro — e levanto eu mesmo as malas. Você sabe que nos trens suíços as janelas não têm caixilhos, e daí o fundo da mala esbarra com força numa janela e 'plaft!'. Foi o maior barulho de vidro quebrado que já ouvi na vida.

Os empregados chegam correndo: "Por aqui, cavalheiro, acompanhe-nos". Levam-me à sala do chefe da estação e tenho de pagar a vidraça quebrada: trinta e cinco francos suíços.

No final das contas, consegui pagar o vidro e cheguei a Munique com um só *pfennig* no bolso. Foi assim minha primeira filmagem de externas!

É uma história ainda mais movimentada que o roteiro! Mas há uma contradição que me intriga. Você diz que nessa época era totalmente inocente e ignorava tudo das questões sexuais. No entanto as duas moças de *The pleasure garden*, Patsy e Jill, são de fato filmadas como um casal. Uma está de pijama, a outra de camisola etc. Em *O inquilino sinistro*, é ainda mais evidente. Num camarim de music hall uma lourinha se refugia sentando no colo de uma morena de cabelos curtos. Parece-me que, desde os seus primeiros filmes, você era fascinado pelo anormal.

É verdade, mas nessa época muito superficialmente, e não num sentido profundo. Eu era muito puro, inocente. O comportamento das duas moças de *The pleasure garden* vem de uma primeira experiência em Berlim, em 1924, quando eu era assistente de direção. Certa noite, uma família muito respeitável me levou para sair, junto com o diretor. A moça dessa família era a filha de um dos donos da UFA. Eu não entendia alemão. Depois do jantar, fomos parar num nightclub onde os homens dançavam com homens, e as mulheres com mulheres. No fim da noite, duas jovens alemãs nos levaram, a mim e à moça, de carro. Uma tinha dezenove anos e a outra, trinta. Defronte do hotel, como fiquei dentro do carro, elas me disseram: "*Come on*". Conversamos num quarto de hotel, e a cada proposta eu dizia: "*Nein... Nein...*". Tínhamos bebido vários conhaques. Finalmente as duas alemãs se deitaram na cama e, curiosamente, a moça que estava conosco pôs os óculos para olhá-las. Foi uma noitada familiar encantadora.

É, estou vendo. Então toda a parte de estúdio de *The pleasure garden* foi filmada na Alemanha?

Foi, no estúdio em Munique, e quando o filme ficou pronto Michael Balcon foi de Londres para visioná-lo. No final, via-se Levett, o vilão, enlouquecido; ele ameaçava matar Patsy com uma cimitarra e o médico da colônia surgia com um revólver. Fiz o seguinte: pus o revólver no primeiro plano e, no fundo do segundo plano, o louco e a heroína. Então o médico atira à distância, a bala atinge o louco, fere-o, causa-lhe um choque e abruptamente ele recupera a razão; vira-se para o

médico, já sem aquele ar perdido, e diz: "Ah, bom dia, doutor!", muito normalmente, depois vê que está perdendo sangue, olha para o sangue, olha para o médico, diz: "Ah, veja", desaba e morre.

Durante o visionamento dessa cena, um dos produtores alemães, um manda-chuva, levanta-se e diz: "Você não pode mostrar uma cena dessas, é impossível, é inacreditável, é brutal demais". Termina a projeção, e Michael Balcon diz: "O que me espanta neste filme é que, tecnicamente, não parece um filme europeu, mas um filme americano".

A imprensa foi ótima. O *London Daily Express* deu o título, falando de mim: "Um jovem com cabeça de mestre" [*Young man with a master mind*].

No ano seguinte você roda seu segundo filme, *The mountain eagle*, em estúdio, com locações no Tirol?

Era um filme ruim. Os produtores sempre tentavam penetrar no mercado americano. Então procuraram uma nova estrela de cinema e, para fazer o papel de uma professorinha de aldeia, me enviaram Nita Naldi, que era a sucessora de Theda Bara, com umas unhas até aqui. Em suma, o máximo do ridículo...

Tenho um resumo do roteiro... É sobre o gerente de uma loja que persegue com seu assédio a jovem professora inocente; ela se refugia na montanha sob a proteção de um eremita que acaba se casando com ela. É isso mesmo?

É, infelizmente!

"O JOVEM COM CABEÇA DE MESTRE" EM PLENA AÇÃO; ATRÁS DELE, A CONTINUÍSTA: SUA NOIVA, ALMA REVILLE.

ESTAS SEIS FOTOS SÃO PROVAVELMENTE TUDO O QUE RESTA DE *THE MOUNTAIN EAGLE* (1926).

02

O INQUILINO SINISTRO: O PRIMEIRO "HITCHCOCK PICTURE" DE VERDADE

UMA FORMA PURAMENTE VISUAL

UM PISO ENVIDRAÇADO

ALGEMAS E SEXO

POR QUE APAREÇO EM MEUS FILMES

DOWNHILL

EASY VIRTUE

O RINGUE

ONE ROUND JACK

A MULHER DO FAZENDEIRO

CHAMPAGNE

UM POUCO COMO GRIFFITH

O ILHÉU, MEU ÚLTIMO FILME MUDO

O RETÂNGULO DA TELA DEVE ESTAR REPLETO DE EMOÇÃO

IVOR NOVELLO EM *O INQUILINO SINISTRO* (1926).

François Truffaut — *O inquilino sinistro* é seu primeiro filme importante...
Alfred Hitchcock — Isso é uma outra história. *O inquilino sinistro* foi o primeiro "Hitchcock picture" de verdade. Vi uma peça chamada *Quem é ele?*, baseada no romance de Belloc-Lowndes, *The lodger*. A ação se passava numa casa que alugava quartos mobiliados, e a dona da casa ficava imaginando se o novo inquilino era ou não um assassino conhecido pelo nome de "o Vingador". Um sujeito do gênero Jack, o Estripador. Tratei isso com muita simplicidade, inteiramente do ponto de vista da mulher, a proprietária. Desde então foram feitos dois ou três remakes muito elaborados.

Na verdade, o herói era inocente, não era o Vingador.
Era essa a dificuldade. O ator principal, Ivor Novello, era um astro do teatro na Inglaterra. Aí está um dos problemas que devemos enfrentar com o star-system: volta e meia a história fica comprometida porque a estrela não pode ser um vilão.

Seria preferível que o personagem fosse de fato o Vingador?
Não necessariamente, mas numa história desse tipo gostaria que ele fosse embora, de noite, e que jamais conseguíssemos saber. Mas não se pode fazer isso com um herói interpretado por um astro. É preciso dizer: ele é inocente.

Sem dúvida, mas me surpreende que você pensasse em terminar um filme sem responder à indagação do público.
Nesse caso específico, se o seu suspense se organiza em torno da pergunta: "Ele é ou não é o Vingador?", e você responde: "É o Vingador, sim", apenas confirma uma desconfiança, o que, a meu ver, não é dramático. Mas ali, fomos na direção oposta, e mostramos que ele não era o Vingador.

Dezesseis anos depois, deparei-me com o mesmo problema ao filmar *Suspeita*, com Cary Grant. Era impossível fazer de Cary Grant um assassino.

Cary Grant teria recusado?

Não necessariamente, mas os produtores sim. *O inquilino sinistro* foi o primeiro filme em que tirei proveito do que havia aprendido na Alemanha. Nesse filme, todo o meu enfoque foi de fato instintivo, foi a primeira vez que exerci meu próprio estilo. Na verdade, pode-se considerar que *O inquilino sinistro* é meu primeiro filme.

Gosto muito dele. É muito bonito e demonstra uma grande inventividade visual.

Justamente, o que me moveu o tempo todo foi, a partir de uma narração simples, a vontade de apresentar pela primeira vez minhas ideias de uma forma puramente visual. Filmei quinze minutos de um fim de tarde de inverno em Londres. São cinco e vinte e o primeiro plano do filme é a cabeça de uma moça loura berrando. Fotografei-a da seguinte maneira: peguei uma placa de vidro, coloquei a cabeça da moça em cima do vidro, espalhei seus cabelos até que enchessem todo o quadro, depois iluminei-a por baixo de modo que o espectador ficasse impressionado com sua cabeleira loura. Em seguida, eu cortava e passava a um cartaz luminoso com a propaganda de uma revista musical: "Esta noite, *Cachos Dourados*". Esse cartaz se refletia na água. A moça morreu afogada, retiraram-na da água, colocaram-na no chão... Consternação das pessoas, pressentem que se trata de um assassinato... Chega a polícia, e depois os jornalistas... Seguimos um dos jornalistas até o telefone; não é um jornalista que trabalha num jornal específico, mas um repórter de agência; portanto, telefona à sua agência. Agora vou mostrar a divulgação dessa notícia.

A reportagem é datilografada na máquina da agência, o que permite ler algumas frases... depois é transmitida e chega aos teletipos. Nos clubes, as pessoas são informadas da notícia, que é anunciada no rádio e retransmitida pelos que ouvem o programa... Finalmente, a notícia passa num jornal luminoso de rua, como existe na Times Square, e a cada vez dou uma informação suplementar e você fica sabendo mais coisas... Esse homem só assassina mulheres... Louras, invariavelmente... Mata sempre numa terça-feira... Quantas vezes fez isso... Especulação sobre os motivos... Anda vestido de capa preta... Carrega uma mala preta... O que pode haver dentro dessa mala?

UM GRITO: A PRIMEIRA CENA DO PRIMEIRO "HITCHCOCK PICTURE": *O INQUILINO SINISTRO.*

O PÂNICO DAS LONDRINAS QUANDO LEEM QUE O ASSASSINO PREFERE AS LOURAS.

Essa informação é divulgada por todos os meios de comunicação possíveis, e finalmente o jornal da noite é impresso, depois vendido nas ruas. Agora eu retrato a sensação que essa leitura causa nos diferentes leitores. O que está acontecendo na cidade? As louras estão apavoradas... As morenas acham graça... Reação das mulheres nos cabeleireiros... As pessoas voltam para casa... Certas louras roubam cachinhos pretos e os arrumam sob o chapéu. Agora veja, vou lhe mostrar uma coisa, me empreste a sua caneta, vou lhe fazer o desenho de um plano que não consegui filmar. É esse aí: representa a caminhonete do jornal filmada de trás, e, como as janelas são ovais, é possível distinguir os dois homens sentados na frente, o motorista e seu companheiro; você os vê pela janela, só o alto das cabeças, e como a caminhonete sacoleja para lá e para cá, tem-se a impressão de um rosto com os dois olhos e as pupilas se mexendo. Infelizmente não deu certo.

A partir daí seguimos uma moça até sua casa, onde ela encontra a família e o namorado, um detetive da Scotland Yard, e eles brincam um pouco: "Por que você não prende o Vingador?". Continuam brincando, mexendo com o detetive e, enquanto falam, o ambiente se transforma porque as luzes se apagam pouco a pouco, e de repente a mãe diz ao pai: "O gás está baixando, vá pôr um shilling no relógio, por favor". Está um breu. Batem à porta. A mãe vai abrir. Corte rápido para mostrar o shilling que cai na fenda do relógio, voltamos para a mãe, que abre a porta ao mesmo tempo que a luz se acende; diante dela está um homem de capa preta e que aponta com o dedo para a tabuleta "Alugam-se quartos". O pai cai da cadeira, fazendo um barulhão. O futuro inquilino fica nervoso por causa desse barulho e olha desconfiado para a escada.

Portanto, só mostrei o ator principal depois de quinze minutos de filme! O inquilino se instala no quarto. Pouco depois, anda de um lado para outro, seu vaivém faz o lustre balançar. Como nessa época, lembro-lhe, não tínhamos som, mandei instalar um piso de vidro muito grosso através do qual se via o inquilino indo e vindo. É evidente que, hoje, alguns desses efeitos seriam totalmente supérfluos e substituídos por efeitos sonoros, ruídos de passos etc.

De qualquer maneira, há muito menos efeitos em seus filmes atuais. Hoje você só conserva um deles se for capaz de provocar uma emoção, ao passo

que na época não renunciava a efeitos "por prazer". Parece-me que agora desistiria de filmar alguém através de um piso envidraçado.

Isso é a mudança de estilo. Hoje me contentaria com o lustre que balança.

Faço essa observação porque muita gente pretende que seus filmes são cheios de efeitos gratuitos. Creio, ao contrário, que seu trabalho de câmera tende a se tornar invisível. Volta e meia vemos filmes em que o diretor imagina fazer "Hitchcock" pondo a câmera em lugares esquisitos. Penso por exemplo num diretor inglês, Lee-Thompson; num de seus filmes "hitchcockianos", a estrela ia pegar alguma coisa na geladeira e, como por acaso, a câmera estava lá dentro, no lugar da parede. Está aí uma coisa que você jamais faria, não é?

Não. Como colocar a câmera dentro de uma lareira, atrás das chamas.

No final de *O inquilino sinistro*, há como que um clima de linchamento, parece-me, e o herói é algemado...

É, ele tentou saltar uma grade e ficou preso nessa grade. Acho que psicologicamente a ideia das algemas vai longe. Estar ligado a alguma coisa... isso se aproxima da esfera do fetichismo, não acha?

Não sei, mas encontramos isso em muitos filmes seus...

Veja como os jornais gostam de mostrar algemadas as pessoas que vão para a cadeia.

É verdade, e às vezes faz-se na foto do jornal um círculo em torno das algemas.

Lembro uma vez em que um jornal mostrava um sujeito muito importante, um manda-chuva da bolsa de Nova York, que era levado para a cadeia, algemado a um negro. Mais tarde, transpus isso para *Os 39 Degraus*.

É, um homem e uma mulher juntos, amarrados. As algemas são certamente o símbolo mais concreto ou mais imediato da privação de liberdade.

Mas creio que há também uma relação secreta com o sexo. Quando visitei o Museu do Vício, em Paris, na companhia do chefe de polícia, reparei nas constantes aberrações sexuais pela restrição, pelo constrangimento... Obviamente, você deveria visitá-lo, há também

A DONA DA CASA (MARIE AULT) RECEBE O ESTRANHO INQUILINO QUE, AO ANDAR NO QUARTO, BALANÇA O LUSTRE DO APOSENTO DE BAIXO, ASSUSTANDO O PERSONAGEM DE ARTHUR CHESNEY.

NESSE FILME, HITCHCOCK FAZ A SUA PRIMEIRA APARIÇÃO (ENCOSTADO NA GRADE, TERCEIRO DA DIREITA PARA A ESQUERDA). *O INQUILINO SINISTRO*, 1926.

* Na verdade, Alfred Hitchcock é mais facilmente identificável a outro homem do filme, entre os curiosos que assistem à captura de Ivor Novello. Ele usa um boné e se apoia na famosa grade. É o terceiro curioso a partir da direita.

as facas, a guilhotina e muitas informações... Voltando às algemas de *O inquilino sinistro*: acho que isso me foi inspirado, de certo modo, por um livro alemão sobre um homem que usa algemas num dia de sua vida, e por todos os problemas que enfrenta durante esse dia.

Talvez esse livro seja *Entre nove e nove*, de Leo Perutz, do qual Murnau queria fazer um filme, por volta de 1927?

Talvez seja, de fato.

Nessa cena da grade e das algemas, acho que não é exagero dizer que a certa altura você quis evocar Jesus Cristo, no momento em que Ivor Novello...

... quando as pessoas o levantam e ele está com os braços atados, naturalmente pensei nisso.

De fato, tudo isso faz de *O inquilino sinistro* o primeiro filme hitchcockiano, a começar pelo tema, que se tornará o tema de quase todos os seus filmes: o homem acusado de um crime que ele não cometeu.

É que o tema do homem acusado injustamente proporciona aos espectadores uma sensação maior de perigo, pois eles se imaginam mais facilmente na situação desse homem do que na de um culpado que está fugindo. Sempre levo o público em consideração.

Em outras palavras, esse tema satisfaz no público o desejo de assistir ao espetáculo de episódios clandestinos e também o desejo de se identificar com um personagem próximo de si mesmo. O tema de seus filmes é o homem comum mergulhado em aventuras extraordinárias... Creio que é em *O inquilino sinistro* que você aparece pela primeira vez em um filme seu?

De fato, eu estava sentado na mesa de uma redação de jornal.*

Era uma gag, uma superstição, ou simplesmente prático porque você não tinha figurantes suficientes?
Era estritamente prático, eu precisava encher a tela. Mais tarde tornou-se uma superstição, e depois virou uma gag. Mas agora é uma gag bastante constrangedora, e para permitir que as pessoas assistam tranquilas ao filme tenho o cuidado de me mostrar ostensivamente nos cinco primeiros minutos da projeção.
Creio que *O inquilino sinistro* foi um grande sucesso?
Quando foi exibido pela primeira vez, a plateia eram uns poucos empregados do distribuidor e o chefe de publicidade. Viram o filme, depois fizeram um relatório ao chefão: "Impossível mostrar isso, é ruim demais, é um filme lamentável". Dois dias depois, o chefão foi ao estúdio para visioná-lo. Chegou às duas e meia. A sra. Hitchcock e eu não quisemos esperar no estúdio para saber o resultado, saímos pelas ruas de Londres e andamos por mais de uma hora. Por fim, pegamos um táxi e voltamos ao estúdio. Esperávamos que esse passeio tivesse um final feliz e que todos estivessem radiantes. Disseram-me: "O chefão também acha que o filme é lamentável". Então deixaram o filme de lado e cancelaram as reservas que tinham sido feitas por conta da fama de Novello. Alguns meses mais tarde, reviram o filme e quiseram fazer mudanças. Aceitei fazer duas, e, desde a primeira projeção, o filme foi aclamado e considerado o melhor filme inglês realizado até aquele dia.
Lembra-se das críticas que os distribuidores faziam ao seu filme?
Não sei. Desconfio que o diretor de quem eu tinha sido assistente e que mandara me demitir continuou a fazer intrigas contra mim. Soube que disse a alguém: "Não sei o que ele filma, não entendo rigorosamente nada do que ele faz".
Seu filme seguinte, *Downhill*, conta a história de um estudante acusado de um furto cometido no liceu. É expulso da escola e posto para fora de casa pelo pai. Depois de uma aventura com uma atriz, torna-se dançarino profissional num cabaré em Paris. Em Marselha, pensa em embarcar para as colônias, mas finalmente volta para Londres, onde os pais o recebem e perdoam seus erros, tanto mais que o colégio o inocentou do furto cometido.

É um gênero de roteiro de filme que nos arrasta para os mais variados lugares; começa num colégio inglês, continua em Paris e, no final, vamos parar em Marselha...
O próprio enredo da peça sugeria isso.
Imagino, porém, que ela devia se situar inteiramente no ambiente do colégio?
Não, era uma sequência de quadros. Era uma peça bastante medíocre cujo autor era justamente Ivor Novello.
Segundo minhas lembranças, o ambiente do colégio era muito bem reproduzido, muito exato...
É verdade, mas muitas vezes os diálogos eram ruins. No mesmo gênero de ideia do teto transparente, inventei uma coisa muito ingênua que hoje não faria mais. Quando o garoto é posto no olho da rua pelo pai e inicia, assim, sua viagem pela degradação, coloquei-o descendo uma escada rolante!

ALFRED HITCHCOCK (DE COSTAS, COM AS MÃOS PARA TRÁS) DURANTE A FILMAGEM DE *O INQUILINO SINISTRO*.

EM *DOWNHILL* (1927), O ESTUDANTE RODDY (IVOR NOVELLO) É EXPULSO DA CASA DOS PAIS E FOGE PARA PARIS, ONDE TEM UM ROMANCE COM UMA ATRIZ.

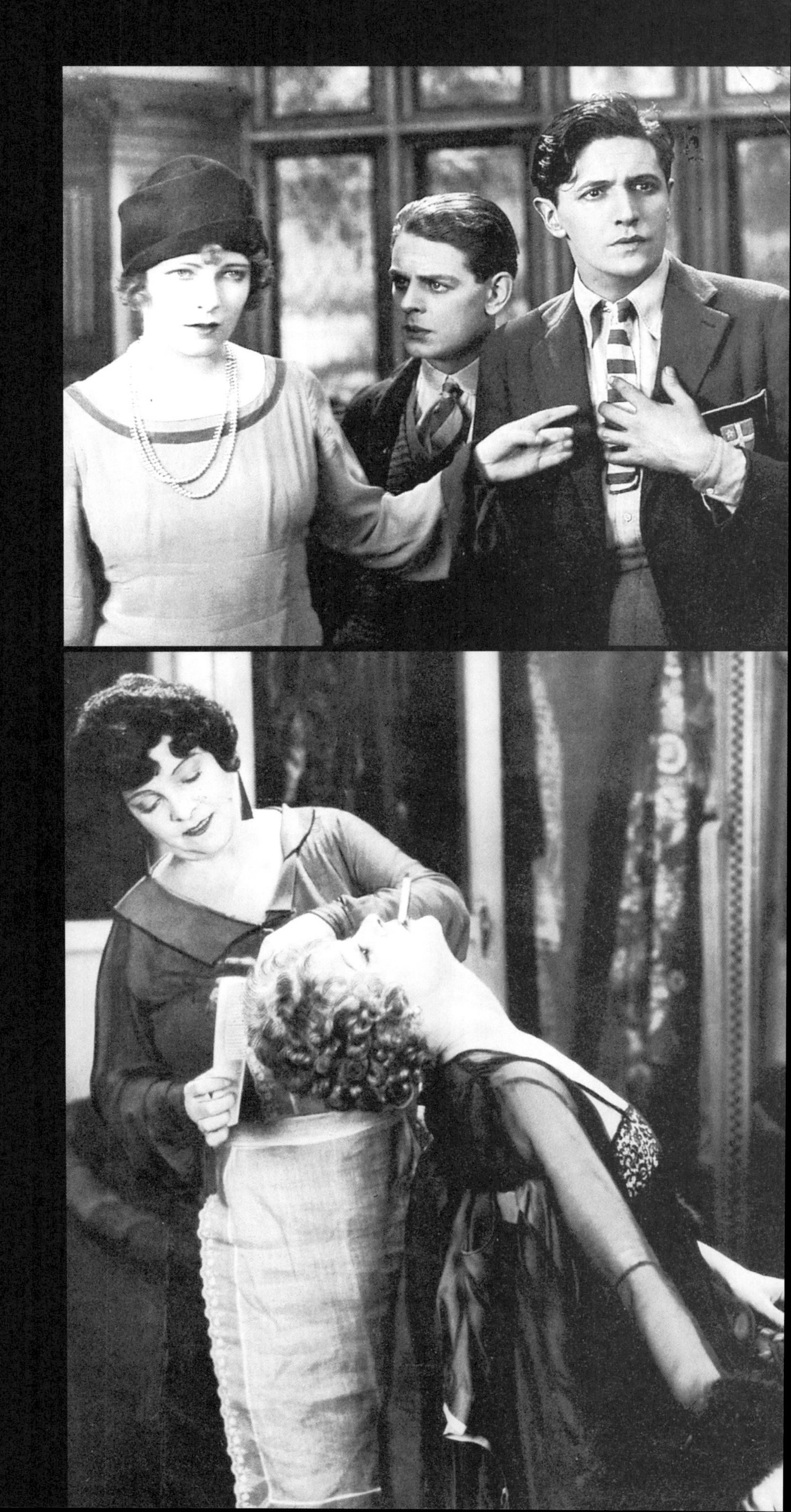

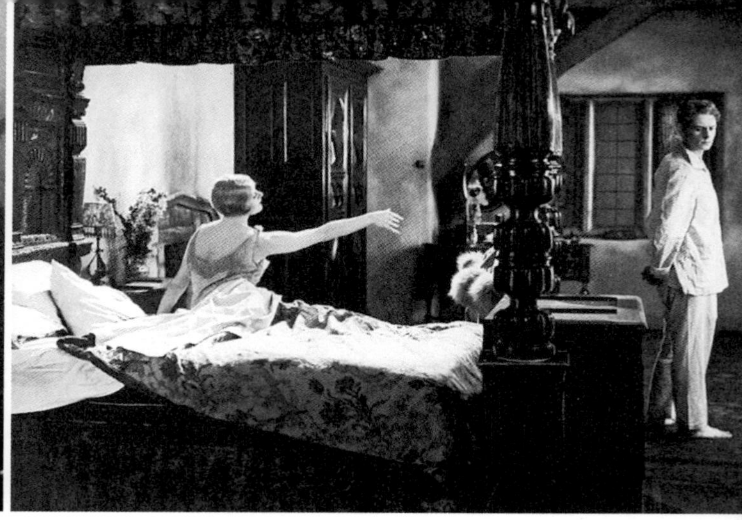

APESAR DE SEU PASSADO, LARITA (ISABEL JEANS) CONSEGUE FISGAR O BOM PARTIDO JOHN (ROBIN IRVINE). *EASY VIRTUE*, 1927.

LILLIAN HALL-DAVIES CONTRACENA COM IAN HUNTER E CARL BRISSON, OS DOIS LUTADORES DE BOXE DE *O RINGUE* (1927).

Havia uma boa cena numa boate em Paris...

Ali, experimentei um pouco. Mostrei uma mulher seduzindo o rapaz, era uma mulher de certa idade mas bem bonita, e ele se sente atraído por ela até o dia nascer. Então vai abrir a janela, entra o sol, que ilumina o rosto da mulher, e nesse momento se percebe que ela é horrorosa. Em seguida, ainda pela janela, vemos pessoas passando, carregando um caixão.

Havia também umas cenas de sonhos...

Consegui fazer algumas experiências com essas cenas de sonhos. A certa altura, queria mostrar que o rapaz sofria de alucinações. Ele subia a bordo de um barco minúsculo e, lá, eu o fazia descer para o quarto onde os tripulantes dormiam. No início de sua alucinação ele estava no dancing; não havia fusão, mas um corte, pura e simplesmente; ele se aproximava da parede e trepava num beliche. Nessa época, os sonhos nos filmes eram sempre fusões e a imagem era sempre desfocada. Embora fosse difícil, esforcei-me para integrar o sonho à realidade.

Creio que o filme não teve muito sucesso... Em seguida você filmou *Easy virtue*, que jamais consegui ver. De acordo com minhas notas, é a história de uma mulher, Larita, que conhece uma certa notoriedade tanto por ter se divorciado de um marido bêbado como pelo suicídio de um jovem artista, apaixonado por ela. Mais tarde encontra um rapaz de família, John, que não conhece nada de seu passado e se casa com ela. Mas a mãe de John, ao saber desse passado, leva o filho a se divorciar. A vida de Larita está liquidada.

Era tirado de uma peça de Noel Coward. Havia ali o pior letreiro que já escrevi, a tal ponto que tenho até vergonha de lhe contar, mas devo contar. O filme mostra, no início, Larita durante o processo de divórcio; ela conta sua história no tribunal, como se casou com o marido etc. Em suma, concedem-lhe o divórcio sem contestação e ela está sentada sozinha na galeria do tribunal. Espalha-se então o boato de que a famosa Larita está lá, e todos os jornalistas, todos os fotógrafos se juntam e a esperam ao pé da escadaria. Finalmente, ela aparece no alto da escada e grita: "*Shoot, there's nothing left to kill!*" ["Disparem, não há mais nada a matar!"].

Tem ainda uma historinha interessante a respeito desse filme. John propõe a Larita que se case com ele, e, em vez de responder, ela diz: "Vou lhe telefonar de casa, por volta da meia-noite", e então o plano

seguinte enquadra um relógio de pulso em que se lê meia-noite; é o relógio de uma telefonista que está lendo um livro; uma luzinha se acende no painel, a telefonista introduz um pino, prepara-se para retomar a leitura, leva mecanicamente o fone ao ouvido, larga o livro e começa a escutar a conversa, empolgadíssima. Ou seja, nunca mostrei o homem e a mulher, mas compreendia-se o que se passava pelas reações da telefonista.

Vi várias vezes o seu filme seguinte, *O ringue*. Não é um filme de suspense, não comporta nenhum elemento criminal. Digamos que é uma comédia dramática que encena dois lutadores de boxe apaixonados pela mesma mulher. Gosto muito dele.

Era de fato um filme interessante. Diria que depois de *O inquilino sinistro*, *O ringue* foi o segundo filme de Hitchcock. Havia ali todo tipo de inovações e me lembro de que uma cena de montagem bastante elaborada foi aplaudida na estreia do filme. Era a primeira vez que isso me acontecia.

Havia as coisas mais variadas que hoje ninguém mais faria; por exemplo, uma festinha, numa noite, depois de uma luta de boxe. Serve-se champanhe nas taças e vê-se muito bem o champanhe borbulhando, e todas as bolhas... Faz-se um brinde à heroína e se percebe que ela não está lá: desapareceu com outro homem. Então o champanhe para de borbulhar.

Nessa época éramos muito bons para as pequenas ideias visuais, às vezes tão finas que as pessoas nem notavam.

Lembra-se? O filme começa num terreno de parque de diversões, na barraca de um boxeador, interpretado por Carl Brisson, e que na história chamávamos de One Round Jack.

Ah, sim! Porque ele levava seus adversários a nocaute no primeiro round?

Isso mesmo. E mostrávamos na multidão um campeão, um australiano interpretado por Ian Hunter. Ele olhava o dono da barraca gritar: "Entrem, entrem, aqui a gente se diverte" etc. O homem, que ficava na frente da barraca, lançava olhares para trás a fim de acompanhar a evolução da luta. Mostrávamos pugilistas amadores voluntários que entravam na barraca e saíam de lá segurando dolorosamente o maxilar, até o instante em que Ian Hunter, por sua vez, também entrou. Ao vê-lo, os empregados da barraca riram e acharam inútil pendurar o seu paletó, que foi segurado na mão, certos de que o sujeito jamais aguentaria

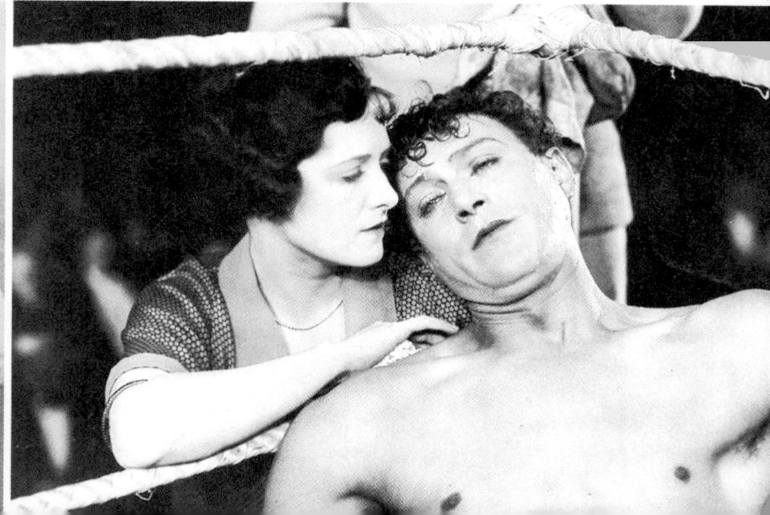

ONE ROUND
JACK.

passar do primeiro round. Começava a luta e via-se a mudança de expressão no rosto dos empregados... Em seguida, mostrava-se o dono da barraca, que olhava a contenda. Nós indicávamos à multidão o número do round pendurando uma tabuleta com um algarismo. Então, no fim do primeiro round, o fiscal arranca a tabuleta número um, velha e suja, e põe a tabuleta número dois, novinha, pois jamais fora usada, tendo em vista a força de One Round Jack!

Era uma boa ideia, e havia muitas outras, achados visuais e simbólicos. Todo o filme era uma história de adultério, com uma profusão de alusões ao pecado original. Não esqueci os múltiplos usos do bracelete que representava uma serpente.*

Devo dizer que a crítica reparou em tudo isso e que o filme foi um sucesso de crítica, mas não um sucesso comercial. Nesse filme inaugurei certos procedimentos que depois se tornaram muito corriqueiros. Por exemplo, para mostrar a progressão da carreira de um lutador de boxe: primeiro um grande cartaz publicitário na rua, com seu nome na parte inferior; depois se compreende que é verão e seu nome cresce e sobe no cartaz; depois vem o outono etc. Fiz isso minuciosamente, utilizando certas árvores verdes... uma árvore florida para a primavera etc.

Seu filme seguinte, *A mulher do fazendeiro*, foi exibido na França em 1929, com o título: *Laquell des trois?*. Era tirado de uma peça de teatro. Um fazendeiro fica viúvo. Com a cumplicidade de sua empregada, passa em revista os diferentes partidos possíveis e se fixa em três. As três mulheres, insuportáveis e feias à beça, se recusam, uma após a outra, a desposá-lo, e, finalmente, abrindo os olhos, o fazendeiro percebe que sua bela empregada, que o amava em segredo, será a melhor esposa. Aí estamos em plena comédia.

É, é uma comédia que tinha sido representada mil e quatrocentas vezes em Londres. A dificuldade era evitar letreiros demais.

Justamente, as melhores cenas são as que dão a impressão de terem sido acrescentadas à peça. As domésticas que se empanturram na copa durante a recepção, as gags sobre o comportamento do capataz representado por Gordon Harker. Esses momentos são muito bons. Por outro lado, sente-se, no estilo da fotografia, uma influência alemã, o cenário faz pensar nos filmes de Murnau.

É possível, de fato, e aliás quando o diretor de fotografia adoeceu precisei cuidar eu mesmo da fotografia. Regulava a iluminação e, como não tinha muita segurança, para cada plano fazia um teste que era levado ao laboratório, e enquanto esperava o resultado mandava repetir a cena. Fiz o que pude em *A mulher do fazendeiro*, mas não era um filme muito bom.

Mesmo assim, como era um filme adaptado de uma peça de teatro, ao vê-lo senti a sua vontade ferrenha de realmente fazer cinema. Imaginemos que ele tivesse sido filmado num palco teatral. Pois bem! nem uma única vez a câmera é colocada ali onde estariam os espectadores do teatro, e sim nos bastidores. Os personagens nunca se deslocam de lado, andam direto para a objetiva, mais sistematicamente do que em outros filmes seus. Essa comédia é filmada como um thriller...

Compreendo o que você quer dizer: a câmera está no meio da ação. A tendência a filmar ações, histórias, começou com o desenvolvimento

CARL BRISSON, O FAMOSO "ONE ROUND JACK", E O APARTAMENTO DE *O RINGUE*.

* O inglês das colônias, campeão da Austrália, torna-se o novo pretendente da heroína, e lhe oferece um bracelete que representa uma serpente. Trocam um beijo e a moça coloca o bracelete no alto do braço, acima do cotovelo. Quando chega Jack, seu noivo, a moça faz o bracelete escorregar para o pulso e o disfarça com a outra mão. Vendo isso, para deixá-la encabulada diante de Jack, o inglês das colônias lhe estende a mão ostensivamente, como para se despedir. A fim de não revelar ao noivo a presença do bracelete, a moça recusa essa mão estendida e Jack interpreta a recusa como uma prova de fidelidade.
Mais tarde, a moça está com Jack à beira d'água e deixa o bracelete cair. Jack o retira da água e lhe pede explicações. A moça conta que o colono lhe ofereceu esse bracelete porque não queria gastar consigo mesmo o prêmio da luta que ganhou contra seu rival. E Jack diz então: "Portanto, esse bracelete me pertence?". A moça lhe entrega o bracelete e Jack o devolve na mesma hora colocando-o em torno do dedo dela, como uma aliança. Durante o filme, o bracelete aparece de diversas maneiras, e no final é torcido como uma serpente. Aliás, "*ring*" não é apenas o nome do lugar onde acontecem as lutas de boxe mas significa também "anel", ou "aliança".

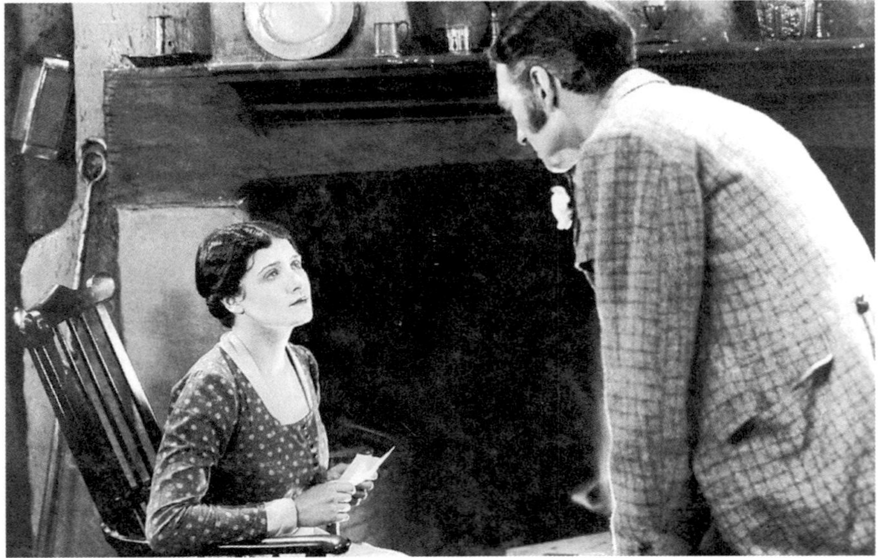

A MULHER DO FAZENDEIRO (1928): FOTOGRAFIA DE ESTILO ALEMÃO E CÂMERA PRÓXIMA DOS ATORES, COMO SE ESTIVESSE NO MEIO DA AÇÃO.

HITCHCOCK NÃO GOSTAVA DE *CHAMPAGNE* (1928). NA PÁGINA AO LADO FOTO NO SET: DA DIREITA PARA A ESQUERDA, E. A. DUPONT (DIRETOR DE *VARIÉTÉ*), MONTY BANKS, O PRODUTOR JOHN MAXWELL, O PRÍNCIPE AAGE, J. THORPE, BETTY BALFOUR, J. GROSSMAN, ADMINISTRADOR DO ESTÚDIO, E HITCHCOCK.

NAS PÁGINAS SEGUINTES, BETTY BALFOUR, NO PAPEL DA MOÇA RICA CONTRATADA PELO DONO DE UM CABARÉ.

das técnicas específicas do cinematógrafo e sabemos que o primeiro grande momento desse desenvolvimento ocorreu quando D.W. Griffith retirou a câmera do lugar onde seus antecessores a colocavam, em algum ponto do arco do proscênio, para aproximá-la dos atores, o máximo possível. O segundo grande momento ocorreu quando Griffith, retomando e aperfeiçoando as tentativas do inglês G.A. Smith e do americano Edwin S. Porter, decidiu juntar os diversos fragmentos do filme, os planos, para transformá-los em sequências. Era a descoberta do ritmo cinematográfico graças à montagem. Não tenho uma lembrança muito exata de *A mulher do fazendeiro*, mas de fato, ao filmar uma peça teatral, meu desejo de me expressar por meios propriamente cinematográficos foi estimulado.

O que filmei depois de *A mulher do fazendeiro*?

Foi *Champagne*.

Isso é provavelmente o que há de pior na minha produção.

Acho-o injusto, porque tive prazer em assistir ao filme; lembra muito as cenas de comédia dos filmes de Griffith, é muito vivo... Tenho aqui um resumo do roteiro: Betty se aborrece com seu pai milionário após uma aventura amorosa. Embarca para a França. A fim de obrigá-la a ganhar a vida sozinha, seu pai lhe dá a entender que está arruinado. Ela é contratada por um cabaré para convidar os clientes a beber champanhe, bebida à qual justamente o pai deve

a sua fortuna. Afinal, o pai de Betty, que nunca perdeu de vista a filha, e mandou um detetive segui-la, compreende que foi longe demais e autoriza enfim seu casamento com o homem que ela ama. Essa é a história.
Mas não há história!
Creio que você não tem muita vontade de falar de *Champagne*; gostaria apenas de saber se é um argumento que lhe foi imposto ou se você mesmo teve a ideia de filmá-lo?
Acho que alguém me disse: "Por que não faríamos um filme que se chamasse *Champagne*?", e imaginei um início de filme bastante fora de moda mas que lembrava um pouco esse velho filme americano de Griffith — justamente você falava dele —, *Way down East*: a história de uma moça que vai para a cidade grande.

Eu tinha imaginado mostrar a moça que trabalha em Reims e fecha com pregos as caixas de champanhe. Todo esse champanhe é transportado em trens e ela nunca o bebe, apenas olha para ele. Em seguida, ela iria para a cidade e seguiria o trajeto do champanhe, as boates, as noitadas; naturalmente, iria bebê-lo e no final voltaria para Reims, onde retomaria seu serviço e já não teria a menor vontade de beber champanhe. Provavelmente por causa do aspecto moralista, abandonei essa ideia.
Há muitas gags no filme tal como ele é.
A gag que mais me agradava em *Champagne* era o bêbado que cambaleava para lá e para cá quando o barco parecia estável, ao passo que, quando o barco estava jogando com o balanço e a arfagem, todos andavam de banda mas ele andava reto.
Lembro-me do prato que era preparado na cozinha e que todo mundo tocava com as mãos sujas, e o prato saía da cozinha e começavam a levá-lo com a maior pompa, de um jeito cada vez mais solene, até o momento de apresentá-lo ao freguês: no início era repugnante e depois ia ficando cada vez mais requintado. Era um filme cheio de invenções... Contrariamente a *Champagne*, *O ilhéu* é um filme extremamente sério.*

* Em linhas gerais, este é o enredo: Pete, um pescador modesto, e Philip, advogado, são ambos apaixonados por Kate. Pete faz o pedido de casamento, mas, considerado pobre demais pelo pai de Kate, parte para fazer fortuna. Quando chega a notícia da morte dele, Philip e Kate confessam seu amor. Mas eis que Pete volta. Kate se cala, casa-se com ele e dá à luz um filho cujo pai é Philip. Ela ainda ama Philip e lhe propõe fugirem. Ele recusa e Kate tenta se suicidar. Por isso, é convocada pelo tribunal, cujo juiz é Philip. Obrigados a confessar publicamente sua falta, Philip, Kate e o filho deixarão a ilha de Man enfrentando a hostilidade da população.

A ATRIZ ALEMÃ ANNY ONDRA EM *O ILHÉU* (1929), O ÚLTIMO FILME MUDO DE HITCHCOCK.

O único interesse de *O ilhéu* é ser meu último filme mudo.
Aliás, ele anuncia muito o cinema falado. Lembro-me de que a certa altura a mocinha diz: "Estou esperando um bebê". Ela articula com tanta nitidez que se pode ler a frase em seus lábios, tanto assim que você não pôs um letreiro.
É verdade, mas o filme era muito banal, sem humor.
Não há nenhum humor, mas a história lembra a de *Sob o signo de Capricórnio* ou a de *A tortura do silêncio*. Aliás, tem-se a impressão de que você fez esse filme com uma certa convicção.
Não. A verdade é que se tratava de uma adaptação de um romance conhecidíssimo de sir Hall Caine. Era um livro muito famoso e com certa tradição; portanto, devia-se respeitar tanto a reputação do autor como essa tradição. Não é um filme de Hitchcock.
Em compensação, *Chantagem e confissão*...
... antes de discorrermos sobre *Chantagem e confissão*, o seu primeiro filme falado, gostaria que conversássemos um pouco sobre o cinema mudo, que foi uma coisa fantástica, não foi?
Os filmes mudos são a forma mais pura de cinema. A única coisa que faltava aos filmes mudos era evidentemente o som que saía da boca das pessoas e os ruídos. Mas essa imperfeição não justificava a grande mudança que o som representou. Quero dizer que faltava ao cinema mudo muito pouca coisa, apenas o som natural. Então, mais tarde, não se deveria ter abandonado a técnica do cinema puro, como fez o cinema falado.
É, é isso; nos últimos anos do cinema mudo, os grandes cineastas, e até mesmo a produção como um todo, haviam chegado a uma certa perfeição,

que foi comprometida, pode-se pensar, pela invenção do falado. Talvez se possa afirmar que a mediocridade voltou com força no início do falado, quando na verdade ela estava sendo eliminada aos poucos, no final do cinema mudo, graças à distância crescente entre a qualidade do trabalho dos bons diretores e a insuficiência de expressão dos outros diretores.

Estou totalmente de acordo e, a meu ver, isso é verdade ainda hoje, pois na maioria dos filmes há pouquíssimo cinema; na maioria das vezes, chamo a isso de "fotografia de pessoas que falam". Quando se conta uma história no cinema, só se deveria recorrer ao diálogo quando fosse impossível fazer de outro jeito. Sempre me esforço em procurar primeiro a maneira cinematográfica de contar uma história, pela sucessão dos planos e pelos fragmentos de filme postos entre eles. O que se pode deplorar é o seguinte: com o surgimento do falado, o cinema se imobilizou abruptamente numa forma teatral. A mobilidade da câmera não muda nada nisso. Ainda que a câmera se desloque ao longo de toda uma calçada, é sempre teatro. O resultado é a perda do estilo cinematográfico, e também a perda de toda a fantasia.

Quando se escreve um filme, é indispensável separar nitidamente os *elementos de diálogo* e os *elementos visuais* e, sempre que possível, dar preferência ao visual e não ao diálogo. Seja qual for a opção final em torno da ação que se desenvolve, deve ser a opção que mantém mais firmemente o público em suspense.

Em suma, pode-se dizer que o retângulo da tela deve estar repleto de emoção.

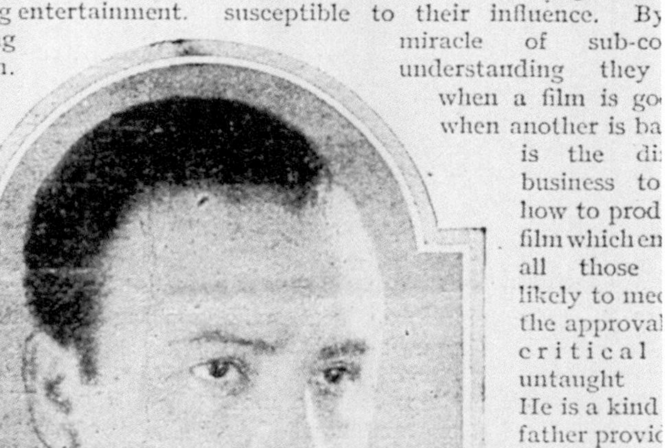

Cassell's Magazine

have always been important to me. as a boy I never went to a cinema y for the sake of exciting entertainment. died films while taking pleasure out of them. med the habit of ng in the terms of lm wherever t. I never a play in a e without matically sing the play film. With rogant bom- youth—that nexperienced h—I could the point liately as to er the play make a good or not. rly I decided film had and had not been the trouble expense of g. remember Mrs. Belloc es's "Who is He?" Haymarket and g up my mind there en that there was a lm in it. That was

all their indifference to the points make or mar a film the public susceptible to their influence. By miracle of sub-co understanding they when a film is go when another is ba is the di business to how to prod film which en all those likely to me the approval critical untaught He is a kind father provid his family. family know they like, b sublimely ig of all that h to the mak their feast. Let me dis them abou detail. A romance is story, not film making. average applicant film test has no i all of the wor unromantic atmosp a studio. It is

Alfred Hitchcock, Director for British International Films.

03

CHANTAGEM E CONFISSÃO, MEU PRIMEIRO FILME FALADO
O PROCESSO SCHÜFTAN
JUNO AND THE PAYCOCK
POR QUE EU JAMAIS FILMARIA *CRIME E CASTIGO*
O QUE É O SUSPENSE?
ASSASSINATO
OS LINGUAJARES AMERICANOS
THE SKIN GAME
RICH AND STRANGE
EM PARIS COM A SRA. HITCHCOCK
O MISTÉRIO DO NÚMERO 17
NEM UM GATO...
HITCHCOCK PRODUTOR
VALSAS DE VIENA
"VOCÊ ESTÁ ACABADO, SUA CARREIRA ESTÁ EM BAIXA"
UM EXAME DE CONSCIÊNCIA MUITO SÉRIO

ANNY ONDRA VAI ASSASSINAR O ARTISTA QUE TENTA ESTUPRÁ-LA. *CHANTAGEM E CONFISSÃO*, 1929.

François Truffaut — Estamos no final de 1928, início de 1929, com *Chantagem e confissão*, seu primeiro filme falado. Você estava satisfeito com o roteiro?

Alfred Hitchcock — Era uma história bem simples, mas não a filmei rigorosamente como queria. Usei a técnica de exposição de *O inquilino sinistro*. No primeiro rolo, mostro como se passa uma detenção: os detetives que saem de manhã, os pequenos dramas... Agarram um sujeito... Ele está na cama... Ele tem um fuzil que é apreendido... Passam-lhe as algemas... Levam-no para a delegacia... Interrogatório... Impressões digitais... Foto de identidade judiciária e, finalmente, trancado numa cela.

Nesse momento, volto aos dois detetives que vão ao lavatório e lavam as mãos como se fossem empregados de um escritório; para eles, é simplesmente o fim de um dia de trabalho. O jovem detetive encontra sua noiva na saída, vão ao restaurante e brigam; separam-se... Ela encontra um pintor, vai para a casa dele, onde ele tenta estuprá-la. A moça o mata, e justamente o jovem detetive será o encarregado da investigação. Ele descobre uma pista, mas a esconde de seus chefes quando percebe o envolvimento de sua noiva. Mas então um chantagista entra em jogo e estoura uma briga entre esse chantagista e a moça, com o jovem detetive entre os dois. Este blefa e tenta desencorajar o chantagista, que se obstina por algum tempo e no final perde a cabeça. Durante uma perseguição pelos telhados do British Museum, ele irá ao encontro da morte. Então, contra a opinião do noivo, a moça se apresenta à Scotland Yard para confessar tudo. Na Scotland Yard é encaminhada justamente para o seu noivo, que, como deve ser, manda soltá-la.

O fim que eu desejava filmar era diferente: depois da caça ao chantagista, a moça teria sido presa e o jovem, obrigado a repetir com ela todos os gestos da primeira cena: algemas, identidade judiciária etc. Encontraria no lavatório seu colega mais velho, que, desconhecendo a

história, lhe perguntaria: "Você vai sair à noite com a sua namorada?". Ele responderia: "Não, não, estou voltando para casa", e este teria sido o fim do filme. Os produtores acharam que era deprimente demais. O filme era tirado de uma peça de Charles Bennett, que ele mesmo, Benn W. Levy e eu adaptamos.

CHANTAGEM E CONFISSÃO: ALICE (ANNY ONDRA), VÍTIMA DE UM PINTOR E DE UM CHANTAGISTA.

A FACA E A PERSEGUIÇÃO NO BRITISH MUSEUM: HITCHCOCK FAZ EXPERIÊNCIAS QUE MARCAM A TRANSIÇÃO DO CINEMA MUDO PARA O FALADO.

Nas cinematecas, existem duas versões de *Chantagem e confissão*, a muda e a falada...

O aspecto divertido de *Chantagem e confissão* é que depois de muita hesitação os produtores haviam decidido que seria um filme mudo, a não ser no último rolo, pois na época se fazia a publicidade de certas produções anunciando: "filme parcialmente sonoro". No fundo, eu desconfiava que os produtores mudariam de opinião e precisariam de um filme sonoro, por conseguinte previ tudo.

Assim, utilizei a técnica do falado, mas sem o som. Graças a isso, quando terminei o filme, pude me opor à ideia de um "parcialmente sonoro", e me deram carta branca para rodar de novo certas cenas. A estrela alemã, Anny Ondra, mal falava inglês, e como a dublagem tal como hoje se pratica ainda não existia, contornei a dificuldade apelando para uma jovem atriz inglesa, Joan Barry, que ficava numa cabine fora do enquadramento e recitava o diálogo diante de seu microfone, enquanto miss Ondra fazia a mímica das palavras. Então eu acompanhava o jogo cênico de Anny Ondra enquanto escutava as inflexões de Joan Barry, com o auxílio de fones nos ouvidos.

Imagino que você buscava sistematicamente ideias sonoras equivalentes às invenções puramente visuais de *O inquilino sinistro*?

Eu tinha tentado, sim. Depois de matar o pintor que, na casa dele, tentou estuprá-la, a moça volta para a casa dela e há uma cena de café da manhã com sua família ao redor da mesa. Uma vizinha que lá está, muito tagarela, conversa sobre o assassinato que acaba de ser noticiado e diz: "Que coisa terrível matar um homem pelas costas com uma faca. Se fosse eu, teria jogado um tijolo na cabeça dele mas não teria usado uma faca", e o diálogo continua, a moça não escuta mais nada e o som torna-se uma papa sonora, muito vaga, confusa, apenas se ouvindo nitidamente a palavra "faca", que

volta várias vezes: faca, faca. E de repente a moça ouve com clareza a voz do pai: "Passe-me a faca de pão, por favor, Alice", e Alice tem de pegar com a própria mão a faca parecida àquela com a qual acaba de cometer o assassinato, e enquanto isso os outros continuam a falar do crime. Foi essa a minha primeira experiência sonora.

Você utilizou um bocado de trucagens durante a perseguição ao homem no British Museum?

De fato, não tinha luz suficiente para filmar dentro do museu, então nos servimos do processo Schüftan. Coloca-se um espelho parcialmente prateado em um ângulo de quarenta e cinco graus, no qual se reflete uma foto do cenário do museu. As fotos foram feitas com uma exposição de trinta minutos. Tínhamos nove fotos reproduzindo diferentes locais e, como eram transparentes, podíamos iluminá-las por trás.

Raspávamos o espelho para tirar o reflexo prateado em certos pontos que correspondiam a um elemento de cenário verdadeiro, construído no estúdio, por exemplo um batente de porta a fim de se ver chegar um personagem.

Os produtores desconheciam o processo Schüftan e não teriam confiança; então filmei essas cenas com truques sem que eles soubessem.

O FALSO BIGODE NO ROSTO DO ARTISTA. *CHANTAGEM E CONFISSÃO*, 1929.

A cena em que o pintor quer estuprar a moça e que termina num crime, mais tarde a revimos diversas vezes em filmes americanos feitos por outros diretores...
Ah, certamente! Fiz uma coisa curiosa nessa cena, um adeus ao cinema mudo. Nos filmes mudos, em geral o vilão era bigodudo. Então mostrei o pintor sem bigode, mas a sombra de uma grade de ferro, colocada no cenário de seu ateliê, desenha acima de seu lábio superior um bigode mais verdadeiro e mais ameaçador que um natural!

HITCHCOCK E ANNY ONDRA BRINCANDO NOS TESTES DE SOM.

HITCH: AGORA, MISS ONDRA, VAMOS FAZER UM TESTE DE SOM. É ISSO MESMO QUE DESEJA FAZER? AGORA, VENHA SE COLOCAR AO MEU LADO.
ANNY ONDRA: NÃO SEI O QUE DIZER. ESTOU TÃO NERVOSA.

HITCH: A SENHORITA SE COMPORTOU BEM?
ANNY ONDRA: AH, NÃO.

HITCH: NÃO? DORMIU COM HOMENS?
ANNY ONDRA: NÃO.

HITCH: AGORA FIQUE NO SEU LUGAR SEM SE MEXER OU A COISA NÃO MARCHARÁ DIREITO, COMO DIZIA A FILHA DO SOLDADO.

ANNY ONDRA: AH, HITCH, VOCÊ ME FAZ ENRUBESCER!

HITCH: CORTA!

BORWICKS
BAKING POWDER
THERE'S NOTHING SO GOOD
ICE SKATING

* Seria um pouco longo resumi-la. Digamos que se passa em Dublin durante a revolução e conta as excentricidades a que se entrega uma família pobre e prestes a receber uma herança. O chefe da família, capitão Boyle (o Pavão), é um falso capitão e a herança vira a sua cabeça, ao passo que a esposa, a gorda Juno, mantém a sua firmemente em cima do pescoço. No final, não havia herança e toda a família soçobra no desespero: filha engravidada pelo notário, filho fuzilado como alcaguete.

Em seguida, no início de 1930, creio que você foi levado a dirigir uma ou duas sequências do primeiro musical inglês, *Elstree calling*.
Rigorosamente sem interesse.
Então chegamos a *Juno and the Paycock*, tirado da peça de Sean O'Casey.*
Juno and the Paycock foi filmado com uma trupe de atores irlandeses. Devo dizer que eu não tinha a menor vontade de fazer esse filme pois, por mais que tivesse lido e relido a peça, não enxergava possibilidade alguma de contá-la de um modo cinematográfico. E olhe que a peça é excelente, e gosto muito de sua história, do tom, dos personagens e dessa mistura de humor e tragédia! Aliás, lembrei-me de O'Casey quando, em *Os pássaros*, mostrei o bêbado que anuncia no bar o fim do mundo. Fotografei essa peça com o máximo de imaginação, mas do ponto de vista criativo não foi uma boa experiência.

O filme teve ótimas críticas, mas garanto-lhe que no fundo eu me sentia envergonhado, porque nada daquilo tinha a menor relação com o cinema. As críticas elogiavam o filme e minha impressão era a de ter sido desonesto, de estar roubando alguma coisa.
De fato, tenho diante dos olhos uma crítica inglesa da época: "*Juno and the Paycock* me parece estar muito perto de uma obra-prima. Parabéns, sr. Hitchcock, parabéns, atores irlandeses, e parabéns, Edward Chapman (o *Paycock*: o Pavão). Eis um magnífico filme britânico". (James Agate no *Tatler*, março de 1930.) Compreendo muito bem a sua reação, porque é verdade que os críticos em geral tendem a avaliar mais a qualidade literária de um filme do que sua qualidade cinematográfica.

Seus escrúpulos em relação a O'Casey explicam sua repugnância em adaptar as obras-primas da literatura. Há em sua obra uma profusão de adaptações, mas no mais das vezes se trata de uma literatura estritamente recreativa, romances populares que você remaneja como bem entende até que eles se transformem em filmes de Hitchcock. Entre os que o admiram, alguns desejariam vê-lo se lançando em adaptações de obras importantes e ambiciosas, como *Crime e castigo*, de Dostoiévski, por exemplo.
Sim, mas jamais o farei porque, justamente, *Crime e castigo* é obra de outro. Volta e meia fala-se de cineastas que, em Hollywood, deformam a obra original. Minha intenção é não fazer isso nunca. Leio uma história só uma vez. Quando a ideia de base me convém, adoto-a,

EM *CHANTAGEM E CONFISSÃO*, HITCHCOCK APARECE LENDO NO METRÔ, E É IMPORTUNADO POR UM MENINO MAL-EDUCADO. NO CENTRO, JOHN LONGDEN, O NOIVO-DETETIVE, HERÓI DO FILME.

A TRUPE DE ATORES IRLANDESES CONTRATADOS PARA *JUNO AND THE PAYCOCK* (1930).

esqueço completamente o livro e fabrico cinema. Seria incapaz de lhe contar *Os pássaros* de Daphne du Maurier. Só o li uma vez, rapidamente.

O que não entendo é que alguém se apodere totalmente de uma obra, de um bom romance que o autor levou três ou quatro anos para escrever e que é toda a vida dele. Alguém fica remexendo nisso, cercado de artesãos e técnicos de qualidade, e vira candidato ao Oscar, ao passo que o autor se dissolve no segundo plano. Não se pensa mais nele.

Isso explica por que você não filmará *Crime e castigo*.

Acrescento que, de qualquer maneira, se filmasse *Crime e castigo* não ficaria bom.

Por quê?

Se você pega um romance de Dostoiévski, não apenas *Crime e castigo*, qualquer um, há muitas palavras lá dentro e todas têm uma função.

E por definição uma obra-prima é alguma coisa que encontrou sua forma perfeita, sua forma definitiva?

Exatamente. E para expressar a mesma coisa de modo cinematográfico, seria preciso fazer um filme que substituísse as palavras pela linguagem da câmera, durasse seis ou dez horas, do contrário não seria sério.

Creio também que o seu estilo e as necessidades do suspense o levam constantemente a jogar com o tempo, a contraí-lo de vez em quando, mas ainda com mais frequência a dilatá-lo, e é por isso que o trabalho de adaptação de um livro é muito mais difícil para você do que para a maioria dos cineastas.

SARA ALLGOOD (A GORDA JUNO) E KATHLEEN O'REGAN EM *JUNO AND THE PAYCOCK*.

É, mas contrair ou dilatar o tempo não é a primeira missão do diretor de cinema? Você não acha que no cinema o tempo jamais deveria ter relação com o tempo real?

Certamente, é um jogo essencial, mas que só se pode descobrir rodando o seu primeiro filme; por exemplo, as ações rápidas devem ser exageradas e dilatadas, sob pena de serem quase imperceptíveis para o espectador. É preciso tarimba e autoridade para controlar bem isso.

É por isso que se comete um erro ao entregar a adaptação de um romance ao próprio autor; em tese, ele desconhece os princípios de um tratamento cinematográfico. Em compensação, um dramaturgo que adaptar sua própria peça para a tela será mais eficaz, mas mesmo nesse caso deverá estar consciente de uma dificuldade: seu trabalho de teatro o levou a prender o interesse por duas horas, sem interrupção. Ainda assim, o dramaturgo poderá ser um bom roteirista, na medida em que tem prática de elaborar paroxismos sucessivos.

Para mim é óbvio que as sequências de um filme jamais devem ficar se arrastando, mas devem sempre ir adiante, tal qual um trem que avança roda após roda, ou, mais exatamente, como um trem de cremalheira que escala a estrada de ferro na montanha dente após dente. Nunca se deveria comparar um filme com uma peça de teatro ou com um romance. O que mais se aproxima é uma novela, cuja regra geral é conter uma só ideia que termina de ser expressa no momento em que a ação atinge seu ponto dramático culminante.

Você deve ter reparado que raramente uma novela é deixada em repouso, o que a aproxima do filme. Essa exigência implica a necessidade de um sólido desenvolvimento do enredo e a criação de situações pungentes que decorram desse próprio enredo, devendo todas, acima de tudo, ser apresentadas com habilidade visual. Isso nos leva ao suspense, que é o meio mais poderoso de prender a atenção do espectador, seja o suspense de situação, seja o que incita o espectador a se indagar: "E agora, o que vai acontecer?".

Há muitos mal-entendidos em torno da palavra "suspense". Várias vezes você explicou em entrevistas que não se deve confundir surpresa com suspense, e voltaremos a isso, mas muita gente acha que há suspense quando há um efeito de medo...

Claro que não. Voltemos à telefonista do filme *Easy virtue*. Ela escuta o rapaz e a mulher, que nós nunca mostramos e que falam de casamento. Essa telefonista era um poço de suspense, estava repleta de suspense: será que a mulher que está na ponta da linha vai aceitar se casar com o homem que lhe telefona? A telefonista sentiu um grande alívio quando a mulher disse "sim", e seu próprio suspense terminou. Aí temos, portanto, um exemplo de suspense que não é ligado ao medo.

Contudo, a telefonista temeu que a mulher se recusasse a casar com o rapaz, mas, pensando bem, não era angústia. O suspense é a dilatação de uma espera?

Na forma originária do suspense, é indispensável que o público esteja perfeitamente informado dos elementos presentes. Do contrário, não há suspense.

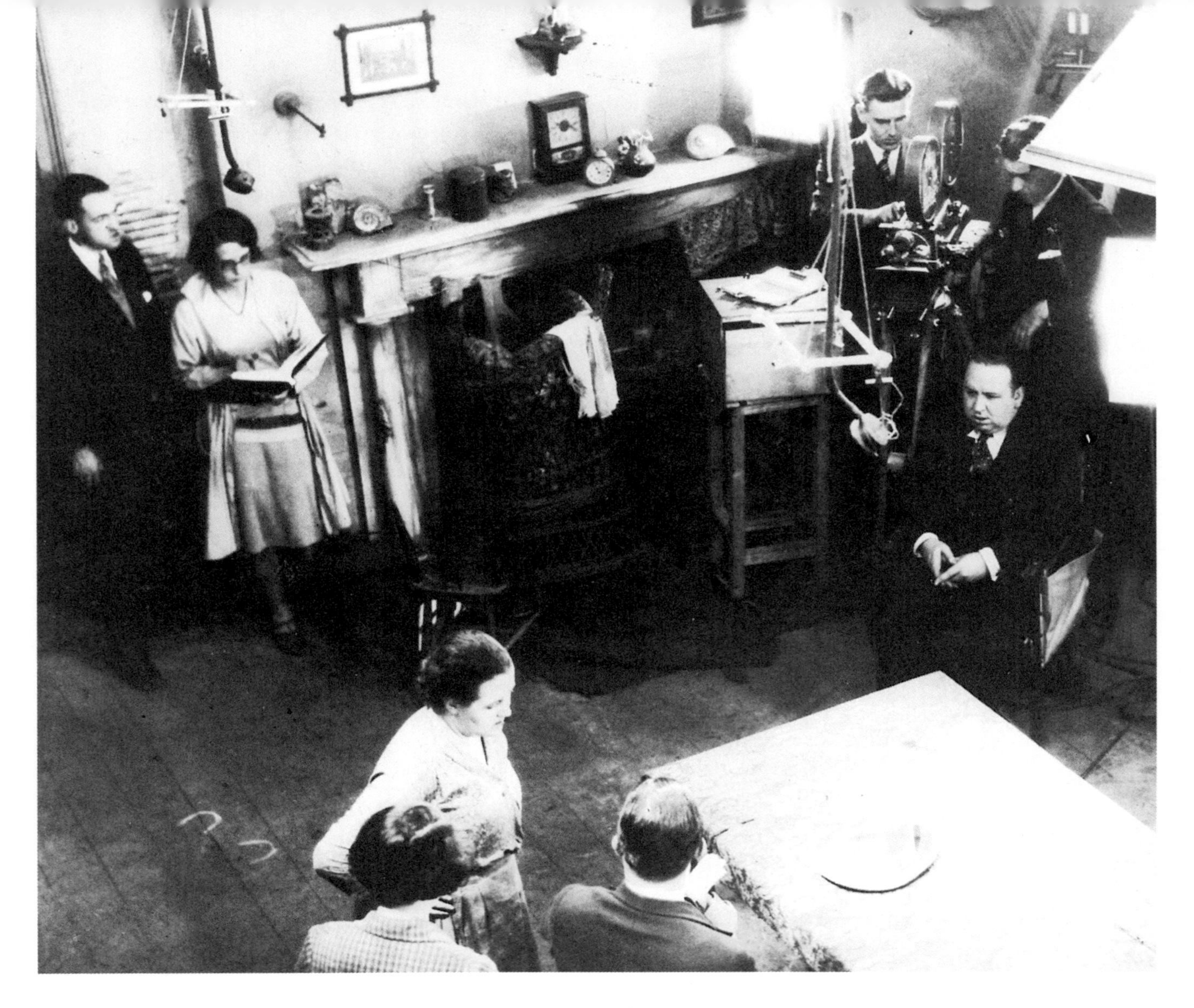

Decerto, mas ainda assim pode haver suspense em torno de um perigo misterioso?

Não esqueça que para mim o mistério é raramente um suspense; por exemplo, num *whodunit** não há suspense mas uma espécie de interrogação intelectual. O *whodunit* suscita uma curiosidade destituída de emoção; ora, as emoções são um ingrediente necessário ao suspense. No caso da telefonista de *Easy virtue*, a emoção era o desejo daquele rapaz de ser aceito por uma mulher. Na situação clássica da bomba que explodirá numa determinada hora, é o medo, o temor por alguém, e esse medo depende do grau de intensidade com que o público vai se identificar com a pessoa em perigo. Poderia ir mais longe e dizer que, na velha situação da bomba, exposta como convém, você poderia ter um grupo de gângsteres em volta da mesa, um grupo de homens maus...

... por exemplo a bomba dentro da pasta, como durante o atentado de 20 de julho contra Hitler?

É, e nem mesmo nesse caso, não creio que o público diria: "Ah! que bom, eles vão ficar todos esmigalhados", mas sim: "Tomem cuidado, tem uma bomba". O que isso significa? Que a apreensão da bomba é

* *Whodunit* (contração da pergunta *Who has done it?* ou "Quem fez isso?") é um drama, romance, peça ou filme policial com um enigma: "Quem matou?".

FOTO DE TRABALHO DE *JUNO AND THE PAYCOCK*.

mais forte do que as noções de simpatia ou antipatia por personagens. Mas não creia que isso venha unicamente da bomba como objeto especialmente temido. Tomemos outro exemplo, o de uma pessoa curiosa que penetra no quarto de outra e vasculha as gavetas. Você mostra o dono do quarto que sobe a escada. Depois retorna à pessoa que vasculha e o público tem vontade de lhe dizer: "Cuidado, preste atenção, ele está subindo a escada". Portanto, uma pessoa que vasculha não precisa ser um personagem simpático, o público sempre sentirá apreensão por ela. Evidentemente, se a pessoa que vasculha for simpática, você redobrará a emoção do espectador, por exemplo com Grace Kelly em *Janela indiscreta*.

Ah, sim! É um exemplo perfeito.

Na estreia de *Janela indiscreta* eu estava sentado ao lado da mulher de Joseph Cotten e, no momento em que Grace Kelly vasculha o quarto do assassino e que este aparece no corredor, ela ficou tão perturbada que se virou para o marido e disse: "Faça alguma coisa, faça alguma coisa".

Gostaria de lhe pedir então que esclarecesse a diferença que se deve fazer entre suspense e surpresa.

A diferença entre suspense e surpresa é muito simples, e costumo falar muito sobre isso. Mesmo assim, é frequente que haja nos filmes uma confusão entre essas duas noções. Estamos conversando, talvez exista uma bomba debaixo desta mesa e nossa conversa é muito banal, não acontece nada de especial, e de repente: bum, explosão. O público fica surpreso, mas, antes que tenha se surpreendido, mostraram-lhe uma cena absolutamente banal, destituída de interesse. Agora, examinemos o suspense. A bomba está debaixo da mesa e a plateia sabe disso, provavelmente porque viu o anarquista colocá-la. A plateia sabe que a bomba explodirá à uma hora e sabe que faltam quinze para a uma — há um relógio no cenário. De súbito, a mesma conversa banal fica interessantíssima porque o público participa da cena. Tem vontade de dizer aos personagens que estão na tela: "Vocês não deveriam contar coisas tão banais, há uma bomba debaixo da mesa, e ela vai explodir". No primeiro caso, oferecemos ao público quinze segundos de surpresa no momento da explosão. No segundo caso, oferecemos quinze minutos de suspense. Donde se conclui que é necessário informar ao público sempre que possível, a não ser quando a surpresa for um *twist*, ou seja, quando o inesperado da conclusão constituir o sal da anedota.

Seu filme seguinte, *Assassinato*, era tirado de uma peça...

Esse era interessante. Você viu?

Vi, sim. Vi. É a história de uma jovem atriz acusada de ter matado uma de suas amigas. Ela é presa, julgada e condenada à morte. Entre os jurados encontra-se sir John (Herbert Marshall), um famoso ator-autor; convencido de sua inocência, ele mesmo dirige uma nova investigação e descobre enfim o assassino: o noivo da acusada.

Aí está um dos seus raros filmes "com enigma"...

De fato, é dos raros *whodunits* que filmei. Sempre evitei os *whodunits*, pois em geral o interesse se concentra exclusivamente na parte final.

É o caso de todos os romances de Agatha Christie, por exemplo... Uma investigação enfadonha, cenas de interrogatório umas após as outras...

Por isso é que não gosto muito dos *whodunits*; faz pensar num quebra-cabeça ou num jogo de palavras cruzadas. Você espera tranquilamente a resposta para a pergunta: "Quem matou?". Nenhuma emoção.

Isso me lembra uma história. Quando a televisão começou, havia dois canais concorrentes. O primeiro canal anunciou um programa *whodunit*. E logo antes do programa, um locutor do canal rival anunciou: "No *whodunit* que vão passar no canal rival, já podemos lhes dizer que foi o mordomo que atirou".

Assim, embora se trate de um *whodunit*, você se interessou muito por *Assassinato*?

Sim, porque havia muitas coisas que ali eram feitas pela primeira vez. Foi o primeiro filme falado de Herbert Marshall e o papel lhe convinha perfeitamente; ele se revelou de imediato um excelente ator para o cinema falado. Seus pensamentos precisavam ser compreendidos e, como detesto a ideia de introduzir um personagem inútil num enredo, recorri ao monólogo interior. Na época, isso foi considerado como uma formidável inovação do cinema falado. Na verdade, era a mais velha ideia do mundo no campo teatral, a começar por Shakespeare, ali adaptada às possibilidades do cinema falado.

Havia uma cena em que Herbert Marshall se barbeava ouvindo música no rádio...

O prelúdio de *Tristão*. Era uma das melhores cenas.

É, pois bem! Eu tinha uma orquestra de trinta músicos no estúdio, atrás do cenário do banheiro. Você há de compreender, era impensável acrescentar esse som mais tarde, precisávamos gravá-lo ao mesmo tempo, no palco.

Aliás, ainda a respeito do som direto, fiz experiências de improvisação. Expliquei aos atores o conteúdo da cena e propus a eles que inventassem seus diálogos. O resultado não foi bom, era cheio de hesitações: eles pensavam arduamente no que deviam dizer, e não havia a espontaneidade que eu esperava; aquilo já não tinha um tempo de duração, já não tinha ritmo. Entretanto, creio que você gosta da improvisação, não gosta? Qual é a sua experiência?

De fato, o perigo é dar a palavra a tartamudos, e as cenas correm o risco

CONDENADA À MORTE, DIANA (NORAH BARING) ESTÁ NA PRISÃO QUANDO UM DOS JURADOS, JOHN MENIER (HERBERT MARSHALL), RESOLVE FAZER UMA NOVA INVESTIGAÇÃO. *ASSASSINATO*, 1930.

NO FINAL DO FILME, O TRAPEZISTA QUE SE APRESENTAVA VESTIDO DE MULHER É O PIVÔ DE REVELAÇÕES INESPERADAS.

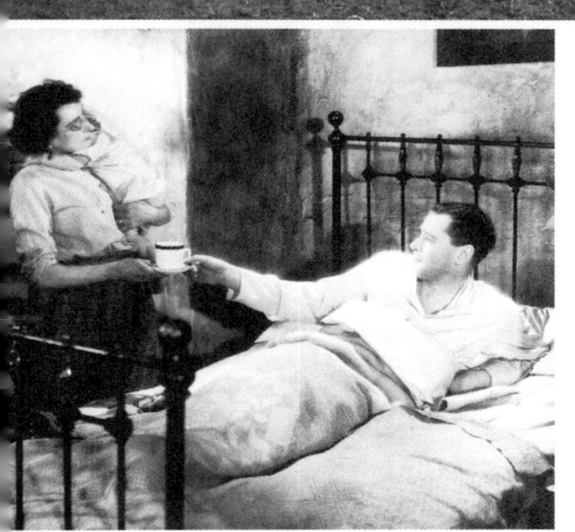

de ser duas vezes mais longas quando as pessoas procuram as palavras. O que me agrada, porém, é uma fórmula intermediária que consiste, por exemplo, em falar de uma cena delicada com eles e escrevê-la depois, utilizando as palavras do vocabulário deles... é um trabalho especial...
É muito interessante, mas há o risco de não ser muito econômico, hein?
Econômico de nenhum ponto de vista... dinheiro, película, tempo... Voltemos a *Assassinato*. Na verdade era uma história de homossexualismo, ligeiramente adaptada, o que era bastante audacioso para a época... O assassino, que nos é apresentado disfarçado de mulher na cena final, no circo, confessa que matou a moça porque ela estava prestes a fazer revelações à sua namorada a respeito dele, a respeito de seus costumes...
É, desse ponto de vista era audacioso. Havia também muitas referências a *Hamlet*, porque a própria peça estava dentro da peça. Convidava-se o suposto assassino a ler o manuscrito de uma peça e esse manuscrito era um subterfúgio descrevendo o assassinato; observava-se o homem enquanto ele lia em voz alta, para se saber se ia confessar sua culpa, exatamente como o rei em *Hamlet*. Todo o filme era intimamente ligado ao teatro.

Por outro lado, *Assassinato* foi minha primeira experiência de filme bilíngue. Tive de filmar simultaneamente uma versão alemã e uma versão inglesa; eu havia trabalhado na Alemanha e falava um alemão bem tosco, o suficiente para me virar. Na versão inglesa o herói era, pois, Herbert Marshall, e na versão alemã, um ator muito conhecido que se chamava Alfred Abel. Antes da filmagem, quando fui a Berlim discutir o roteiro, sugeriram-me diversas modificações, mas recusei todas, e na verdade estava errado. Recusei porque estava satisfeito com a versão inglesa e, por motivos de economia, não era possível filmar duas versões muito diferentes uma da outra.

Portanto, voltei para Londres com o roteiro não modificado e comecei a filmar. Imediatamente me dei conta de que eu não tinha ouvido para a língua alemã; detalhes de todo tipo, engraçadíssimos na versão inglesa, já não tinham a menor graça na alemã. Como por exemplo a ironia baseada na perda da dignidade ou no esnobismo. O ator alemão não estava à vontade, e eu me dava conta de que não compreendia a língua alemã.

Não quero desanimá-lo, mas agora você pode entender por que René Clair, Julien Duvivier e Jean Renoir não tiveram um verdadeiro sucesso nos Estados Unidos. Eles não têm ouvido para as palavras e os linguajares americanos. Curiosamente, os alemães se adaptaram melhor, pelo menos uns dois ou três, tais como Lubitsch, Billy Wilder. Os húngaros também conseguiram, e minha própria experiência me permite imaginar o que devem ter sentido o diretor húngaro Michael Curtiz e o produtor, igualmente húngaro, Jo Pasternak, quando chegaram à Califórnia.

Parece-me, contudo, que os cineastas europeus levam para o cinema americano alguma coisa que os diretores hollywoodianos seriam incapazes de lhe dar, um certo olhar bastante crítico sobre os Estados Unidos, e é frequente que isso torne o trabalho deles duplamente interessante. São detalhes que raramente encontraremos em Howard Hawks e Leo MacCarey, mas costumam aparecer em Lubitsch, Billy Wilder, Fritz Lang e também nos seus filmes, observações críticas sobre a vida americana.

THE SKIN GAME (1931): A BATALHA PELA TERRA É TRAVADA, DURANTE UM LEILÃO, ENTRE UM CHEFE DE FAMÍLIA TRADICIONAL E UM NOVO-RICO.

EM *RICH AND STRANGE* (1932), FRED (HENRY KENDALL) E EMILY (JOAN BARRY) RECEBEM UMA HERANÇA INESPERADA E PODEM REALIZAR TODOS OS SONHOS.

De quebra, os emigrados também levam consigo seu folclore...
Isso é verdade principalmente no campo humorístico. Por exemplo, *O terceiro tiro* é um enfoque do humor macabro, rigorosamente inglês. Fiz esse filme, *O terceiro tiro*, para provar que o público americano era capaz de apreciar o humor inglês, e funcionou bastante bem ali, onde o filme alcançou o público.

E olhe que, na Inglaterra, muita gente que nunca veio aqui é profundamente antiamericana. Sempre digo a essa gente: não existem americanos. Os Estados Unidos são uma profusão de estrangeiros. Se olho para meu próprio lar, por exemplo, nossa faxineira é uma alemã da Pomerânia, quem cuida da nossa casa de veraneio é uma italiana que mal fala inglês: no entanto é cidadã americana e há uma grande bandeira americana no alto de seu *cottage*. Nosso jardineiro é um mexicano, muitos outros jardineiros aqui são japoneses, você vê isso em toda parte, e nos estúdios ouve ao redor sotaques diferentes, de todo tipo.

Para concluir com *Assassinato*, esse filme interessante teve um certo sucesso em Londres, mas era sofisticado demais para fazer uma verdadeira carreira no interior.

O filme seguinte, *The skin game*, também era tirado de uma peça de teatro? Tenho uma lembrança um tanto confusa dele. É a história de uma rivalidade ferrenha entre um proprietário de terras e seu vizinho, um industrial novo-rico. A cena mais importante os mostrava se enfrentando durante um longo leilão. É isso mesmo?
É. Era uma peça de John Galsworthy; tinha como ator principal Edmund Gwenn, que nessa época era conhecidíssimo em Londres. Não era um tema que eu tivesse escolhido, e não há nada a dizer sobre ele.

Imagino que suas dificuldades no início do cinema falado decorressem do aumento dos orçamentos?
De fato, fazíamos os filmes mais devagar, procurávamos mais a audiência internacional, volta e meia filmávamos diversas versões, os filmes custavam mais caro.

A dublagem ainda não existia?
Não. Fazíamos as tomadas de cena com quatro câmeras e uma só banda sonora, pois não se podia cortar o som, e, por isso, quando me falam de utilização de câmeras múltiplas no trabalho de televisão, respondo: já fazíamos isso em 1928.

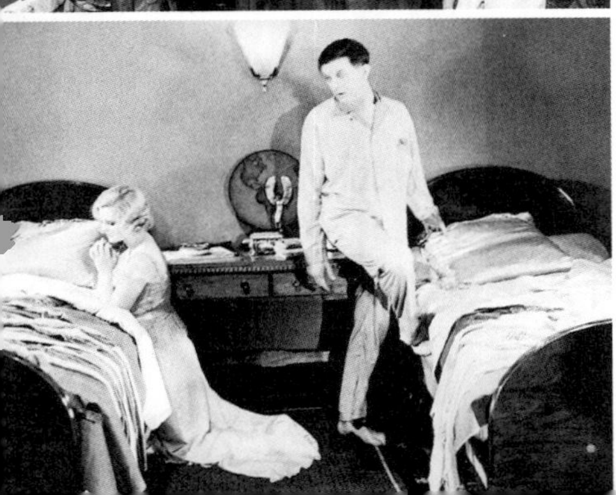

Gosto muito do filme que você fez em seguida, *Rich and strange*, em 1932. Creio que nos Estados Unidos tinha o título de *East of Shangai*. É um filme cheio de vida...
Havia muitas ideias ali dentro. É a história de um jovem casal que ganhou uma grande soma de dinheiro e sai para uma viagem de volta ao mundo. Antes de fazer esse filme, a sra. Hitchcock, que colaborava no roteiro, e eu fomos a Paris fazer pesquisas para o roteiro. No filme, eu queria mostrar o jovem casal passando um tempinho em Paris, indo ao Folies-Bergères e, no intervalo, entrando nos bastidores para olhar a dança do ventre. Então fomos ao Folies-Bergères. No intervalo, avistei um homem de smoking e perguntei: "Onde se pode ver a dança do ventre?". "Siga-me, por aqui." Então ele nos levou para a rua. Fiquei espantado, e ele me respondeu: "Não, é no anexo", e nos fez entrar num

táxi. Pensei que com toda a certeza havia um engano e, finalmente, ele para conosco diante de uma porta e digo à minha mulher: "Aposto que está nos levando para um bordel". Pergunto-lhe: "Você quer vir ou não?" e ela responde: "Bem! vamos lá". Nunca em nossa vida tínhamos estado num lugar parecido, e então chegam as moças, oferecem champanhe, e a cafetina me pergunta, na frente de minha mulher, se eu gostaria de ficar um pouquinho com uma daquelas jovens. Isso nunca tinha me acontecido, e até hoje é verdade, nunca me meti com esse tipo de mulheres. Em suma, voltamos ao teatro e me dei conta de que nos comportávamos exatamente como os turistas do filme, éramos dois inocentes no estrangeiro!

Por que você queria ver a dança do ventre? Para usá-la no filme?

O que eu queria fazer com essa história de dança do ventre era o seguinte: a heroína olhava para a bailarina e, no umbigo que girava, eu queria fazer uma fusão encadeada em espiral.

... Como nos créditos de *Um corpo que cai*?

É. Em *Rich and strange* havia uma cena do rapaz tomando banho de piscina com a moça. Ela lhe diz: "Aposto que você não consegue passar nadando entre minhas pernas", e fica de pé dentro da piscina, com as

ANTES DE PARTIR PARA DAR A VOLTA AO MUNDO, É PRECISO SOFRER A ROTINA DO ESCRITÓRIO. EM PÉ, PERTO DA CÂMERA, HITCHCOCK DIRIGE *RICH AND STRANGE*.

pernas afastadas. A câmera fica debaixo d'água quando o rapaz mergulha e se prepara para passar entre as pernas afastadas; de repente, ela fecha as pernas, prendendo a cabeça do rapaz, e vemos bolhas saindo de sua boca. Finalmente ela o solta e, sem fôlego, ele volta à tona e diz: "Dessa vez, você quase me matou", e ela responde: "Não teria sido uma morte maravilhosa?". Acho que hoje já não se poderia mostrar isso, por causa da censura.

Aliás, vi duas cópias diferentes do filme e não havia essa cena em nenhuma das duas. Em compensação, lembro-me de um episódio muito divertido dentro de um junco...

Ah, sim! Depois de percorrer todo o Oriente, o jovem casal está num navio que afunda. São recolhidos por um junco e conseguem salvar o licor de hortelã e um gato preto, o do navio.

Encolhem-se um contra o outro na proa do junco e logo os chineses lhes levam comida. Está uma delícia, a melhor refeição que já fizeram. Com os pauzinhos e tudo. Quando acabam de comer, viram-se para a popa da embarcação e, ali, veem a pele do gato preto pregada na parede para secar. Enojados, precipitam-se para a amurada.

Embora seja um bom filme, creio que *Rich and strange* não conseguiu boa crítica.

Acharam os personagens mal construídos e os atores pouco convincentes; na verdade, os atores me convinham, mas talvez fosse preciso reunir um elenco mais atraente. Gosto muito desse filme, que deveria ter feito sucesso.

Em 1932, você filmou *O mistério do número 17*, a que assisti na Cinemateca. É muito divertido, só que a história é muito confusa...

Um desastre! A propósito desse filme, prefiro lhe contar uma história engraçada. A primeira parte se passava numa casa vazia onde iam se refugiar uns bandidos e ali devia haver trocas de tiros de espingarda. Pensei que seria uma ideia bem interessante imaginar que essa casa abandonada era o refúgio de todos os gatos vadios do bairro. Assim, a cada tiro de espingarda, uns cem gatos subiriam ou desceriam as escadas; esses planos deviam ser separados da ação, para maior comodidade e para que na montagem eu pudesse jogar com eles como bem entendesse. Portanto, uma bela manhã, estávamos prontos para filmar todos esses trajetos de gatos. Instalo a câmera ao pé da escada. Ao chegar, percebo que o estúdio está repleto de gente. Digo: "Por que todos esses figurantes?". Respondem-me: "Não são figurantes, são os donos dos gatos".

Ao pé dos degraus, pusemos uma barreira. Cada um foi lá depositar o seu gato. Finalmente, estávamos prontos. O câmera ligou o motor e o contrarregra deu um tiro de espingarda. Todos os gatos, sem exceção, se lançaram por cima da barreira, nem ao menos um pegou a escada! Zanzavam para todo lado no estúdio e, horas a fio, ficamos vendo os donos, que passeavam pelos cenários à procura de seus gatos: "Miau, miau, gatinho. Este gato é meu... não, não, é o meu" etc. Finalmente, recomeçamos, instalando uma grade. Estava tudo pronto de novo. "Motor!"... "Bang!" Dessa vez, houve três gatos na escada, enquanto todos os outros se agarraram no gradeado, desesperados. Tive de desistir da minha ideia.

A AMURADA ONDE OS PROTAGONISTAS DE *O MISTÉRIO DO NÚMERO 17* (1932) ESTÃO AMARRADOS ACABA DE CEDER, MAS SUAS AVENTURAS ESTÃO APENAS COMEÇANDO.

NOS ARREDORES LONDRINOS, A QUADRILHA QUE ROUBOU O VALIOSO COLAR FOGE DA POLÍCIA.

Esse filme era tirado tanto de uma peça de teatro como de um romance, de J. Jefferson Farjeon. Foi você quem escolheu a história?
Não, tinha sido comprada pelo estúdio e me pediram que a filmasse.
É um filme bem curto, um pouquinho mais de uma hora. A primeira parte, que se passa na casa, vem provavelmente da peça. Guardo melhor lembrança da segunda parte, a longa perseguição entre as maquetes de carros e trens, era muito bonito. Nos seus filmes as maquetes são sempre muito bonitas. Em seguida vejo que foi levado a produzir um filme, *Lord Camber's Ladies*, dirigido por outra pessoa, um certo Benn W. Levy, corroteirista de *Chantagem e confissão*.
Tratava-se de um gênero de filme cem por cento britânico, que as companhias americanas eram legalmente obrigadas a distribuir. Eram os chamados "filmes de cota", filmados com pouquíssimo dinheiro. Quando a empresa British International Pictures, no estúdio de Elstree, decidiu fazer alguns desses filmes, aceitei produzir um ou dois. Minha ideia tinha sido entregar a direção desse filme a Benn W. Levy porque ele era um autor de teatro bastante conhecido e um amigo. Tínhamos um excelente elenco, com Gertrude Lawrence, uma superstar naquele tempo, e sir Gerald du Maurier, na época o maior ator de Londres, e aliás, a meu ver,

o melhor ator do mundo. Infelizmente, o sr. Levy revelou-se um gentleman muito teimoso, que não aceitava críticas nem opiniões de nenhum tipo. Foi por isso que meu gesto de lhe oferecer a direção do filme — não sei se se diz isso em francês —, meu belo gesto estourou bem na minha cara.

Eu ainda tinha mais dois projetos como produtor. Queria entregar um filme a outro escritor de grande reputação, John van Druten, que escreveu várias peças para dois personagens. Eu lhe oferecia a possibilidade de rodar um filme nas ruas de Londres com uma pequena equipe paga por um ano inteiro; se chovesse, ele podia ir para o estúdio; tinha a possibilidade de parar, recomeçar, e podia pegar dois excelentes atores com contrato de um ano. Na verdade, eu lhe oferecia uma câmera no lugar de uma máquina de escrever. Recusou obstinadamente, e não sei por que não ofereci luxo idêntico a mim mesmo!

Por outro lado, interessava-me uma história escrita pela condessa Russell. Essa história é a seguinte: uma princesa foge da corte e por duas semanas se diverte e vive aventuras com um cidadão comum. Em que isso o faz pensar?

Em *A princesa e o plebeu*...

Mas não foi feito. Em seguida, embarquei com dois escritores num roteiro baseado numa história de Bulldog Drummond. Era um ótimo script e o produtor, John Maxwell...

... que era aquele de todos os seus filmes desde 1927, desde *O ringue*?

... É, Maxwell me mandou uma carta dizendo: "É um roteiro muito brilhante, um tour de force, mas não quero produzi-lo". Desconfio seriamente de que um homem que eu mesmo tinha levado para o estúdio, e que era nosso assessor de imprensa desde *O ringue*, fez intrigas contra mim e contra esse filme, que não foi rodado. Com isso encerrou-se minha fase na British International Pictures.

Estamos em 1933 e nesse momento as coisas não vão muito bem para você... Imagino que jamais teria escolhido filmar *Valsas de Viena*.

Era um musical sem música, muito barato. Não tinha nada a ver com o meu trabalho habitual. De fato, nessa fase minha reputação era muito ruim, mas ainda bem que eu nem desconfiava. Não era nenhum problema de vaidade, mas simplesmente no fundo eu estava convencido de que era um diretor de cinema. Nunca pensei: "Você está acabado, sua carreira está em baixa", e no entanto, externamente, para os outros, era isso.

Fiquei muito decepcionado com o fracasso de *Rich and strange*, e o filme *O mistério do número 17* demonstrava um estado de espírito um tanto negligente. Eu não examinava com o necessário cuidado o que devia fazer. Depois desse período, aprendi a ser muito crítico em relação a mim mesmo, a tomar distância para julgar o trabalho já feito, como uma espécie de segundo olhar, e sobretudo a não me meter em mais nenhum projeto sem ter a sensação interior de conforto: quando nos sentimos de fato à vontade num projeto, dele poderá sair algo de bom. É como se você se preparasse para construir uma casa: tem de imaginar primeiro a estrutura de concreto. Não falo da construção da história, falo da concepção do filme. Se a concepção é boa, algo de bom poderá ser desenvolvido. O que esse filme será, isso é uma questão de grau, mas já

SIR GERALD DU MAURIER EM *LORD CAMBER'S LADIES* (1932).

EM *VALSAS DE VIENA* (1933), A HISTÓRIA DOS JOHANN STRAUSS, PAI E FILHO; E UM AJUDANTE DE COZINHA MUITO CURIOSO.

não se pode contestar a concepção. Meu erro com *Rich and strange* foi não ter me assegurado de que os dois protagonistas conviriam tanto ao público como à critica; com uma história dessas, eu não deveria ter me permitido uma interpretação mediana. Foi durante essa fase em que eu estava em baixa, durante a filmagem de *Valsas de Viena*, que Michael Balcon passou no estúdio para me ver. Graças a ele é que eu havia me tornado diretor de cinema e imagino que, naquele momento, devia estar decepcionado comigo. Ainda assim, me perguntou: "O que vai fazer depois deste filme?". Respondi: "Tenho um roteiro escrito há algum tempo mas que está dormindo numa gaveta". O roteiro lhe agradou e ele quis comprá-lo. Então fui ver John Maxwell, meu antigo produtor, e comprei dele o roteiro por duzentas e cinquenta libras esterlinas. Revendi-o à nova companhia Gaumont British, cujo diretor era Michael Balcon, por quinhentas libras. Mas eu tinha tanta vergonha desse lucro de cem por cento que dei o dinheiro ao escultor Joseph Epstein, para que fizesse um busto de Michael Balcon, a quem em seguida ofereci de presente.

O roteiro era o de *O homem que sabia demais*?*

Isso mesmo. No início havia a história de Bulldog Drummond, que havíamos adaptado, com Charles Bennett e um jornalista chamado D. B. Wyndham-Lewis, responsável pelos diálogos. Michael Balcon teve o mérito de, primeiro, me lançar como diretor e, nessa época, me fazer iniciar uma segunda vez. Naturalmente sempre foi muito possessivo comigo, se posso dizer assim, e mais tarde, quando parti para Hollywood, minha atitude o deixou furioso.

Antes de examinarmos *O homem que sabia demais*, queria lhe dizer que, aconteça o que acontecer durante a sua carreira, o seu talento sempre estará presente. Meu declínio nos anos 1930 foi só aparente. Filmei *Valsas de Viena*, que era muito ruim, mas em *O homem que sabia demais*, cujo roteiro foi concluído anteriormente a *Valsas de Viena*, o talento estava lá, antes mesmo da filmagem. Estamos, portanto, em 1934. Faço um exame de consciência muito sério e começo a filmar *O homem que sabia demais.*

* Como essas "conversas" respeitam a ordem cronológica, trata-se aqui da primeira versão, inglesa, de *O homem que sabia demais* (1934), cujo remake o próprio Alfred Hitchcock filmará 22 anos depois, em 1956, com James Stewart e Doris Day (ver p. 191).

04

François Truffaut — *O homem que sabia demais* foi seu maior sucesso inglês e também fez muito sucesso nos Estados Unidos. Um casal de turistas ingleses viaja à Suíça com a filha. Um francês morre assassinado perto deles, confiando-lhes in extremis uma mensagem a respeito do plano de assassinato de um embaixador estrangeiro em visita a Londres. Para se assegurarem do silêncio do casal, uns espiões sequestram a menina. De volta a Londres, a mãe, que persegue os sequestradores, acaba salvando a vida do embaixador ao dar um grito na hora exata em que o tiro de revólver vai atingi-lo, durante um concerto no Albert Hall. O final mostra-nos o cerco pela polícia ao covil dos espiões e a garotinha sendo salva. Li em algum lugar que era inspirado numa história verdadeira, num crime que teve Churchill como um dos personagens, quando ele era chefe de polícia.

Alfred Hitchcock — É verdade, mas só quanto à parte final. Isso devia datar de 1910 e o episódio era conhecido pelo nome de "O cerco de Sidney Street". Tratava-se de conseguir que uns anarquistas russos saíssem de uma casa onde haviam se trancado e de onde atiravam. Era muito difícil, chamou-se a tropa e Churchill foi ao local para fiscalizar as operações. E eu, por minha vez, tive muitas dificuldades com a censura, pois a polícia inglesa nunca está armada. Na época, como a polícia não conseguiu desalojar os anarquistas, tiveram de convocar o exército e estavam quase recorrendo à artilharia, quando a casa pegou fogo.

Esse incidente iria me causar muitos aborrecimentos no momento de rodar o filme. O censor via tudo isso com maus olhos, pois dizia que esse episódio era uma mancha na história da polícia inglesa. Não queria que puséssemos armas nas mãos dos policiais. Então perguntei: "Como vamos fazer para desalojar os espiões?". Ele me respondeu: "Por que não usar mangueiras de incêndio?". Consultei minha documentação e descobri que o próprio Winston Churchill tinha feito essa sugestão. Finalmente, o censor aceitou que os policiais usassem fuzis, contanto que fossem armas velhas, que não levariam consigo mas que iriam conseguir numa loja de antiguidades. Isso para mostrar que a polícia não tem hábito de

REPRODUÇÃO DO EPISÓDIO DE "O CERCO DE SIDNEY STREET". *O HOMEM QUE SABIA DEMAIS*, 1934.

usar armas de fogo. Nessas alturas eu já estava irritado e resolvi a questão mostrando a chegada de uma caminhonete com os fuzis, que então são distribuídos.

Na versão americana, de 1956, o filme começa em Marrakesh; mas na primeira versão começa na Suíça...

O filme começa na neve em Saint-Moritz porque foi lá que minha mulher e eu passamos nossa lua de mel. Da janela de nosso quarto eu costumava olhar o rinque de patinação e me veio a ideia de iniciar o filme mostrando um patinador cujas evoluções no gelo desenhariam números, os algarismos oito, seis, zero, dois, que, naturalmente, seria um código de espionagem qualquer. Desisti da ideia...

... porque era impossível filmar ou por outra razão?

Isso não se integrava ao roteiro. De qualquer maneira, foi assim que o filme surgiu em meu espírito: vi na minha frente os Alpes nevados, as ruas sufocantes de Londres, e esse contraste decidiu tudo.

Nessa primeira versão de *O homem que sabia demais* você escalou Pierre Fresnay, e no seu remake, para o mesmo papel, chamou outro ator francês, Daniel Gélin. Por quê?

Creio que isso vem da produção; eu não queria necessariamente um francês. O ator que exigi especialmente e que mandei buscar foi Peter Lorre, que faria seu primeiro papel inglês. Ele acabava de filmar *M, o vampiro de Dusseldorf*, de Fritz Lang. Tinha um sentido de humor muito desenvolvido, e, como se fazia notar por seu casacão comprido, que ia até os pés, foi apelidado de "O Casacão Ambulante".

Você viu *M, o vampiro de Dusseldorf*?

Vi, mas não lembro muito bem. Não havia um homem que assobiava?

Havia, justamente. Peter Lorre! Imagino que nessa época você viu outros filmes de Fritz Lang, *Os espiões*, *O testamento do dr. Mabuse*...

Sim, *Mabuse*, sim. Mas faz muito tempo... Lembra-se, em *O homem que sabia demais*, da cena no dentista? Primeiro, ela devia se passar num

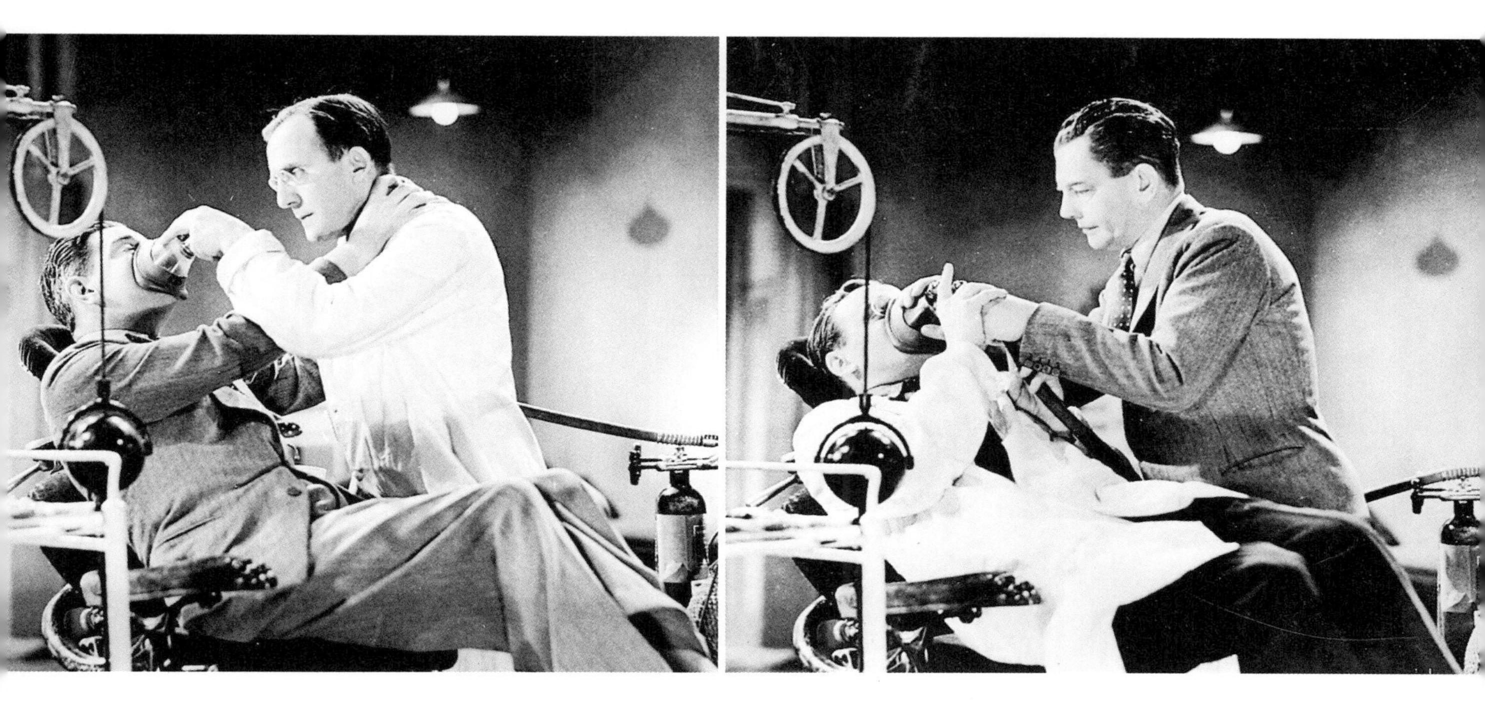

barbeiro e, para disfarçar os homens, nos servíamos de toalhas quentes em seus rostos. Logo antes de filmar, vi uma fita de Mervyn Le Roy, chamada *I'm a fugitive*, com Paul Muni, na qual havia uma cena parecida. Então transpus tudo para um consultório de dentista e, já que estava fazendo essa mudança, modifiquei outras coisas que não me agradavam mais. Por exemplo, tínhamos estabelecido no início da história que a heroína do filme, a mãe da garotinha sequestrada, era uma excelente atiradora de carabina. Então os bandidos a hipnotizavam durante a cena na capela e em seguida a transportavam, ainda em estado de hipnose, até a sala do Albert Hall, para que ela fizesse o trabalho do assassino e matasse pessoalmente o embaixador! Abandonei essa ideia pensando que uma campeã de tiro talvez mirasse com menos precisão sob a influência de um hipnotizador!

O que é interessante é que você adotou a ideia oposta, pois não só a mãe não mata o embaixador, como salva a sua vida ao dar um grito na hora exata, quando, no concerto, avista o revólver do assassino apontado para o camarote de honra...

Mas permita-me resumir a situação para refrescar nossa memória. Os espiões decidiram, portanto, matar esse político estrangeiro aproveitando-se de um concerto no Albert Hall. Combinaram que o assassino deveria atirar durante a execução da cantata, no exato momento em que se ouvir o único toque de címbalos da partitura. "Ensaiaram" o atentado a frio, ouvindo diversas vezes a cantata gravada em disco.

Portanto, inicia-se o concerto, todos os personagens estão no local e esperamos com uma angústia crescente o momento em que o cimbalista impassível vai tocar seu instrumento.

A ideia dos címbalos me foi inspirada por um desenho humorístico ou, mais exatamente, por uma série de pequenos desenhos que ocupavam quatro páginas de uma revista do gênero de *Punch*. Mostrava um homem que acorda. Ele sai da cama, vai ao banheiro, gargareja, barbeia-se, toma

A CASA ONDE SE REFUGIAM OS ESPIÕES; LESLIE BANKS E EDNA BEST NOS ALPES; PETER LORRE COM HITCHCOCK; E AS CENAS NO DENTISTA. *O HOMEM QUE SABIA DEMAIS*, 1934.

um banho de chuveiro, veste-se, toma seu café da manhã. Tudo isso em pequenos desenhos separados. Em seguida põe o chapéu, o casacão, pega seu estojinho de couro em que guarda o instrumento de música e vai para a rua, sobe no ônibus, chega à cidade e entra no Albert Hall. Pega a entrada dos artistas, tira o chapéu, o casaco, abre seu estojo e retira uma pequena flauta; junta-se aos outros músicos e anda com eles até o pódio. Afinam os instrumentos, nosso homem senta-se em seu lugar. Chega o maestro, dá o sinal e se inicia a grande sinfonia. O homenzinho está lá sentado, espera, vira as páginas. Finalmente levanta-se da cadeira, pega seu instrumento, aproxima-o da boca, e, após um gesto específico do maestro, sopra uma nota na flauta: "blup". Em seguida, guarda o instrumento, sai discretamente do palco, pega seu chapéu e seu casacão, vai para a rua. Está escuro. Ele sobe no ônibus, chega em casa, janta, vai para o quarto, vai ao banheiro, gargareja, põe o pijama, vai dormir e apaga a luz.

É muito bonito. É um processo que foi retomado várias vezes, creio, nos desenhos animados, com um triângulo, por exemplo...

Provavelmente, isso se chamava "o homem de uma nota" e a história desse homenzinho que espera o momento de tocar uma nota só inspirou-me o suspense do toque de címbalos.

Não me lembro perfeitamente bem, é claro, da versão inglesa, mas no seu remake americano você tomou imensas precauções em relação ao público, por conta desses címbalos. No final dos créditos iniciais, mostrou o músico brandindo os címbalos bem em evidência e um texto superposto diz mais ou

O GRITO DE JILL DURANTE O CONCERTO NO ALBERT HALL DE LONDRES, NA PRIMEIRA VERSÃO DE *O HOMEM QUE SABIA DEMAIS*.

A CENA DOS ESPIÕES OUVINDO A GRAVAÇÃO DA CANTATA, NA VERSÃO DE 1934 (PETER LORRE À DIREITA) E NO REMAKE DE 1956.

menos: "Um toque de címbalos pode transformar a vida de uma família americana". Mais tarde, no filme, os espiões ouvem a gravação da cantata antes de ir para o concerto e, ali, ouvimos duas vezes seguidas os compassos que precedem o toque de címbalos; é muito rigoroso e muito insistente.
Isso devia ser feito, para que a participação do público fosse total. É provável que houvesse na plateia gente que não soubesse o que são címbalos e, para essas pessoas, convinha mostrar tanto o instrumento como a palavra "címbalos" escrita com todas as letras; em seguida o público precisava ser capaz não só de identificar o som dos címbalos, como também de imaginá-lo de antemão, portanto de esperar por ele. Esse condicionamento do público é a própria base da criação do suspense.

Os compassos da cantata, que no disco são tocados duas vezes, se destinam a evitar qualquer confusão no espírito do espectador quanto ao que acontecerá em seguida. Várias vezes me dei conta de que certas situações de suspense ficam comprometidas quando o público não entende claramente a situação. Por exemplo, dois atores têm figurinos quase iguais e o público já não os diferencia; o cenário é confuso, as pessoas não reconhecem direito os locais onde eles estão e, enquanto o espectador tenta reconstituir a verdade, a cena se passa e se esvazia de toda emoção. É preciso esclarecer constantemente.

Creio que se trata não só de esclarecer mas também de simplificar, de ter o espírito de simplificação, e a esse respeito pergunto-me se não há duas espécies de artistas, os "simplificadores" e os "complicadores". E então, poderíamos dizer que, entre os complicadores, há excelentes artistas, bons escritores, mas que para ter sucesso no campo do espetáculo é preferível ser um "simplificador". Concorda?
É essencial, porque nós mesmos já temos de sentir, de antemão, as emoções que queremos provocar no público. Por exemplo, as pessoas que não sabem simplificar não conseguem controlar o tempo que lhes é atribuído, inquietam-se em abstrato, e suas inquietações vagas as impedem de se concentrarem nas preocupações exatas, assim como um mau conferencista que se aflige porque se observa falando e perde o fio de seu discurso.

No roteiro de *O homem que sabia demais*, há uma diferença importante entre as duas versões: na fita inglesa, o marido permanece preso, e então a heroína está sozinha no Albert Hall, até o fim do filme.
É melhor na segunda versão, pois a chegada de James Stewart em plena execução da cantata permite dilatar o suspense. Ele encontra Doris Day, explica-se com ela por mímicas, ela lhe expõe a situação, aponta o assassino, e depois o embaixador que corre perigo. Stewart vai tentar alguma coisa; resolve ir ao camarote do embaixador, sai pelos corredores, mas no caminho tem de discutir com os policiais; aí também, só por mímicas, mas compreendemos que os policiais o mandam sempre falar com alguém hierarquicamente mais importante, e todo esse jogo de mímica reforça o suspense e, ao mesmo tempo, constitui a ironia da cena. É um humor muito mais fino, e a meu ver superior, do que o do filme inglês, pois não interrompe o drama, realmente faz parte do drama.
Sim, é verdade. Fora isso, creio que a cena do Albert Hall é muito parecida nas duas versões, não acha? É a mesma cantata...

... Mais bem orquestrada na segunda versão, por Bernard Herrmann. Tenho a impressão de que a cena é mais longa na segunda versão; em todo caso, é um rolo de trezentos metros inteiramente musical, sem diálogos, e praticamente só há planos fixos. Na primeira versão, muitos dos planos eram móveis, havia diversas panorâmicas, por exemplo, da cabeça do assassino à da mulher, da cabeça da mulher à do embaixador.
O remake é mais decupado e mais rigoroso.
Digamos que a primeira versão foi feita por um amador de talento, ao passo que a segunda foi feita por um profissional.
Depois do sucesso de *O homem que sabia demais*, imagino que você tivesse bastante liberdade de escolha, e optou por *Os 39 Degraus*.
É a história de um jovem canadense que foge de Londres para a Escócia a fim de encontrar a pista dos espiões que apunhalaram uma mulher no apartamento dele. Suspeito de assassinato pela polícia, encurralado pelos espiões, ele enfrenta mil obstáculos mas tudo termina bem.
É um roteiro tirado de um romance de John Buchan, escritor que você admira, creio?
De fato, posso dizer que fui muito influenciado por Buchan, bem antes de fazer *Os 39 Degraus*. O espírito de *O homem que sabia demais* lhe deve alguma coisa. Ele escreveu um grande livro que nunca foi filmado e que em inglês se chama *Greenmantle*. É um romance influenciado provavelmente pelo personagem curiosíssimo de Lawrence da Arábia. Alexander Korda deve ter comprado os direitos desse romance, mas nunca o filmou. Eu tinha pensado primeiro nesse livro, mas preferi *Os 39 Degraus*, um romance menos importante, provavelmente por aquelas razões de respeito de que falamos a propósito de Dostoiévski.

O que me agrada em Buchan é algo profundamente britânico, é o que chamamos de *understatement*.
Não há palavra francesa para dizer isso.
É a subavaliação, a subdeclaração, a subestimação, a exposição incompleta.
Em francês, há uma figura de linguagem que é a lítotes, mas ela subentende a discrição, a modéstia, mais que a ironia.
Understatement é a apresentação, em tom leve, de acontecimentos muito dramáticos.
É o tom de *O terceiro tiro*?
Exatamente. O *understatement* é muito importante para mim. Escrevi esse roteiro em colaboração com Charles Bennett, mas me lembro de que nessa época testei um método que consistia em escrever o filme em seus menores detalhes, embora sem integrar uma só frase de diálogo. Eu via isso como um filme seriado, e estava me sentindo em plena forma. Assim que um episódio era escrito, eu dizia: "Aqui precisamos de um excelente conto". Queria que o conteúdo de cada cena fosse muito sólido e constituísse um pequeno filme.

Apesar de minha admiração por John Buchan, há muitas coisas no filme que não estão no livro. Por exemplo, a cena da noite que Robert Donat passa com o fazendeiro e sua mulher, e que me foi inspirada por uma história licenciosa muito antiga. É sobre um fazendeiro bôer da África do Sul, tremendamente austero, com uma grande barba preta,

ROBERT DONAT REFUGIA-SE NA CASA DE UM PROFESSOR ESCOCÊS (GODFREY TEARLE) E LHE EXPLICA QUE ESTÁ À PROCURA DE UMA QUADRILHA DE ESPIÕES CUJO CHEFE NÃO TEM O DEDINHO NA MÃO ESQUERDA. "NÃO SERIA NA DIREITA?", PERGUNTA-LHE O DONO DA CASA.

DONAT ENTRE O FAZENDEIRO PURITANO (JOHN LAURIE) E SUA MULHER (PEGGY ASHCROFT). *OS 39 DEGRAUS*, 1935.

tendo ao seu lado uma jovem mulher insatisfeita e sedenta por sexo. No dia do aniversário do marido, ela mata uma galinha para fazer uma torta. É uma noite de grande tempestade e ela espera que a torta seja uma boa surpresa para o aniversariante. Em vez disso, o marido, furibundo, repreende-a por ter matado um frango sem sua licença. Triste noite de aniversário.

Alguém bate à porta, é um belo estrangeiro que se perdeu no caminho. A fazendeira convida-o a se sentar e oferece-lhe algo para comer. O fazendeiro não deixa que ele coma demais, e diz: "Atenção, isso tem de nos alimentar até o final da semana". A moça começa a devorar esse estrangeiro com os olhos e fica pensando: "Como é que eu poderia dormir com ele?". O marido quer que o estrangeiro durma na casinha do cachorro. A mulher se opõe e afinal os três se deitam na cama grande. O fazendeiro dorme no meio. A mulher faria qualquer coisa para se livrar do marido. A certa altura ela ouve um ruído, acorda o marido e lhe diz: "Acho que as galinhas fugiram". Então o marido se levanta, ouvem-se seus passos no quintal. A mulher sacode o estrangeiro e lhe diz: "Depressa, depressa, venha, é agora". O estrangeiro se levanta depressa e... termina a torta de frango.*

É divertido, mas prefiro a cena tal como está no filme; por seu ambiente, faz pensar muito em Murnau, provavelmente por causa dos rostos, do cenário e também porque os personagens estão de fato ligados à terra e à religião; é uma cena bem curta mas os personagens têm uma existência muito forte. O momento da prece é notável; o marido recita com fervor o *Abençoe*, e enquanto isso Robert Donat repara no jornal jogado em cima da mesa e vê sua fotografia estampada ali, levanta a cabeça para a fazendeira, que olha para o jornal, depois para a foto, e em seguida levanta a cabeça para Donat. Seus olhares se cruzam; Donat percebe que ela entendeu que ele está sendo procurado. Ela lhe lança um olhar severo, ele responde com um olhar suplicante e nesse exato momento o fazendeiro, flagrando a troca de olhares, imagina um início de cumplicidade amorosa entre eles. Então sai da sala para espioná-los pela janela. É um instante cinematográfico muito bonito e os personagens são admiráveis; vê-se de imediato que o marido é um personagem alucinado, avaro, ciumento e incrivelmente puritano. Graças

* Essa história foi filmada em 1951 por Carlo Rim em *Os sete pecados capitais* (esquete "A gula").

* A mesma ideia, de uma bala de revólver amortecida por um livro, está em *Os espiões*, de Fritz Lang (1927), mas não se tratava de uma Bíblia.

a isso é que Robert Donat será salvo mais tarde, pois a mulher lhe dá o capote do fazendeiro e uma bala de revólver se alojará na Bíblia que havia no bolso interno desse capote.*

É, era uma boa cena. Outro personagem interessante era o Mister Memory. A ideia me veio de um artista que vi num music hall. Chamava-se Datas. As pessoas na sala lhe faziam perguntas sobre os acontecimentos — "Quando foi que o *Titanic* afundou?" — e ele citava a data exata, e havia perguntas muito maliciosas, perguntas cheias de truques, feitas por um cúmplice. Uma dessas era: "Quando foi que Sexta-Feira Santa caiu numa terça-feira?" e a resposta era: "Sexta-Feira Santa é um cavalo que corria em Wolwerhampton e que caiu pela primeira vez em cima de um obstáculo na terça-feira, 22 de junho de 1864!".

Sim, também era um excelente personagem, Mister Memory, e eu gostava muito de sua morte. Na verdade, ele morre literalmente de consciência profissional. No music hall Robert Donat lhe pergunta: "O que são os 39 degraus?" e ele não consegue deixar de responder tudo o que sabe: "É uma firma de espionagem etc.". E, naturalmente, o chefe dos espiões, que estava num camarote, mata-o com um tiro de pistola. É algo que costumamos encontrar nos seus filmes e que é muito gratificante para o espírito: um personagem cuja caracterização é levada até o fim, até a morte, numa lógica imperturbável que faz com que a morte seja a um só tempo meio ridícula e grandiosa, quando as coisas resvalam do pitoresco para o patético.

Gosto muito disso, e é também a ideia do dever. Mister Memory *sabe* o que são os 39 degraus, fazem-lhe uma pergunta e ele *tem* de responder. Pela mesma razão, matei a professora em *Os pássaros*.

Revi recentemente *Os 39 Degraus*, em Bruxelas, e de volta a Paris fui assistir ao remake feito em Londres por Ralph Thomas, com Kenneth Moore. Era um tanto ridículo e muito mal dirigido, mas o roteiro era tão forte que, ainda assim, o público se interessava.

Em certos momentos, a decupagem do remake retomava exatamente a sua, sempre com menos qualidade, e quando havia uma mudança geralmente era um contrassenso. Por exemplo, no início do filme, quando Robert Donat está trancado no apartamento onde a mulher foi apunhalada, vê pela janela

WYLIE WATSON FAZ O PAPEL DE MISTER MEMORY E MORRE EM CENA. *OS 39 DEGRAUS*, 1935.

dois espiões zanzando na calçada. Você tinha filmado esses dois espiões do ponto de vista de Robert Donat, a câmera estava no apartamento e os espiões na calçada, bem longe de nós. No remake, Ralph Thomas inseriu na cena dois ou três planos próximos dos dois espiões na rua e, por isso, a cena perde sua eficácia, a gente se familiariza com os dois espiões e deixa de ter medo pelo herói.

De fato, é lamentável; fazer isso é não saber o que se está fazendo, pois é evidente que não se deve mudar de ponto de vista durante uma situação como aquela, é rigorosamente impossível.

Revendo a sua versão de *Os 39 Degraus*, me dei conta de que foi mais ou menos nessa época que você começou a maltratar os seus roteiros, quero dizer, a não mais levar em conta a verossimilhança do enredo ou, pelo menos, a sacrificar constantemente a verossimilhança em favor da pura emoção.

É, concordo.

Por exemplo, quando Robert Donat sai de Londres e sobe no trem, só se depara com situações inquietantes, ou, em outras palavras, interpreta a realidade nesse sentido; imagina que os dois viajantes sentados na sua frente, no compartimento, o vigiam por trás do jornal; quando o trem para numa estação, vemos pela vidraça uns policiais, rígidos como cabos de vassoura, que olham direto para a objetiva. Tudo é sinal de perigo, tudo é ameaça, e isso com tamanha determinação que, de fato, significa um passo rumo à estilização americana.

É. Entramos numa fase em que a atenção ao detalhe é maior que antes. Eu vivia me dizendo: tenho de dar uns pontinhos na tapeçaria aqui, tenho de completar a tapeçaria ali.

DEPOIS DE FUGIR PELA JANELA DA DELEGACIA, O REPOUSO DO HERÓI DE *OS 39 DEGRAUS*, ALGEMADO À MOCINHA.

O que me agrada em *Os 39 Degraus* é a celeridade das transições. Robert Donat foi pessoalmente à delegacia para denunciar o homem do dedo cortado e contar como escapou da morte graças à Bíblia que alojou a bala do revólver, mas eis que não acreditam nele e lhe passam algemas; e não sabemos como vai se safar. A câmera passa pela rua e vemos Donat pular pela janela, que se estilhaça em mil cacos. Logo em seguida, ele cruza com um grupo de músicos do Exército da Salvação e se mistura a eles. Depois, dirige-se para um beco sem saída e é agarrado num corredor: "Deus seja louvado, chegou nosso conferencista", dizem, e o empurram para um palco, onde deve improvisar um discurso eleitoral.

A moça que ele tinha beijado no trem e que já o havia denunciado uma vez surge com dois sujeitos para levá-lo de carro à delegacia, mas na verdade, você se lembra, são dois falsos policiais, e Donat, preso à moça por algemas, escapará com ela graças a um engarrafamento provocado por um rebanho de carneiros. Vão passar uma noite no hotel, ainda unidos pelas algemas, e a coisa continua... Isso é que é espantoso, a rapidez das transições. Tem de se trabalhar muito para conseguir, mas vale a pena. Tem de se aplicar uma ideia depois da outra, sacrificando tudo à rapidez.

Esse gênero de cinema visa suprimir as cenas utilitárias para só conservar as agradáveis de filmar e agradáveis de ver. É um cinema que satisfaz muito ao público e frequentemente irrita os críticos. Enquanto assistem ao filme, ou depois de terem assistido, analisam o roteiro, que naturalmente não resiste à análise lógica. Volta e meia consideram fraquezas as coisas que constituem o próprio princípio desse gênero de cinema, a começar por uma absoluta desenvoltura em matéria de verossimilhança.

A verossimilhança não me interessa. É o mais fácil de se fazer. Em *Os pássaros*, há uma cena longa no bar onde as pessoas falam de pássaros. Entre essas pessoas, há uma mulher de boina, que é justamente uma especialista em pássaros, uma ornitologista. Está lá por mera coincidência. Naturalmente, eu poderia ter filmado três cenas para introduzi-la de modo verossímil, mas essas cenas não teriam o menor interesse.

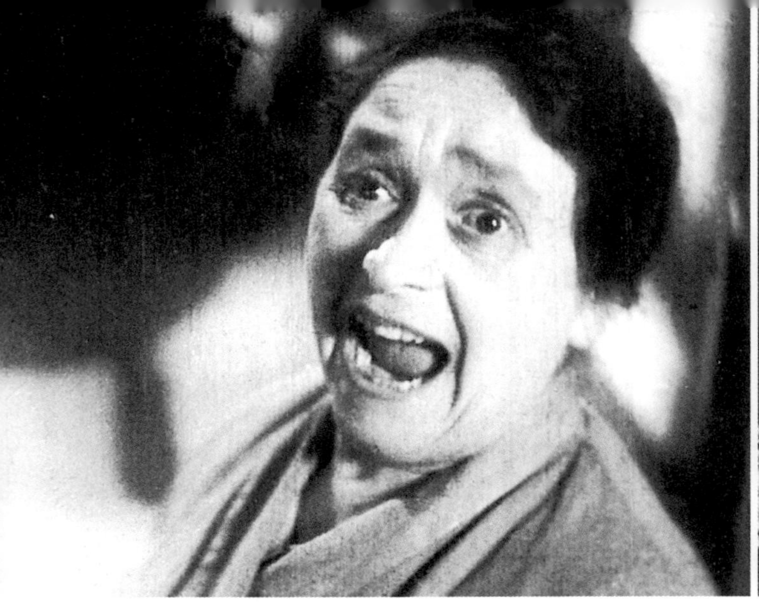

E para o público seriam uma perda de tempo.
Não só uma perda de tempo, mas seriam como buracos no filme, buracos ou manchas. Sejamos lógicos: se você quiser analisar tudo e construir tudo em termos de plausibilidade e verossimilhança, nenhum roteiro de ficção resiste a essa análise e você só poderia fazer uma coisa: documentários.
É bem verdade. O limite do verossímil é o documentário. Aliás, os únicos filmes que gozam de unanimidade da crítica mundial são, em geral, os documentários como *A ilha nua*, em que o artista oferece seu trabalho mas nada que venha de sua imaginação.
Pedir a um homem que conta histórias para ter em mente a verossimilhança me parece tão ridículo como pedir a um pintor figurativo para representar as coisas com exatidão. Qual é o cúmulo da pintura figurativa? É a fotografia em cores, não é? Concorda?

Há uma grande diferença entre a criação de um filme e a de um documentário. Num documentário o diretor é Deus, foi ele quem criou o material de base. No filme de ficção, o diretor é que é um deus, ele é quem deve criar a vida. Para fazer um filme, é preciso justapor massas de impressões, massas de expressões, massas de enfoques e, contanto que nada seja monótono, deveríamos dispor de liberdade total. Um crítico que me fala de verossímil é um sujeito sem imaginação.
Observe que, por definição, os críticos não têm imaginação, e é normal. Um crítico imaginativo demais já não conseguiria ser objetivo.
É justamente essa ausência de imaginação que os leva a preferir as obras muito despojadas, muito nuas, aquelas que lhes dão a sensação de que eles quase poderiam ser seus autores. Por exemplo, um crítico pode se achar capaz de escrever o roteiro de *Ladrões de bicicletas*, mas não o de *Intriga internacional*, e, inevitavelmente, consegue pensar que *Ladrões de bicicletas* tem todos os méritos e que *Intriga internacional* não tem nenhum.
Justamente, você cita *Intriga internacional*, a crítica da *New Yorker* dizia que era um filme "inconscientemente engraçado". Na verdade, a filmagem de *Intriga internacional* foi uma imensa brincadeira; quando Cary Grant estava no monte Rushmore, eu queria que ele se refugiasse dentro da narina de Lincoln e que ali começasse a espirrar violentamente, teria sido divertido, hein?

A EMPREGADA DESCOBRE O CADÁVER. O GRITO SE ENCADEARÁ COM O APITO DO TREM EM QUE ROBERT DONAT SUBIU PARA FAZER SUA INVESTIGAÇÃO. *OS 39 DEGRAUS*, 1935.

Mas percebo que falamos muito mal dos críticos, não é? A propósito, o que você fazia quando nos encontramos pela primeira vez?
Pois é! Eu era crítico de cinema! E daí?
Bem que eu desconfiava! Não, veja, quando um diretor está decepcionado com a crítica, quando percebe que os críticos não são cuidadosos ao analisarem seus filmes, pois bem, o único refúgio que é capaz de imaginar é a aclamação pela bilheteria.

Mas se um diretor faz seus filmes exclusivamente para a bilheteria, deixa-se arrastar pela rotina, e isso é muito ruim. Acho que, volta e meia, os críticos são responsáveis por esse estado de coisas, e podem levar um homem a só pensar na bilheteria, porque então ele pode dizer: "Que se danem os críticos, pois meus filmes dão dinheiro".

Aqui em Hollywood há um dito muito famoso: "Vou dizer a esse crítico que li o artigo dele e que fui ao banco chorando o caminho todo". Certas revistas procuram de propósito críticos capazes de achincalhar divertindo os leitores. Há uma expressão nos Estados Unidos quando uma coisa é ruim: "Só é bom para os pássaros". Então eu sabia muito bem o que me esperava no lançamento de *Os pássaros*!
Napoleão dizia: "A melhor defesa é o ataque". Então você poderia ter desarmado os seus críticos com essa frase, por ocasião do lançamento do filme...
Não, não, não vale a pena. Sempre me lembro de que, durante a última guerra, eu estava em Londres e tinha sido lançado um filme chamado *Uma velha amizade*, de John van Druten, com Bette Davis e Claude Rains. Os críticos de dois jornais dominicais, em Londres, encerraram seus artigos com a mesma frase, e qual você acha que era? "As velhas amizades deveriam ser esquecidas." Não conseguiram resistir à tentação do trocadilho, ainda que o filme fosse muito bom...
Observei isso na França em relação a todos os filmes cujo título termina com "*la nuit*" [a noite]: *Les portes de la nuit*, *Marguerite de la nuit* etc. tornam-se *Les portes de l'ennui* [As portas do tédio], *Marguerite de l'ennui* [Marguerite do tédio]... Faz-se sempre o trocadilho com *nuit* e *ennui*, ainda que o filme seja cativante... Gosto muito do seu slogan: "Certos filmes são fatias de vida, os meus são fatias de bolo".
Nunca filmo uma fatia de vida porque isso as pessoas podem muito bem encontrar em casa ou na rua, ou até defronte da porta do cinema. Não precisam pagar para ver uma fatia de vida. Por outro lado, também afasto os produtos de pura fantasia, pois é importante que o público possa se reconhecer nos personagens. Fazer filmes, para mim, quer dizer, em primeiro lugar e acima de tudo, contar uma história. Essa história pode ser inverossímil mas nunca deve ser banal. É preferível que seja dramática e humana. O drama é uma vida cujos momentos maçantes foram eliminados. Em seguida, entra em jogo a técnica e, aí, sou inimigo do virtuosismo. É preciso somar técnica e ação. Não se trata de colocar a câmera num ângulo que provoque o entusiasmo do cinegrafista. A única pergunta que me faço é se a instalação da câmera neste ou naquele lugar dará à cena sua força máxima. A beleza das imagens, a beleza dos movimentos, o ritmo, os efeitos, tudo deve ser submetido e sacrificado à ação.

05

O AGENTE SECRETO
O QUE ELES TÊM NA SUÍÇA?
SABOTAGEM
A CRIANÇA E A BOMBA
PEDIMOS AO PÚBLICO QUE TENHA VONTADE DE MATAR
CRIAR A EMOÇÃO E DEPOIS PRESERVÁ-LA
JOVEM E INOCENTE
UM EXEMPLO DE SUSPENSE
A DAMA OCULTA
NOSSOS AMIGOS, OS "VEROSSÍMEIS"
UM TELEGRAMA DE DAVID O. SELZNICK
MEU ÚLTIMO FILME INGLÊS: *A ESTALAGEM MALDITA*
FIQUEI REALMENTE DESESPERADO
CHARLES LAUGHTON, UM ENGRAÇADINHO SIMPÁTICO
CONCLUSÕES DO PERÍODO INGLÊS

François Truffaut — *O agente secreto* (1936) conta a história de Ashenden (John Gielgud), um agente secreto que é enviado à Suíça para matar um espião cuja fisionomia ele não conhece. Engana-se de homem e mata, por equívoco, um inofensivo turista. O verdadeiro espião (Robert Young) morre acidentalmente no fim do filme, no descarrilamento de um trem bombardeado. Só vi o filme uma vez e, a bem da verdade, guardo uma lembrança muito imprecisa. É adaptado de Somerset Maugham... tanto de uma peça como de um romance?

Alfred Hitchcock — É baseado em duas novelas de Maugham, tiradas de sua coletânea *Ashenden*, que reúne diversas aventuras desse personagem, e também em uma peça de Campbell Dixon, igualmente adaptada dessa coletânea. Portanto, misturamos as duas histórias sobre Ashenden, "O traidor" e "O mexicano careca", para construir a trama da espionagem. A peça nos forneceu a história de amor. Havia muitas ideias ali dentro, mas o filme não deu certo. Creio saber por quê: num filme de aventura, o personagem principal deve ter um objetivo, é vital para a evolução do filme e para a participação do público, que tem de apoiá-lo, e eu quase diria ajudá-lo, a alcançar esse objetivo. Em *O agente secreto* o herói (John Gielgud) tem uma missão a cumprir, mas essa missão o repugna, e ele tenta evitá-la.

Ele é encarregado de matar alguém?

Tem de matar um homem e não quer matá-lo. É um objetivo negativo, e isso resulta num filme de aventura que não avança, que gira no vazio. A segunda fraqueza do filme é um excesso de ironia, a ironia do destino, não sei se você se lembra, quando o herói se conforma em cometer o assassinato, engana-se de vítima e mata outro homem; isso era ruim para o público.

É, e mais tarde o vilão morre acidentalmente, mas antes de morrer mata o herói; está aí um Hitchcock sem happy end...*

Em certos casos não é necessário um happy end; se tivermos o público bem na mão, ele raciocinará junto com você e aceitará um final infeliz,

* Na verdade, eu estava enganado. Não é o herói do filme, Ashenden, que é morto pelo espião, mas seu cúmplice (Peter Lorre). Portanto, o filme termina com um happy end, mas Alfred Hitchcock também devia ter se esquecido, e o interesse de sua observação a respeito do happy end me incitou a não corrigir o texto.

contanto que, no corpo do filme, tenha havido suficientes elementos gratificantes.

Um dos aspectos interessantes do filme é que ele se passa na Suíça; então pensei: "O que eles têm na Suíça?". Têm chocolate ao leite, têm os Alpes, têm as danças folclóricas, têm os lagos, e eu sabia que devia alimentar o filme com elementos que pertencessem à Suíça.

Foi por isso que você pôs o esconderijo dos espiões numa fábrica de chocolate! Analogamente, certos jornalistas franceses ficaram surpresos ao encontrar em *Ladrão de casaca* o hotel Carlton de Cannes, o mercado de flores de Nice, a perseguição pela Grande Corniche...

Ajo sempre assim, toda vez que é possível. Mas na verdade isso deve ser mais do que um simples pano de fundo. É preciso tentar usar de forma dramática todos esses elementos locais, devemos nos servir dos lagos para afogar pessoas, e dos Alpes para fazê-las cair nas fendas de uma geleira!

Aprecio muito esse modo de trabalhar, você sempre utiliza de forma dramática a profissão dos personagens; em *O homem que sabia demais*, James Stewart é médico e, durante todo o filme, comporta-se como médico, com referências a seu trabalho; por exemplo, quando deve anunciar a Doris Day que o filho deles foi sequestrado, força-a primeiro a engolir um calmante; é excelente. Mas voltemos a *O agente secreto*... No livro que fizeram sobre você, Claude Chabrol e Eric Rohmer assinalaram em *O agente secreto* algo novo em sua obra e que em seguida encontraremos constantemente: a representação do vilão como alguém muito chique, distinto, educadíssimo, simpático e sedutor...

Certamente. A introdução do vilão cria problemas que se renovam, especialmente no campo do melodrama, pois, por definição, o melodrama sai de moda e devemos sempre modernizá-lo. Por exemplo, em *Intriga internacional* quis que o vilão James Mason, por causa da rivalidade sentimental com Cary Grant em torno da personagem interpretada por Eva Marie-Saint, fosse alguém suave

NA PÁG. 102, APARIÇÃO DE HITCHCOCK EM *JOVEM E INOCENTE* (1937).

O AGENTE SECRETO (1936): O ESPIÃO (ROBERT YOUNG) ERA QUEM DEVIA SER ASSASSINADO PELO AGENTE SECRETO ASHENDEN (JOHN GIELGUD). O CACHORRO DO SR. CAYPOR (PERCY MARMONT) É O PRIMEIRO A PRESSENTIR A MORTE DO DONO.

FOTOGRAFIA DE TRABALHO NA FÁBRICA DE CHOCOLATE.

e distinto. Mas ao mesmo tempo precisava ser ameaçador, e isso é difícil de conciliar. Então dividi o vilão em três pessoas: James Mason, que era bonito e meigo; seu secretário, de aspecto sinistro; e o terceiro, o louro, o capanga rude e brutal.

Ah! É muito engenhoso! Isso favorecia a rivalidade sentimental entre Mason e Grant, e também trazia um elemento de rivalidade homossexual, pois visivelmente o secretário de Mason tinha ciúmes de Eva Marie-Saint. Depois de *O agente secreto*, você filmou *Sabotagem* (1936), baseado num romance de Joseph Conrad, chamado *O agente secreto*, o que volta e meia cria confusões nas suas filmografias...

Aliás, nos Estados Unidos, *Sabotagem* foi exibido com o nome de *The woman alone*. Você viu? [No Brasil, o filme foi lançado inicialmente com o título *O marido era o culpado*.]

Vi, bem recentemente, e devo confessar que me decepcionou um pouco, em relação à fama que tinha. A exposição é excelente. Primeiro, o close num dicionário com a definição da palavra "sabotagem", depois um close numa lâmpada elétrica, plano geral de uma rua iluminada, volta ao close da lâmpada que se apaga, plano da escuridão, e, na central elétrica, alguém diz: "*Sabotagem*", recolhendo um pouco de areia perto de uma máquina. Em seguida, um camelô vende na rua fósforos "Lúcifer", depois vemos passar duas freiras e ouvimos risos diabólicos. Em seguida você apresenta Oscar Homolka, que volta para casa, dirige-se ao lavatório, lava as mãos, e no fundo da pia vemos cair um pouco de areia!*

O que acho decepcionante no filme é basicamente o personagem do detetive.

O personagem do detetive deveria ter sido interpretado por Robert Donat, mas Alexander Korda não quis liberá-lo. Durante a filmagem, fui obrigado a reescrever o diálogo porque o ator não convinha. Mas há também um erro meu gravíssimo: o garotinho que leva a bomba. Quando um personagem passeia com uma bomba sem saber, como um simples embrulho, você cria em relação ao público um fortíssimo suspense.

* Esse sabotador, Verloc (Oscar Homolka), é o gerente bonachão de um pequeno cinema; vive com sua jovem esposa (Sylvia Sidney) e o irmãozinho dela. Disfarçado de verdureiro, um detetive boa-pinta (John Loder) vigia o cinema e corteja a sra. Verloc. Um dia, Verloc, que se sente vigiado, entrega ao irmãozinho de sua mulher um pacote para ser levado ao outro extremo da cidade. É uma bomba-relógio. O garotinho se atrasa no caminho e a bomba explode num bonde; o menino morre. Tendo entendido tudo, a jovem mulher vinga seu irmãozinho apunhalando Verloc com uma faca. A explosão providencial da sala de cinema impedirá a descoberta do crime. O detetive consolará a jovem mulher.

Ao longo de todo esse trajeto o personagem do garoto tornou-se demasiado simpático para o público, que, em seguida, não me perdoou tê-lo feito morrer quando a bomba explodiu com ele no bonde.

O que deveria ser feito? Oscar Homolka deveria matar voluntariamente o garoto — e talvez não se visse esse crime — e em seguida sua mulher deveria matá-lo para vingar o irmãozinho.

Acho que mesmo essa solução deixaria o público contrariado; é muito delicado, creio, fazer morrer uma criança num filme; beira-se o abuso do poder do cinema. O que acha?

Concordo. É um grave erro.

No início de *Sabotagem*, vemos como o garoto se comporta quando está sozinho: você o deixa fazer coisas proibidas, clandestinas. Às escondidas, ele prova um quitute, depois quebra sem querer um prato e esconde os cacos numa gaveta; mas tudo isso torna-o simpático devido a uma lei do drama, favorável à adolescência. Por outra razão, a mesma coisa acontece com o personagem de Verloc, provavelmente porque Oscar Homolka é o que se chama de "gorduchinho"; pensa-se que um homem rechonchudo é muito humano e simpático. Por isso, quando o detetive começa a flertar com a sra. Verloc, a situação fica chocante, somos a favor de Verloc, contra o detetive.

Concordo com você, mas é porque o ator John Loder, que faz o detetive, não era o personagem principal.

Sem dúvida, no entanto, e é uma das únicas reservas que faço a respeito de certos roteiros seus, as relações amorosas entre a heroína e o policial que faz a investigação volta e meia criam um constrangimento de ordem moral. Sei que você não morre de amores pela polícia, mas às vezes há nesses idílios entre a mocinha e o detetive uma situação desconfortável, alguma coisa que passa "à força".

Não sou contra a polícia, simplesmente ela me dá medo.

O SABOTADOR (OSCAR HOMOLKA) COM O MENINO (DESMOND TESTER); COM O DETETIVE (JOHN LODER), E COM A IRMÃ DO MENINO (SYLVIA SIDNEY).

NAS PÁGINAS SEGUINTES, A MORTE DO GAROTO SERÁ CRUELMENTE VINGADA PELA IRMÃ, NUMA CENA MEMORÁVEL DE *SABOTAGEM* (1936).

A polícia dá medo em todo mundo. O fato é que, quando você mostra a polícia, ela sempre chega depois dos acontecimentos, não entende nada, deixa-se passar para trás pelo herói... No entanto, quando um dos personagens principais é um policial, tenho a impressão de que nem sempre ele tem o mesmo valor para você e para o público. Por exemplo, o policial de *A sombra de uma dúvida* é visivelmente um sujeito muito medíocre, ao passo que o roteiro exige que ele rivalize em prestígio com o tio Charlie, e isso, para mim, estraga um pouco o final.
Compreendo bem o que você quer dizer mas lhe garanto que se trata de um problema de interpretação; é verdade em *Sabotagem* e também em *A sombra de uma dúvida*. Esses personagens de detetives são papéis secundários, sem importância suficiente no roteiro para atraírem atores famosos. O nome desses atores vem sempre no cartaz "depois do título", e aí está o verdadeiro problema.
Em outras palavras, devemos, então, considerar que é mais delicado distribuir esses papéis secundários — cuja interpretação é mais difícil que a dos personagens principais —, e que por conseguinte temos de prestar mais atenção neles?
Exatamente.
É claro que a cena mais bonita de *Sabotagem* é a do jantar, lá pelo fim do filme, após a explosão da bomba que causa a morte do menino, quando Sylvia Sidney toma a decisão de matar Oscar Homolka. Há ali uma profusão de pequenos detalhes que são alusões à criança morta e, finalmente, quando ela apunhala o marido, é mais um suicídio do que um assassinato. Oscar Homolka deixa-se matar por Sylvia Sidney, e ela, ao mesmo tempo que o apunhala, dá uns gritinhos chorosos e suaves, é admirável... É o mesmo princípio da morte de Carmen, de Mérimée.
Todo o problema estava aí; a simpatia do público por Sylvia Sidney devia ser mantida, a morte de Verloc não podia ser um acidente, e, para isso, era absolutamente indispensável que o público se identificasse com Sylvia Sidney. Nesse caso específico, não se pede ao público que tenha medo, mas, abertamente, que tenha vontade de matar, o que é mais difícil.

Procedi da seguinte forma: quando Sylvia Sidney traz o prato de legumes para a mesa, está realmente obcecada pela faca, como se sua mão fosse pegá-la independentemente de sua vontade. A câmera enquadra sua mão, depois seus olhos, depois sua mão, e de novo seus olhos, até o momento em que seu olhar, de repente, toma consciência do que a faca significa. Nesse instante, encaixo um plano absolutamente corriqueiro, que mostra Verloc comendo sua *ratatouille*, distraído, como todo dia. Em seguida, volto à mão e à faca.

O modo errado de proceder consistiria em pedir a Sylvia Sidney que explicasse ao público, por jogos de fisionomia, tudo o que se passa em seu foro íntimo. Isso não me agrada. Na vida, as pessoas não exibem seus sentimentos assim, impressos no rosto; sou um diretor e tento expor ao público, unicamente pelos meios do cinema, o estado de espírito dessa mulher.

Agora a câmera está focada em Verloc, depois vai para a faca e de novo para o lado de Verloc, para seu rosto. De repente, compreende-se que ele olha para a faca e entende o que ela significa. Criou-se o suspense entre os dois personagens e, no meio deles, está a faca.

DERRICK DE MARNEY E NOVA PILBEAM FORMAM O PAR AMOROSO DE *JOVEM E INOCENTE* (1937).

ERICA (NOVA PILBEAM) E O VELHO WILL (EDUARD RIGBY) QUASE DESISTINDO DE BUSCAR O SUSPEITO.

Agora, graças à câmera, o público faz parte da cena e a câmera não deve de jeito nenhum ficar repentinamente distante e objetiva, sob pena de destruir a emoção criada. Verloc se levanta e dá a volta na mesa, mas, ao fazê-lo, anda direto para a câmera, de modo que se crie na plateia a sensação de que é preciso recuar para lhe dar passagem; se isso for bem feito, instintivamente o espectador vai recuar um pouquinho em sua poltrona para deixar Verloc passar; quando Verloc já passou diante de nós, a câmera desloca-se de novo para Sylvia Sidney e volta ao objeto principal, a faca. E a cena continua, como você sabe, até o assassinato.

O primeiro trabalho é criar a emoção e o segundo é preservá-la.

Quando se constrói um filme desse jeito, não é preciso recorrer a artistas virtuoses que atingem os efeitos e momentos de alta tensão por seus próprios meios ou que agem diretamente sobre o público pela força de seus dons e de sua personalidade. A meu ver, o ator de um filme deve ser muito mais flexível e, a bem da verdade, não deve fazer rigorosamente nada. Deve ter uma atitude calma e natural — o que aliás não é tão simples assim — e aceitar ser manipulado e integrado ao filme pelo diretor soberano e pela câmera. Deve deixar à câmera o cuidado de encontrar as melhores poses e os melhores clímaces.

Essa neutralidade que você espera do protagonista é um ponto muito interessante. Isso fica perfeitamente claro nos seus filmes mais recentes, como *Janela indiscreta* ou *Um corpo que cai*. Nesses dois filmes, James Stewart não tem nada para expressar, você apenas lhe pede que dê três ou quatro olhares e depois nos mostra o que ele vê. Só isso... Você ficou satisfeito com Sylvia Sidney?

Não totalmente, acabo de dizer que o ator de cinema não deve expressar nada, mas mesmo assim, quanto a Sylvia Sidney, gostaria de ter conseguido um pouco mais de movimentos em seu rosto...

Acho-a muito bonita, embora se pareça um pouco, e não é gentil dizer isso a respeito de uma mulher, com Peter Lorre, talvez por causa dos olhos... Fora isso, que julgamento de conjunto você faz sobre *Sabotagem*?

É meio... sabotado! Com exceção de algumas cenas, como essa que examinamos, é desordenado, matado, não gosto muito. Em seguida filmei *A girl was young*.

Você quer dizer *Jovem e inocente* [*Young and innocent*]?

Nos Estados Unidos, era chamado de *A girl was young*. A ideia era filmar uma história de perseguição com gente muito moça. O ponto de vista adotado era o de uma mocinha que fica toda atrapalhada, pois se envolve numa situação complicada, com um crime, polícia etc. Nesse filme recorri muito à juventude. A garotada criava um bom suspense durante uma manhã de brincadeiras.

Mais uma vez, o herói era um rapaz acusado de um crime que não tinha cometido. Portanto, é perseguido, esconde-se e uma mocinha o ajuda, involuntariamente. Mas a certa altura ela diz: "Tenho de ir ver minha tia, prometi a ela", e leva o rapaz para a casa da tia, onde está havendo uma festinha infantil; organiza-se uma brincadeira, quem for pego deve ficar de olhos vendados, é a cabra-cega. O rapaz e a moça vão tentar sair enquanto a tia estiver de olhos vendados, mas se o rapaz ou a moça forem agarrados, um dos dois é que ficará de olhos vendados, e ambos terão de ficar. Está criado o suspense. A tia quase os agarra mas eles conseguem escapar.

Quando o filme foi exibido nos Estados Unidos, cortaram uma única cena, essa aí. Era uma estupidez pois se tratava da própria essência do filme.

Vou lhe dar, a respeito de *Jovem e inocente*, o exemplo de um princípio do suspense. Trata-se de fornecer ao público uma informação que os personagens da história ainda não têm; graças a esse princípio, o público sabe mais que os heróis e pode indagar com mais intensidade: "Como a situação vai se resolver?". No final do filme, a jovem, conquistada para a causa do herói, procura o assassino e a única pista que encontra é um velho sossegado, um vagabundo que já viu o assassino e é capaz de reconhecê-lo. O assassino tem um tique nervoso nos olhos.

A moça veste o velho vagabundo com um bom terno e leva-o para um grande hotel onde está havendo um chá dançante. Tem muita gente por

ALFRED HITCHCOCK ENTRE NOVA PILBEAM E DERRICK DE MARNEY (DE PÉ).

ESPECIALISTA EM PRIMEIROS SOCORROS, ERICA CONSEGUE SALVAR COM BRANDY O INOCENTE ROBERT TISDALL, E DEPOIS O SUSPEITO BATERISTA. *JOVEM E INOCENTE*, 1937.

lá. O vagabundo diz à moça: "É meio ridículo procurar um rosto com um tique nervoso entre todas essas pessoas". Logo depois dessa frase, ponho a câmera no ponto mais alto do salão do hotel, perto do teto, e, suspensa na grua, ela cruza o salão de baile, passa pelos dançarinos, chega ao tablado onde estão os músicos negros, isola um desses músicos, que está na bateria. O travelling continua, dando um close no baterista, que também é negro, até que seus olhos enchem a tela e, nesse momento, se fecham: é o famoso tique nervoso. Tudo isso numa só tomada.

É um de seus princípios: do mais afastado para o mais perto, do maior para o menor...

É. Nesse instante, corto e volto ao vagabundo e à moça, ainda sentada no mesmo lugar, no outro extremo da sala. Agora o público sabe e a pergunta que faz é: "Como o vagabundo e a moça vão descobrir esse homem?". Um policial que lá se encontra avista a heroína e a reconhece, pois ela é a filha de seu chefe. Vai telefonar. Para os músicos, há uma curta pausa durante a qual eles vão fumar num camarim e, ao atravessar o corredor, o baterista vê dois policiais chegando pela entrada de serviço do hotel. Como ele é culpado, esquiva-se discretamente, retoma seu lugar na orquestra e a música recomeça.

Agora o baterista nervoso vê, no outro extremo do salão de dança, os policiais conversando com o vagabundo e a moça. O baterista imagina que os policiais o procuram e acha que foi descoberto; seu nervosismo aumenta e ele começa a tocar mal, e o que faz com o bombo é muito ruim. Toda a orquestra se ressente e perde o ritmo da música por causa desse baterista titubeante. E a coisa piora. A moça, o vagabundo e os policiais se preparam para sair do salão pelo corredor que fica ao lado da orquestra. Na verdade, o baterista não corre mais nenhum risco, mas não sabe, e tudo o que vê são uniformes que avançam para ele. Seus olhos indicam que está cada vez mais nervoso; por causa de suas falhas na bateria, a orquestra é obrigada a parar, os dançarinos também, e no final o baterista cai desmaiado no chão, arrastando consigo o bombo, que faz um barulhão, no exato momento em que o nosso grupinho ia cruzar a porta.

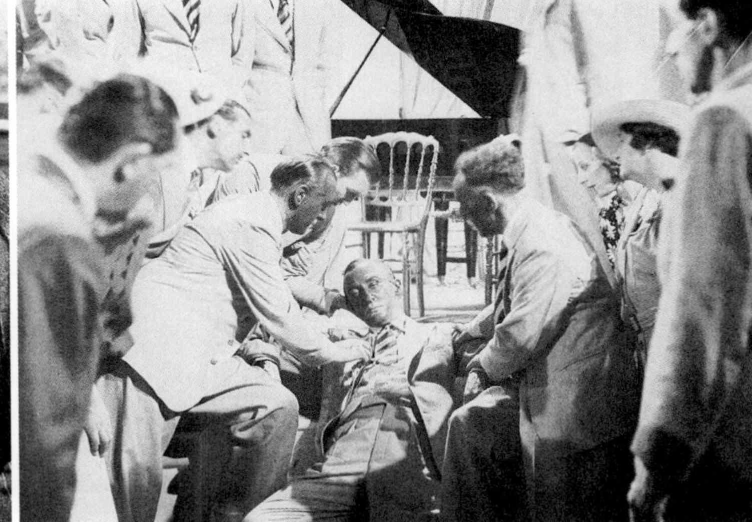

O que é toda essa barulheira? O que houve? A moça e o vagabundo se aproximam do baterista inerte. Dissemos no início do filme que a moça se dedicava ao bandeirantismo e era especialista em primeiros socorros. (Inclusive conheceu o jovem na delegacia ao cuidar dele, depois de seu desmaio.) Então diz ela: "Vou tentar ajudar esse homem, socorrê-lo", e se aproxima dele; logo vê seus olhos agitados por tremores e, sem perder a calma, continua: "Dê-me uma toalha para enxugar o rosto dele, por favor". É claro que o reconheceu, finge que está cuidando do homem e pede ao vagabundo que se aproxime. Um garçom traz a toalha molhada e ela enxuga o rosto do baterista, que era um falso negro. A moça olha para o vagabundo e este lhe diz: "Sim, é ele mesmo".

Eu vi esse filme há muito tempo na Cinemateca e não me lembrava dessa cena, que foi extremamente apreciada. Todos acharam fantástica, sobretudo o travelling pela sala.

Isso me tomou dois dias, somente para o travelling.

É o mesmo princípio de *Interlúdio*: a câmera em cima do grande lustre, abarcando todo o hall de entrada e enquadrando, no fim do movimento, a chave da tranca na mão de Ingrid Bergman.

Isso é a linguagem da câmera, que substitui o diálogo. Em *Interlúdio*, esse grande movimento da máquina diz exatamente: eis que há uma grande recepção nesta casa, mas aqui existe um drama e ninguém desconfia, e esse drama reside num único fato, num pequeno objeto: aquela chave.

Falemos agora de *A dama oculta*. Volta e meia o filme passa em Paris e me acontece ir vê-lo duas vezes na mesma semana, e toda vez penso: como o conheço de cor, não vou acompanhar a história, vou olhar para o trem... ver se o trem se mexe... ver como são as retroprojeções... se há movimentos de máquina dentro dos compartimentos, e toda vez fico tão cativado pelos personagens e pela trama que continuo sem saber como o filme foi fabricado.*

Foi filmado em 1938 no pequeno estúdio de Islington, num palco de vinte e oito metros, onde havia um vagão, e o resto ficava por conta das retroprojeções ou das maquetes. Tecnicamente, era um filme muito interessante de ser feito.

Por exemplo, em *A dama oculta* eu tinha uma cena muito tradicional, construída em torno de uma bebida misturada a uma droga. O que costumamos fazer nesses casos? Damos um jeito graças aos diálogos: "Tome, beba isto". "Não, obrigado." "Mas beba, isso vai lhe fazer bem, garanto." "Agora não, daqui a pouco." "Por favor." "Você é muito gentil...", e o personagem pega o copo, leva-o à boca, afasta-o, larga-o, pega de novo, e começa a falar antes de se decidir a beber etc. Eu disse: "Não, não quero fazer isso, vamos tentar mudar um pouco". Fotografei parte da cena através dos copos a fim de que o público os visse a toda hora, mas os personagens não tocam nos copos até o fim da cena. Na época mandei fabricar copos imensos... e agora eu recorro frequentemente a acessórios enormes... É um bom truque, hein?... Por exemplo, a mão gigante em *Quando fala o coração*.

No fim do filme, quando a mão do médico segura o revólver no eixo da silhueta de Ingrid Bergman?

* No trem dos Bálcãs que a traz de volta das férias, Iris (Margaret Lockwood), uma jovem inglesa, conhece uma velha senhora encantadora, miss Froy (Dame May Whitty). Esta desaparece misteriosamente durante o trajeto, e quando Iris a procura todos os passageiros negam ter visto a senhora. Na verdade, o trem está repleto de espiões e miss Froy, que é um agente secreto, foi amordaçada e amarrada. Iris pensa ter enlouquecido e todos contribuem para que ela acredite nisso. Felizmente, um jovem especialista em música folclórica (Michael Redgrave) vai ajudá-la em sua investigação. Ao ser desviado para uma via secundária, o trem é atacado. Miss Froy reaparece e depois foge. Todos se encontram sãos e salvos na Scotland Yard, onde miss Froy entrega a mensagem pela qual arriscava sua vida: os primeiros compassos de uma ária para mandolina!

ALFRED HITCHCOCK, COM MARGARETH LOCKWOOD (IRIS) E MICHAEL REDGRAVE (GILBERT), NO CENÁRIO DO TREM DE *A DAMA OCULTA* (1938).

É. Há um modo mais simples de fazer isso. Se você inundar a cena de luz, vai poder trabalhar com uma pequena abertura. Mas o câmera de *Quando fala o coração* não era capaz de fazer isso. Era um sujeito muito conhecido: Georges Barnes. Tinha feito *Rebecca, a mulher inesquecível*. Disse que não podia fechar o diafragma porque o rosto de Ingrid ficaria prejudicado. A verdadeira razão é que ele era, em Hollywood, um cinegrafista de mulheres. Na época das grandes estrelas, quando elas começavam a envelhecer os cinegrafistas desse tipo aplicavam um véu de gaze na frente da objetiva. Depois, percebeu-se que era bom para o rosto mas não para o olhar. Então, com um cigarro, o câmera fazia na gaze dois buracos correspondendo ao lugar dos olhos. Assim o rosto ficava suave e os olhos brilhavam, mas evidentemente era impensável mexer a cabeça! Em seguida, passaram do véu de gaze aos "discos de difusão". Mas mesmo isso ainda criava um problema. A atriz dizia ao câmera: "Meus amigos observam que envelheci, que sou obrigada a recorrer à difusão e que isso se nota quando meus close-ups são

IRIS, GILBERT E O DR. HARTZ TOMAM UM DRINQUE. NA MESMA CENA, HITCHCOCK USA O TRUQUE DOS COPOS GIGANTES. *A DAMA OCULTA*, 1938.

A SEQUÊNCIA DA MÃO GIGANTE EM *QUANDO FALA O CORAÇÃO* (1945).

inseridos na cena". Então o câmera respondia: "Vou dar um jeito". E era muito simples: criava a mesma difusão no resto do filme; assim, quando se inseria o close-up, não havia diferença!

Então, em *Quando fala o coração* tentei obter o plano do revólver colocando Ingrid numa retroprojeção e filmando a mão do médico engatilhada bem perto da transparência, mas o resultado era duvidoso. Portanto, voltei a me servir da mão gigante e de um revólver quatro vezes maior que o tamanho normal.

Tudo isso nos levou bem longe de *A dama oculta*, que é um roteiro admirável.

É, de Sidney Gilliat e Frank Launder. Mas se pensarmos um instante em nossos amigos, os "verossímeis", eles iriam se perguntar por que se entrega uma mensagem a uma senhora que qualquer um poderia matar? Fico pensando por que aquelas pessoas da contraespionagem não enviaram a mensagem, muito simplesmente, por um pombo-correio? Quando se imagina a dificuldade que tiveram para pôr a senhora no trem, para conseguir tantas cumplicidades no vagão e até para prever, como reserva, outra mulher pronta para mudar de roupa, sem falar do vagão, que é desengatado do trem e ao qual dão sumiço na floresta...

... Tanto mais que a mensagem em questão se resume simplesmente aos cinco ou seis primeiros acordes de uma cançãozinha que a senhora tem de memorizar! É irrisório e é muito bonito.

É uma fantasia, uma verdadeira fantasia. Sabe que essa mesma história foi filmada três ou quatro vezes?

Você quer dizer que fizeram remakes?

Não, remakes não, o mesmo princípio da história, sob formas diferentes. Tudo isso vem de uma lenda que se situa em Paris, em 1880. Uma senhora e sua filha chegam a Paris, hospedam-se num hotel e a mãe adoece no quarto. Chega o médico, examina a mulher, depois conversa à parte com o dono do hotel, e diz à filha: "Sua mãe precisa de certos medicamentos", e manda a moça ao outro extremo de Paris, de fiacre. Quando ela volta ao hotel, após uma ausência de quase quatro horas, e pergunta: "Como vai minha mãe?", o dono do hotel responde: "Que mãe? Quem é a senhora, que não conhecemos?". E a filha: "Minha mãe, ela está no quarto tal". Levam-na ao quarto, onde há outros hóspedes, os móveis não estão no mesmo lugar e o papel de parede é diferente. A partir dessa história, fiz um filme de uma meia hora para a televisão, e a Rank produziu um filme com Jean Simmons, *Angústia de uma alma* [*So long at the fair*]. A chave do mistério dessa pretensa história verdadeira é que havia uma grande exposição em Paris, talvez no momento em que se construísse a torre Eiffel, as mulheres

O ARGUMENTO DE *A DAMA OCULTA* FOI INSPIRADO NUMA HISTÓRIA REAL.

A FREIRA TRAIDORA É ABANDONADA PELOS COMPARSAS.

estavam chegando da Índia e o médico percebeu que a mãe sofria de peste; então ele pensou que, se a notícia vazasse, criaria um pânico e todos os turistas que tinham ido visitar a exposição partiriam.

Aí está o princípio.

Tramas desse tipo costumam ser excitantes no início mas em geral vão piorando aos poucos e muitas vezes viram uma trapalhada quando chega a hora das explicações. O final de *A dama oculta* escapa a esses inconvenientes, é excelente, o script era ótimo.

Havia no início um romance de Ethel Lina White, *The wheel spins*, e o primeiro script foi escrito por Sidney Gilliat e Frank Launder, que são muito talentosos; fiz certas modificações e acrescentamos o último episódio. Para os críticos, era sobretudo um filme de Hitchcock, e isso fez com que Launder e Gilliat resolvessem se tornar, na mesma hora, seus próprios produtores e diretores. Conhece os filmes deles?

Há um que beira o fracasso, *Green for danger*, há outro mais interessante, *I see a dark stranger*, mas o melhor não é um thriller, e sim *Ironia do destino* [*The Rake's progress*], com Rex Harrison.

***A dama oculta* foi o seu penúltimo filme inglês. Imagino que você já tinha contatos em Hollywood, talvez até propostas, depois do sucesso nos Estados Unidos da primeira versão de *O homem que sabia demais*.**

Enquanto eu filmava *A dama oculta*, recebi um telegrama de Selznick me pedindo que fosse a Hollywood fazer um filme inspirado no naufrágio do *Titanic*. Fui aos Estados Unidos pela primeira vez ao terminar a filmagem de *A dama oculta*, e fiquei lá dez dias. Era agosto de 1938. Aceitei essa proposta de filme sobre o *Titanic* mas, como meu contrato com Selznick só devia começar em abril de 1939, tinha a possibilidade de fazer um último filme inglês, *A estalagem maldita*.

... que você filmou a pedido do produtor Charles Laughton, não foi?

Laughton e Erich Pommer, sócios. Como você sabe, é um romance de Daphne du Maurier. O primeiro roteiro foi escrito por Clemence Dane, famoso autor de peças teatrais; depois contratei Sidney Gilliat e juntos criamos o script. Por fim, Charles Laughton quis ampliar seu papel e levou J. B. Priestley para fazer os diálogos adicionais. Eu tinha conhecido Erich Pommer em 1924, quando fui roteirista e cenógrafo na Alemanha, em *The blackguard*, pois nessa produção ele estava associado a Michael Balcon, e nunca mais o havia revisto.

A estalagem maldita era uma empreitada totalmente absurda. Quando se examina a história contada, percebe-se que se trata de um *whodunit*. No fim do século XVIII, uma jovem órfã irlandesa, Mary (Maureen O'Hara) desembarca na Cornualha para encontrar sua tia Patience, cujo marido, Joss, tem uma estalagem no litoral.

Passam-se horrores de todo tipo nessa famosa estalagem, que abriga saqueadores de destroços, gatunos que provocam naufrágios. Essas pessoas gozam de total impunidade e até são informadas regularmente das passagens de navios na região. Por quê? Porque à frente de toda essa rapinagem está um homem respeitável que dá as cartas, e esse homem é ninguém menos do que o juiz de paz.

Por isso é que esse filme era uma empreitada insensata; normalmente, o juiz de paz só devia aparecer no fim da aventura, pois, muito prudente, ele se mantinha afastado de tudo e não havia nenhuma razão para aparecer na estalagem. Portanto, era absurdo fazer esse filme com Charles Laughton no papel do juiz e, quando me dei conta disso, fiquei realmente desesperado. Finalmente, fiz o filme, que nunca me satisfez, apesar do sucesso comercial inesperado.

Mas os produtores não tinham consciência desse absurdo?

Erich Pommer? Não tenho certeza de que ele entendia a língua inglesa. Quanto a Charles Laughton, era um engraçadinho simpático. Quando começamos o filme, pediu-me que só o filmasse em planos próximos porque ainda não tinha descoberto o jeito de andar quando tivesse de atravessar o cenário. Ao fim de uns dez dias, chegou dizendo: "Descobri". E começou a andar bamboleando e assobiando a valsinha alemã que lhe veio à memória e que tinha lhe inspirado o ritmo de seu passo. Lembro-me muito bem disso, vou lhe mostrar...

... De fato, era muito bonito!

... Talvez, mas não era sério e não gosto de trabalhar desse jeito. Ele não era um autêntico profissional de cinema.

Antes de enfocarmos o seu período americano, gostaria de lhe propor, como fizemos com o fim da época do cinema mudo, que tirasse algumas conclusões gerais sobre o seu trabalho na Inglaterra, sobre o cinema inglês em geral. A impressão que temos, considerando sua carreira com o recuo dos anos, é que seus dons e seu talento só conseguiram desabrochar de fato nos Estados Unidos. Parece-me que você estava destinado a trabalhar em Hollywood; você também acha isso?

Eu formularia de outro modo. Meu trabalho na Inglaterra desenvolveu e ampliou meu instinto — o instinto das ideias — mas o trabalho técnico foi solidamente estabelecido, a meu ver, a partir de *O inquilino sinistro*. Digamos que o primeiro período poderia se intitular a sensação do cinema. O segundo período foi o da formação das ideias.

De qualquer maneira, durante o seu período inglês você tinha a ambição de fazer filmes que pudessem parecer filmes americanos, ao passo que em Hollywood não tentou imitar os filmes ingleses! O que me inquieta é a ideia,

A ESTALAGEM MALDITA (1939): O FILME NÃO SATISFEZ HITCHCOCK, APESAR DO INESPERADO SUCESSO DE PÚBLICO.

não sei se está correta, de que há na Inglaterra alguma coisa de indefinível mas nitidamente anticinematográfico.

Você acredita nisso? Desenvolva a sua ideia.

Pode-se perguntar se não há incompatibilidade entre a palavra "cinema" e a palavra "Inglaterra". Provavelmente é um exagero, mas penso em características nacionais que me parecem anticinematográficas, por exemplo a sossegada vida inglesa, a sólida rotina, o campo inglês, e até o clima inglês. O famoso humor inglês, que deu origem a tantas comédias encantadoras de crimes, muitas vezes impede a emoção real... Tenho a impressão de que tudo isso freava a sua vocação, que é contar histórias repletas de acontecimentos rápidos, com peripécias fortes em que o público precisa acreditar, ainda que o humor tenha naturalmente um papel nisso. Penso sobretudo na sua tendência para a estilização plástica e a estilização dos atores.

Na Inglaterra, há uma enormidade de intelectuais, uma enormidade de grandes poetas, ótimos romancistas, mas faz setenta anos que o cinema nasceu e só encontramos dois cineastas cuja obra resiste à prova do tempo: Charles Chaplin e Alfred Hitchcock. Se bem que atualmente o cinema inglês talvez esteja dando uma guinada...

No início da história do cinema, a arte do filme era extremamente desprezada pelos intelectuais, na França também, mas com certeza não tanto como na Inglaterra. Nenhum britânico bem-educado se deixaria flagrar entrando num cinema. Isso não se fazia. Você sabe que há na Inglaterra uma grande consciência de classe e de casta. Quando a Paramount abriu o teatro Plazza, em Londres, certas pessoas da alta

sociedade começaram a ir ao cinema; haviam-se preparado para elas algumas poltronas nos mezaninos, cujo preço era tão alto que aquilo ali se chamava “a fileira dos milionários”.

Antes de 1925, os filmes ingleses eram muito medíocres, destinados ao consumo local e dirigidos por burgueses. Em 1925-6, alguns jovens estudantes, principalmente de Cambridge, começaram a se interessar por cinema graças aos filmes russos ou aos filmes do continente, como *História de um chapéu italiano*, de René Clair. Foi nesse momento que nasceu a London Film Society, que organizava sessões no domingo à tarde para os intelectuais. O entusiasmo deles não ia a ponto de quererem se tornar profissionais do cinema, mas eram amantes de filmes e principalmente de filmes estrangeiros.

Ainda hoje, os filmes estrangeiros são amplamente analisados nos jornais de domingo, mas a produção de Hollywood é relegada ao pé da página. Não esqueça que os intelectuais ingleses vão sempre passar férias no continente. De bom grado visitam os bas-fonds de Nápoles para fotografar com um tripé os garotinhos que morrem de fome. Adoram

CHARLES LAUGHTON, O JUIZ DE PAZ, E MAUREEN O'HARA CONTRACENAM EM *A ESTALAGEM MALDITA*.

o pitoresco, a roupa lavada pendurada nos cortiços e os burros que circulam no meio da rua. Atualmente, os jovens cineastas ingleses começam a se interessar por isso, em seus filmes, e por sua vez descobrem o social. Eu não pensava nisso quando vivia na Inglaterra, mas quando retornei, vindo dos Estados Unidos, percebi todas essas grandes diferenças e compreendi a que ponto a atitude geral na Inglaterra é uma atitude insular. Basta sair da Inglaterra para encontrar uma concepção do mundo muito mais universal, quer nas conversas com as pessoas, quer no modo de contar uma história.

O humor inglês é muito superficial e tem seus limites. Os jornalistas ingleses fizeram contra *Psicose* críticas violentas, e até coléricas, nem uma única divertida ou debochada. Mas você tem razão, eu tinha raízes profundas no cinema americano. Os jornais corporativos que lia aos dezessete anos falavam de fitas americanas, e eu comparava a fotografia dos filmes ingleses com a dos americanos... Meu desejo de trabalhar em cinema materializou-se por volta dos meus dezoito anos. Quando estudei na escola de engenheiros, foi o desenho que me atraiu, depois a fotografia. Nunca teria tido a ideia de ir oferecer meus préstimos de desenhista a uma companhia de cinema britânica, mas quando, ao ler um jornal corporativo, fiquei sabendo que uma companhia americana ia abrir um estúdio, pensei: "Vou fazer os letreiros para eles". Ponho-me a trabalhar, os americanos chegam, atores, escritores, e faço meu aprendizado no meio deles, um aprendizado americano.

Não creia que eu era fanático por tudo o que fosse americano, mas no cinema eu considerava que eles faziam as coisas de um modo realmente profissional, estavam muito à frente dos outros países. No fundo, comecei no cinema em 1921, em Londres, mas com os americanos, no meio deles, e, assim sendo, nunca pus os pés num estúdio britânico até 1927. Nesse meio-tempo houve um breve aprendizado no cinema alemão. Mesmo quando os britânicos ocuparam gradualmente o estúdio de Islington, as câmeras eram americanas, os projetores eram americanos e a película se chamava Kodak.

Uma coisa que muitas vezes me perguntei mais tarde: por que antes de 1937 eu nunca tinha feito o menor esforço para visitar os Estados Unidos? Ainda hoje me pergunto. Vivia encontrando americanos, conseguia ler perfeitamente um mapa de Nova York e conhecia de cor os horários dos trens americanos, pois encomendava catálogos de lá, era minha distração preferida. Podia descrever Nova York, a localização dos teatros e das lojas de departamentos. Quando falava por algum tempo com americanos, eles me perguntavam: "Quando você esteve lá pela última vez?", e eu respondia: "Nunca estive lá". Não acha isso curioso?

Sim e não. Proponho-lhe uma explicação. Talvez fosse um excesso de amor e também muito orgulho. Você não queria ir como turista, queria ir como cineasta, não queria tentar fazer um filme lá, queria que lhe dissessem: "*Hollywood or bust!*" [Hollywood ou o fracasso!].

É verdade. Mas não era atraído pelo local chamado Hollywood. O que queria era entrar nos estúdios e trabalhar.

TWA

06

TITANIC DÁ EM ÁGUA, SUBSTITUÍDO POR *REBECCA*

CINDERELA

NUNCA RECEBI UM OSCAR

CORRESPONDENTE ESTRANGEIRO

GARY COOPER SE ENGANOU

O QUE É QUE ELES TÊM NA HOLANDA?

A TULIPA SANGRENTA

CONHECE O MACGUFFIN?

FLASHBACK DE *OS 39 DEGRAUS*

UM CASAL DO BARULHO

POR QUE DECLAREI: "TODOS OS ATORES SÃO GADO"?

SUSPEITA

O COPO DE LEITE

ALFRED HITCHCOCK
E ALMA REVILLE.

François Truffaut — Alfred Hitchcock, imagino que você foi para Hollywood pensando que ia fazer o filme sobre o *Titanic*. Em vez disso, filmou *Rebecca*. Como se deu essa mudança?
Alfred Hitchcock — David O. Selznick me informou que tinha mudado de ideia e que havia comprado os direitos de *Rebecca*. Então eu disse: "Tudo bem, mudamos".
Imaginei que você mesmo havia provocado essa mudança e que estava louco para filmar o romance *Rebecca*.
Sim e não; quando estava filmando *A dama oculta*, tive a possibilidade de comprar os direitos, mas eram muito caros para mim.
Nos créditos de *Rebecca*, como nos de vários de seus filmes ingleses, encontra-se o nome de Joan Harrison. Ela trabalhava na elaboração do roteiro ou era um modo de apresentar nos créditos a sua própria participação?
No início, Joan era uma secretária e, como tal, tomava notas quando eu trabalhava num roteiro, por exemplo com Charles Bennett; gradualmente ela se aperfeiçoou, passava-nos suas observações e tornou-se roteirista.
Está satisfeito com *Rebecca*?
Não é um filme de Hitchcock. É uma espécie de conto e a própria história data do fim do século XIX. Era uma história bem velhinha, bem fora de moda. Naquela época havia muitas escritoras: não tenho nada contra, mas *Rebecca* é uma história sem nenhum humor.
Em todo caso, tem o mérito da simplicidade. Uma jovem dama de companhia (Joan Fontaine) casa-se com um belo lorde (Laurence Olivier) atormentado pela lembrança de sua primeira mulher, Rebecca, morta misteriosamente. Na grande mansão de Manderley, a recém-casada não se sente à altura e teme decepcionar; deixa-se dominar, e depois aterrorizar pela governanta, sra. Danvers, que vive subjugada pela lembrança de Rebecca. Uma investigação tardia sobre a morte de Rebecca, o incêndio de Manderley e a morte da incendiária, sra. Danvers, darão um fim aos tormentos da heroína. Você estava intimidado ao fazer, com *Rebecca*, seu primeiro filme americano?

Não posso dizer isso pois é um filme britânico, totalmente britânico; a história é inglesa, os atores também, e o diretor idem. E isso é interessante: como seria *Rebecca* filmado na Inglaterra com o mesmo elenco? O que teria se passado na minha cabeça? Não sei. Há necessariamente uma grande influência americana nesse filme, primeiro por causa de Selznick, depois por causa do autor de teatro Robert Sherwood, que escreveu o roteiro com um enfoque mais aberto do que teríamos na Inglaterra.

É um filme muito sentimental.

Sentimental, sim. Há um terrível ponto fraco na história, que nossos amigos, "os verossímeis", nunca notaram: a noite em que se descobre o barco com o corpo de Rebecca revela uma coincidência bem estranha. Na noite em que pretensamente ela teria se afogado, encontrou-se o corpo de outra mulher a dois quilômetros, numa praia, o que permitiu a Laurence Olivier identificá-la e declarar: "É minha mulher". É curioso, mais ninguém reconheceu essa mulher: então não houve uma investigação quando seu corpo foi encontrado?

É uma coincidência, mas nesse filme a situação psicológica sobrepõe-se a tudo e presta-se pouca atenção nas cenas explicativas, justamente porque não afetam essa situação. Por exemplo, nunca entendi muito bem a explicação final.

A explicação é que Max de Winter não matou Rebecca, ela se suicidou porque estava com câncer.

Isso, afinal, eu tinha entendido, porque é dito expressamente, mas ele, Max de Winter, se achava culpado ou não?

Não.

Ah, bom! A adaptação é muito fiel ao romance?

Muito fiel, pois Selznick acabava de fazer *...E o vento levou* e, segundo sua teoria, as pessoas ficariam furiosas caso se alterasse o romance; isso valia também para *Rebecca*. Certamente você conhece a história das duas cabras que estão comendo os rolos de um filme adaptado de um best-seller, e uma cabra diz à outra: "Prefiro o livro, sabe?".

É, é uma história que comporta muitas variantes... Convém dizer que, vinte e seis anos depois, quando se revê o filme, *Rebecca* é muito moderno, muito sólido.

Aquilo ainda se mantém de pé apesar dos anos, fico imaginando como.

Creio que ter de fazer esse filme foi muito bom para você, como que um estimulante. No início, *Rebecca* era uma história distante do seu universo, não era um thriller, não havia suspense, era um drama psicológico. Você é que foi obrigado a introduzir o suspense num mero conflito de personagens, e acho que isso lhe permitiu enriquecer seus filmes seguintes, alimentá-los com todo um material psicológico que, em *Rebecca*, tinha sido imposto pelo romance.

É, você tem toda a razão.

Por exemplo, as relações da heroína, aliás, como ela se chama?

Nunca era chamada pelo nome...

... As relações dela com a governanta, sra. Danvers, são algo novo em sua obra e que mais adiante encontraremos com frequência, não só no roteiro, mas também em termos plásticos: um rosto imóvel e outro rosto que o aterroriza, a vítima e o carrasco na mesma imagem...

EM *REBECCA, A MULHER INESQUECÍVEL*, HITCHCOCK INTRODUZ O TEMA DA VÍTIMA E DO CARRASCO.

Pois é, aí está uma coisa que fiz de forma muito sistemática em *Rebecca*. A sra. Danvers quase não andava, nunca era vista se locomovendo. Por exemplo, quando entrava no quarto da protagonista, a moça ouvia um barulho e a sra. Danvers já estava ali, sempre ali, de pé, sem se mexer. Era um modo de mostrar a situação do ponto de vista da heroína: ela nunca sabia onde estava a sra. Danvers e assim era mais aterrorizante; ver a sra. Danvers andando a teria humanizado.

É muito interessante, e às vezes encontramos isso nos desenhos animados; por outro lado, você diz que é um filme desprovido de humor, mas quem o conhece bem fica com a impressão de que você deve ter se divertido à beça ao escrever o roteiro, pois, afinal de contas, é a história de uma moça que acumula gafes. Revendo o filme outro dia, eu o imaginava ao lado

NA SALA DE JANTAR, HITCHCOCK RI DAS GAFES DA SRA. DE WINTER (JOAN FONTAINE), QUE, ENQUANTO DESCANSA, É OBSERVADA PELA GOVERNANTA.

JUDITH ANDERSON, A GOVERNANTA, PENTEIA JOAN FONTAINE. SOBRE A PENTEADEIRA, A FOTO DE LAURENCE OLIVIER, O ATORMENTADO MAX DE WINTER. *REBECCA, A MULHER INESQUECÍVEL*, 1940.

do roteirista: "Esta é a cena do jantar, a moça vai deixar seu garfo cair no chão? Ou vai derrubar seu copo? Ou, quem sabe, quebrar um prato...?". Imagino que você devia agir assim.

É verdade, era assim que se passava, era divertido de fazer...

A moça é caracterizada um pouco como o garoto de *Sabotagem*; quando quebra uma estatueta esconde os cacos numa gaveta, esquecendo-se de que é a dona da casa. Aliás, sempre que se fala da casa de Manderley, assim como todas as vezes que a propriedade é mostrada, é de um jeito bastante mágico, com fumaças..., uma música evocadora etc.

Exato, porque de certo modo o filme é a história de uma casa; também se pode dizer que a casa é um dos três personagens principais do filme.

Isso mesmo, e é também o seu primeiro filme que faz pensar num conto de fadas.

É tanto mais um conto de fadas na medida em que é praticamente um filme de época.

Mas essa ideia de conto de fadas merece ser analisada, pois é frequente encontrá-la nos seus filmes. A importância de possuir as chaves da casa... o armário que ninguém tem o direito de abrir... o aposento onde nunca ninguém entra...

Em *Rebecca* tínhamos consciência disso, sim. É verdade que em geral os contos para crianças são aterrorizantes. Por exemplo o conto de Grimm que é contado aos alemãezinhos, "João e Maria", em que as duas crianças empurram a velha para dentro do forno. Mas nunca pensei que meus filmes parecessem contos de fadas.
Acho que isso vale para muitos filmes seus, provavelmente porque você trabalha no campo do medo e tudo o que se refere ao medo remete em geral à infância, e, pensando bem, a literatura infantil, os contos de fadas estão ligados às sensações, e sobretudo ao medo.
É bem possível; além disso, lembre-se de que a casa em *Rebecca* não tinha nenhuma localização geográfica, era completamente isolada, e encontramos isso em *Os pássaros*. É instintivo de minha parte: "Devo manter essa casa isolada para ter certeza de que ali o medo será irremediável". A casa, em *Rebecca*, está afastada de tudo, você não sabe nem sequer em que cidade está. Mas também se pode imaginar que essa abstração, aquilo que você chamava de estilização americana, é em certo sentido um acaso, decorrência do fato de que fizemos um filme inglês nos Estados Unidos. Imaginemos a filmagem de *Rebecca* na Inglaterra.

A casa não seria tão isolada porque teríamos a tentação de mostrar os arredores e as estradinhas que levam a essa casa. As cenas de chegadas seriam mais reais e teríamos uma sensação de localização geográfica exata, mas, em contrapartida, não teríamos o isolamento.
A propósito, os ingleses fizeram críticas aos aspectos americanos de *Rebecca*?
Apreciaram bastante o filme.
A casa, quando a vemos por inteiro, não existe. É uma maquete?
É uma maquete. E também a estrada que vai dar lá.
A utilização de maquetes idealiza plasticamente o filme, lembra gravuras e reforça ainda mais o aspecto de conto de fadas. No fundo, a história do romance *Rebecca* é muito próxima da história de *Cinderela*.
A heroína *é* Cinderela, e a sra. Danvers é uma das irmãs más; mas a comparação é ainda mais justificada com uma peça inglesa anterior ao romance *Rebecca* e que se intitula *His house in order*, cujo autor era Pinero. Nessa peça, a mulher má não era governanta, mas irmã do dono da casa, portanto cunhada de Cinderela. Pode-se imaginar que essa peça influenciou Daphne du Maurier.
O mecanismo de *Rebecca* é muito forte: obter uma opressão crescente falando unicamente de uma falecida, de um cadáver que nunca se vê... Acho que o filme ganhou um Oscar, não?
É, de melhor filme do ano.
Foi o único Oscar que você recebeu?
Nunca recebi um Oscar.
Mas o de *Rebecca*, afinal...
Esse Oscar foi para Selznick, o produtor; nesse ano, em 1940, foi John Ford que ganhou o Oscar de direção, com *As vinhas da ira*.
Continuemos nossa viagem americana. Uma particularidade um tanto terrível em Hollywood: o cinema é muito compartimentado. Há os cineastas que fazem filmes de série A, outros que fazem filmes de série B e outros de série C.

APARIÇÃO DE ALFRED HITCHCOCK: ELE PASSA ATRÁS DE UMA CABINE TELEFÔNICA ONDE ESTÁ O ESTRANHO PRIMO DE REBECCA, GEORGE SANDERS.

REBECCA E MAX DE WINTER.

Parece muito difícil mudar de categoria — no sentido da evolução —, a não ser que haja um sucesso realmente excepcional.
É, os diretores ficam na mesma linha, o tempo todo...
É aí que eu quero chegar... Fico espantado que, depois de um filme de alto nível como *Rebecca*, e que teve grande sucesso, você tenha sido levado a filmar *Correspondente estrangeiro*,* que admiro muito mas que é visivelmente um filme B.
É muito fácil de explicar. Trata-se, mais uma vez, de um problema de distribuição de personagens. Na Europa, o thriller, a história de aventura, não é considerado inferior, e na Inglaterra é até um gênero literário muito respeitado. Nos Estados Unidos, o contexto é diferente. Já na literatura os livros de aventura são considerados de segunda classe. Quando terminei o roteiro de *Correspondente estrangeiro*, fui ver um grande astro, Gary Cooper. Mas era um thriller, ele não queria filmá-lo. Isso me aconteceu várias vezes, no início em Hollywood, e eu sempre acabava com estrelas de segunda grandeza, como, neste caso, Joel McCrea. Alguns anos mais tarde, encontrei Gary Cooper. Ele me disse: "Eu me enganei, não foi?".
Walter Wanger era o produtor do filme. Foi ele que lhe propôs essa história?
Foi. Ele se interessava por política externa e havia comprado os direitos de um livro chamado *Personal history*, de Vincent Sheehan, um jornalista muito conhecido como enviado especial. No filme, não sobra nada do livro, que era estritamente autobiográfico; trata-se na verdade de um script original de Charles Bennett e meu.

* *Correspondente estrangeiro* (1940) foi lançado na França em 1948, com o título *Correspondant 17*, depois novamente em 1963, com o título *Cet homme est un espion*. Ainda não conhecemos o título com que será exibido uma próxima vez, mas confiamos na imaginação dos distribuidores franceses.

Tenho aqui um resumo do roteiro: Jones é um jornalista americano enviado por seu jornal à Europa no início do ano de 1939 para avaliar a eventualidade de uma guerra mundial. Em Londres, encontra um velho político holandês, que guarda um segredo de uma aliança. Depois de um atentado simulado, o velho político holandês é sequestrado por espiões nazistas e Jones sai em sua procura, na Holanda, ajudado por uma moça (Laraine Day) cujo pai (Herbert Marshall), presidente de uma associação pacifista, é uma autoridade nazista, conforme se descobrirá. Num desastre de avião no meio do mar, o pai se suicida e Jones, recolhido por um navio, volta a Londres com a moça. É essa a história.

Como vê, eu retomava meu velho tema do herói inocente envolvido em aventuras...

Imagino que desejaria ter tido uma outra estrela feminina, e não Laraine Day?

É, preferiria ter nomes de mais peso.

Mas Joel McCrea está simpático no papel dele...

Ele é meio mole. Mas há muitas ideias nesse filme, não?

Sem dúvida. Disseram que o seu ponto de partida foi a cena dos moinhos, a ideia de um moinho cujas pás girariam no sentido contrário à direção do vento, mandando assim uma mensagem secreta para um avião?

É, partimos dessa cena dos moinhos, e também do assassino que se esgueira entre os guarda-chuvas... Estávamos na Holanda, portanto, moinhos e guarda-chuvas. Se eu tivesse filmado em cores, teria usado uma ideia com a qual sonho há muito tempo: o assassinato num campo de tulipas. Dois personagens. O assassino, gênero Jack, o Estripador, chega por trás da moça. Sua sombra avança sobre ela, que se vira e berra. Imediatamente "panoramicamos" para os pés que lutam entre as tulipas. A câmera dirige-se para uma tulipa, para dentro da tulipa. O barulho da luta continua no segundo plano sonoro. Avançamos para uma pétala que enche toda a tela e, plim... cai sobre a pétala uma gota de sangue vermelho. É o final do crime!

A CENA DO MOINHO FILMADA NA HOLANDA (AO LADO), ONDE JOEL MCCREA E LARAINE DAY (ACIMA) INVESTIGAM OS NAZISTAS. *CORRESPONDENTE ESTRANGEIRO*, 1940.

NAS PÁGINAS SEGUINTES: ENTRE A MULTIDÃO DE GUARDA-CHUVAS ESCONDE-SE O ASSASSINO.

Há um plano quase no fim de *Correspondente estrangeiro* que ninguém, nenhum técnico, perguntou como tinha sido filmado. É quando o avião vai mergulhar no oceano; os pilotos já não conseguem que o aparelho volte a subir, o oceano se aproxima e estamos na cabine de pilotagem; a câmera está acima dos ombros dos dois pilotos e, entre eles, vê-se pela cabine envidraçada o oceano se aproximando mais e mais. Então, *sem nenhum corte*, o avião cai na água violentamente e os dois homens se afogam, tudo isso no mesmo plano.

Talvez fosse uma combinação de uma retroprojeção e de trombas-d'água de verdade?

Eu tinha mandado fazer a tela da retroprojeção num papel resistente e, atrás dessa tela, havia um reservatório de água. A retroprojeção ia desfilando, o avião ia picando, e quando, no filme, a água se aproximava, eu apertava um botão e a tela transparente da retroprojeção se rasgava sob a pressão da água. Graças à pressão desse considerável volume de água, era impossível perceber que a tela estava se rasgando.

Outra coisa difícil de filmar, um pouco mais adiante, foi o avião se partindo antes de afundar, quando uma das asas se separa, com passageiros em cima dela. Num grande tanque, instalamos trilhos sobre a água; o avião estava montado nesses trilhos, interrompidos num determinado ponto; a asa do avião ia embora em cima de outro trilho, perpendicular; era muito difícil de fazer mas muito divertido.

Era um excelente final.

Uma parte do material desse filme teve de ser filmada em Londres e em Amsterdam por uma segunda equipe. Estávamos em 1940 e, em sua primeira viagem a Amsterdam, o navio do câmera foi torpedeado e ele perdeu todo o equipamento. Teve de voltar lá uma segunda vez.

Parece que o doutor Goebbels gostava muito de *Correspondente estrangeiro*?

Também ouvi dizer isso; tudo indica que ele conseguiu uma cópia do filme na Suíça; esse filme era uma fantasia e, como toda vez que trato de uma fantasia, não permiti que a verossimilhança mostrasse a sua cara feia. Em *Correspondente estrangeiro* temos a mesma situação de *A dama*

A CENA DO DESASTRE DE AVIÃO EXIGIU TRUQUES QUE POUCOS PERCEBERAM. *CORRESPONDENTE ESTRANGEIRO*, 1940.

oculta mas numa versão masculina: alguém guarda um segredo, trata-se do velho político holandês.

O sr. Van Meer, o homem que conhece a famosa cláusula secreta?

A famosa cláusula secreta era o nosso MacGuffin. Precisamos falar do MacGuffin!

O MacGuffin é o pretexto, é isso?

É um expediente, um truque, um recurso para uma situação problemática, é o que se chama um *gimmick*.

Então, a história do MacGuffin é a seguinte. Você sabe que Kipling costumava escrever sobre a Índia e os britânicos que lutavam contra os nativos na fronteira do Afeganistão. Todas as histórias de espionagem escritas nesse ambiente eram invariavelmente sobre o roubo dos planos da fortaleza. Isso era o MacGuffin. Portanto, MacGuffin é o nome que se dá a esse tipo de ação: roubar... os papéis; roubar... os documentos; roubar... um segredo. Na prática, isso não tem a menor importância, e os lógicos estão errados em procurar a verdade no MacGuffin. No meu trabalho, sempre pensei que os "papéis" ou os "documentos" ou os "segredos" de construção da fortaleza devem ser extremamente importantes para os personagens do filme mas sem nenhuma importância para mim, o narrador.

Agora, de onde vem o termo MacGuffin? Ele evoca um nome escocês e pode-se imaginar uma conversa entre dois homens num trem. Um diz ao outro: "O que é esse embrulho que você colocou no bagageiro?". O outro: "Ah, isso! É um MacGuffin". Então, o primeiro: "O que é um MacGuffin?". O outro: "Pois bem! É um aparelho para pegar leões nas

montanhas Adirondak". O primeiro: "Mas não há leões nas Adirondak". Então o outro conclui: "Nesse caso, não é um MacGuffin". Essa anedota mostra o vazio do MacGuffin... o nada do MacGuffin.

É engraçado... muito interessante.

Um fenômeno curioso acontece invariavelmente quando trabalho pela primeira vez com um roteirista; ele tende a concentrar toda a sua atenção no MacGuffin e tenho de lhe explicar que isso não tem a menor importância. Tomemos o exemplo de *Os 39 Degraus*: o que os espiões procuram? O homem que não tem um dedo?... E a mulher no início, o que é que ela procura?... Será que ela chegou tão perto do grande segredo que foi preciso apunhalá-la pelas costas no apartamento de outra pessoa?

Quando construíamos o roteiro de *Os 39 Degraus*, pensamos, totalmente errados, que precisávamos de um excelente pretexto pois se tratava de uma história de vida e de morte. Quando Robert Donat chegou à Escócia e alcançou a casa dos espiões, já tinha informações adicionais, talvez tivesse seguido o espião — e, no nosso primeiro roteiro, seguindo o espião em seu trabalho, Donat chegava ao alto de uma montanha e olhava para baixo, do outro lado. Via então uns galpões subterrâneos para aviões, escavados na montanha. Tratava-se portanto de um grande segredo de aviação, galpões secretos, ao abrigo dos bombardeios etc. Nessas alturas, nossa ideia era que o MacGuffin devia ser grandioso, plástico, eficaz. Mas começamos a examinar essa ideia: o que é que seria aquilo, o que é que faria um espião, depois de ter visto aqueles galpões? Será que enviaria uma mensagem a alguém para dizer onde se localizavam? E, nesse caso, o que fariam os futuros inimigos do país?

Isso só seria interessante para o roteiro caso você fizesse explodir os galpões...

Pensamos nisso, mas como os personagens conseguiriam explodir toda a montanha? Examinávamos tudo e invariavelmente abandonávamos essas ideias, uma após a outra, em favor de algo muito mais simples.

Poderíamos dizer que o MacGuffin não só não precisa ser sério como também ganha em ser ridículo, a exemplo da cançãozinha de *A dama oculta*.

Com certeza. Finalmente, o MacGuffin de *Os 39 Degraus* é uma fórmula matemática ligada à construção de um motor de avião, e essa fórmula não existia no papel, já que os espiões se serviam do cérebro de Mister Memory para transmitir o segredo e exportá-lo, aproveitando-se de uma turnê de music hall.

É que deve haver uma espécie de lei dramática quando o personagem está realmente em perigo; durante o seu percurso, a sobrevivência desse protagonista passa a ser tão preocupante que o MacGuffin é completamente esquecido. Mas, seja como for, deve haver um perigo, pois em certos filmes, quando se chega, no final, à cena da explicação, portanto quando se revela o MacGuffin, os espectadores debocham, vaiam ou reclamam. Mas creio que uma de suas astúcias é revelar o MacGuffin, não bem no finzinho, mas após dois terços ou três quartos de filme, o que lhe permite evitar um final explicativo.

Em geral é isso mesmo, mas o mais importante que aprendi com os anos foi que o MacGuffin não é nada. Estou convencido disso, mas sei por experiência que é muito difícil persuadir os outros.

Meu melhor MacGuffin — e, por melhor, entendo o mais vazio, o mais inexistente, o mais irrisório — é o de *Intriga internacional*. É um filme de espionagem e a única pergunta feita pelo roteiro é: “O que procuram esses espiões?”. Ora, durante a cena no campo de aviação em Chicago, o homem da Agência Central de Inteligência (CIA) explica tudo a Cary Grant, que lhe pergunta, referindo-se ao personagem de James Mason: “O que é que ele faz?”. O outro responde: “Digamos que é um sujeito que faz *export-import*”. “Mas o que é que ele vende?” “Ah!... só segredos do governo!” Você vê que, aí, reduzimos o MacGuffin à sua mais pura expressão: nada.

VAN MEER (ALBERT BASSERMAN) É SEQUESTRADO E "INTERROGADO" NA CAMA PELO ESPIÃO STEPHEN FISCHER (HERBERT MARSHALL), QUE ELE IMAGINA SER UM AMIGO. NA EXTREMA ESQUERDA ESTÁ KRUG (EDUARDO CIANNELLI). O SIMPÁTICO FOLLIOTT (GEORGE SANDERS) ACABA DE ENTRAR, PARA IMPEDIR QUE VAN MEER REVELE A CLÁUSULA SECRETA, MAS BASTA UMA MÃO ARMADA PARA MUDAR A SITUAÇÃO. *CORRESPONDENTE ESTRANGEIRO*, 1940.

ROBERT MONTGOMERY E CAROLE LOMBARD EM *UM CASAL DO BARULHO* (1941).

Nada de concreto, sim, e isso, evidentemente, prova que você está muito consciente do que faz e domina o seu trabalho à perfeição. Filmes desse gênero, construídos em cima de um MacGuffin, fazem alguns críticos comentar: Hitchcock não tem nada para dizer e, nesse momento, acho que a única resposta seria: “Um cineasta não tem nada para dizer, tem para mostrar”.

Exato.

Depois de *Correspondente estrangeiro* vem um filme, em 1941, único em sua carreira, pois é a única comédia americana filmada por você: *Um casal do barulho*. É a história clássica de um casal prestes a se divorciar, ambos se observam, um tem ciúme do outro, e acabam fazendo as pazes...

Esse filme nasceu de minha amizade com Carole Lombard. Nessa época ela estava casada com Clark Gable e me perguntou: “Você faria um filme comigo?”. Não sei por que aceitei. Segui mais ou menos o roteiro de Norman Krasna. Como não compreendia o tipo de personagens mostrados no filme, eu fotografava as cenas tais como estavam escritas.

Alguns anos antes de minha chegada a Hollywood, tinham citado uma de minhas declarações: "Todos os atores são gado". Não me lembro exatamente em que circunstâncias posso ter dito isso, mas provavelmente foi no início do cinema falado, na Inglaterra, quando filmávamos com atores que, ao mesmo tempo, representavam no teatro. Quando tinham uma matinê teatral, saíam do estúdio bem cedinho, mais cedo do que deviam, a meu ver, e eu desconfiava que queriam ter tempo para fazer uma lauta refeição. De manhã, eu precisava filmar as cenas às pressas, a fim de liberá-los. Eu imaginava que, se fossem tão dedicados a seu trabalho como eu era, iam se contentar com um sanduíche engolido no táxi a caminho do teatro, aonde chegariam com tempo de sobra para se maquiarem e entrar em cena.

Eram os atores desse tipo que eu odiava, e lembro-me de ter ouvido duas atrizes conversando num restaurante. Uma dizia à outra: "O que você anda fazendo atualmente, querida?". E a outra respondia: "Ah! faço filmes", com a mesma entonação como se dissesse: "Visito as favelas".

Isso me leva a criticar severamente essas pessoas que entram na nossa indústria, vindas do teatro ou da literatura, e trabalham na nossa arte simplesmente por dinheiro. Creio que os mais detestáveis são, em primeiro lugar, aqui em Hollywood, os escritores que chegam de Nova York, conseguem um contrato na MGM sem atribuição especial, e dizem: "O que você quer que eu escreva?". Há certos escritores de teatro que assinam contratos de três meses unicamente para passar o inverno na Califórnia. Por que é que estou lhe falando disso?

A respeito de sua famosa declaração: "Os atores são gado".

Ah, é, justamente! Quando cheguei ao estúdio no primeiro dia de *Um casal do barulho*, Carole Lombard tinha mandado construir uma jaula com três compartimentos, e dentro havia três vacas vivas, de tenra idade, cada uma exibindo, em volta do pescoço, uma grande rodela branca pendurada, com um nome: Carole Lombard, Robert Montgomery e Gene Raymond.

Minha observação era apenas uma generalização, mas Carole Lombard me deu essa resposta espetacular, a fim de fazer uma brincadeira. Acho que ela concordava bastante comigo sobre esse assunto.

Eis que chegamos a *Suspeita*. Quando falamos de *Rebecca*, esqueci de lhe perguntar o que achava de Joan Fontaine, pois tenho a impressão de que era uma atriz importante para você.

Quando preparávamos *Rebecca*, Selznick insistiu para que fizéssemos testes com muitas mulheres, conhecidas ou não, a fim de encontrar a estrela do filme. Acho que fazia isso para renovar a operação publicitária que comandara a escolha de Scarlett O'Hara. Então, convenceu todas as grandes estrelas de Hollywood a fazer testes para o papel da protagonista de *Rebecca*, e para mim era muito constrangedor submeter a essa prova mulheres que eu sabia de antemão que não podiam interpretar a personagem. No início de *Rebecca*, achei que ela não tinha consciência de si mesma como atriz, mas enxergava nela as possibilidades de um jogo cênico controlado e a considerava capaz de viver a personagem

SUSPEITA (1941): A MULHER (JOAN FONTAINE) DESCONFIA QUE O MARIDO (CARY GRANT) ESTÁ PLANEJANDO MATÁ-LA.

com tranquilidade e timidez. No início ela se fazia de tímida, um pouco demais, mas eu sentia que chegaríamos lá — e chegamos.

Ela tem uma certa fragilidade física que não tinham Ingrid Bergman nem Grace Kelly...

Acho que é isso. No caso de *Suspeita*, repare que se tratava de meu segundo filme inglês rodado em Hollywood: atores ingleses, ambientação inglesa, romance inglês. Trabalhei com um velho autor de teatro, Samson Raphaelson, que havia colaborado em quase todos os filmes falados de Lubitsch.

E ao lado deles o *brain-trust* familiar: Alma Reville e Joan Harrison?

Correto. O romance se chama *Before the fact* e o autor, Francis Iles, se chamava na verdade A. B. Cox. Também escreveu com o nome de Anthony Berkeley. Várias vezes quis filmar seu primeiro livro, *Malice aforethought*, do qual uma das primeiras frases é esta: "Foi só três meses depois de ter decidido matar sua mulher que o doutor Bickleigh resolveu enfim passar à ação". Mas sempre hesitei porque se trata de um homem maduro e é muito difícil encontrar um ator para esses papéis; talvez Alec Guinness...

Não seria possível com James Stewart?

James Stewart nunca faria um assassino.

Certos críticos, que conhecem o romance *Before the fact*, criticaram-no por ter transformado completamente a trama. O romance é a história de uma mulher que pouco a pouco se dá conta de que se casou com um assassino e, finalmente, se deixa matar por ele, por amor. O seu filme é a história de uma

mulher que, descobrindo que o marido é desinibido, gastador e mentiroso, acaba por confundi-lo com um assassino e imagina, erradamente, que ele quer matá-la. Quando falamos de *O inquilino sinistro*, você fez uma alusão a *Suspeita*: a produção, dizia, teria se oposto a Cary Grant aparecer como culpado. Mas você preferiria que ele fosse?
Não gosto do fim do filme, mas eu tinha outro, diferente do romance; quando no final Cary Grant traz o copo de leite envenenado, Joan Fontaine estaria escrevendo uma carta à mãe: "Querida mamãe, estou desesperadamente apaixonada por ele, mas não quero viver. Ele vai me matar e prefiro morrer. Mas acho que a sociedade deveria ser protegida contra ele". Então Cary Grant lhe dá o copo de leite e ela lhe diz: "Meu bem, será que você pode mandar esta carta para mamãe, por favor?". Ele diz: "Posso". Ela bebe o copo de leite e morre. Fusão, abertura, uma cena curta: Cary Grant chega assobiando, joga a carta pela fenda de uma caixa de correio.
Era muito astucioso. Li o romance, que é excelente, mas acho que o roteiro também é ótimo. Seria injusto dizer que esse roteiro foi baseado no livro, pois é francamente outra história. Como a situação do filme — uma mulher

JOAN FONTAINE GANHOU O OSCAR DE MELHOR ATRIZ EM 1941, NO PAPEL DE LINDA MCLAIDLAW.

O TRUQUE DA LUZ NO COPO DE LEITE QUE CARY GRANT LEVA PARA O QUARTO. *SUSPEITA*, 1941.

acha que seu marido é um assassino — é menos excepcional do que a situação do livro — uma mulher descobre que seu marido é um assassino —, creio que o filme tem mais valor psicológico do que o romance, já que aí os personagens são mais matizados.

No caso de *Suspeita*, pode-se considerar que as diferentes censuras e leis de Hollywood purificaram uma trama policial "desdramatizando-a", é o contrário do que costuma acontecer com as adaptações. Sem pretender com isso que o filme seja mais bonito que o livro, é verdade que um romance que adotasse a linha do roteiro seria um romance melhor do que *Before the fact*.
Não consigo me dar conta disso pois tive muitas dificuldades com esse filme. Quando o terminei, parti para Nova York por duas semanas e, ao voltar, tive uma curiosa surpresa: um produtor da RKO mandara visionar *Suspeita* e achara que inúmeras cenas davam a impressão de que Cary Grant era um assassino; então havia eliminado todas essas insinuações e o filme não durava mais do que cinquenta e cinco minutos. Felizmente, o chefe da RKO percebeu que o resultado estava ridículo, e me deixaram reconstituir o filme por inteiro.
Fora isso, você ficou contente com *Suspeita*?
Só até certo ponto. Os elementos que constituem um filme desse gênero não me agradaram, os salões elegantes, as escadarias suntuosas, os quartos luxuosos etc. Era o mesmo problema de *Rebecca*, uma paisagem inglesa reconstituída nos Estados Unidos. Para essa história, gostaria de dispor de um quadro autêntico. Outra desvantagem era a fotografia brilhante demais. Mas você gostou da cena do copo de leite?
Quando Cary Grant sobe a escada, é ótima.
Eu tinha mandado pôr uma luz dentro do copo de leite.
Um projetor dirigido para o leite?
Não, no leite, dentro do copo. Porque tinha de ser extremamente luminoso. Cary Grant sobe a escada e era preciso que só se olhasse para aquele copo.
É muito bom, realmente...

07

ROBERT CUMMINGS EXPLICA-SE COM O VELHO CEGO EM *SABOTADOR* (1942).

François Truffaut — Agora, estamos chegando a *Sabotador*, que você filmou em Hollywood e em Nova York, em 1942, e que não deve ser confundido com o seu filme inglês *Sabotagem* (1936). Esse filme, *Sabotador*, é exibido na França há quase vinte anos com o título de *Cinquième colonne*.
Um rapaz empregado numa fábrica de aviões é acusado injustamente de sabotagem. Ele foge, encontra uma moça que, primeiro, quer entregá-lo à polícia, mas depois resolve ajudá-lo. Isso lembra o resumo de quase todos os seus filmes de perseguição, mas todo mundo sabe de que filme se trata quando se faz alusão ao final, passado no alto da Estátua da Liberdade.

Alfred Hitchcock — Com *Sabotador* estamos no terreno de *Os 39 Degraus*, de *Correspondente estrangeiro* ou ainda de *Intriga internacional*. Mais uma vez, estamos diante do MacGuffin, diante das algemas e diante de um roteiro-itinerário. Mais uma vez, o risco principal de um filme desses está na dificuldade de conseguir um ator importante. Sempre que fiz um filme desse gênero e que o protagonista não era um astro, pareceu-me que o resultado se ressentiu, pela simples razão de que o público dá menos importância às encrencas de um personagem interpretado por um ator com quem não tem familiaridade.

Em *Sabotador*, o papel do herói era feito por um ator muito competente, Robert Cummings, mas que pertence à categoria dos atores leves. Seu rosto tem um jeito engraçado, e, quando o ator está numa situação muito complicada, esse rosto é incapaz de transmiti-la.

Segundo problema: eu estava emprestado, ou melhor, alugado, por Selznick a um produtor independente e o filme ia ser distribuído pela Universal; ora, o estúdio me impôs a estrela feminina principal. Não era uma mulher para um filme de Hitchcock.

Era Priscilla Lane; essa aí, não se podia criticá-la por ser sofisticada! Era muito simplória e até meio vulgar...

É, com essa aí, realmente me traíram. Chegamos ao terceiro problema: a escolha do vilão. Estávamos em 1941 e havia nos Estados Unidos sociedades pró-alemãs, que chamávamos de America Firsters, formadas

PRISCILLA LANE E ROBERT CUMMINGS EM *SABOTADOR*. EMBAIXO, O CASAL COM A TRUPE CIRCENSE.

DO TÁXI, A CAMINHO DA ESTÁTUA DA LIBERDADE, O VILÃO FRANK FRY (NORMAN LLOYD) VÊ OS DESTROÇOS DO NAVIO *NORMANDIE*.

O ENCONTRO FINAL NA ESTÁTUA DA LIBERDADE (AO LADO E PÁGS. SEGUINTES).

por perfeitos fascistas americanos, e foi pensando neles que escrevemos o roteiro. Para fazer o papel de chefe dos vilões, eu tinha pensado num ator muito popular, Harry Carey. Em geral ele só fazia papéis muito simpáticos e, quando o contactei, sua mulher ficou furiosa: "Estou realmente indignada que você se atreva a oferecer a meu marido um papel desses. Afinal de contas, desde que Will Rogers morreu, toda a juventude americana tem os olhos voltados para meu marido!". Fiquei decepcionado de perder esse elemento de contraponto e finalmente contratamos um vilão convencional: Otto Kruger.

O outro vilão, Fry, aquele que cai da Estátua da Liberdade, é muito bom; eu o revi em *Luzes da ribalta*.

É um ator muito bom, sim, Norman Lloyd.

Vejo que os produtores do filme eram J. Skirball e F. Lloyd. Era Frank Lloyd, o ex-diretor?

Ele mesmo. E Dorothy Parker, que é uma romancista conhecida, tinha trabalhado conosco. Ela inventou umas réplicas muito espirituosas e que o público não deve ter entendido direito, sobretudo quando os dois personagens sobem na traseira de um trailer puxado por um carro e se refugiam entre os artistas de um circo ambulante; quem abria a porta era um anão, e por isso, na hora, o casal não enxergava ninguém da altura de um homem; em seguida, havia a mulher barbada, e eu tinha posto uns bobes nessa barba, de noite; depois havia uma briga entre um magricela alto e o anão, que era chamado de Major, e por último as irmãs siamesas, das quais uma sofria de insônia mas era a outra que mais se queixava.

É, isso, as pessoas riem muito durante toda essa cena.

Uma coisa interessante: quando o verdadeiro sabotador, Fry, vai de táxi até a Estátua da Liberdade, dá uma olhada pela janela, à sua direita. Nesse momento eu corto e mostro os destroços do *Normandie*, que estava adernado no porto de Nova York. Volto para um close-up do sabotador, que olha de novo para a frente, com um ligeiro sorrisinho de satisfação. Por causa desses três planos, a marinha americana enviou protestos à Universal, pois esse detalhe sugeria que o *Normandie* tinha sido sabotado, o que, naturalmente, não pesava muito em favor da vigilância da marinha dos Estados Unidos!

Eu tinha observado os destroços mas não imaginava que se tratasse do *Normandie*. Outra coisa interessante: na cena de luta, no alto da Estátua da Liberdade, quando o vilão está suspenso no vazio, você dá aquele primeiríssimo plano na manga dele, que se descostura no ombro. Pode-se dizer que a vida dele está por um fio... Vê-se num primeiríssimo plano a manga descosturada e tudo isso se passa no alto da Estátua da Liberdade... é mais uma ilustração de sua passagem costumeira do menor para o maior.

Claro, volta e meia trabalho dessa forma, mas existe um grave erro em toda a cena: não é o vilão que deveria estar pendurado no vazio, mas ninguém menos do que o herói do filme, pois nesse caso a participação do público teria sido dez vezes maior.

A cena é tão forte que, mesmo assim, o público tem medo da queda. E, aliás, o herói também se expõe. E, quando no final da cena, Priscilla Lane o levanta até o parapeito puxando-o pelo braço, é o esboço do penúltimo plano de *Intriga internacional*. A mesma ideia de alguém segurado pelo braço é retomada no final de *Intriga internacional*, mas enriquecida e completada pelo gesto que leva os dois heróis diretamente do topo do monte Rushmore até o beliche do alto no vagão-leito!

Era melhor em *Intriga internacional*, e o plano que se segue imediatamente ao do vagão-leito constitui o final mais impertinente que já filmei.

O trem que entra no túnel?

É.

Tanto mais que *Intriga internacional* é um filme muito familiar... ao qual se levam as crianças para assistir; não é como *Psicose*. De certo modo, *Intriga internacional* pode ser considerado um remake de *Sabotador*, dezesseis anos depois...

É, porque nos dois filmes tratava-se de cruzar os Estados Unidos, assim como eu havia cruzado a Inglaterra e a Escócia em *Os 39 Degraus*. Em *Intriga internacional* eu tinha Cary Grant, um ator mais importante, e tinha também o monte Rushmore, que havia anos eu desejava encaixar num filme.

Também se pode dizer que *Os 39 Degraus* é um pouco o resumo de toda a sua obra inglesa, e que *Intriga internacional* é o resumo de sua obra americana.

É verdade, ao introduzir ideias demais em *Sabotador* minha sensação era tê-lo sobrecarregado; há o herói que, apesar das algemas, se joga do alto de uma ponte, a cena na casa do velho cego, a cidade-fantasma com o estaleiro deserto, e a luneta apontada para uma barragem a ser destruída... Talvez eu tenha coberto um território vasto demais...

Não creio. Imagino que, quando se escreve a história de um casal em perigo, a maior dificuldade é a moça; como introduzi-la nas cenas, como separá-la do herói, como fazer com que se reencontrem etc.

Absolutamente certo. É a principal dificuldade.

É por isso que você tem, no final de *Sabotador*, uma espécie de montagem paralela. O rapaz e a moça estão trancados, cada um no seu canto, ele num porão, ela no alto de um arranha-céu, e fogem cada um a seu modo; essa alternância de cenas com o rapaz e com a moça provavelmente prejudica a curva do filme. Em compensação, as cenas são fortes quando estão unidos no perigo, por exemplo no salão de baile.

É, no salão de baile, eu pensava: será que consigo criar a impressão de que esse rapaz e essa moça estão totalmente acuados, num local público? Se você está nessa situação, aproxima-se de alguém e diz: "Estou prisioneiro aqui". Então esse alguém lhe responderá: "Você está completamente louco". Então você se aproxima de uma porta ou uma janela qualquer, e ali estão os vilões que o esperam. É uma situação fantástica, inacreditável, da qual é muito difícil sair.

É uma ideia corriqueira em seus filmes, o herói ainda mais isolado na multidão do que num lugar deserto; é frequente que ele esteja encurralado num cinema, num music hall, numa reunião política, num leilão, num salão de baile,

HITCHCOCK OBSERVA O SALÃO DE BAILE DE *SABOTADOR*.

numa festa de caridade etc. Imagino que se trata de obter um contraste no roteiro, quando, desde o início, o personagem esteve quase sozinho em lugares isolados. Cenas desse gênero, com muita gente, provavelmente devem lhe permitir evitar a objeção: "Mas que bobagem, basta que ele se dirija à polícia..." ou então: "Basta contar a alguém na rua...".
Perfeitamente, e você encontra isso em *O homem que sabia demais*, quando James Stewart se dirige a todos os policiais com quem cruza nos corredores do Albert Hall para avisá-los de que um capanga vai assassinar o embaixador. Agora, se olharmos *Sabotador* com distanciamento, direi que o script não era rigoroso. Meu espírito não estava suficientemente alerta para dominar o roteiro original. Havia ali uma massa de ideias, mas não estavam bem ordenadas e tampouco selecionadas com o devido cuidado; tenho a impressão de que tudo aquilo deveria ter sido desbastado e muito bem escrito antes da filmagem. Isso prova que, para fazer um filme de sucesso, não basta uma profusão de ideias, a não ser que sejam apresentadas com a devida atenção e com uma absoluta consciência da forma. Aí está um problema grave nos Estados Unidos: como encontrar um roteirista, um escritor responsável, capaz de organizar e preservar a fantasia de uma história?

* Eis a trama de *A sombra de uma dúvida*: procurado por dois homens, Charlie Oakley (Joseph Cotten) vai se refugiar em Santa Rosa, com a família. Lá encontra a irmã mais velha, o cunhado e, sobretudo, sua jovem sobrinha (Teresa Wright), que também se chama Charlie; apesar de todo o afeto e a admiração que ela tem por seu tio Charlie, pouco a pouco desconfia de que ele é o misterioso assassino de viúvas procurado pela polícia. Suas suspeitas se fortalecem graças a um jovem detetive (MacDonald Carey) que, a pretexto de uma sondagem nacional, vai investigar na casa. Um outro suspeito, no Leste, morre triturado pela hélice de um avião no instante de ser preso pela polícia.
O caso é arquivado, mas tio Charlie, sabendo que a sobrinha está informada de tudo, vai tentar matá-la por duas vezes, em casa, e uma terceira vez no trem que o levará de volta a Nova York; nesse momento, ele cai do trem e morre esmagado por outro trem que vinha em sentido contrário.
Em Santa Rosa, fazem-lhe um enterro solene. Só a jovem Charlie sabe do segredo do tio Charlie, e o partilhará com o detetive.

A SOMBRA DE UMA DÚVIDA (1943): O TIO CHARLIE (ACIMA) É IDOLATRADO PELA FAMÍLIA NEWTON (AO LADO).

Sei que *A sombra de uma dúvida* é, de todos os seus filmes, o que você prefere. No entanto, creio que, se por desgraça, todos os seus outros filmes desaparecessem, *A sombra de uma dúvida* daria uma ideia inexata do "Hitchcock touch". Em compensação, *Interlúdio* deixaria uma imagem mais fiel do seu estilo.
Eu não deveria dizer que *A sombra de uma dúvida* é meu filme predileto. Se às vezes me expressei nesse sentido, foi por sentir que esse filme é satisfatório para nossos amigos, os verossímeis, nossos amigos, os lógicos...
... e nossos amigos, os psicólogos...
... é, nossos amigos, os psicólogos! Portanto, é uma fraqueza de minha parte, pois, se de um lado afirmo não me preocupar com a plausibilidade, de outro lado me inquieto com ela. Afinal de contas, eu também sou humano! Mas certamente a segunda razão é a lembrança tão agradável do trabalho com Thornton Wilder. Na Inglaterra, sempre consegui a colaboração das melhores estrelas e dos melhores escritores. Nos Estados Unidos não foi a mesma coisa e engoli recusas de certas estrelas e de certos escritores que desprezavam o tipo de trabalho que me interessa. Por isso é que, de repente, foi para mim muito agradável e gratificante descobrir que um dos melhores escritores americanos estava disposto a trabalhar comigo e a levar seu próprio trabalho a sério.
Você escolheu Thornton Wilder ou lhe sugeriram recorrer a ele?
Eu o escolhi. Mas voltemos atrás. Uma mulher, Margaret McDonell, que era chefe do departamento literário da empresa de Selznick, me disse um dia que seu marido, um romancista, tinha uma ideia de filme mas ainda não havia posto nada no papel. Convidei-os para almoçar no Brown Derby, de Beverly Hills, e me contaram a história, que reconstruímos juntos, enquanto almoçávamos. No final, disse-lhes: "Pois bem, voltem para casa e me datilografem isso". Conseguimos um esqueleto de narrativa em nove páginas, que enviamos a Thornton Wilder, e ele veio trabalhar aqui, neste estúdio onde estamos. Eu trabalhava com ele toda manhã e ele prosseguia sozinho de tarde, num pequeno caderno escolar. Não gostava de trabalhar de modo sequencial, pulava de uma cena para outra ao sabor de sua fantasia. Esqueci de lhe dizer que eu tinha escolhido Wilder porque era o autor de uma peça excelente, conhecidíssima, chamada *Our town* [Nossa cidade].
Vi o filme de Sam Wood tirado dessa peça, *Nossa pequena cidade*...
Quando o roteiro ficou pronto, Thornton Wilder foi se alistar no Serviço Psicológico do Exército. O roteiro não estava totalmente no ponto, e eu queria que alguém desenvolvesse curtos instantes de comédia, em contraponto com o drama. Thornton Wilder havia me recomendado um escritor da MGM, Robert Audrey, que me pareceu sério demais, por isso terminei o roteiro com Sally Benson.*

Com Thornton Wilder, tínhamos trabalhado com muito realismo, mais ainda em tudo o que se refere à cidade e ao cenário. Havíamos escolhido uma casa e Wilder temia que ela fosse grande demais para um modesto bancário. Depois de pesquisar, descobrimos que o sujeito que morava nessa casa estava na mesma situação econômica de nosso personagem, então Wilder ficou satisfeito. Quando voltamos à cidade antes da filmagem, percebemos que o sujeito, de tal forma radiante por sua casa aparecer num filme, a mandara pintar. Fomos obrigados a repintar tudo, "de sujo", e naturalmente, depois de rodado o filme, pintamos tudo de "novo em folha".

É surpreendente ler nos créditos de *A sombra de uma dúvida* aquele cartão de agradecimento a Thornton Wilder por sua participação no filme.

Fiz isso porque fiquei comovido com as qualidades desse homem.

Mas, nesse caso, por que não tentou contratá-lo para outros roteiros?

Ele foi para a guerra e não o revi por longos anos.

Andei pensando em como teve a ideia de ilustrar a ária de "A viúva alegre" com casais dançando... É uma imagem que reaparece diversas vezes no filme.

Lembre-se de que a utilizei como fundo nos créditos.

São imagens de arquivo?

Não, eu mesmo filmei. Não lembro mais se é o tio Charlie que tem a ideia de assobiar uns acordes de "A viúva alegre". Ou será a moça?

Primeiro você mostra os casais que dançam e ouve-se "A viúva alegre" orquestrada, depois a mãe, por sua vez, cantarola os primeiros compassos, depois é a moça e todos em volta da mesa tentam se lembrar do título. Joseph Cotten, constrangido, diz: "É o 'Danúbio azul'", e sua sobrinha diz: "É, é isso... Ah! que nada, é 'A viúva'...", e Cotten derruba seu copo para desviar a atenção...

... Ele não quer que se diga: "é 'A viúva alegre'", porque isso está perto demais da verdade; eis mais uma história de telepatia entre o tio Charlie e a moça!

***A sombra de uma dúvida* é, junto com *Psicose*, um de seus raros filmes em que o protagonista é o vilão, com quem o público simpatiza muito, provavelmente porque ele nunca é visto assassinando as viúvas...**

Provavelmente, e além do mais é um assassino idealista. Faz parte desses matadores que sentem dentro de si uma missão de destruição. Talvez as viúvas merecessem o que aconteceu com elas, mas isso não era serviço para ele. No filme é feito um julgamento moral, já que no fim Cotten é destruído, mesmo que acidentalmente, por sua sobrinha, não é mesmo? Isso equivale a dizer que nem todos os vilões são negros e que nem todos os heróis são brancos. Há cinzentos por toda parte. O tio Charlie gostava muito da sobrinha mas não tanto quanto ela gostava dele. E ela teve de destruí-lo, pois não esqueçamos o que disse Oscar Wilde: "Mata-se o que se ama".

Ainda a respeito de *A sombra de uma dúvida*, uma questão de detalhe me intriga; na primeira cena da estação, quando chega o trem do qual descerá o tio Charlie, há uma densa fumaça preta que escapa da chaminé da locomotiva e, quando o trem se aproxima, ela escurece toda a plataforma. Tive a impressão de que era uma coisa proposital, pois no fim do filme, na segunda cena de estação, quando o trem vai embora, há apenas uma fumacinha branca comum.

De fato, para a primeira cena eu havia pedido muita fumaça preta; é uma dessas ideias que dão uma trabalheira, sem que no entanto sejam visíveis; mas aqui tivemos uma sorte inesperada: a posição do sol simplesmente provocou uma belíssima sombra em toda a estação.

A SOBRINHA CHARLIE COM O TIO XARÁ; E COM O DETETIVE. *A SOMBRA DE UMA DÚVIDA*, 1943.

Essa fumaça preta pode ser traduzida por: "Eis o diabo que entra na cidade"?
Pode, naturalmente. Na mesma ordem de ideias, em *Os pássaros*, quando Jessica Tandy vai embora na sua caminhonete após descobrir o cadáver do fazendeiro, ela realmente está chocada, e para preservar essa emoção faço sair fumaça do cano de escapamento do carro e também faço aparecer poeira na estrada; isso contrasta com a cena tranquila de sua chegada: estrada levemente molhada e nenhuma fumaça no cano de escapamento.

Com exceção do detetive, há um excelente elenco em *A sombra de uma dúvida*, e imagino que ficou satisfeito com Joseph Cotten e Teresa Wright. Aí está um dos melhores retratos da jovem americana num filme; ela era muito bonita, com um belo porte e andava com muita graça.
É, nós a pedimos emprestada à Goldwyn, com quem ela tinha um contrato. Toda a ironia da situação estava em seu afeto amoroso pelo tio Charlie.

Justamente, a respeito dessa afeição sentimental vemos em toda a última cena do filme a moça e seu noivo, o policial, em pé diante da porta da igreja. Como pano de fundo sonoro, ouvimos o padre fazer o elogio fúnebre do tio Charlie, no gênero: "Era um ser excepcional...". Enquanto isso, a moça e o policial fazem planos para o futuro e a moça diz alguma coisa bem ambígua, mais ou menos: "Somos os únicos a saber a verdade...".
Não me lembro da frase exata, mas a ideia é que a moça continuará apaixonada pelo tio a vida inteira.

Alguns filmes seus apresentam-se como verdadeiros desafios. *Um barco e nove destinos* é um deles. Aqui, a aposta é fazer um filme inteiro dentro de um bote salva-vidas?*
De fato, era uma aposta, mas também a demonstração de uma teoria que eu tinha nesse momento. Minha impressão era que, ao se analisar um filme psicológico corrente, percebia-se que, visualmente, oitenta por cento da metragem eram dedicados a primeiros planos ou semiprimeiros planos. Era algo não combinado, provavelmente instintivo entre a maioria dos diretores; era uma necessidade de se aproximar, uma espécie de antecipação do que seria a técnica da televisão.

É muito interessante, mas várias vezes você foi tentado por esse gênero de experiências sobre a unidade de lugar, de tempo e de ação; por outro lado, *Um barco e nove destinos* é o contrário de um thriller, é um filme de personagens. Terá sido o sucesso de *A sombra de uma dúvida* que o levou nessa direção?
Não, não tem nada a ver com *A sombra de uma dúvida*. *Um barco e nove destinos* foi influenciado apenas pela guerra. Era um microcosmo da guerra.

Em certa época pensei que a moral de *Um barco e nove destinos* fosse a de que todos são culpados, todos têm alguma coisa a se recriminar, e que você queria concluir com um: "Não julguem". Mas acho que me enganei, não?
A ideia do filme é diferente. Quisemos mostrar que naquele momento havia no mundo duas forças em presença, as democracias e o nazismo. Ora, as democracias estavam em absoluta desordem, ao passo que todos os alemães sabiam aonde queriam chegar. Portanto, tratava-se de dizer aos democratas que eles precisavam de qualquer maneira tomar

* Um navio acaba de ser torpedeado. Num barco salva-vidas vão se abrigar uma jornalista muito em voga (Tallulah Bankhead), um engenheiro de ideias esquerdistas (John Hodiak), uma jovem enfermeira do Exército, um industrial de extrema direita, um marinheiro gravemente ferido (William Bendix), um camareiro de bordo negro e religioso, e uma inglesa levando nos braços o cadáver do filho.
A intriga se tece com a chegada de um marinheiro nazista, único capaz de dirigir o bote. Devem jogá-lo no mar ou lhe dar carta branca? Ele pilota como bem entende e depois, pego em flagrante delito de traição, é linchado pelos náufragos, logo recolhidos por um navio aliado.

a decisão de se unirem, se juntarem, esquecerem suas diferenças e divergências para se concentrarem num só inimigo, sobremodo poderoso por seu espírito de coesão e decisão.

Era uma ideia forte e justa...

O engenheiro interpretado por John Hodiak era praticamente um comunista e, no outro extremo, você tinha um homem de negócios que era um fascista. E, nos grandes momentos de indecisão, ninguém sabia o que fazer, nem mesmo o comunista. O filme foi muito criticado e a famosa Dorothy Thompson, na sua coluna, deu ao filme dez dias para sair da cidade!

O filme não é apenas psicológico, muitas vezes é moral também; por exemplo, já perto do fim os personagens vão linchar o alemão, e você mostra o grupo bem de longe, de costas, e é uma visão um tanto repugnante, proposital, creio?

É, eles são como uma matilha de cães.

O filme é ao mesmo tempo um conflito psicológico e uma espécie de fábula moral. Os dois elementos se entrelaçam muito bem, sem nunca se prejudicarem.

Primeiro, encomendei esse argumento a John Steinbeck, mas o trabalho ficou incompleto. Então mandei chamar um escritor muito conhecido, MacKinlay Kantor, que trabalhou duas semanas... Eu não gostava nada do que ele fazia. Ele me disse: "Não consigo fazer melhor", então respondi: "Muito obrigado", e peguei outro escritor, Jo Swerling, que tinha trabalhado para Frank Capra. Com o script pronto e o filme prestes a começar, percebi que nenhuma sequência terminava com um toque apoteótico, e então me esforcei em dar uma forma dramática a cada episódio.

UM BARCO E NOVE DESTINOS, FILMADO EM 1944, JUNTA NUM BOTE SALVA-VIDAS OS SOBREVIVENTES DE UM NAVIO TORPEDEADO: METÁFORA DA SEGUNDA GUERRA MUNDIAL.

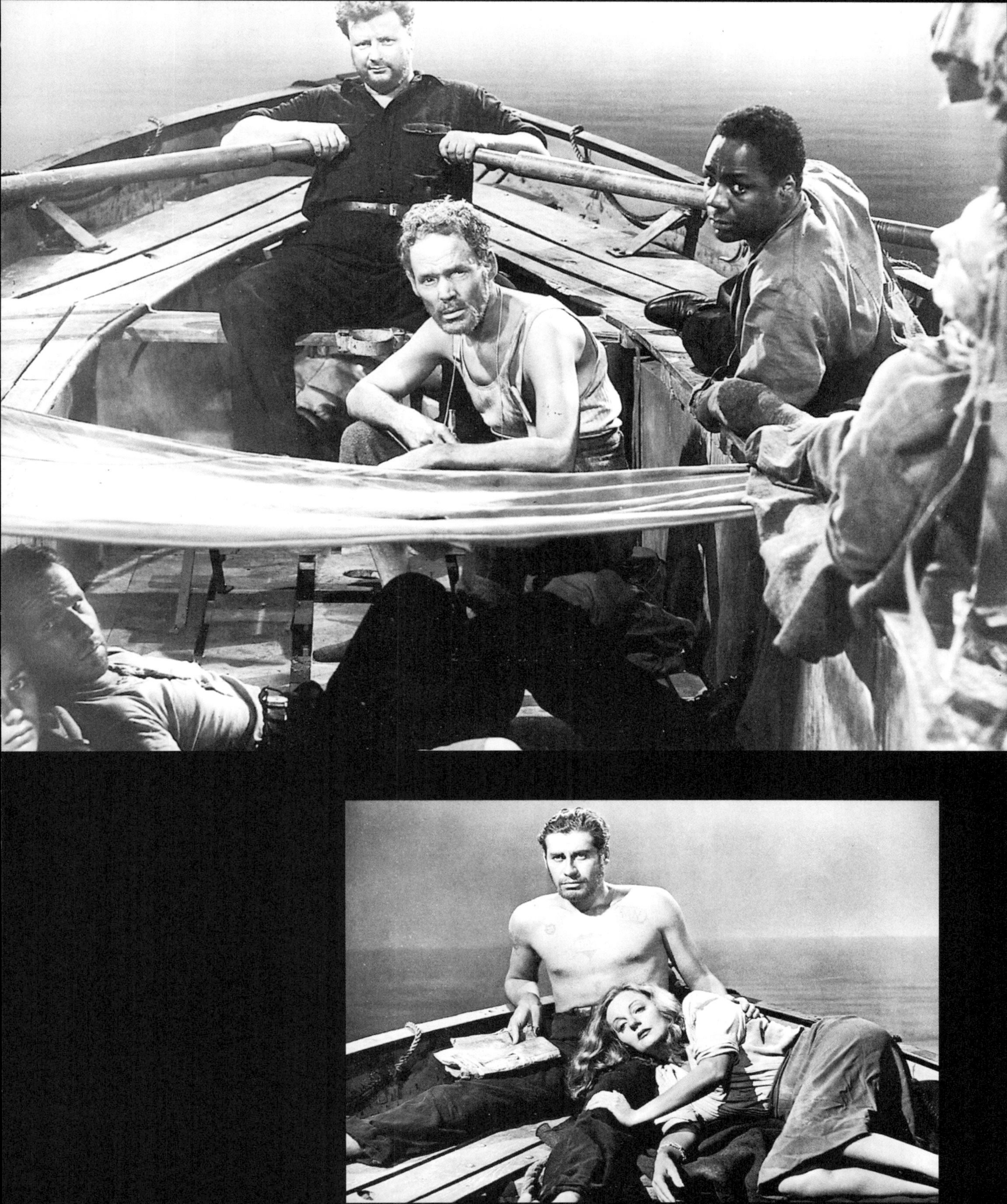

Foi por isso que deu tanta importância aos objetos, como a máquina de escrever, as joias etc.
Foi. O que levou os críticos americanos a ser tão veementes contra esse filme foi que eu tinha mostrado um alemão superior aos outros personagens. Ora, nesse período de 1940-1, os franceses estavam derrotados e os Aliados estavam em decomposição. Por outro lado, o alemão que, no início, fingia ser um simples marinheiro tinha sido comandante de submarino; portanto, havia todas as razões para se pensar que era mais qualificado que os outros para assumir o comando do bote, mas aparentemente os críticos imaginaram que um nazista mau não podia ser um bom marinheiro! Mesmo assim o filme teve certo sucesso em Nova York, mas não era muito comercial, quando nada pelo desafio técnico. Nunca deixei a câmera sair do barco, nunca mostrei o barco visto de fora e, de quebra, não havia uma só nota musical, era muito rigoroso. Evidentemente, o conjunto foi dominado pela personagem de Tallulah Bankhead.
Ela segue um pouco o mesmo percurso da heroína de *Os pássaros*: parte da sofisticação para atingir o aspecto natural, à medida que passa por sofrimentos físicos, e apreciei imensamente esse itinerário moral marcado pelo abandono de coisas materiais, a máquina de escrever que cai na água, e, no final do filme, o fecho da pulseira de ouro que serve de anzol quando não há mais nada para comer. A propósito de objetos, convém não esquecer o velho jornal que está ali largado no bote e que você usou para fazer sua ponta ritual.*
É meu papel predileto e devo confessar que passei longos e penosos momentos para resolver esse problema.

Habitualmente, faço um transeunte, mas como inventar transeuntes no oceano?! Bem que eu tinha pensado em representar um cadáver boiando à distância do bote salva-vidas, mas morria de medo de me afogar. E era impossível para mim fazer um dos nove sobreviventes, pois todos esses papéis deviam ser feitos por atrizes e atores competentes.

* Sabe-se que Alfred Hitchcock, desde *O inquilino sinistro*, no qual apareceu para "povoar a tela", habituou-se a fazer uma ponta em cada um de seus filmes. Em *O inquilino sinistro*, provavelmente aparece duas vezes, atrás de uma mesa numa sala de redação e entre os curiosos que assistem a uma detenção. Em *Chantagem e confissão*, lê jornal no metrô ao lado de um garoto que o importuna. Em *Assassinato* e em *Os 39 Degraus*, passa pela rua. Em *Jovem e inocente*, é um fotógrafo desajeitado na saída de um tribunal. Em *A dama oculta*, passa pelo cais da estação de Londres. Em *Rebecca*, passa atrás de uma cabine telefônica. Em *A sombra de uma dúvida*, joga bridge num trem. Em *Quando fala o coração*, sai de um elevador. Em *Interlúdio*, bebe uma taça de champanhe. Em *Agonia de amor*, transporta um violoncelo. Em *Festim diabólico*, atravessa a rua, depois dos créditos. Em *Sob o signo de Capricórnio*, ouve um discurso. Em *Pavor nos bastidores*, vira-se na rua para Jane Wyman, que fala sozinha. Em *Pacto sinistro*, sobe num trem com um contrabaixo. Em *A tortura do silêncio*, cruza a tela no alto de uma escada. Em *Disque M para matar*, aparece numa foto de formatura do colégio. Em *Janela indiscreta*, dá corda num relógio. Em *Ladrão de casaca*, está sentado num ônibus ao lado de Cary Grant. Em *O homem que sabia demais*, está de costas e olha os acrobatas árabes. Em *Um corpo que cai* e em *Intriga internacional*, caminha pela rua. Em *Psicose*, está parado na calçada com um chapéu de caubói. Em *Os pássaros*, passeia com dois cachorrinhos. Em *Marnie, confissões de uma ladra*, perambula pelo corredor do hotel. Em *Cortina rasgada*, está sentado com um bebê no colo que faz xixi na sua calça. Em *Topázio*, Hitchcock aparece sentado numa cadeira de rodas empurrada por uma enfermeira. Em *Frenesi*, é um dos curiosos nos cais do Tâmisa, na primeira cena. E por último, em *Trama macabra*, só aparece sua silhueta, atrás do vidro fosco de uma sala de "registro de óbitos" num cartório.

TALLULAH BANKHEAD
EM *UM BARCO*
E NOVE DESTINOS.

NO JORNAL, AS FOTOS
PUBLICITÁRIAS
DE ALFRED HITCHCOCK,
ANUNCIANDO UM PRODUTO
PARA EMAGRECER.

Por fim, tive uma excelente ideia. Nessa época eu fazia um regime muito severo, avançando a duras penas para o meu objetivo de perder cinquenta quilos, baixando de cento e cinquenta para cem. Assim, resolvi imortalizar meu emagrecimento e ao mesmo tempo conseguir minha ponta, posando para fotografias "antes" e "depois" do regime de emagrecer. Essas fotos foram reproduzidas como se ilustrassem uma propaganda no jornal, preconizando uma droga imaginária, "Reduco" — e os espectadores podiam ver tanto esse anúncio como minha própria pessoa, quando William Bendix abria um jornal velho que tínhamos pendurado no barco. Esse papel fez grande sucesso!

Espero que não tenha sido a dureza das críticas contra *Um barco e nove destinos* que o levou a dedicar o seu ano de 1944 à filmagem de dois curtas--metragens de propaganda para o Ministério da Informação britânico...

Não! Senti necessidade de dar uma pequena contribuição ao esforço de guerra, pois era ao mesmo tempo muito velho e muito gordo para me alistar no Exército. Se não tivesse feito rigorosamente nada, mais adiante iria me recriminar. Tinha vontade de ir embora, era importante para mim, e também queria penetrar no clima da guerra. Então, Selznick e eu chegamos a um acordo para fazer nosso próximo filme a partir de um romance inglês chamado *A casa do dr. Edwardes*, e viajei para a Inglaterra. Não era tão fácil nessa época. Peguei um avião bombardeiro, fui sentado no chão; no meio do caminho, no Atlântico, o avião teve de voltar e tornei a partir dois dias depois. Em Londres, encontrei meu amigo Bernstein, que dirigia a seção de filmes do Ministério da Informação britânico, e foi assim que fiz dois pequenos filmes enaltecendo os membros da Resistência francesa.

Creio ter visto um desses dois filmes, como complemento de programação de um daqueles *Por que combatemos*, em Paris, no final de 1944.

É bem possível, pois se destinavam a ser exibidos em toda a França, assim que os alemães perdessem terreno, para que o público francês compreendesse bem os problemas da Resistência. O primeiro filme se chamava *Bon voyage*. É sobre um homem da Royal Air Force (RAF) que, graças a um oficial polonês, atravessa a França com a ajuda de diversas redes da Resistência. Quando o homem da RAF chega a Londres, é interrogado por um oficial das Forças Francesas Livres, que lhe informa

que, na verdade, o companheiro polonês era um sujeito da Gestapo. Nesse momento, revê-se o trajeto dos dois pela França uma segunda vez, mas mostrando todo tipo de detalhes que o jovem da RAF foi incapaz de ver, por exemplo, os sinais de cumplicidade do falso resistente com gente da Gestapo. No final da história, havia uma pequena pirueta para mostrar que o falso oficial polonês seria desmascarado, e o jovem da RAF ficava sabendo que uma moça francesa que ele conhecera na Resistência havia sido morta posteriormente pelo traidor em questão.

Foi esse mesmo que eu vi, de fato...

Era um filme de quatro rolos, e naturalmente meus conselheiros técnicos eram homens que pertenciam às Forças Francesas Livres, por exemplo o ator Claude Dauphin, que nos ajudava nos diálogos. Construíamos roteiros no meu quarto do Hotel Claridge e lá havia muitos oficiais franceses, entre os quais um certo comandante ou coronel Forestier, que nunca estava de acordo com coisa nenhuma. Percebemos que os Franceses Livres estavam muito divididos entre si e justamente esse tipo de conflito foi o tema do segundo filme, *Aventure malgache*. Havia um sujeito, um francês, ator e advogado, que na clandestinidade se chamava Clarousse; tinha uns sessenta anos mas era muito vigoroso e estava sempre brigando com as Forças Francesas Livres, a tal ponto que seus companheiros o tinham prendido em Tananarive! Quando terminamos essa história, que era absolutamente verdadeira, contada pelo próprio Clarousse, houve um desacordo a respeito do filme e acho que eles resolveram não exibi-lo.

BON VOYAGE (À ESQ.) E *AVENTURE MALGACHE* (NO ALTO): DOIS CURTAS-METRAGENS FEITOS EM 1944 POR ENCOMENDA DO MINISTÉRIO DA INFORMAÇÃO INGLÊS, QUE PRESTAM HOMENAGEM À RESISTÊNCIA FRANCESA.

08

VOLTA AOS ESTADOS UNIDOS
QUANDO FALA O CORAÇÃO
COLABORAÇÃO COM SALVADOR DALÍ
INTERLÚDIO
"A CANÇÃO DAS CHAMAS"
O MACGUFFIN-URÂNIO
O FBI MANDOU ME VIGIAR
"ELE QUER SE CASAR COMIGO"
MINHA IDEIA DE UM FILME SOBRE O CINEMA
AGONIA DE AMOR
GREGORY PECK NÃO É UM ADVOGADO BRITÂNICO
UMA TOMADA INTERESSANTE
AS MÃOS GANCHUDAS, QUE NEM UM DIABO!

GREGORY PECK E INGRID BERGMAN EM *QUANDO FALA O CORAÇÃO* (1945).

François Truffaut — Estamos em 1944, você está de volta a Hollywood para filmar *Quando fala o coração*; vejo, entre os roteiristas desse filme, o nome de Angus MacPhail, um inglês que o ajudou a escrever o roteiro de *Bon voyage*, certo?

Alfred Hitchcock — Angus MacPhail era chefe do departamento de roteiros da Gaumont-British e um desses jovens intelectuais de Cambridge que foram dos primeiros a se interessar por cinema. Eu o havia conhecido por ocasião de *O inquilino sinistro* e ele tinha trabalhado na Gaumont-British na mesma época que eu. Depois de *Sabotagem*, não mais o revi, até o momento de fazer esses dois pequenos filmes franceses em Londres, e comecei a trabalhar com ele na primeira elaboração de *Quando fala o coração*. Mas nosso trabalho era muito desordenado. Quando voltei para Hollywood, Ben Hecht foi escalado, uma feliz escolha, porque ele era justamente muito voltado para a psicanálise.

No livro que dedicaram a você, Eric Rohmer e Claude Chabrol dizem que a sua primeira ideia para *Quando fala o coração* era fazer um filme muito mais delirante; por exemplo, o diretor da clínica devia ter, tatuada na sola do pé, a cruz de Cristo, para pisoteá-lo a cada passo, pois era um poderoso chefão das missas negras sacrílegas etc.

Isso era o romance *A casa do dr. Edwardes*, um romance melodramático e realmente louco, contando a história de um louco que passa a controlar um asilo de loucos! No romance, até os enfermeiros eram loucos e faziam coisas de todo tipo! Minha intenção era mais sensata. Queria apenas fazer o primeiro filme de psicanálise. Trabalhei com Ben Hecht, que volta e meia consultava psicanalistas famosos.

Quando chegamos às sequências de sonho, quis a todo custo romper com a tradição dos sonhos de cinema, que geralmente são brumosos e confusos, com a tela trêmula etc. Pedi a Selznick para termos a colaboração de Salvador Dalí. Selznick aceitou, mas estou convencido de que pensou que eu queria Dalí por causa da publicidade que nos daria. A única razão era minha vontade de conseguir sonhos muito visuais,

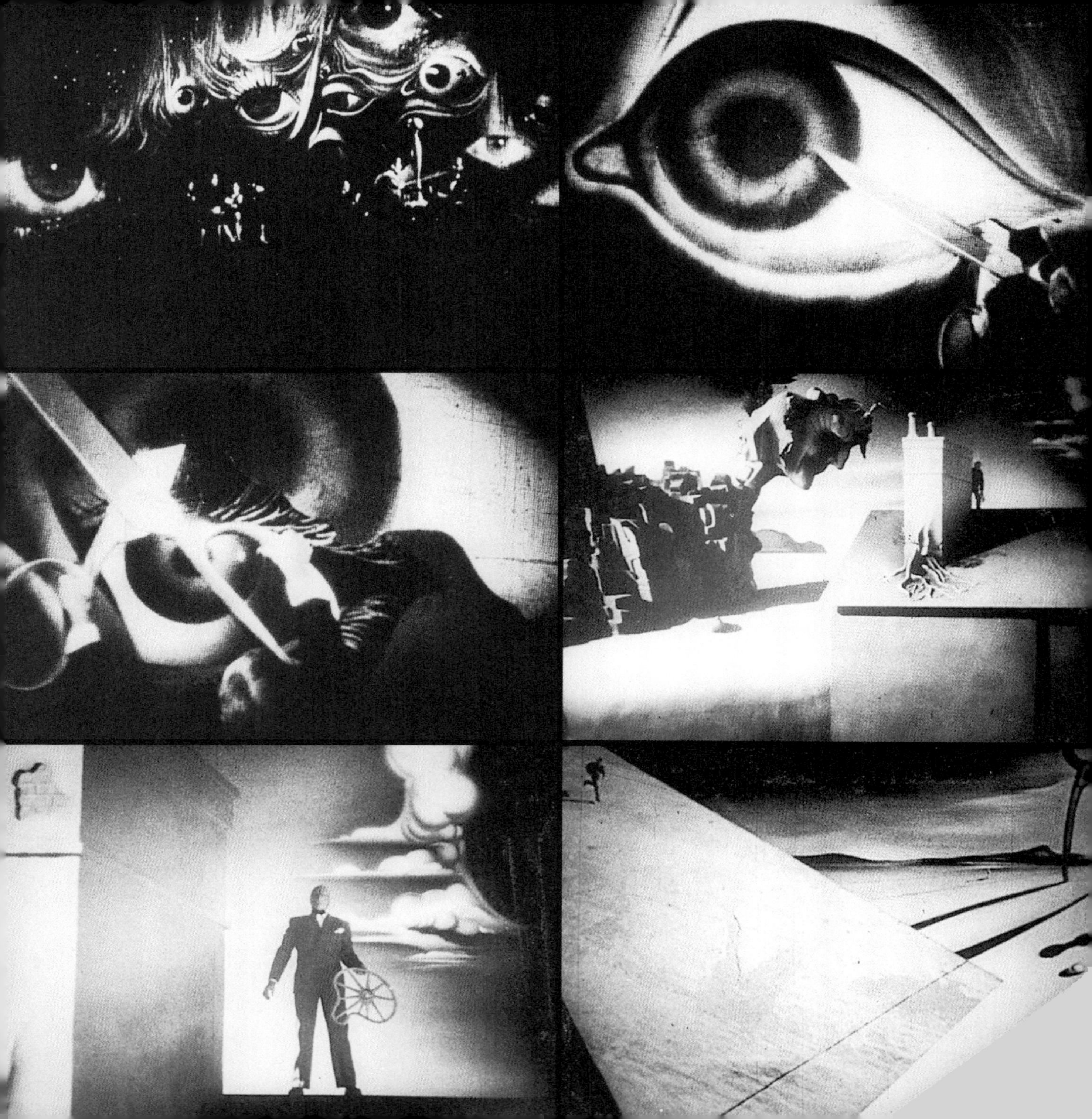

* Constance (Ingrid Bergman) é médica num asilo de alienados. O diretor do hospício, dr. Murchison (Leo G. Carroll), se aposentou e aguarda-se a chegada de seu sucessor, o dr. Edwardes (Gregory Peck). Constance se apaixona pelo dr. Edwardes mas logo percebe que ele não passa de um doente mental que imagina ser o dr. Edwardes. Quando ele toma consciência da própria amnésia, acredita ter matado o verdadeiro dr. Edwardes e foge da clínica. Constance consegue encontrá-lo e escondê-lo da polícia, na casa de seu velho professor (Michael Chekhov), que vai analisar os sonhos do doente e desencavar seu complexo de culpa. O falso Edwardes sempre se considerou responsável pela morte de seu irmãozinho, ocorrida durante uma brincadeira de criança, e o dr. Edwardes morreu de modo idêntico, mas na verdade foi assassinado pelo ex-diretor do asilo, dr. Murchison, que no final será desmascarado.

ILUSTRAÇÕES DE SALVADOR DALÍ PARA O SONHO DE *QUANDO FALA O CORAÇÃO*; E DOIS MOMENTOS DA BELA CONSTANCE (INGRID BERGMAN).

com traços agudos e claros, numa imagem mais clara que a do filme, justamente. Eu queria Dalí pelo aspecto incisivo de sua arquitetura — De Chirico é muito semelhante —, as sombras compridas, o infinito das distâncias, as linhas que convergem na perspectiva... os rostos sem forma...

Naturalmente, Dalí inventou coisas estranhíssimas, impossíveis de realizar: uma estátua racha, formigas escapam pelas fissuras e rastejam pela estátua, e em seguida vemos Ingrid Bergman recoberta de formigas. Eu estava ansioso porque a produção não queria fazer certos gastos. Gostaria de ter filmado os sonhos de Dalí em externas, a fim de que tudo fosse inundado de sol e produzisse um tremendo contraste, mas me recusaram e tive de filmar o sonho em estúdio.

Em última análise, você tinha um único sonho, dividido em quatro partes. Revi recentemente *Quando fala o coração* e devo lhe confessar que não gostei tanto do roteiro.*

É, mais uma vez, uma história de caça ao homem, mas aqui envolta em pseudopsicanálise.

Para mim é mais que evidente que muitos filmes seus, como *Interlúdio* ou *Um corpo que cai*, parecem de fato sonhos filmados. Então, quando se anuncia um filme de Hitchcock abordando a psicanálise... espera-se alguma coisa de completamente louco, de delirante, e, afinal, é um de seus filmes mais sensatos, com muitos diálogos... Grosso modo, o que eu recriminaria em *Quando fala o coração* é o fato de faltar um pouco de fantasia, em relação a outros filmes seus...

Provavelmente porque se tratava de psicanálise, tivemos medo da irrealidade e tentamos ser lógicos ao expor a aventura desse homem.

Sem dúvida. Ainda assim, há coisas muito bonitas, por exemplo o beijo seguido de sete portas que se abrem, e o primeiro encontro de Gregory Peck com Ingrid Bergman; é claramente um amor à primeira vista, ela o ama desde o primeiro olhar...

... Infelizmente, justo nesse momento os violinos começam a tocar, é um horror!

Também gosto da série de planos que se seguem à detenção de Gregory Peck, das imagens de grades e de vários primeiros planos de Ingrid Bergman, até que, repentinamente, ela comece a chorar. Em contrapartida, toda aquela passagem em que eles vão procurar refúgio na casa do velho professor não tem muito interesse... Choca-o que eu lhe diga que o filme é decepcionante?

Não, não, estou de acordo, acho que tudo é muito complicado e que as explicações do final são confusas demais.

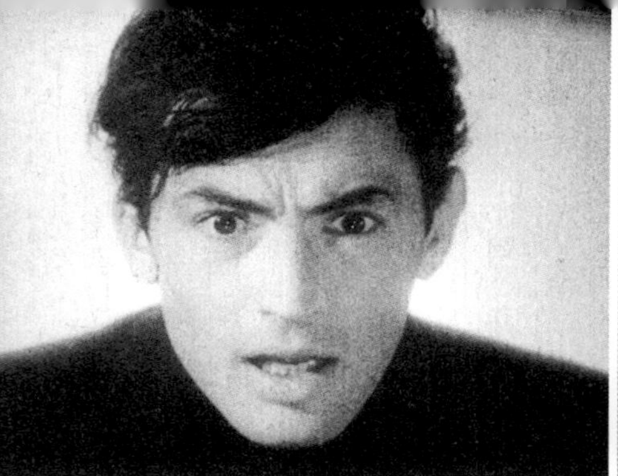
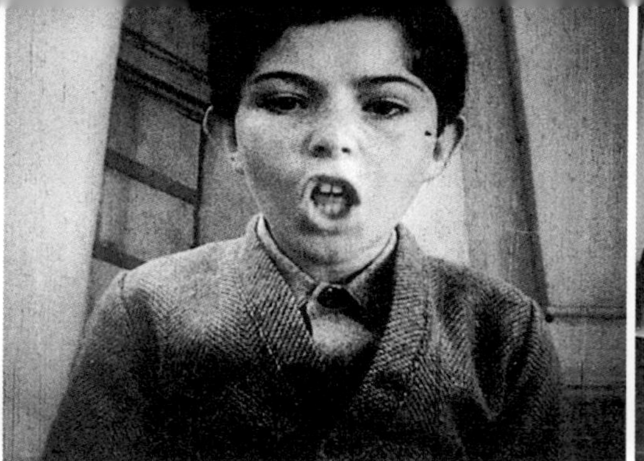

Há mais um inconveniente, que também prejudica *Agonia de amor*: é Gregory Peck. Ingrid Bergman é uma atriz extraordinária e perfeita para trabalhar com você, mas Gregory Peck, esse realmente não é um ator hitchcockiano; é oco e, sobretudo, não tem nenhum olhar. Mesmo assim, prefiro *Agonia de amor* a *Quando fala o coração*, e você?
Não sei. Também podemos enumerar muitos erros em *Agonia de amor*...
Eu estava de fato impaciente para chegarmos a *Interlúdio*, pois de todos os seus filmes é realmente o meu preferido, pelo menos de todos os seus filmes em preto e branco. *Interlúdio* é a quintessência de Hitchcock.
Quando começamos a escrever *Interlúdio* e comecei a trabalhar com Ben Hecht, saímos em busca do MacGuffin e, como é frequente, fomos tateando e pegamos direções complicadas demais. O princípio do filme já estava estabelecido: a heroína, Ingrid Bergman, tinha de ir à América Latina, acompanhada pelo agente do FBI, Cary Grant, e devia entrar na casa de um grupo de nazistas e descobrir a atividade deles.

Na primeira versão, fazíamos entrar nessa história gente do governo, gente da polícia, e grupos de refugiados alemães na América Latina, que se exercitavam e se armavam clandestinamente em campos, a fim de formarem um exército secreto; mas não sabíamos o que fazer com esse exército quando ele estivesse formado, então mandamos tudo isso às favas e adotamos um MacGuffin bem simples, mas concreto e visual: uma amostra de urânio escondida numa garrafa de vinho.

No início, o produtor tinha me dado uma história muito antiquada, um conto publicado no *Saturday Evening Post*, com o título “A canção das chamas”, e que contava a história de uma moça que se apaixonava por um rapaz da alta sociedade nova-iorquina. Essa moça tinha um problema de consciência, pois no passado havia feito alguma coisa errada e imaginava que, se o rapaz ou a mãe do rapaz ficassem sabendo, o grande amor deles sucumbiria. O que era essa coisa? Durante a guerra, o serviço de espionagem do governo tinha ido ver um empresário teatral a fim de encontrar uma jovem atriz que agisse como agente secreta e aceitasse dormir com um espião para conseguir certas informações. Propuseram seu nome, ela aceitou e cumpriu a missão. Então, seu problema atual enche-a de apreensão e ela vai ver o empresário para lhe falar de seus escrúpulos. No fim da história, o empresário vai encontrar a mãe do rapaz, conta-lhe tudo e a mãe, muito aristocrata, diz: “Sempre quis que meu filho se casasse com uma moça realmente distinta, mas não esperava que conseguisse encontrar uma moça realmente tão distinta”.

Essa era a ideia de um filme para a sra. Ingrid Bergman e o sr. Cary Grant, e dirigido por Alfred Hitchcock! Então me sentei com o sr. Ben Hecht

GREGORY PECK REVÊ A CENA EM QUE MATOU ACIDENTALMENTE SEU IRMÃOZINHO. *QUANDO FALA O CORAÇÃO*, 1945.

INGRID BERGMAN E CARY GRANT EM *INTERLÚDIO* (1946): A QUINTESSÊNCIA DE HITCHCOCK.

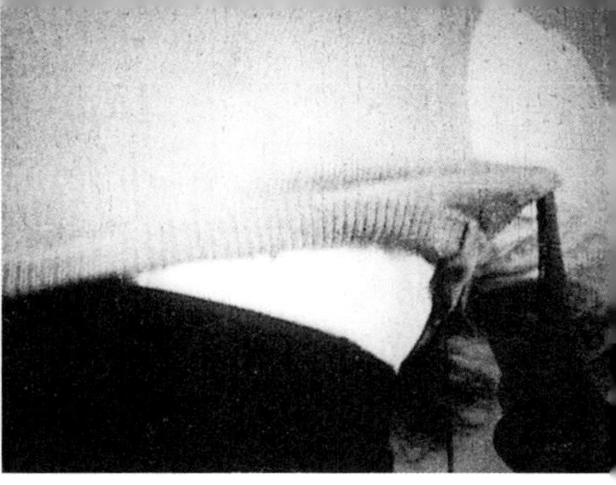

e decidimos conservar o seguinte: uma moça tem de dormir com um espião para conseguir informações. Ben Hecht e eu continuamos a falar, desenvolvemos a história e então introduzi o MacGuffin-urânio, quatro ou cinco amostras, parecendo uma espécie de areia, dentro de garrafas de vinho. O produtor retrucou: "Como? Pelo amor de Deus! O que é que é isso?".

Respondi: "É urânio, e isso deve servir eventualmente para fabricar uma bomba atômica". Ele prosseguiu: "Que bomba atômica?". Estávamos em 1944, um ano antes de Hiroshima. Eu só tinha sobre esse assunto uma indicação, uma pista. Um escritor amigo meu havia me afirmado que, em algum lugar no deserto do Novo México, cientistas trabalhavam num projeto secreto, tão secreto que, quando entravam na usina, nunca mais saíam de lá. Também sabia que os alemães faziam experiências com água pesada, na Noruega, e foi assim que cheguei ao MacGuffin-urânio. O produtor estava escandalizado. Essa história de bomba atômica lhe parecia absurda demais para ser a base de uma história. Disse-lhe: "Não é a base da história, é só o MacGuffin", e expliquei o que era o MacGuffin e a pouca importância que se deve dar a ele. No final, disse-lhe: "Se você não gosta do urânio, vamos pegar diamantes industriais, pois se imaginará que os alemães têm uma necessidade vital de diamantes, por exemplo para talhar seus instrumentos. Se nossa história não estivesse ligada à guerra talvez tivéssemos elaborado um enredo a partir de um roubo de diamantes, nada disso tem a menor importância". Não consegui convencer o produtor e, assim sendo, duas semanas depois ele nos "revendeu", a nós todos, para a RKO: Ingrid Bergman, Cary Grant, o roteiro, Ben Hecht e eu; tudo isso como um pacote.

Agora, preciso lhe contar o fim da história do MacGuffin-urânio, que vai acontecer quatro anos depois do lançamento de *Interlúdio*. Estou viajando no *Queen Elizabeth* e encontro um sócio do produtor Hal Wallis, um homem

chamado Joseph Hazen. Ele me diz: "Sempre quis lhe perguntar como foi que você teve a ideia da bomba atômica um ano antes de Hiroshima. Quando nos ofereceram o script de *Interlúdio*, nos recusamos a comprá-lo pensando que era uma coisa muito idiota para servir de base a um filme".

Voltemos atrás mais uma vez, pois devo lhe contar um episódio que precedeu à filmagem de *Interlúdio*. Ben Hecht e eu fomos à Escola Politécnica, em Pasadena, para encontrar o dr. Millikan, nessas alturas o maior cientista dos Estados Unidos. Fomos introduzidos em sua sala, onde havia, num canto, o busto de Einstein, era muito impressionante. A primeira pergunta que lhe fizemos foi: "Dr. Millikan, uma bomba atômica, que tamanho ela teria?". Ele olhou para nós: "Vocês querem ser presos e querem que eu também vá preso?". E, durante uma hora, nos explicou como era absolutamente impossível fabricar uma bomba atômica, concluindo: "Se pelo menos se pudesse controlar o hidrogênio, já seria alguma coisa". Quando saímos, ele pensava ter nos convencido, mas mais tarde fiquei sabendo que, depois dessa visita, o FBI mandou me vigiar por três meses.

Voltemos ao navio, quando o sr. Hazen me diz: "Pensávamos que o urânio fosse uma coisa muito idiota para servir de base a um filme". Então respondi: "Isso prova a que ponto o senhor estava enganado ao acreditar que o MacGuffin é importante. *Interlúdio* era simplesmente a história de um homem apaixonado por uma moça que, durante uma missão oficial, dormiu com outro homem e foi obrigada a se casar com ele. É essa a história. Agora o senhor percebe o erro que cometeu e que o fez perder tanto dinheiro, pois o filme, que custou dois milhões de dólares, faturou oito milhões de lucro líquido".

Portanto foi um grande sucesso. *Quando fala o coração* também deu lucro?

Quando fala o coração custou um pouco menos, um milhão e meio de dólares, e rendeu sete, para o produtor.

Interlúdio* foi relançado várias vezes no mundo inteiro, o que muito me alegra, pois, vinte anos depois, permanece extraordinariamente moderno. Contém poucas cenas e é de uma pureza magnífica; é um modelo de construção de roteiro.

Quero dizer que nesse filme você conseguiu o máximo de efeitos com o mínimo de elementos. Todas as cenas de suspense se organizam em torno de dois objetos, sempre os mesmos: a chave e a falsa garrafa de vinho. A trama sentimental é a mais simples do mundo: dois homens apaixonados pela mesma mulher. A meu ver, de todos os seus filmes, é aquele em que se sente a mais

* Eis o resumo de *Interlúdio*: No final da guerra, um espião nazista é condenado por um tribunal americano. Sua filha Alicia (Ingrid Bergman), que nunca foi nazista, leva uma vida depravada. Um funcionário do governo, Devlin (Cary Grant), vem lhe propor uma missão. Ela aceita e ambos partem para o Rio. Apaixonam-se, mas Devlin, ainda assim, mostra-se desdenhoso por Alicia. A missão de Alicia consiste em retomar contato com um antigo amigo de seu pai chamado Alexander Sebastian (Claude Rains), cujo casarão serve de esconderijo para os espiões nazistas refugiados no Brasil. Alicia cumpre sua missão, frequenta a casa de Sebastian, que está alucinado por ela e quer se casar com a moça. Alicia poderia se negar mas aceita, por desafio, esperando em vão que Devlin a impedirá. Eis Alicia dona de casa, um tanto malvista por sua sogra aterradora, e encarregada por seus chefes de se apossar de uma chave da adega, que Sebastian leva sempre consigo. Durante uma recepção dada na volta da viagem de núpcias, Alicia e Devlin inspecionam a suspeita adega de Sebastian e descobrem urânio escondido nas garrafas de vinho. Na manhã seguinte, Sebastian percebe que se casou com uma espiã americana e, com a ajuda da mãe, começa a envenenar, muito lentamente,

Alicia, cuja morte, mesmo para os outros espiões íntimos da casa, deve parecer natural. Finalmente, surpreso por estar sem notícias de Alicia, Devlin consegue se introduzir na casa de Sebastian, onde Alicia está morrendo, prostrada na cama.
Devlin vai encontrá-la, levanta-a, ampara-a, confessa-lhe seu amor, arrasta-a pela casa e entra no seu carro, tudo isso diante do olhar perdido de Sebastian, que não pode fazer nada nem dizer nada na frente dos outros espiões, seus cúmplices, ameaçadores, que agora vão lhe pedir satisfações.

perfeita comunhão entre o que você queria obter e o resultado na tela. Não sei se, já nessa época, você desenhava minuciosamente cada plano do filme, mas temos a impressão de ver alguma coisa tão precisa e controlada como um desenho animado. O grande êxito de *Interlúdio* deve-se provavelmente ao fato de que ele atinge o auge da estilização e o auge da simplicidade.
A simplicidade... É interessante... É muito curioso... De fato, nosso esforço foi nessa direção. Em geral, num filme de espionagem há muitos elementos de violência, e aqui evitamos tudo isso. Utilizamos um método de assassínio extremamente simples, diria quase normal, como num crime, como na vida. O personagem de Claude Rains e sua mãe vão matar Ingrid Bergman envenenando-a muito lentamente com arsênico, assim como um homem faz para matar sua esposa. Um assassinato, se posso dizer assim, autêntico, como quando alguém resolve dispor da vida de outro sem chamar a atenção.

Em geral, quando nos filmes os espiões querem se livrar de alguém, não se atrapalham com precauções, matam-no com um tiro de revólver ou o levam de carro para matá-lo longe de casa, ou então deixam seu cadáver num carro que jogam de um lugar bem alto, para simular um acidente. Em vez disso, quis mostrar vilões que se comportam sensatamente com muita maldade.

É isso, são muito serenos, muito humanos, e sente-se que são vulneráveis; metem medo e no entanto sente-se que também têm medo.
Esse era o princípio. Sistematicamente, em todo o filme. Lembre-se da cena em que Ingrid Bergman encontra Cary Grant na cidade depois de ter cumprido a primeira parte de sua missão: entrar em contato com Claude Rains. Ela fica ao lado de Cary Grant e, falando de Claude Rains, diz: “Ele quer se casar comigo”. Aqui utilizei um diálogo muito banal, dito com simplicidade, mas o modo como a cena é concebida contradiz essa simplicidade; no enquadramento você só tem duas pessoas: Cary Grant e Ingrid Bergman, e toda a cena se baseia nisso: “Ele quer se casar comigo”. É de supor que ali eu teria de criar uma espécie de suspense sentimental: será que Ingrid aceitará se casar com Claude Rains ou não? Pois bem! Não se trata disso, já que a resposta a essa pergunta não tem a menor importância, a resposta está fora da cena, o público deve pensar, simplesmente, que o casamento ocorrerá. Foi de propósito que deixei de lado o que parece ser o fator importante, pois a emoção não vem da pergunta: “será que Ingrid se casará com Claude Rains?”, e sim do fato

NO CASARÃO DE ALEXANDER (CLAUDE RAINS), NO RIO DE JANEIRO, ESPIÕES NAZISTAS GUARDAM UM SEGREDO QUE ALICIA (INGRID BERGMAN) TEM DE DESCOBRIR. *INTERLÚDIO*, 1946.

de que esse homem com quem ela devia ir para a cama a fim de obter informações acaba de pedi-la em casamento, contra todas as expectativas.
Se estou entendendo bem, o que é importante não é a resposta de Ingrid Bergman ao pedido de casamento mas o fato de que esse pedido inesperado lhe tenha sido feito.
É isso mesmo.
É uma ótima ideia; realmente, esse pedido de casamento tem o efeito de uma bomba, tanto mais porque é raro se falar em casamento numa história de espiões.

Noto ainda um elemento que encontraremos mais tarde em *Sob o signo de Capricórnio*: a passagem insensível da embriaguez ao envenenamento, ou do álcool ao veneno. Na cena em que, pela segunda vez, Ingrid Bergman vai ver

Cary Grant na cidade, ela já se sente mal por causa do arsênico, e Cary Grant, pensando que ela retomou seus maus hábitos alcoólicos, trata-a com desprezo; é um mal-entendido de grande força dramática, e, para mim, de fato comovente.

Para mim, justamente, era muito importante graduar esse envenenamento, torná-lo o mais normal possível, nem louco nem melodramático; era, mais exatamente, uma transferência de emoção.

A história de *Interlúdio* é o velho conflito entre o amor e o dever. A missão de Cary Grant é empurrar Ingrid Bergman para a cama de Claude Rains. No fundo, é uma situação irônica, e Cary Grant está amargo ao longo de toda a história. Claude Rains é simpático porque foi vítima de sua autoconfiança e também porque ama Ingrid Bergman mais profundamente do que Cary Grant. Portanto, temos aí uma série de elementos de drama psicológico transpostos para uma história de espionagem.

Por último, há uma bela fotografia de Ted Tetzlaff.

No início da filmagem, rodávamos a cena que mostra Ingrid Bergman e Cary Grant de carro. Ela dirige depressa demais e está meio bêbada. Isso era filmado em estúdio, na frente de uma retroprojeção, via-se um guarda de motocicleta se aproximando e, quando ele saía do enquadramento, pelo lado direito, eu cortava em ângulo cruzado (a noventa graus) e continuava a cena, agora com o guarda motociclista no estúdio, emparelhando com o carro. Estava tudo nos devidos lugares e Ted Tetzlaff anunciou: "Estamos prontos para filmar". Então sugeri: "Não acha que seria uma boa ideia ter uma luzinha lateral, que faríamos girar sobre a nuca dos atores para dar um toque de realidade ao farol da motocicleta que aparece na tela da retroprojeção?". Ele nunca tinha feito isso, mas, como não achou muita graça quando viu que eu me metia no assunto, olhou-me e disse: "Mas então o papai se interessa pela técnica?". Mais tarde, enquanto fazíamos esse filme, houve um pequeno incidente muito triste. Precisávamos usar o exterior de uma casa de Beverly Hills para representar o exterior de uma casa no Rio, o casarão dos espiões. O chefe do departamento enviara, para escolher essa residência, um subalterno, com quem fui ver o lugar. Era um homenzinho muito tranquilo. Levou-me até defronte da casa: "Sr. Hitchcock, esta casa lhe convém?". Esse homenzinho era aquele a quem eu tinha oferecido meus desenhos de letreiros na Famous Players-Lasky, no começo da minha carreira, em 1920.

Ah, sei! É terrível.

Reconheci-o depois de certo tempo... Foi terrível.

SET DE FILMAGEM DO CASARÃO DE *INTERLÚDIO*.

CARY GRANT RESGATA INGRID BERGMAN, DIANTE DO OLHAR ATÔNITO DE LEOPOLDINE KONSTANTIN E DA PERPLEXIDADE DE CLAUDE RAINS, QUE NADA PODE FAZER, PARALISADO PELA PRESENÇA DOS OUTROS ESPIÕES.

E demonstrou que o reconhecia?

Não... É a tragédia dessa indústria. Já quando eu filmava *Os 39 Degraus* havia umas tomadas extras a rodar e, para não atrasar a filmagem, o produtor me propôs confiá-las a alguém. Perguntei: "Quem fará isso?". "Graham Cutts." "Não, não quero, é impossível, fui assistente dele no passado, escrevi para ele o roteiro de *Woman to woman*... não posso lhe pedir que faça isso." "Talvez, mas se não o aceitar, ele não terá mais nada a fazer e não receberá seu dinheiro." Então fui obrigado a aceitar... É uma coisa terrível, não é?

De fato... Nós nos afastamos muito de *Interlúdio*. Gostaria de dizer ainda que uma das chaves do sucesso do filme é provavelmente a perfeição do elenco: Cary Grant, Ingrid Bergman, Claude Rains e a sra. Konstantin. Acho que, ao lado de Robert Walker e Joseph Cotten, Claude Rains foi provavelmente o seu melhor "vilão", e ele era de fato muito humano; creio que a diferença de altura entre ele e Ingrid Bergman também era um fator de emoção: um baixote apaixonado por uma mulher alta...

Era um bom casal, mas nos planos próximos a diferença de altura era tão grande que, se quiséssemos ter os dois no enquadramento, Claude Rains precisava subir em cima de uns calços. A certa altura, víamos os dois chegando de longe, e como se aproximavam de nós graças a uma panorâmica, era impossível fazer Claude Rains subir, abruptamente, em cima de um calço; então, tivemos de construir uma espécie de chão falso que se elevava progressivamente!

Acho muito engraçado esse tipo de coisa, e mais ainda quando se filma em cinemascope, pois em cada plano é preciso descer os lustres, os quadros, os apliques, e ao mesmo tempo é preciso elevar as camas, as mesas e as cadeiras. Para um visitante que se aventura no set, é francamente ridículo de ver, e tenho a impressão de que se poderia fazer um bom filme cômico sobre a rodagem de um filme...

Também gostaria muito de fazer isso e tenho uma ideia a respeito, toda a ação se passaria num estúdio, não no set em frente à câmera, mas fora do set, entre uma tomada e outra; as estrelas do filme seriam personagens secundários e os protagonistas seriam figurantes. Poderíamos fazer um contraponto maravilhoso entre a história banal do filme que é rodado e o drama que se desenrola paralelamente ao trabalho. Poderíamos também imaginar que existe um imenso ódio entre o câmera e um dos eletricistas; então, quando o câmera ocupa o seu lugar na grua, esta sobe até as vigas do teto e os dois homens dispõem de um momentinho para se xingarem. Como pano de fundo de tudo isso, haveria evidentemente elementos satíricos.

Tivemos na França um filme desse gênero, *Les amants de Vérone*, de Jacques Prévert, dirigido por André Cayatte. Parece-me que os filmes sobre o espetáculo têm fama de não serem comerciais.

Não creio. Fizeram aqui um filme chamado *What price Hollywood*, que foi um grande sucesso, e *Nasce uma estrela*, que era muito bom...

... Ah, sim! muito bom, e também *Cantando na chuva*, no qual há muitas gags sobre o início do cinema falado.

O roteiro de *Agonia de amor* é assinado pelo próprio David O. Selznick

* A bela sra. Paradine (Alida Valli) é acusada de ter matado seu marido cego. O advogado Keane (Gregory Peck) é encarregado da defesa. Mesmo casado com uma linda loura (Ann Todd), ele se apaixona pela cliente, que o convence facilmente de sua inocência. Pouco tempo antes da abertura do processo, Keane percebe que a sra. Paradine era a amante de seu cavalariço (Louis Jourdan). Inicia-se o processo, muito difícil para Keane, pois ele é odiado pelo juiz Harnfield (Charles Laughton), cujas cantadas a sra. Keane rejeitou. O cavalariço que vai testemunhar, fustigado por Keane, acusa sua amante e depois se suicida. A sra. Paradine confessa seu crime e proclama que Keane está apaixonado por ela e que ela o despreza. Keane sai do tribunal em plena sessão. Sua carreira está acabada, e ele volta para perto da esposa.

ALIDA VALLI, A RÉ, GREGORY PECK, SEU ADVOGADO, E LOUIS JOURDAN, A TESTEMUNHA, CONTRACENAM NOS TRIBUNAIS DE *AGONIA DE AMOR* (1947).

a partir de uma adaptação que a sra. Hitchcock (Alma Reville) fez de um romance de Robert Hichens.*

Robert Hichens escreveu também *O jardim de Alá*, *Bella donna* e muitos outros romances. É um homem do início do século XX. Quando esse tema foi escolhido, escrevemos uma apresentação, a sra. Hitchcock e eu, a fim de que Selznick pudesse elaborar um primeiro orçamento, e em seguida pedi a colaboração de um autor de teatro escocês, James Bridie, dono de uma imensa fama na Inglaterra. Ele tinha uns sessenta anos e era muito independente. Selznick mandou-o ir a Nova York, mas, como ninguém foi esperá-lo no aeroporto, voltou para Londres no avião seguinte. Uma personalidade muito independente. Então, trabalhou no roteiro na Inglaterra e nos enviou. Não era um excelente método de trabalho. Em seguida Selznick quis adaptar pessoalmente o roteiro. Nessa época, era um hábito dele. Escrevia cenas e mandava levá-las ao estúdio a cada dois dias. É um método impraticável. Agora, passemos em revista os defeitos mais aparentes desse filme. Para começar, não creio que Gregory Peck possa representar um advogado britânico, pois um advogado britânico é um homem muito educado e pertence à classe alta.

Se você tivesse podido escolher...

... Teria escalado Laurence Olivier. Tinha pensado também em Ronald Colman. Para o papel feminino, durante algum tempo esperamos conseguir Greta Garbo, que faria assim seu retorno ao cinema. Mas o pior erro do elenco foi a escolha de Louis Jourdan para o papel de cavalariço. A história de *Agonia de amor* é a degradação de um gentleman, o advogado que se apaixona por uma cliente. Essa cliente não só é assassina como também ninfomaníaca, e a degradação chega ao auge quando o advogado deve fazer a acareação, perante o tribunal, da heroína com um de seus amantes, um cavalariço. Este devia cheirar a estrume, realmente devia ter cheiro de esterco.

Infelizmente, Selznick tinha contratado Alida Valli, pensando que ela seria uma segunda Ingrid Bergman, e também tinha Louis Jourdan sob contrato, então foi preciso utilizá-los. Tudo isso tirou consideravelmente o sabor da história. Quanto ao próprio assassinato, que ocorreu antes do início da ação, nunca fui muito claro a respeito dele, pois não o entendi direito; os personagens teriam se cruzado de um quarto para outro no alto ou ao pé de uma escada, num corredor... realmente não entendi a topografia dessa casa nem de que forma se cometeu o assassinato. Para mim, o interesse do filme era mostrar uma mulher tal como a sra. Paradine, que abruptamente é jogada nas mãos da polícia, todas as formalidades a que tem de se submeter ao sair de casa escoltada por dois inspetores e dizendo à sua camareira: "Não creio que estarei de volta para o jantar". Ela passará a noite seguinte numa cela e nunca mais sairá de lá. Houve um eco disso em *O homem errado*.

Com efeito, sempre pensei — e talvez seja a expressão de meu próprio medo — nas pessoas normais que abruptamente são privadas de liberdade e encarceradas junto com criminosos profissionais. É frequente mostrar delinquentes que vão para a cadeia, mas quando se trata de uma pessoa de classe, isso cria um contraste de cores que me intriga imensamente.

Esse contraste foi ilustrado por um bom detalhe, quando a sra. Paradine chega à prisão; uma agente penitenciária desmancha o seu penteado e passa os dedos pelo seu cabelo para ter certeza de que ali não tem nada escondido. Parece-me também que Ann Todd não era muito adequada para o papel de esposa do advogado.

Ela é fria demais...

Finalmente, os melhores personagens desse filme são os papéis secundários, o juiz, interpretado por Charles Laughton, e sua mulher, Ethel Barrymore. Eles têm uma belíssima cena quase no final, quando Ethel Barrymore manifesta

SEM DÚVIDA HITCHCOCK ESTÁ EXPLICANDO A ANN TODD QUAL SERÁ A EXPRESSÃO DE CHARLES LAUGHTON, O JUIZ, QUANDO ELE PERCEBER SEU OMBRO NU. *AGONIA DE AMOR*, 1947.

A SRA. PARADINE (ALIDA VALLI) PREPARADA PARA ENFRENTAR OS TRIBUNAIS.

compaixão por Alida Valli, que será enforcada, ao passo que Laughton se revela verdadeiramente implacável...

Em outro momento, Charles Laughton é claramente mostrado como um homem concupiscente. Ao sair da sala de jantar, lança um olhar para o ombro nu de Ann Todd. Depois vai se sentar ao lado dela e, friamente, como se nada houvesse, segura sua mão, na frente de todos.

É mais que insolente, é escandaloso e filmado com muita delicadeza, como se nada fosse. Toda a segunda hora do filme é dedicada ao processo, e imagino que essa segunda parte no tribunal o interessava muito em especial.

Muito, sim, pois os dados do conflito tinham sido bem expostos na primeira parte, o que permitia que o julgamento fosse apaixonante desde o início.

Há uma tomada interessante nessa sala de tribunal. Quando Louis Jourdan é chamado a testemunhar, entra na sala e tem de passar por trás de Alida Valli. Ela lhe dá as costas, mas eu queria transmitir a impressão de que sente sua presença, não que a adivinhe, mas que sinta, com seu olfato. Então tive de filmar a cena em duas etapas. A câmera está sobre Alida Valli e, por cima de seu ombro, vemos ao longe, de lado, Louis Jourdan entrando e andando atrás dela para chegar à barra das testemunhas. Primeiro filmei a panorâmica a duzentos graus, mostrando Jourdan, que caminha da porta até a barra, mas sem Alida Valli; depois filmei o close-up de Alida Valli diante da tela de retroprojeção e tive de instalá-la em cima de um tamborete giratório para prosseguir com o efeito de rotação. Lá pelo final do movimento, eu precisava escamotear Alida Valli, pois a câmera devia pegar Louis Jourdan chegando à barra. Era muito complicado de filmar mas muito interessante.

Evidentemente, o grande momento do julgamento vem em seguida, com a tomada feita lá do alto para mostrar Gregory Peck saindo do tribunal, quando já não é capaz de assumir a defesa de sua cliente; creio, como você, que Laurence Olivier teria sido mais adequado... Tinha pensado em alguém para o papel interpretado por Louis Jourdan?

Robert Newton.

Ah! claro... perfeito... o aspecto rude...

... com as mãos ganchudas, que nem um diabo!

09

FESTIM DIABÓLICO: DAS 19H30 ÀS 21H15

UM FILME QUE SERIA UM SÓ PLANO-SEQUÊNCIA

AS NUVENS DE VIDRO

A COR E O EFEITO DE RELEVO

AS PAREDES SUMIAM

FUNDAMENTALMENTE, NÃO EXISTE COR

É PRECISO DECUPAR OS FILMES

COMO OUVIR OS BARULHOS DA RUA "SUBIREM"

SOB O SIGNO DE CAPRICÓRNIO

REVELEI-ME INFANTIL E IDIOTA

MEUS TRÊS ERROS

"RUN FOR COVER"

TIVE VERGONHA

"INGRID, É APENAS UM FILME!"

PAVOR NOS BASTIDORES

UM FLASHBACK MENTIROSO

QUANTO MAIS PERFEITO FOR O VILÃO, MAIS PERFEITO SERÁ O FILME

François Truffaut — Chegamos a 1948. É uma etapa importante na sua carreira, pois você vai se tornar seu próprio produtor, com *Festim diabólico*, que será também o seu primeiro filme em cores e ao mesmo tempo um enorme desafio técnico. Primeiramente eu lhe perguntaria se a adaptação se afasta muito da peça de Patrick Hamilton.*

Alfred Hitchcock — Não, não muito. Trabalhei um pouco com Hume Cronyn e os diálogos são em parte da peça e em parte de Arthur Laurents. De fato, não sei por que me deixei arrastar para essa cilada do *Festim diabólico*, só posso chamar isso de cilada.

A peça durava o mesmo tempo que a ação, era contínua, desde que a cortina subia até que o pano descia, e fiquei pensando: como é que, tecnicamente, posso filmar da mesma maneira? A resposta era, evidentemente, que a técnica do filme também seria contínua e que não faríamos nenhuma interrupção ao longo de uma história que começa às 19h30 e acaba às 21h15. Então imaginei essa ideia meio maluca de fazer um filme que consistiria em um único plano.**

Agora, quando penso nisso, percebo que era completamente idiota porque eu rompia com todas as minhas tradições e renegava minhas teorias sobre a fragmentação do filme e sobre as potencialidades da montagem para contar visualmente uma história. No entanto, fiz esse filme tal como ele tinha sido previamente montado; os movimentos da câmera e os movimentos dos atores reconstituíam exatamente meu modo habitual de decupar, ou seja, eu mantinha o princípio da mudança de proporções das imagens em relação à importância emocional de determinados momentos. Claro que tive muitas dificuldades para fazer isso, e não só com a câmera. Por exemplo, com a luz: havia no filme uma avalanche permanente de luz, com mudanças de iluminação entre 19h30 e 21h15, pois a ação se iniciava à luz do dia e se concluía com a noite fechada. Outra dificuldade técnica a vencer era a interrupção forçada no fim de cada rolo, o que contornei fazendo um personagem passar na frente da objetiva para, nesse instante, escurecer. Portanto,

* Para *Festim diabólico*, deve bastar um resumo sucinto da ação, pois Alfred Hitchcock prendeu-se exclusivamente ao aspecto técnico do filme.

estávamos num close-up no casaco de um personagem e, no início do rolo seguinte, o retomávamos, também com um close-up em seu casaco.

Além de tudo isso, era a primeira vez que você usava a cor no cinema, portanto teve uma dificuldade suplementar?

Exato. Porque eu estava decidido a reduzir a cor ao mínimo. Havíamos construído um cenário de apartamento formado pela entrada, pela sala de estar e uma parte da cozinha. Atrás da janela, por onde se avistava Nova York, tínhamos um segundo plano, que era uma maquete construída num formato semicircular por causa dos movimentos da câmera; esse segundo plano de maquete ocupava uma área três vezes maior que a do próprio cenário, por causa do efeito de perspectiva. Entre os volumes de arranha-céus e o último plano, havia nuvens fabricadas em fibra de vidro. Todas as nuvens eram móveis e independentes. Umas estavam presas com fios invisíveis, outras estavam pousadas sobre varas; eram moldadas numa fôrma semicircular. Havia uma "bancada" especial para as nuvens e, entre cada rolo, nós as deslocávamos da esquerda para a direita, cada uma numa velocidade diferente. Enquanto o rolo corria, elas não se mexiam diante dos nossos olhos, mas lembre-se de que a câmera nem sempre enquadrava a janela, portanto aproveitávamos esses momentos para deslocá-las. Quando as nuvens terminavam seu trajeto de um lado a outro da janela, nós as retirávamos e colocávamos outras.

Toda a ação se desenvolve num apartamento de Nova York, numa noite de verão. Dois rapazes, homossexuais, estrangulam, apenas pela volúpia do gesto, seu colega de turma e escondem o cadáver num baú minutos antes de um coquetel para o qual convidaram os próprios pais do defunto e a ex-noiva. Convidaram também o antigo professor deles na universidade (James Stewart) e, tentando conquistar a admiração do professor, acabam se traindo, progressivamente. No final da noite, o professor, indignado, terá de entregar os dois ex-alunos à polícia.

** Para os leitores não familiarizados com a técnica das tomadas de cena, convém esclarecer qual é a "cilada" de *Festim diabólico*, de que fala Alfred Hitchcock. Em geral as sequências dos filmes são divididas em planos que duram, cada um, de cinco a quinze segundos.Normalmente, há seiscentos planos num filme de uma hora e meia, às vezes mais e, frequentemente, mil, nos filmes muito "decupados" de Alfred Hitchcock. (Há 1360 planos em *Os pássaros*.) Em *Festim diabólico*, cada plano dura dez minutos, ou seja, a totalidade da metragem de filme contida num carregador de câmera (*ten minutes take*). É a única experiência histórica de um filme inteiramente rodado sem interrupção nas tomadas.

E os problemas com a cor?

No fim da filmagem, percebi que, a partir do quarto rolo, ou seja, no pôr do sol, tínhamos na imagem uma dominante laranja de fato excessiva. E tive de filmar de novo os cinco últimos rolos só por essa razão... Permita-me fazer uma pequena digressão, ainda a propósito da cor... Um diretor de fotografia mediano é um excelente técnico. Pode conseguir que uma mulher fique bonita, pode criar luzes naturais muito verossímeis e sem nenhum exagero, mas com o filme em cores surge um problema, o do gosto puramente artístico do operador. Será que o diretor de fotografia tem o sentido da cor? Será que tem bom gosto na escolha das cores? No caso do operador de *Festim diabólico*, ele disse simplesmente: "Muito bem! É um pôr do sol", e é bem provável que fizesse muito tempo que não visse um, se é que algum dia em sua vida tinha visto um pôr do sol! Era como um cartão-postal vulgar, absolutamente inaceitável.

Quando vi os primeiros copiões de *Festim diabólico* filmados por Joseph Valentine (que já tinha feito *A sombra de uma dúvida*), a primeira observação que fiz foi que se via muito melhor em cores do que em preto e branco, mas descobri que nos dois casos se costumava recorrer ao mesmo princípio de iluminação. Ora, como tive ocasião de lhe dizer, o estilo de iluminação que eu admirava nos americanos em 1920 tendia a superar a natureza bidimensional da imagem, separando o ator e o segundo plano, destacando-o do fundo graças a luzes colocadas atrás dele.

Ora, em cores já não há a menor necessidade disso, a não ser que, por um imenso acaso, um ator use uma roupa da mesma cor que o cenário atrás dele. Tudo isso é infantil, não é? Mas infelizmente há uma tradição muito difícil de quebrar. No filme colorido, não deveríamos ser capazes de determinar as fontes de luz do estúdio e, no entanto, em muitos filmes, se você prestar atenção, verá personagens num corredor supostamente escuro, ou nos bastidores de um teatro, entre o palco e os camarins, e sentirá que as lâmpadas de arco do estúdio os inundam, e nas paredes verá sombras pretas como carvão, e aí pensará: "Mas de onde vêm todas essas luzes?".

Creio que o problema da iluminação dos filmes coloridos ainda não foi resolvido. Com *Cortina rasgada*, tentei mudar pela primeira vez o estilo de distribuição da luz nos filmes coloridos, com a ajuda de Jack Warren, que já tinha trabalhado comigo em *Rebecca* e em *Quando fala o coração*. Sabemos que fundamentalmente não existem cores, que fundamentalmente não existem rostos até que a luz incida neles. Afinal de contas, uma das primeiras lições aprendidas na escola de arte é que não existem nem mesmo linhas, só luz e sombra. O desenho que fiz no primeiro dia em que fui à escola de arte não era um mau desenho, mas, como eu havia feito linhas, era algo totalmente incorreto e logo me fizeram essa observação. Quando filmava *Festim diabólico*, o diretor de fotografia ficou "doente" depois de quatro ou cinco dias e nunca mais o revimos. Então me deparei sozinho com o consultor do sistema Technicolor, que se virou como pôde, junto com o eletricista-chefe.

E teve muitos problemas com a mobilidade da câmera?

A técnica da câmera móvel tinha sido ensaiada antes nos mínimos

NA PÁG. 176, A "PONTA" DE HITCHCOCK EM *SOB O SIGNO DE CAPRICÓRNIO* (1949).

O DIRETOR E O ELENCO DE *FESTIM DIABÓLICO* (1948), NO CENÁRIO DO APARTAMENTO, EM NOVA YORK.

detalhes. Trabalhávamos com o dolly e, no chão, havia pequenas marcações, números muito discretos escritos no soalho, e todo o trabalho do câmera com o seu dolly era chegar a tal número em tal frase do diálogo, depois a tal outro número, e assim por diante. Quando passávamos de um aposento para o outro, a parede da sala ou da entrada desaparecia sobre trilhos silenciosos; os móveis também, montados sobre rodinhas, eram pouco a pouco empurrados. Assistir a uma tomada desse filme era realmente um espetáculo!

O que parece inacreditável é poder fazer tudo isso em silêncio, e gravar o som direto. Para um europeu, é inimaginável, quer ele trabalhe em Roma, quer em Paris...

Mesmo em Hollywood. Mas mandamos fabricar um soalho especial. A primeira cena mostra dois jovens que estrangulam um rapaz e trancam seu cadáver num baú, então há pouco diálogo. Circula-se pela sala e o diálogo começa, penetra-se na cozinha, as paredes são escamoteadas, as luzes aumentam, é nossa primeira tomada do primeiro rolo e estou com tanto medo que mal posso olhar; estamos no oitavo minuto de tomadas consecutivas, a câmera faz uma panorâmica quando os dois assassinos voltam para o baú e lá está... um eletricista em pé! A primeira tomada estava perdida.

O que seria divertido saber a respeito desse filme é o número de tomadas interrompidas e o número de tomadas completas.

Primeiro, dez dias de ensaio com a câmera, os atores e a iluminação. Depois, dezoito dias de filmagem e, por causa do famoso céu laranja, nove dias de *retakes*.

FAZER UM FILME NUM PLANO-SEQUÊNCIA: A "IDEIA MALUCA" DE HITCHCOCK EM *FESTIM DIABÓLICO*.

Dezoito dias de filmagem, isso significa que houve pelo menos seis dias em que o trabalho de toda uma jornada foi completamente inútil e poderia ser jogado na lata do lixo. Aconteceu-lhe conseguir dois rolos perfeitos num dia?
Ah, não! Acho que não.
Você é severo quando fala de *Festim diabólico* como uma experiência idiota; acho que esse filme representa algo muito importante numa carreira; é a realização de um sonho que todo diretor deve afagar a certa altura da vida, é o sonho de querer juntar as coisas a fim de obter um só movimento.
No entanto, ainda assim, e isso se verifica quando examinamos a carreira de todos os grandes diretores, creio que quanto mais se reflete sobre o cinema, mais se tende a fazer as pazes com a boa e velha decupagem clássica, que, desde Griffith, nunca deixou de comprovar sua eficácia. É sua opinião?
É. Precisamos decupar os filmes. *Festim diabólico* é uma experiência perdoável. O erro imperdoável foi ter me obstinado em conservar parcialmente essa técnica em *Sob o signo de Capricórnio*...
Antes de deixarmos *Festim diabólico*, gostaria que falássemos um pouco de sua busca de realismo, pois a trilha sonora do filme é de fato alucinante em matéria de realidade, por exemplo no final da noite, quando James Stewart abre a janela, dá um tiro em plena noite, e ouvimos todos os barulhos da rua subirem.
Você empregou a expressão: "Ouvimos os barulhos da rua subirem". Pois é! Justamente, mandei colocar um microfone fora do estúdio, a uma altura de seis andares, e lá embaixo juntei pessoas para que começassem a falar. Quanto à sirene da polícia, me disseram: "Temos uma na nossa fonoteca". Pergunto: "Como teremos a sensação da distância?". "Bem, vamos ligá-la bem baixinho e aumentaremos o volume cada vez mais." "Não, assim não dá." Mandei alugar uma ambulância com uma sirene, coloquei o microfone no portão do estúdio e despachei a ambulância para dois quilômetros dali, e foi assim que gravamos o som.
***Festim diabólico* era a sua primeira produção. Foi um sucesso financeiro para você?**
Foi, funcionou bem e teve boa imprensa; ainda assim, como era a primeira vez que fazíamos esse gênero de trabalho, o filme custou um milhão e meio de dólares, dos quais trezentos mil foram para James Stewart. Recentemente, a MGM comprou o negativo e o filme foi novamente distribuído.
Depois de *Festim diabólico*, você fez o seu segundo filme como produtor independente, *Sob o signo de Capricórnio*. Na França criou-se um mal-entendido a respeito desse filme, pois muitos de seus admiradores consideraram-no como o seu melhor filme; no entanto, sei que foi um desastre financeiro e que é provavelmente o filme que você mais lamenta ter feito. O início de tudo é um romance inglês; era um livro do qual você gostava?
Não, não tinha nenhuma admiração especial por esse livro e provavelmente jamais teria escolhido filmá-lo se não me parecesse que a história convinha a Ingrid Bergman. Naquela época, Ingrid era a maior estrela dos Estados Unidos e eu tinha rodado dois filmes com ela: *Quando fala o coração* e *Interlúdio*. Havia uma grande concorrência entre

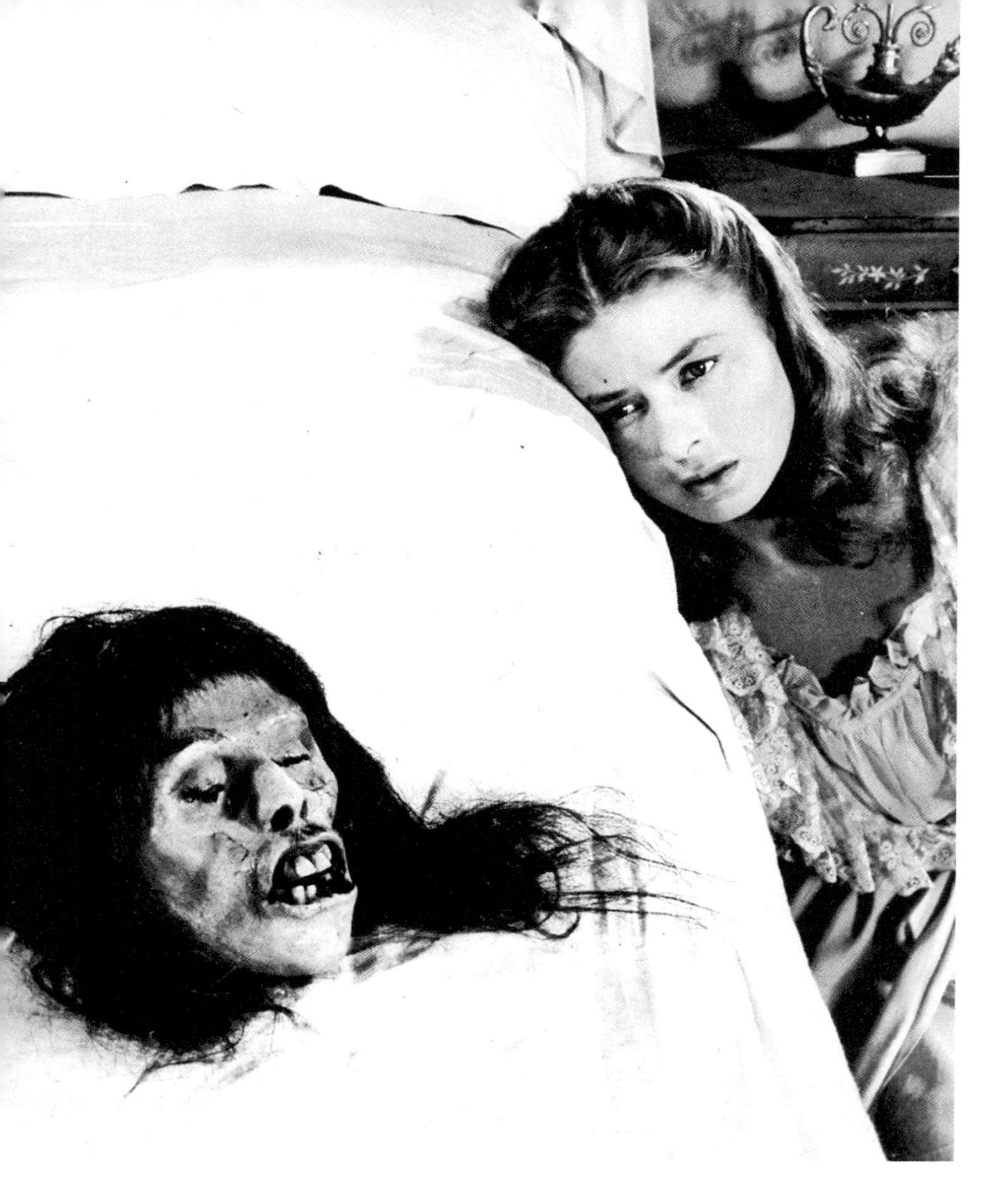

* Austrália, 1835. O sobrinho do governador, Charles Adare (Michael Wilding), chegando da Inglaterra, é convidado a jantar na casa de Sam Flusky (Joseph Cotten), um antigo forçado que enriqueceu e é casado com uma das primas de Charles, Lady Harrietta (Ingrid Bergman). Charles Adare descobre que a prima, que virou alcoólatra, vive aterrorizada pela governanta Milly (Margaret Leighton), e, empenhado em curá-la, apaixona-se por ela. O ciúme de Sam Flusky, fortalecido pelo comportamento "à Iago" de Milly, provoca um escândalo durante um baile oficial. Depois Harrietta confessa ao primo que é a verdadeira autora do assassinato do qual Sam foi acusado no passado, o que motivou sua condenação aos trabalhos forçados. Essa confissão levará Charles Adare a se sacrificar e voltar para a Inglaterra, mas só depois de desmascarar Milly, que envenenava lentamente sua patroa, por amor a Sam Flusky.

todos os produtores americanos para conseguir Ingrid Bergman, e devo confessar que cometi o erro de pensar que tê-la no elenco seria a coisa mais importante para mim. Era uma vitória contra a indústria. Meu comportamento nesse caso foi censurável e quase infantil. Mesmo com a presença de Ingrid Bergman, que tornava o filme muito comercial, era uma empreitada tão cara que beirava a insensatez. Até de um ponto de vista puramente comercial eu deveria ter examinado as coisas mais de perto e assim não teria gastado mais de dois milhões e meio de dólares nesse filme, o que na época era uma fábula de dinheiro.

Já em 1949 eu era classificado como especialista do suspense e do thriller; ora, *Sob o signo de Capricórnio* não era nem um nem outro. Por exemplo, escreveram na *Hollywood Reporter*: "Precisamos esperar cento e cinquenta minutos para ter um primeiro arrepio nesse filme".*

Portanto, meu primeiro erro foi, ao ter a aceitação por parte de Ingrid Bergman, me inebriar com a ideia de que eu era o maioral. O filme era produzido por minha companhia e eis que eu, Hitchcock, o ex-diretor inglês, voltava a Londres junto com a maior estrela do momento. E todas as lentes foram apontadas para Ingrid Bergman e para mim quando descemos do avião. Eu achava que esse momento era importante e foi aí que me revelei infantil e idiota. O segundo erro foi ter escolhido Hume Cronyn, meu amigo, para escrever o roteiro comigo; peguei-o porque é um homem que, numa conversa, sabe expressar bem suas ideias, mas como roteirista, francamente, faltava-lhe experiência.

O terceiro erro foi escalar, também para a elaboração do roteiro, James Bridie, autor de peças semi-intelectuais, um homem que não é realmente um artesão tarimbado. Repensando em tudo isso, mais tarde, percebi que Bridie é um autor que consegue fazer excelentes primeiros e segundos atos, mas que jamais consegue terminar suas peças. Lembro-me de um ponto do roteiro que discutíamos; o marido e a mulher se separam depois de uma briga terrível e pergunto a Bridie: "Como vamos reconciliá-los?". "Ah! Bem! Eles vão pedir desculpas um ao outro e dizer: 'Errei e peço que você me desculpe!'."

É verdade; mesmo os admiradores do filme têm de reconhecer que os últimos quinze minutos são bem fracos e que só a muito custo a trama se elucida...

Ah, sim! Então, veja bem, estou tratando de lhe dar uma imagem clara da confusão em que me sentia naquele momento e a que ponto estava errado. Não deveria haver nenhuma dúvida sobre o seguinte: se durante o seu trabalho de criador você sentir que está afundando no terreno da dúvida e do vago, vá se refugiar no verdadeiro e naquilo que já foi testado, quer se trate do escritor com quem você colabora, do tipo de argumento ou do que quer que seja.

O que você entende por "refugiar-se naquilo que já foi testado"? Quer dizer que, quando já não sabemos muito bem a quantas andamos, devemos recorrer aos elementos que já foram testados e deram certo?

Ir em busca do que já está bem estabelecido no seu espírito; você deve fazer isso toda vez que estiver momentaneamente perdido, toda vez que se sentir atrapalhado... "*run for cover*". É um método muito conhecido dos guias, ou dos exploradores; quando percebemos que erramos o caminho ou nos perdemos na floresta, nunca devemos tentar encontrar

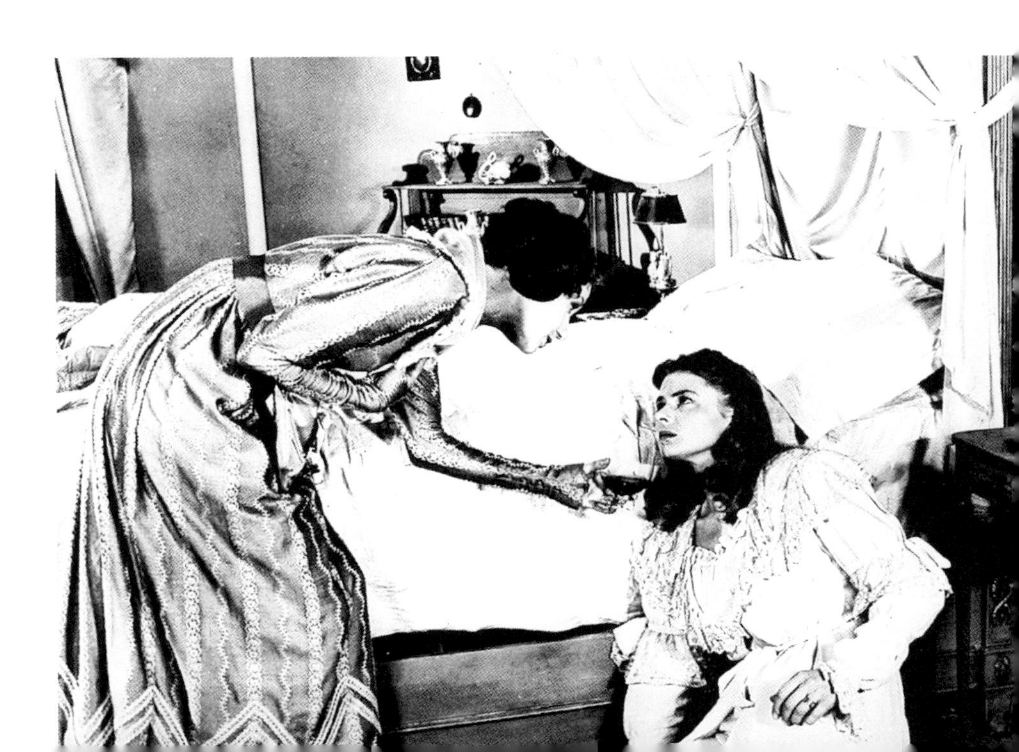

INGRID BERGMAN VIVE ATERRORIZADA POR MARGARET LEIGHTON, A GOVERNANTA MILLY. *SOB O SIGNO DE CAPRICÓRNIO,* 1949.

a trilha cortando caminho pelo bosque ou confiando em nosso instinto. A única solução é refazer escrupulosamente o caminho percorrido a fim de encontrar o ponto de partida ou o ponto a partir do qual nos enganamos.

Entretanto, destaco em *Sob o signo de Capricórnio* a governanta malvada, o envenenamento progressivo, o peso do passado, o erro confessado, os mesmos elementos que já tinham sido testados em *Rebecca* e em *Interlúdio*...

De fato, mas de qualquer maneira esses elementos estariam no filme mesmo se eu tivesse apelado para um bom profissional como Ben Hecht, por exemplo, para escrever o roteiro comigo.

É verdade, o diálogo é abundante demais, mas ainda assim é muito lírico. Apesar de tudo, *Sob o signo de Capricórnio* é, se não um bom filme, pelo menos um belo filme.

Gostaria que tivesse sido um sucesso, mesmo independentemente das questões de dinheiro, pois entramos nessa empreitada com tanto entusiasmo que é impossível não sentir certa vergonha com o fato de tudo aquilo não ter levado a nada. Também tive vergonha porque, como diretor-produtor, recebi um ótimo salário, e Ingrid Bergman também. Talvez eu não devesse ter aceitado nenhum salário, mas me parecia injusto que Ingrid Bergman recebesse muito dinheiro e que eu fizesse todo aquele trabalho em troca de nada.

E vocês perderam muito com o filme?
Perdemos, sim, muito dinheiro. Atualmente, ele pertence aos bancos que o financiaram; mas vai ser relançado agora, praticamente no mundo inteiro, e, nos Estados Unidos, provavelmente nos canais de televisão.
É um filme muito sentimental e por isso poderiam pensar que é comercial; por outro lado, é bastante triste, bastante mórbido, todos os personagens têm alguma coisa a se recriminar, e o conjunto está envolto num clima de pesadelo. Mas há um aspecto que é como o aperfeiçoamento de elementos anteriores da sua obra; por exemplo, Milly, a governanta malvada, é uma personagem filha da sra. Danvers, de *Rebecca*, mas ainda mais aterrorizante.
Também acho, mas os críticos ingleses disseram que era lamentável pegar uma atriz tão bonita como Margaret Leighton e transformá-la numa personagem tão antipática. Ainda mais duro: uma jornalista de Londres comentou durante uma entrevista coletiva: "Não entendo que o senhor tenha trazido dos Estados Unidos o sr. Joseph Cotten quando temos aqui um ótimo ator nacional, Kieron Moore".
Ah, não! Os atores de *Sob o signo de Capricórnio* são excelentes, e bem escolhidos.
Não tenho tanta certeza. *Sob o signo de Capricórnio* é, mais uma vez, a história da lady e do cavalariço. Ingrid tinha se apaixonado pelo palafreneiro Joseph Cotten, e quando este foi como forçado para a Austrália, ela o seguiu. Portanto, o elemento importante era a degradação de Lady Harrietta, sua degradação por amor. É por isso que Joseph Cotten não era o ator ideal, seria preciso um Burt Lancaster.
É o problema do contraste, como em *Agonia de amor*. Mesmo se esse filme é um fracasso, não se pode colocá-lo no mesmo plano de *A estalagem maldita*. É evidente que, ao filmá-lo, você devia acreditar nele e gostar da história, como em *Um corpo que cai*.

JOSEPH COTTEN NA PRISÃO DE TRABALHOS FORÇADOS: CENA CORTADA NA MONTAGEM DE *SOB O SIGNO DE CAPRICÓRNIO*. PARA HITCHCOCK, UM FILME SOBRE A MULHER QUE SE DEGRADA POR AMOR.

É verdade, gostava da história, mas não tanto como a de *Um corpo que cai*. Eu tinha procurado uma história para Ingrid Bergman e imaginava tê-la encontrado. Se tivesse refletido cuidadosamente, nunca escolheria um filme de época; observe que desde então nunca mais filmei nenhum outro filme de época. Além do mais, não havia humor suficiente. Se hoje fizesse um filme passado na Austrália, mostraria um policial pulando dentro da bolsa de um canguru e lhe dizendo: "Siga aquele carro".

Outro aspecto interessante de *Sob o signo de Capricórnio* é a técnica. Você retomou diversas vezes a experiência de *Festim diabólico*, filmando planos de seis a oito minutos, com a dificuldade extra de passar do térreo para o primeiro andar?

Não era propriamente uma dificuldade extra, mas a fluidez da câmera talvez tenha sido um erro, pois salientava o fato de que não se tratava de um thriller. Por causa desses planos longos, Ingrid Bergman se zangou comigo, numa noite, após a filmagem. Nunca me enfureço e tenho horror a discussões, portanto saí da sala, às suas costas, e vinte minutos depois, quando cheguei em casa, me telefonaram dizendo que ela continuava a formular suas queixas sem perceber que eu não estava mais lá.

Lembro-me de ter falado desse filme com ela, em Paris, ela guardava uma lembrança de pesadelo dos grandes fragmentos de cenários que sumiam nos ares, quando ela passava, durante as grandes cenas...

Ela não gostava desse jeito de trabalhar, e, como detesto as discussões, eu lhe dizia: "Ingrid, é apenas um filme!". Ela só queria filmar obras-primas, mas quem consegue saber se um filme será uma obra-prima? Quando estava contente com um filme que acabava de terminar, dizia: "O que posso fazer depois disso?". Jamais conseguia pensar em algo suficientemente grandioso, a não ser Joana d'Arc, que, justamente, era uma estupidez.

A vontade de fazer um filme grandioso e, se tiver sucesso, um ainda mais grandioso, lembra o garotinho que enche uma bola e, de repente, a bola estoura na cara dele. Nunca procedo dessa forma. Pensava: "Com *Psicose* vou fazer um filmezinho simpático"; jamais conjecturei: "Vou rodar um filme que me renderá quinze milhões de dólares". Eu não tinha a menor ideia do que ia acontecer. Então, dizia a Ingrid Bergman: "Depois disso, você tem é que representar um pequeno papel de secretária, que talvez resulte num excelente filme contando a história de uma pequena secretária". Mas não, ela queria representar Joana d'Arc!

Mesmo agora, continuamos a brigar porque, apesar de sua beleza, com a desculpa de que tem mais de quarenta e cinco anos, quer representar as mães; então, o que filmará quando tiver oitenta e dois anos?

... As avós! Acho perfeitamente lógico que você tenha filmado *Sob o signo de Capricórnio*. Em compensação, acho que seu filme seguinte, *Pavor nos bastidores*, também rodado em Londres, não acrescenta nada à sua glória; é realmente um filmezinho policial inglês na tradição de Agatha Christie, e justamente um desses *whodunits* que você reprova...

É verdade, mas havia um elemento que me interessava: a ideia de filmar uma história sobre o teatro. Para ser mais exato, eu gostava dessa ideia: uma moça que quer virar atriz é levada a se disfarçar e a representar seu primeiro papel na vida fazendo uma investigação policial. Agora,

você se pergunta por que escolhi essa história. O livro tinha saído pouco tempo antes e vários críticos literários haviam mencionado em suas resenhas: “Esse romance daria um bom filme para Hitchcock”. E eu, como um idiota, levei-os ao pé da letra!

Sabe, fiz nessa história uma coisa que jamais deveria ter me permitido... um flashback que era uma mentira.

E foi muito censurado por isso, pelos críticos franceses também.

Nos filmes aceitamos tranquilamente que um homem faça um relato mentiroso. Aliás, também aceitamos sem o menor problema que, quando um personagem conta uma história passada, esta seja ilustrada em flashback, como se acontecesse no presente. Nesse caso, por que não poderíamos também contar uma mentira num flashback?

No seu filme, é mais complicado que isso; Richard Todd, perseguido pela polícia, entra no carro de Jane Wyman, que sai a toda a velocidade. Diz ela: “Nenhum policial à vista; gostaria de saber o que aconteceu”. Então Richard Todd começa a lhe contar e seu relato constitui um flashback. Ele diz, e podemos ver, que estava em casa quando apareceu Marlene Dietrich, aflita, com seu vestido branco manchado de sangue; ela lhe conta o que acaba de acontecer e temos aí um processo de narração extremamente indireto, já que Todd relata a Jane Wyman o que Marlene Dietrich lhe contou. (Ela mata o marido, depois vai pedir a Todd que a ajude a suprimir uma prova; ele aceita e, tendo aparecido no local do crime, teme ser apontado como suspeito.)

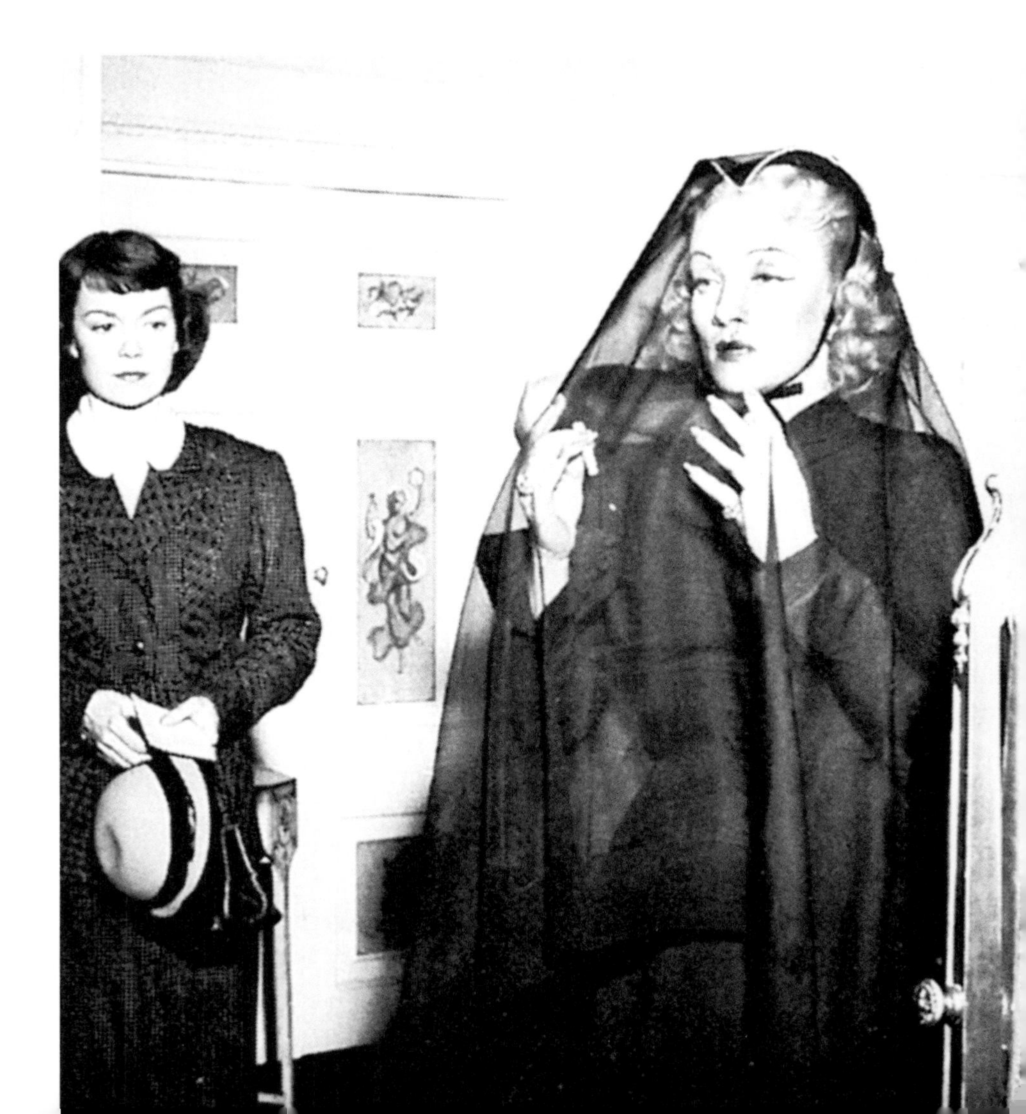

MARLENE DIETRICH (DE VÉU) E JANE WYMAN (AO LADO E ACIMA) EM *PAVOR NOS BASTIDORES* (1950).

Mais tarde, lá pelo fim do filme, ficamos sabendo que Todd mentiu para Marlene Dietrich, assim como para Jane Wyman e para a polícia, e que ele é o assassino; no fundo, poderia se dizer que mentiu três vezes, pois esse flashback se dividia em três partes.

É verdade, tudo isso era muito indireto...

No entanto, acho que os três primeiros rolos do filme são os melhores.

Não sei. Quanto a mim, me diverti com a festa de caridade no jardim.

É divertido, de fato, mas não gostei tanto do personagem representado por Alastair Sim, o pai pitoresco de Jane Wyman; não gostei nem do personagem nem do ator.

Aqui, de novo, é o erro de fazer filmes na Inglaterra. Lá eles lhe dizem: "É um de nossos melhores atores, você deve usá-lo no seu filme". É de novo o preconceito local e nacional, de novo a mentalidade insular. Além disso, tive grandes problemas com Jane Wyman no filme.

Pensei que a tivesse escolhido porque ela lembrava a sua filha, Patricia Hitchcock. Aliás, de certa forma, tive a impressão de assistir a um filme paternal e familiar.

Não propriamente! Tive muitas dificuldades com Jane. No seu disfarce como camareira, ela precisava ficar mais feia, pois, afinal de contas,

copiava a camareira pouco graciosa cujo lugar ocupava. Toda vez que ia ver os copiões, ela se comparava com Marlene Dietrich e começava a chorar. Não se conformava em fazer uma figuração, e Dietrich era de fato linda. Então, dia após dia, Jane Wyman foi se arrumando, sorrateiramente, melhorando sua aparência, e por isso é que não teve sucesso em sua figuração.

Outro dia, tentando examinar o filme com os seus olhos, pensei que não nos interessamos muito pela história porque nenhum personagem está realmente em perigo.

Eu me dei conta disso antes que o filme estivesse concluído, mas num momento em que não podia fazer mais nada. Por que é que nenhum personagem está realmente em perigo? Porque contamos uma história em que os vilões é que têm medo. É a grande fraqueza do filme, pois isso quebra a regra maior: quanto mais perfeito for o vilão, mais perfeito será o filme. Eis a regra de ouro, cardeal; ora, nesse filme o vilão era um fracasso.

Excelente fórmula: quanto mais perfeito for o vilão, mais perfeito será o filme; é por isso que *Interlúdio* é tão forte, e também *A sombra de uma dúvida* e *Pacto sinistro*: Claude Rains, Joseph Cotten, Robert Walker são os seus três vilões mais perfeitos.

JANE WYMAN EM QUATRO MOMENTOS: COM MARLENE DIETRICH; NO ESPELHO; COM HITCHCOCK; E COM O VILÃO AMEDRONTADO RICHARD TODD. *PAVOR NOS BASTIDORES*, 1950.

10

PACTO SINISTRO OU
A RECUPERAÇÃO ESPETACULAR
TIVE O MONOPÓLIO DO SUSPENSE
O HOMENZINHO QUE RASTEJA
UMA VERDADEIRA SAFADA
A TORTURA DO SILÊNCIO
HUMOR INSUFICIENTE
SOU UM SOFISTICADO BÁRBARO?
O SEGREDO DA CONFISSÃO
NÃO BASTA A EXPERIÊNCIA
MEU MEDO DA POLÍCIA
UMA HISTÓRIA DE TRIÂNGULO AMOROSO

François Truffaut — Estamos em 1950 e sua situação não é nada brilhante, como em 1933, após *Valsas de Viena* e antes da retomada de *O homem que sabia demais.* Com *Sob o signo de Capricórnio* e *Pavor nos bastidores*, você teve dois fracassos seguidos, e, mais uma vez, a recuperação será espetacular, com *Pacto sinistro.*

Alfred Hitchcock — É sempre a filosofia do "*run for cover*". *Pacto sinistro* não foi um filme que me propuseram, mas um romance que escolhi. Era um bom material para mim.

Li o romance, era bom, mas provavelmente muito difícil de adaptar.*

De fato, e isso ressalta outro ponto: nunca trabalhei bem ao colaborar com um escritor especializado como eu no mistério, no thriller ou no suspense.

No caso, Raymond Chandler?

É, não deu certo entre nós. Eu ficava sentado ao lado dele, procurando uma ideia, e dizia: "Por que não fazer assim?". Ele respondia: "Bem, se você descobre as soluções, por que precisa de mim?". O trabalho que fez não era bom, e finalmente contratei Czenzi Ormonde, uma assistente de Ben Hecht. Quando terminei a decupagem, o chefe da Warner procurava alguém para escrever o diálogo e pouquíssimos escritores queriam tocar naquilo. Ninguém achava aquilo bom.

Não me surpreende. Justamente, a respeito desse filme, diversas vezes pensei que, se tivesse lido o roteiro, não o teria achado bom. É preciso realmente assistir ao filme. Creio que o mesmo roteiro filmado por outra pessoa daria um filme ruim. Isso é muito natural. Do contrário, como explicar que todos os que fazem thrillers imaginando fazer Hitchcock fracassam irremediavelmente?**

É verdade, pois meu principal golpe de sorte foi ter tido, por assim dizer, o monopólio dessa forma de expressão. Ninguém se interessa em estudar essas regras.

Que regras?

As regras do suspense. Por isso é que, no fundo, tive todo o terreno

* *Strangers on a train,* de Patricia Highsmith.

** Num trem, Guy (Farley Granger), o jovem campeão de tênis, é abordado por Bruno (Robert Walker), um admirador. Bruno sabe tudo sobre Guy e lhe propõe, por amizade, cometer uma troca de assassinatos. Ele, Bruno, eliminará a mulher de Guy (que não quer lhe conceder o divórcio), e Guy, em troca, matará o pai de Bruno, que é um chato de galochas. Guy se nega energicamente, separa-se de Bruno, mas, ainda assim, este executa a primeira parte de seu plano:

só para mim. Selznick disse que eu era o único diretor em quem teria confiança total para fazer um filme; no entanto, quando eu trabalhava para ele, a certa altura se queixou de meu trabalho; disse que meu modo de dirigir era um rébus, incompreensível como um jogo de palavras cruzadas. Por que isso? Porque eu só rodava pedacinhos de filmes, e mais nada. Era impossível alguém juntá-los sem a minha presença e era impossível fazer outra montagem diferente da que eu tinha na cabeça ao filmar. Selznick vinha de uma escola em que se acumula material a fim de jogar com ele, interminavelmente, na mesa de montagem. Trabalhando como eu trabalho, temos certeza de que, depois, o estúdio não poderá estragar o nosso filme. Foi assim que obtive ganho de causa no conflito a propósito de *Suspeita*.

Intui-se muito bem isso nos seus filmes, percebe-se que cada plano só foi filmado de um modo, de um só ângulo, com uma duração precisa, salvo talvez as cenas de tribunal ou de julgamento, em geral cenas com muita figuração...

Nesses casos é inevitável, não há como fazer de outro jeito. Em *Pacto sinistro*, aconteceu-me isso com a partida de tênis: filmei muito material e, quando você tem material demais para uma cena, não consegue manejá-lo sozinho, entrega ao montador para que ele o divida e depois já não sabe o que ele fez com as sobras. É um risco.

Todos admiram muito a exposição de *Pacto sinistro*, os travellings dos pés numa e noutra direção, e depois os planos dos trilhos. Os trilhos que se juntam

estrangula a mulher detestável de Guy num parque de diversões.
Guy, interrogado pela polícia e não conseguindo apresentar um verdadeiro álibi, é vigiado, mas com certas deferências, por causa de sua notoriedade e de seu romance com a filha de um senador.
Bruno não demora a comunicar a Guy que conta com ele para lhe pagar na mesma moeda. Guy se esquiva mas seu transtorno o compromete cada vez mais. Por fim, descontente porque o pacto tácito não foi cumprido, Bruno decide arruinar a vida de Guy, pondo no local do crime um isqueiro do jovem tenista. Este precisa ganhar em cinco sets uma partida de tênis e fugir do estádio, a fim de agarrar Bruno.
O final nos mostra a morte de Bruno esmagado por um carrossel desgovernado e Guy definitivamente inocentado.

e que se afastam, é um pouco simbólico, assim como as setas de "direção" no início de *A tortura do silêncio*; você gosta de começar seus filmes com efeitos desse tipo...

As setas de "direção" existem no Quebec e indicam as ruas de mão única. Em *Pacto sinistro* as imagens de trilhos eram a continuação lógica do motivo dos pés; eu praticamente não podia fazer de outro jeito.

Ah, é? Por quê?

A câmera roçava nos trilhos porque eu *não podia*, não devia, não queria me levantar até que os pés de Farley Granger esbarrassem nos de Robert Walker, dentro do compartimento.

Ah, sim! É isso mesmo, pois os pés que se esbarram por acaso são o ponto de partida para o relacionamento dos dois. Até ali era preciso manter a opção de não mostrar seus rostos; mas aqueles trilhos também sugerem a ideia de caminhos que se afastam.

Naturalmente. Não é um desenho fascinante? Poderíamos olhar para ele por muito tempo.

Volta e meia, nos seus filmes um personagem vai a algum lugar e uma surpresa o aguarda. Parece-me que, neste caso — e nem falo de *Psicose* —, você cria nesse momento um pequeno suspense diversionista, por malícia, para que a surpresa seja total, logo depois.

É possível. Poderia me citar um exemplo?

Em *Pacto sinistro*, Guy (Farley Granger) prometeu a Bruno (Robert Walker) ir matar o pai dele, mas não pensa em fazê-lo, ao contrário, quer o pai de Bruno de sobreaviso. Então, à noite Guy se introduz na casa, e tem de subir até o quarto do pai de Bruno, no primeiro andar. Se subisse a escada com a maior tranquilidade, o público tentaria prever, e talvez adivinhasse, que Guy vai encontrar lá em cima, não o pai de Bruno, mas o próprio Bruno. Ora, é impossível adivinhar isso ou até mesmo tentar adivinhar, pois você cria um pequeno suspense, com um cachorrão que se planta no meio da escada e,

NA PÁG. 190, APARIÇÃO DE HITCHCOCK NO ALTO DE UMA ESCADA EM MONTREAL. *A TORTURA DO SILÊNCIO* (1953).

O ENCONTRO DE GUY (FARLEY GRANGER) E BRUNO (ROBERT WALKER) NO TREM, NO INÍCIO DE *PACTO SINISTRO* (1951). À DIREITA, RESGATANDO O ISQUEIRO NO BUEIRO.

por um instante, a pergunta é: "Esse cachorro vai ou não vai deixar Guy passar sem mordê-lo?". Certo?
Certo. Na cena que você cita, temos primeiro um efeito de suspense graças ao cão ameaçador, e depois um efeito de surpresa ao descobrir no quarto, não o pai de Bruno, mas o próprio Bruno. Aliás, lembro-me de que tivemos dificuldades com esse cachorro para que ele lambesse a mão de Farley Granger.
É, sente-se uma certa trucagem, imagens em câmera lenta ou "dubladas", quer dizer, feitas por um dublê.
É bem possível.
Um aspecto admirável nesse filme é a manipulação do tempo. Penso em primeiro lugar no frenesi do jogo de tênis, que Farley Granger tem de ganhar de qualquer maneira, e, em montagem paralela, no pânico que invade Robert Walker quando ele deixa cair no bueiro, por acaso, o isqueiro com as iniciais gravadas de Farley Granger ("G. H.", ou seja, Guy Haines). Nessas duas cenas você espreme o tempo violentamente, como se espreme um limão. Depois, quando Bruno (Robert Walker) chega à ilha, você relaxa o tempo, afrouxa-o: Walker não pode botar o isqueiro comprometedor no gramado enquanto estiver dia claro, e então pergunta ao dono de uma barraca do parque: "A que horas anoitece por aqui?". O tempo real, o da vida, volta a entrar em vigor, pois Walker é obrigado a esperar que anoiteça. Esse jogo com o tempo é assombroso. Em compensação a sequência final, no carrossel desgovernado, me constrange um pouco, embora compreenda muito bem que você precisasse de um paroxismo.
De fato, acho que seria ruim, depois de atravessar tantas passagens expressivas, não ter aqui, como diria um músico, a coda. Mas ainda hoje o que fiz ali me deixa transpirando. O homem do parque de diversões,

o homenzinho que rasteja sob o tablado do carrossel descontrolado, realmente arriscou sua vida. Se o sujeito tivesse levantado a cabeça cinco milímetros, morreria, e eu nunca teria me perdoado. Nunca mais farei outra cena desse gênero.

Mas e quando o carrossel quebra...?

Ali, era uma maquete. A principal dificuldade nessa cena era com as retroprojeções, pois tínhamos de incliná-las de modos diversos, dependendo da tomada; a cada mudança de ângulo era preciso inclinar também o projetor da transparência, pois tínhamos muitas tomadas em contre-plongée, com a câmera no chão, e perdíamos muito tempo para ajustar as bordas do enquadramento, no visor da câmera, com as bordas da retroprojeção. Quando o carrossel quebrava, era uma maquete ampliada na retroprojeção com uma figuração real na frente da tela.

A situação de *Pacto sinistro* é muito próxima à de *Um lugar ao sol*, e me pergunto se o romance de Patricia Highsmith não foi influenciado pelo de Theodore Dreisser, *An American tragedy*, adaptado por George Stevens no filme *Um lugar ao sol* [*A place in the sun*].

Não é impossível, não. Creio que as fraquezas de *Pacto sinistro* residem na falta de solidez dos dois atores principais e na imperfeição do roteiro final. Se o diálogo fosse melhor, teríamos uma caracterização mais forte dos personagens. Veja só, o grande problema nesse gênero de filmes é que seus protagonistas tendem a se tornar simplesmente "variáveis".

... Variáveis algébricas? É o grande dilema de todos os filmes e de todos os cineastas: uma situação forte com personagens impassíveis, ou então personagens sutis com uma situação fraca. Creio que você sempre faz filmes de situações fortes, e *Pacto sinistro* parece nitidamente um gráfico. Nesse nível, a estilização, que se torna inebriante para o olhar e para o espírito, fascina até mesmo o grande público.

É, fiquei muito contente com o formato geral do filme e também com os personagens secundários. Gosto muito da mulher que é assassinada, uma verdadeira safada, que trabalha na loja de discos

O CARROSSEL DESCONTROLADO: A CENA MAIS PERIGOSA QUE HITCHCOCK JÁ FILMOU.

DA ESQUERDA PARA A DIREITA, PATRICIA HITCHCOCK, FARLEY GRANGER, RUTH ROMAN E LEO G. CARROLL EM *PACTO SINISTRO*.

o dia inteiro, e também da mãe de Bruno, que era no mínimo tão louca quanto o filho.

A única crítica que se pode fazer a *Pacto sinistro* se refere à estrela Ruth Roman.

Ela era uma estrela da Warner Brothers e fui obrigado a pegá-la, pois não havia outros atores da companhia no filme. Mas, cá entre nós, também não fiquei nada satisfeito com Farley Granger; é um bom ator, mas queria William Holden, porque ele é mais forte. Numa história dessas, quanto mais forte for o homem, mais forte será a situação.

Granger, que estava excelente em *Festim diabólico*, não está muito simpático em *Pacto sinistro*. Achei que fosse de propósito e que você o considerasse com um olhar severo porque ele faz um papel de playboy arrivista; diante dele, é óbvio, Robert Walker tem muita poesia e parece mais simpático. Nesse filme, sente-se nitidamente que você preferiu o vilão.

É claro, sem a menor dúvida.

São frequentes em seus filmes, mais ainda em *Pacto sinistro*, não só inverossimilhanças, não só coincidências, mas também uma imensa dose de arbitrariedade, de coisas injustificadas que, na tela, se transformam em pontos fortes graças apenas à sua autoridade e a uma lógica do espetáculo absolutamente pessoal.

LAURA ELLIOT (COM FARLEY GRANGER) E MARION LORNE (COM ROBERT WALKER): DOIS EXCELENTES PAPÉIS SECUNDÁRIOS.

DUAS CENAS DE ESTRANGULAMENTO: UMA DE VERDADE, E UMA QUE DEVIA SER DE MENTIRA. *PACTO SINISTRO*, 1951.

* Essa peça foi publicada em 1905 em *La Petite Illustration*, o suplemento teatral de *L'Illustration*.

Essa lógica do espetáculo são as leis do suspense. Aqui você tem uma dessas histórias que incitam a velha reclamação: "Por que é que ele não foi contar tudo à polícia?". Mas não esqueça que, de qualquer maneira, fornecemos as razões pelas quais ele não pode ir à polícia.

Acho que ninguém contesta esse ponto. Como em *A sombra de uma dúvida*, o filme é sistematicamente construído em torno do número dois e, neste caso também, os dois personagens poderiam muito bem ter o mesmo nome, Guy ou Bruno, pois obviamente são um só personagem dividido em dois.

Foi Bruno quem matou a mulher de Guy mas, para Guy, é exatamente como se ele mesmo a tivesse matado. Quanto a Bruno, é sem dúvida um psicopata.

Acho que você não ficou muito satisfeito com *A tortura do silêncio*, cujo roteiro é primo do de *Pacto sinistro*. Quase todos os seus filmes contam a história de uma troca de assassinatos. Em geral, vemos na tela quem cometeu o crime e quem poderia tê-lo cometido. Sei que você ficou muito espantado quando os jornalistas franceses o fizeram descobrir isso em 1955 e creio que o seu espanto era sincero, mas é indiscutível que quase todos os seus filmes contam a mesma história. É perturbador que esse mesmo tema seja ilustrado em *A tortura do silêncio* graças à adaptação de uma peça francesa ruim, de 1902, e a gente fica pensando em como foi que ela chegou ao seu conhecimento: *Nos deux consciences*, de Paul Anthelme...*

Foi Louis Verneuil que me vendeu.

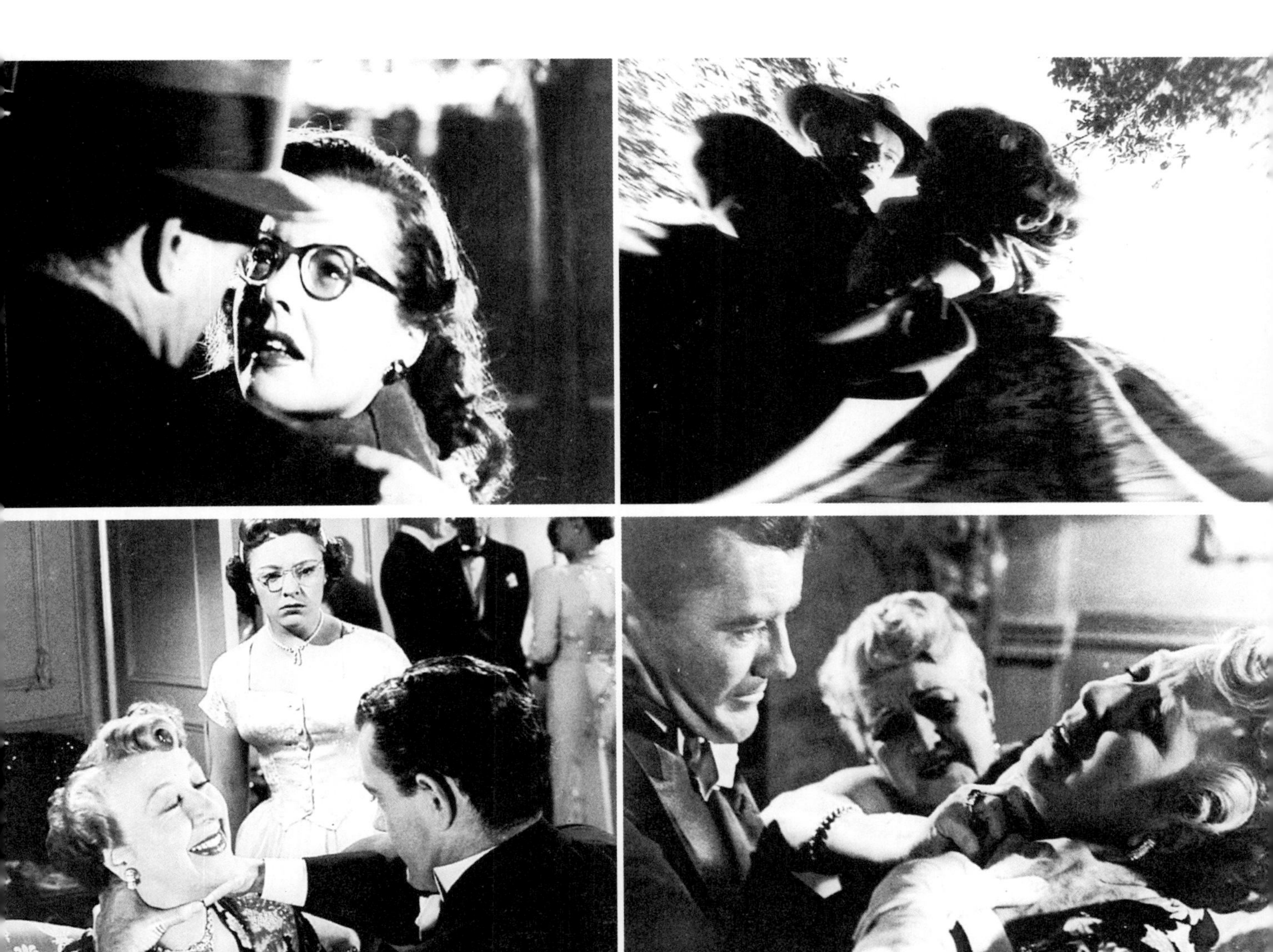

MONTGOMERY CLIFT (PADRE LOGAN) EM *A TORTURA DO SILÊNCIO* (1953).

* Um imigrante alemão, Otto Keller (Otto E. Hasse), sacristão de uma igreja do Quebec, mata o advogado Vilette, que o flagrou enquanto ele o estava roubando. Logo que comete esse crime, Keller se confessa com o padre Logan (Montgomery Clift). Como na noite do assassinato Otto Keller vestia uma batina, as suspeitas convergem para o padre Logan, que não consegue apresentar um álibi e era, justamente, vítima de uma chantagem por parte de Vilette, em torno de uma aventura amorosa que tivera antes de sua ordenação. Tendo de guardar o segredo da confissão, o padre Logan deixará que suspeitem dele,

o acusem, incriminem e julguem, sem dizer nada. Será absolvido "pelo benefício da dúvida", apesar da hostilidade dos presentes, mas no último momento Otto Keller vai se desmascarar e morrer nos braços do padre Logan, que lhe ministra os últimos sacramentos.

** Eis uma declaração de Alfred Hitchcock durante uma entrevista coletiva em Hollywood, em 1947: "Estou disposto a proporcionar ao público choques morais benéficos. A civilização tornou-se tão protetora que já não é possível proporcionarmos a nós mesmos, instintivamente, o calafrio. Por isso é que convém provocar esse choque artificialmente, para desentorpecer as pessoas, para que elas recuperem o seu equilíbrio moral. Acho que o cinema é a melhor maneira de alcançar esse resultado".

Imagino que a vendeu depois de tê-la contado?
Exato.
Mas se contou, é porque achava que a peça lhe interessaria?
Suponho.
Louis Verneuil poderia ter lhe contado uma de suas próprias peças, ou várias outras, pois devia conhecer centenas. Surpreende-me que tenha lhe contado justamente uma história tão velha e obscura, mas cujo princípio lembra tão intimamente outros filmes seus.
Ele me disse: "Tenho uma história que poderia lhe interessar". A maior parte do material que me submetem resulta em geral de um erro de julgamento dos agentes. Eles me dizem: "Temos um argumento ideal para você", e no mais das vezes é uma história de bandidos ou de criminosos profissionais, ou um *whodunit*, isto é, coisas em que jamais toco. Então Verneuil chegou com essa peça, e provavelmente era bom vendedor, pois a comprei! Mas não imagino que estão me trazendo um tema quando compro uma história. Contam-me a história e, se ela me convém, se a situação serve, o tema se integrará, posteriormente.
É curioso e ao mesmo tempo lógico. Com certeza você enfrentou dificuldades com o roteiro de *A tortura do silêncio* por causa da mescla de elementos escabrosos com elementos religiosos.*
Muitas dificuldades, e creio que o resultado ficou pesado. Faltaram humor e finura ao tratamento dado ao tema. Não quero dizer que fosse necessário pôr mais humor no filme, mas pessoalmente deveria ter posto mais humor na minha atitude, como em *Psicose*: uma história séria contada com ironia.
Aí está uma nuance muito interessante; mais uma razão para o mal-entendido com os críticos, que compreendem muito bem a intenção quando o conteúdo é humorístico mas não compreendem que, às vezes, o conteúdo é sério e o olhar é que é humorístico. É interessante... É exatamente assim com *Os pássaros*: o olhar é irônico, e a trama é séria.
Aliás, quando escrevemos um roteiro, a frase mais recorrente é: "Não seria engraçado fazer com que ele seja assassinado assim?".
É dessa forma que você consegue filmar coisas graves e fortes evitando ser solene ou de mau gosto. O prazer que sentimos em filmar coisas assustadoras poderia virar, é claro, uma forma de sadismo intelectual, mas creio que isso também pode ser muito saudável.**
Também acho. Uma prova de amor que a mãe dá a seu bebê é meter medo nele com gestos e barulhos de boca: "Buu, br...". O bebê tem medo, ri e bate palminha, e assim que aprende a falar, diz: "Mais". Uma jornalista inglesa escreveu que *Psicose* era o filme de um sofisticado bárbaro, talvez seja verdade, hein?
Nada mau como definição.
Se eu quisesse fazer de *Psicose* um filme sério, mostraria um caso clínico, no qual não deveria introduzir mistério nem suspense. Seria a documentação de uma história e, como já dissemos, com tanta verossimilhança e plausibilidade chegaríamos a filmar um documentário. Portanto, nos filmes de mistério e suspense não se pode dispensar o humor, e acho que *A tortura do silêncio* e *O homem errado* sofrem de falta de humor. A pergunta que volta e meia devo fazer a mim mesmo é:

"Será que tenho de deixar de lado meu senso de humor ou utilizá-lo para tratar um assunto sério?...". Creio que alguns de meus filmes ingleses foram demasiado leves e alguns de meus filmes americanos, pesados demais, mas essa dosagem é o mais difícil de controlar. Em geral, só percebemos depois. Você acha que o peso de *A tortura do silêncio* está ligado à minha educação com os jesuítas?

Não creio. Eu o atribuiria mais ao ambiente do Canadá, ao qual se soma a influência alemã trazida pelo casal de refugiados, Otto Keller e sua mulher...
De fato, há aí um certo embaraço, que sempre aparece quando uma história nos leva a uma comunidade mista: ingleses e americanos, ou americanos e canadenses franceses. Assim como nos filmes rodados em país estrangeiro com todos os personagens falando inglês; nunca me habituei direito com isso.

Por outro lado, não queria Anne Baxter para o papel feminino, queria Anita Björk, que havia trabalhado em *Senhorita Júlia*. Ela tinha chegado aos Estados Unidos com seu amante e um bebê ilegítimo dentro de um cesto, e os dirigentes da Warner Bros ficaram com medo, mais ainda porque outra sueca acabava de provocar uma tempestade em Washington: Ingrid Bergman e sua história com Rossellini. Então a Warner Bros despachou Anita Björk para os fiordes e fui informado por telefone que tinham escolhido Anne Baxter, a qual encontrei em seguida, pela primeira vez, no restaurante do hotel Château-de-Frontenac, no Quebec. Agora, faça a comparação entre Anita Björk e Anne Baxter, e me diga se não era realmente uma substituição imprevista.

Com certeza, mas em compensação Montgomery Clift está notável. Realmente, tem uma única atitude, e inclusive um só olhar do início ao fim do filme: uma dignidade absoluta com um levíssimo toque de espanto. O tema do filme é, mais uma vez, o da transferência de culpa, mas aqui renovada pela religião e por uma ideia intransigente da confissão. A partir do momento em que Montgomery Clift recebe no confessionário a revelação do crime cometido por Otto Hasse, é ele que de fato se torna o culpado, e é exatamente assim que pensa o assassino.
Creio que isso é um dado fundamental. Qualquer padre que receba a confissão de um assassino está ligado ao crime depois do fato ("*after the fact*").
Certamente, mas creio que o público não entende isso. O público gosta do filme, se interessa, mas o tempo todo espera que Clift vá falar, o que é um contrassenso. Aposto que você não quis criar essa esperança...
Concordo. Acrescento que não só o público, mas também muitos críticos consideram que um padre que guarda um segredo arriscando a própria vida é ridículo.
Não sei se é esse ponto específico que os choca ou se é mais a enorme coincidência do ponto de partida.
Você se refere ao fato de que o assassino vai matar vestindo a roupa do padre?
Não, isso é o postulado, penso mais na coincidência que envolve o personagem da vítima, Vilette: o assassino que acaba de confessar seu crime ao padre matou, para roubar, justamente o chantagista que perseguia esse padre. Que coincidência!
Sim, é verdade.

ANNE BAXTER EM
A TORTURA DO SILÊNCIO.

Acho que essa coincidência incomoda os nossos amigos verossímeis; não se trata de uma inverossimilhança, mas de uma situação excepcional...
O cúmulo do excepcional...
Poderíamos pôr em cima, como etiqueta: "uma situação de antigamente", ou: "uma história fora de moda". Gostaria de lhe fazer uma pergunta a esse respeito: por que caiu de moda contar uma história, um enredo? Acho que, nos filmes franceses, não há mais enredo.
Não é sistemático, mas é uma tendência que se pode atribuir à evolução do público, à influência da televisão, à importância crescente do material documental e jornalístico no terreno do espetáculo; tudo isso afasta as pessoas da ficção e as deixa desconfiadas em relação aos velhos esquemas.
Quer dizer que os meios de comunicação progrediram tanto que tendemos a nos afastar do enredo? É provável, eu mesmo não escapo disso e, hoje, construiria mais facilmente um filme sobre uma situação do que sobre uma história.
Não gostaria que abandonássemos *A tortura do silêncio* tão depressa assim. Vimos, portanto, que o público se impacienta ao longo de toda a trama pensando que Montgomery Clift deveria falar. Você acha que isso é um inconveniente do roteiro?
Com certeza é um inconveniente, já que se trata de algo impossível; e todo o filme acaba comprometido, pois para o público a ideia de base é inaceitável. Isso nos leva a outra generalidade: não é necessariamente bom ter num filme um personagem ou uma situação cuja autenticidade você possa comprovar, ou que possa ter presenciado, ou que possa ter vivenciado pessoalmente. Você introduz algo assim no filme e está seguro de si, pois pode dizer: "Isso é verdade, eu vi". Em suma, pode dizer tudo o que quiser, mas o público ou os críticos não o aceitarão necessariamente. Retomamos a velha ideia: a verdade ultrapassa a ficção. Por exemplo, conheci muito bem um avarento extraordinário, um eremita do gênero dos irmãos Collier, que foi descoberto na Quinta Avenida e do qual lhe falarei; conheci um caso desse gênero mas seria impossível colocá-lo num filme, pois por mais que eu dissesse: "Conheço esse personagem", o público responderia: "Não acredito em você".
A experiência das coisas vividas pode servir apenas para sugerir outras coisas, vizinhas, que, provavelmente, serão mais fáceis de filmar...
É isso, e em *A tortura do silêncio* nós, católicos, sabemos que um padre não pode revelar um segredo da confissão, mas os protestantes, os ateus, os agnósticos pensam: "É ridículo se calar; nenhum homem sacrificaria sua vida por uma coisa dessas".
Portanto é um erro de concepção do filme?
De fato, esse filme não deveria ter sido feito.
Mesmo assim há coisas lindas em *A tortura do silêncio*. Ao longo de todo o filme, Clift caminha; é um movimento para a frente que combina com o formato do filme e é bonito porque concretiza a ideia de retidão. Há uma cena especificamente hitchcockiana, a do café da manhã, quando a mulher de Otto Keller serve o café a todos os padres e passa e repassa atrás de Montgomery Clift, cujas intenções ela tenta adivinhar. Por trás do diálogo

inofensivo dos padres, acontece de fato alguma coisa entre Clift e aquela mulher, e compreendemos tudo pela imagem. Não conheço nenhum outro diretor de cinema que saiba fazer isso ou até mesmo que tente fazer isso.
Você quer dizer que o diálogo diz uma coisa e a imagem diz outra?
É um ponto fundamental da direção. Parece-me que na vida é frequente que as coisas aconteçam assim. As pessoas não expressam seus pensamentos mais profundos, procuram ler no olhar de seus interlocutores, e volta e meia trocam banalidades enquanto tentam adivinhar algo profundo e sutil.
É por isso que me parece que, em certos aspectos, você é um cineasta profundamente realista.

Outra coisa: acho que o comportamento de Otto Keller desmorona na hora em que pede à mulher que não limpe a batina ensanguentada; nesse momento, ele não tem mais a desculpa de sua fé religiosa ingênua e profunda, e tenta comprometer definitivamente aquele que é a um só tempo seu benfeitor e seu confessor; ele se torna realmente satânico?
Acho que sim. Até ali, estava de absoluta boa-fé...
O personagem do promotor, interpretado por Brian Aherne, é muito interessante. Quando o vemos pela primeira vez, ele está brincando de equilibrar um garfo e uma faca em cima de um copo. Na segunda vez, está deitado e mantém um copo d'água equilibrado sobre a testa. Como os dois detalhes que citei estão ligados a uma ideia de equilíbrio, imaginei que você os escolheu para mostrar que, para esse personagem, a justiça não passa de um jogo de salão, uma brincadeira mundana.
Bom! Acho que é verdade, sim! Já em *Assassinato* eu tinha mostrado que, durante a interrupção do julgamento, os advogados de acusação e de defesa almoçavam juntos. Em *Agonia de amor*, após condenar Alida Valli ao enforcamento, o juiz janta tranquilamente em casa, com a mulher, e você tem vontade de lhe perguntar: "Diga, meritíssimo, qual é a sua sensação ao chegar em casa à noite depois de ter condenado uma mulher à forca?". E, por sua atitude impassível, Charles Laughton parece

A TROCA DE OLHARES ENTRE DOLLY HAAS E MONTGOMERY CLIFT CRIA UMA CENA TIPICAMENTE HITCHCOCKIANA.

O SEGREDO DO CONFESSIONÁRIO TRANSFORMA O CONFESSOR EM RÉU.

O EQUILÍBRIO DO PROMOTOR INTERPRETADO POR BRIAN AHERNE. *A TORTURA DO SILÊNCIO*, 1953.

responder: "Não penso mais nisso". Temos ainda os dois inspetores de *Chantagem e confissão* que, tendo trancado a prisioneira na cela, vão lavar as mãos no lavatório como dois empregados de escritório.

Comigo não é diferente se, durante o dia, filmo uma cena aterradora de *Psicose* ou de *Os pássaros*; não creia que volto para casa e tenho pesadelos a noite toda. É um dia de trabalho, faço o melhor possível, e mais nada. No fundo, seria até mesmo levado a rir a posteriori daquilo tudo, e o curioso é que sou muito sério enquanto duram as filmagens. Isso me incomoda porque, de fato, sempre me imagino no lugar da vítima. Aqui voltamos ao meu medo da polícia. Sempre senti, como se fosse a vítima, as emoções de uma criatura que é presa e levada para a delegacia numa radiopatrulha e que olha pela grade as pessoas que entram num teatro, saem de um café, levam sua vida cotidiana prazerosamente. Nesse momento, o motorista e seu colega, nos bancos dianteiros da radiopatrulha, fazem uma brincadeira e, para mim, é terrível.

O que me seduziu nas duas ideias de equilíbrio que citei é que ambas estão realmente ligadas à ideia da balança como símbolo da justiça... e tendo em vista que os seus filmes são de tal forma pensados...

... elaborados de um modo muito oblíquo, sim...

... não posso crer que essas coisas entrem nesses filmes por acaso, ou então o seu instinto é extremamente forte. Aqui está mais um exemplo: quando Montgomery Clift deixa a sala do tribunal, reina em torno dele uma certa hostilidade dos presentes, um clima de linchamento; bem atrás de Clift, ao lado da mulher de Otto Keller, doce, bela e transtornada, vê-se uma mulher gorda um tanto repugnante, que come uma maçã e cujo olhar exprime uma curiosidade perversa...

É, de fato, coloquei aquela mulher lá de propósito. Dei-lhe a maçã e mostrei-lhe o jeito de comê-la.

Bem, mas isso na plateia ninguém repara, porque olhamos sobretudo para os personagens que já conhecemos. Portanto, é uma exigência sua, não mais em relação ao público, mas em relação a si mesmo e ao seu filme.

Mas, veja, essas coisas, é preciso fazê-las... Trata-se sempre de "completar a tapeçaria", e volta e meia as pessoas dizem que têm de assistir ao filme várias vezes para reparar no conjunto dos detalhes. A maioria das coisas que colocamos num filme acaba se perdendo, é verdade, mas mesmo assim pesam em favor do filme quando ele é relançado muitos anos depois; percebe-se que continua sólido e não saiu de moda.

Ainda a respeito do processo de *A tortura do silêncio*, quando Montgomery Clift é inocentado pelo tribunal, há uma premissa de roteiro que encontramos em vários filmes seus: de repente o personagem não deve nada à justiça, mas continua condenado como homem, pois alguém no tribunal reprova a absolvição. Encontramos isso em *Um corpo que cai*.

É frequente que isso aconteça nos julgamentos, quando a prova é insuficiente para condenar o réu. Nos tribunais da Escócia, há um veredicto adicional que se chama "não provado".

Na França dizemos "absolvido pelo benefício da dúvida".

Houve um processo muito conhecido por volta de 1890 e várias vezes pensei em adaptá-lo para o cinema. Atualmente não poderia, por causa

A MULHER QUE COME UMA MAÇÃ: "COMPLETAR A TAPEÇARIA". *A TORTURA DO SILÊNCIO*, 1952.

de *Jules e Jim*, porque também se trata de um triângulo amoroso! É uma história verdadeira. O velho marido e a jovem mulher estavam aparentemente muito felizes de deixar o reverendo do vilarejo instalar-se na casa deles com sua casaca e seus chinelos. O marido saía para o trabalho e o reverendo sentava-se e lia poemas, acariciando a cabeça da mulher pousada em seu colo. Eu imaginava filmar uma cena que mostrasse o reverendo e a jovem mulher fazendo amor de uma forma violenta diante dos olhos do marido, sentado em sua cadeira de balanço com o cachimbo na boca. E, como ele estaria fumando com grande deleite, deveria tirar e pôr o cachimbo nos lábios, fazendo assim, com a boca, ruídos de beijos. E agora vou lhe contar a continuação da história.

Um dia, o reverendo estava ausente, e o marido disse à mulher: "Eu também quero um pouco disso aí". Ela responde: "Sinto muito, você o deu para mim (ela se refere ao reverendo) e agora não posso voltar atrás". Pouco tempo depois dessa cena, o marido, sr. Bartlett, morre envenenado com clorofórmio. A sra. Bartlett e o reverendo Dyson são presos por assassinato.

Dyson contou que a sra. Bartlett, que era uma mulher muito miúda, muito bonita e muito moça, o havia mandado comprar duas garrafas de clorofórmio. Encontraram as garrafas vazias. A autópsia revelou que o

sr. Bartlett tinha morrido numa posição inclinada e que seu estômago havia sido queimado enquanto ele estava nessa posição. Isso significa que o sr. Bartlett jamais poderia ter engolido o clorofórmio mantendo-se em pé. Essa foi a única coisa que se conseguiu provar.

Portanto, todo o processo limitou-se a isso, com as autoridades médicas esforçando-se em formular diversas hipóteses sobre como o sr. Bartlett morreu. Mas ninguém conseguiu chegar a uma conclusão. Provaram que era impossível que o sr. Bartlett tivesse sido previamente adormecido e que lhe tivessem despejado clorofórmio na boca, porque o ato de engolir é voluntário. Por outro lado, se o clorofórmio tivesse sido despejado durante o sono, teria penetrado nos pulmões, o que não parecia ser o caso. No entanto, era evidente que não podia se tratar de um suicídio.

E foi o seguinte o veredicto, no qual me inspirei para *A tortura do silêncio*: "Conquanto tenhamos suspeitas muito fortes sobre a sra. Bartlett, ninguém conseguiu provar como o clorofórmio foi ministrado: absolvida", disse o júri.

É preciso acrescentar que devia haver uma corrente de simpatia entre os jurados e a jovem senhora, pois houve muitas palmas no tribunal do júri, e na mesma noite o advogado da sra. Bartlett foi ao teatro e, quando entrou na sala para procurar a sua poltrona, o público se levantou para aplaudi-lo.

Há um post-scriptum muito interessante nesse caso; várias obras foram dedicadas a esse crime, e um patologista inglês muito conhecido, ao evocar num artigo o processo, escreveu: "Agora que a sra. Bartlett recuperou definitivamente sua liberdade, pensamos que, no interesse da ciência, ela deveria nos dizer como agiu...".

Como explica essa corrente de simpatia entre os jurados, a opinião pública e a sra. Bartlett?

Parece que ela não tinha escolhido o marido, e que o casamento tinha sido arranjado. Pensa-se que a sra. Bartlett era a filha ilegítima de um político inglês muito importante. Quando casou, tinha apenas quinze ou dezesseis anos, e imediatamente foi separada do marido e mandada para a Bélgica a fim de concluir os estudos. Quanto a tirar um filme de tudo isso, devo lhe confessar que só me interessava a cena que lhe descrevi: o marido, satisfeito consigo mesmo, fumando seu cachimbo!

O PADRE LOGAN SERÁ ENFIM INOCENTADO. *A TORTURA DO SILÊNCIO*, 1952.

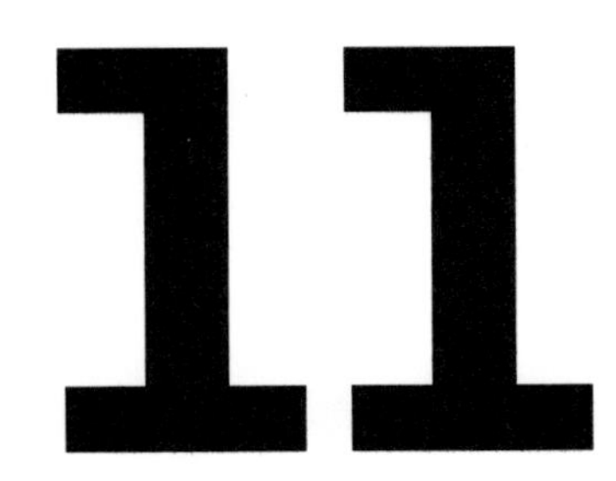

François Truffaut — Estamos em 1953, com *Disque M para matar*...
Alfred Hitchcock — ... Sobre o qual podemos passar rapidamente, pois não temos muito a dizer.
Peço desculpas por não ter a mesma opinião, ainda que se trate de um filme de momento...
Mais uma vez, "*run for cover*". Eu tinha um contrato com a Warner Bros e trabalhava num roteiro chamado "Bramble Bush", a história de um homem que havia roubado o passaporte de outro sem saber que o verdadeiro dono do documento roubado era procurado por assassinato. Trabalhei nisso algum tempo e o negócio não avançava de jeito nenhum. Descobri que a Warner Bros havia comprado os direitos de uma peça que era um sucesso na Broadway, *Disque M para matar*, e falei na mesma hora: "Vou pegar isso", pois sabia que aí eu podia navegar.*
Você andou muito depressa?
Trinta e seis dias.
Esse filme tem o interesse de haver sido rodado no sistema de relevo Polaroid, sistema binocular, o chamado 3-D. Infelizmente, na França só o vimos como se fosse plano, pois por pura preguiça os gerentes dos cinemas não quiseram distribuir os óculos à entrada das sessões.
Como a impressão de terceira dimensão era sobretudo nas tomadas em contre-plongée, mandei fazer um fosso para que às vezes a câmera pudesse ficar no nível do soalho. Fora isso, havia poucos efeitos ligados diretamente ao relevo.
Um efeito com um lustre, com um vaso de flores e, sobretudo, com as tesouras.
É, quando Grace Kelly procura uma arma para se defender, e depois um efeito com a chave na fechadura, e mais nada.
Fora isso, é muito fiel à peça?
É, pois tenho uma teoria sobre os filmes adaptados de peças de teatro, que eu aplicava mesmo na época do cinema mudo. Muitos cineastas pegam uma peça de teatro e dizem: "Vou transformá-la em filme",

* Um jogador de tênis pobretão (Ray Milland), temendo que sua esposa rica (Grace Kelly) o abandone por causa

MR HITCHCOCK

de um romancista americano (Robert Cummings), planeja matá-la para receber a herança. Recorrendo à chantagem, ele convence um aventureiro necessitado (Anthony Dawson) a estrangular a mulher em casa, na hora em que o tenista se exibirá num clube, em companhia do rival.
O crime está longe de ser perfeito: a moça, debatendo-se como uma alucinada, mata o agressor. O marido não ficaria aborrecido se ela fosse, simplesmente, enforcada, mas uma investigação complementar vai desmascará-lo.

NA PÁG. 208, O PEQUENO JERRY MATHERS EM *O TERCEIRO TIRO* (1955).

SET DE FILMAGEM DE *DISQUE M PARA MATAR* (1954): QUASE TODA A AÇÃO SE PASSA NA CASA ONDE ANTHONY DAWSON TENTARÁ ESTRANGULAR GRACE KELLY.

e em seguida dedicam-se ao que chamam de "desenvolvimento", que consiste em destruir a unidade de lugar, saindo do cenário.
Em francês, isso se chama "arejar" [*aérer*] a peça.
Em geral, a operação é a seguinte: chega um personagem que veio num táxi; então, no filme, os cineastas em questão mostram a chegada do táxi, as pessoas que saem do táxi, pagam a corrida, sobem a escada, batem à porta, entram no quarto. Nesse momento vem uma cena longa que existe na peça e, se um personagem conta uma viagem, aproveitam a ocasião para nos mostrá-la em flashback; esquecem assim que a qualidade fundamental da peça reside em sua concentração.
É justamente isso que é difícil um autor conseguir: a concentração de toda a ação num só lugar. Volta e meia, ao transpormos as peças para filmes, as desintegramos.
Esse erro é frequente. O filme obtido assim dura em geral o tempo da peça mais o de alguns rolos que não têm o menor interesse e que são acrescentados artificialmente. Então, quando filmei *Disque M para matar*, só saí do cenário muito brevemente, duas ou três vezes, por exemplo quando o inspetor devia verificar alguma coisa. Inclusive pedi um soalho autêntico para que se pudesse ouvir bem o ruído dos passos, ou seja, ressaltei o lado teatral.
Por isso é que deu tanta atenção ao realismo da trilha sonora de *Juno and the Paycock* e de *Festim diabólico*.
Sem dúvida.
Foi também por essa razão que você evocou o julgamento filmando planos de Grace Kelly contra um fundo neutro, com luzes coloridas girando atrás dela, em vez de nos oferecer um cenário de tribunal?
Assim era mais íntimo, e preservava a unidade de emoção. Se tivesse mandado construir uma sala de tribunal, o público iria tossir e pensar: "Vai começar um segundo filme".

Em matéria de cor, fiz uma pesquisa interessante em torno do figurino de Grace Kelly. Ela vestiu cores vivas e alegres no início

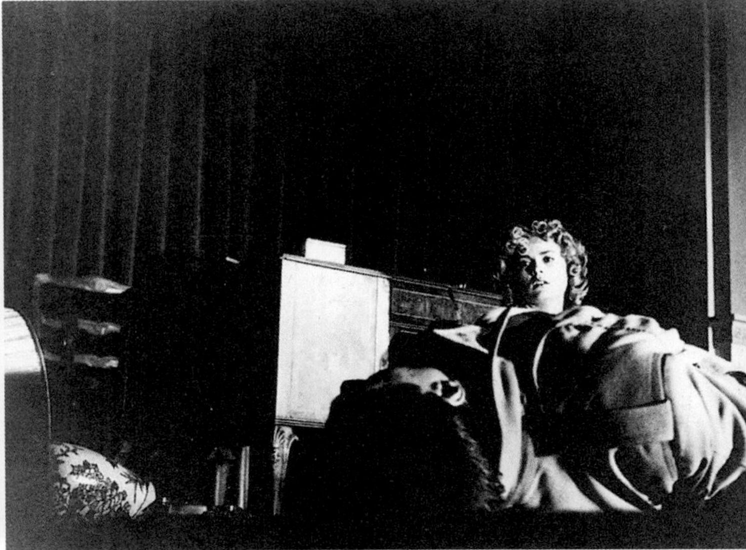

do filme, e suas roupas foram ficando cada vez mais escuras à medida que a trama ia se tornando mais "sombria".

Antes de deixarmos *Disque M para matar*, do qual falamos como de um filme menor, gostaria, ainda assim, de lhe dizer que é um dos seus filmes que mais revejo, e sempre com muito prazer. Aparentemente é um filme de diálogos e, no entanto, a perfeição da decupagem, do ritmo, da direção dos cinco atores é tamanha que escutamos cada frase em atitude de recolhimento.

Creio que é muito difícil fazer com que um diálogo ininterrupto seja bem escutado; nisso aí, mais uma vez, você conseguiu algo que parece fácil mas que na verdade é muito difícil.

Fiz meu trabalho, o melhor possível. Servi-me de meios cinematográficos para contar essa história adaptada de uma peça de teatro. Toda a ação de *Disque M para matar* se passa numa sala, mas isso não tem a menor importância. Eu também filmaria de bom grado um filme inteiro dentro de uma cabine telefônica. Imaginemos um casal de apaixonados dentro de uma cabine. Suas mãos se tocam, suas bocas se unem e, acidentalmente, a pressão de seus corpos faz com que o gancho se levante e o telefone dê linha. Agora, sem que o casal saiba, a telefonista pode acompanhar a conversa íntima entre eles. O drama avançou um passo. Para o público que olha essas imagens, é como se lesse os primeiros parágrafos de um romance ou como se ouvisse a exposição de uma peça de teatro. Portanto, uma cena na cabine telefônica confere a nós, cineastas, a mesma liberdade que a página em branco confere a um romancista.

Os seus dois filmes que prefiro são *Interlúdio* e *Janela indiscreta*. Não consegui encontrar o romance de Cornell Woolrich que lhe forneceu o enredo de *Janela indiscreta*.

Tratava-se de um inválido que estava sempre no mesmo aposento. Creio me lembrar de um enfermeiro que cuidava dele, mas não o tempo todo. A história contava tudo o que o herói via de sua janela, de que forma suspeitava de um assassinato e, no final, a ameaça do assassino que ia se definindo. Pelo que me lembro, a conclusão desse romance era que o assassino, sentindo-se desmascarado, queria matar o herói do outro lado do pátio, com um revólver; mas o herói conseguia, a muito custo, segurar um busto de Beethoven e o expunha de perfil diante da janela. Portanto, Beethoven é que era atingido pelo tiro de revólver.

HITCHCOCK E JAMES STEWART NO CENÁRIO DE *JANELA INDISCRETA*. NO ALTO, GRACE KELLY E JAMES STEWART.

PÁG. 214: COM UMA PODEROSA TELEOBJETIVA, JEFFRIE (JAMES STEWART) OBSERVA DE SUA JANELA INDISCRETA O MICROCOSMO DAS FRAQUEZAS HUMANAS.

PÁG. 215: A MULHER SOLITÁRIA, OS RECÉM-CASADOS E A ESTRANHA MOVIMENTAÇÃO NO APARTAMENTO DO SUSPEITO LARS THORWALD.

* Um repórter fotográfico (James Stewart), imobilizado em casa, com uma perna engessada, observa, na falta do que fazer, o comportamento de seus vizinhos dos apartamentos em frente. Logo se convence de que um homem matou a esposa e comunica essas suspeitas à namorada (Grace Kelly) e a um amigo detetive (Wendell Corey). Os fatos que se seguem lhe dão razão e, finalmente, o assassino (Raymond Burr) atravessa o pátio e vai jogar pela janela o nosso repórter, que sairá a salvo com... uma segunda perna quebrada.

Imagino que, no início, o que o tentou foi o desafio técnico, pagar para ver. Um único cenário imenso e todo o filme visto pelos olhos do mesmo personagem...*

Exatamente, pois você tinha aqui uma possibilidade de fazer um filme puramente cinematográfico. Você tem o homem imóvel que olha para fora... É um primeiro pedaço de filme. O segundo pedaço mostra o que ele vê e o terceiro mostra a reação dele. Isso representa o que conhecemos como a mais pura expressão da ideia cinematográfica.

Você sabe o que Pudovkin escreveu a respeito disso, num de seus livros sobre a arte da montagem, em que contou a experiência feita por seu mestre Liev Kulechov. A coisa consistia em mostrar um primeiro plano de Ivan Mosjukin e, logo em seguida, o plano de um bebê morto. No rosto de Mosjukin lê-se a compaixão. Retira-se o plano do bebê morto e coloca-se a imagem de um prato de comida. No mesmo primeiro plano de Mosjukin, agora você lê o apetite.

Da mesma maneira, pegamos um primeiro plano de James Stewart. Ele olha pela janela e vê, por exemplo, um cachorrinho que desce, dentro de uma cesta, até o pátio; voltamos a Stewart, ele sorri. Agora, no lugar do cachorrinho que desce dentro da cesta, mostramos uma moça nua que se requebra diante de sua janela aberta; voltamos ao mesmo primeiro plano de James Stewart sorridente e, agora, ele é um velho safado!

Porque a atitude de James Stewart é de pura curiosidade...
Digamos, ele era um voyeur... Lembro-me de uma crítica sobre isso. Miss Lejeune escreveu, no *London Observer*, que *Janela indiscreta* era um filme "horrível", porque havia um sujeito que olhava o tempo todo pela janela. Acho que não deveria ter escrito que era horrível. Sim, o homem era um voyeur, mas será que não somos todos voyeurs?
Somos todos voyeurs, ainda que apenas quando assistimos a um filme intimista. Aliás, James Stewart na janela está na situação de um espectador assistindo a um filme.
Aposto com você que nove entre dez pessoas, se virem do outro lado do pátio uma mulher se despindo antes de ir dormir, ou simplesmente um homem que faz uma arrumação em seu quarto, não conseguirão deixar de olhar. Poderiam desviar os olhos dizendo: "Não tenho nada a ver com isso", poderiam fechar suas janelas. Pois bem! não fecharão, ficarão ali olhando.
No início, o seu interesse era só técnico, mas creio que, trabalhando no roteiro, você deu mais importância à história; no final, o que se vê do lado de lá do pátio se transformou, mais ou menos conscientemente, numa imagem do mundo?
Do lado de lá do pátio você tem todo gênero de conduta humana, um pequeno catálogo de comportamentos. Era absolutamente indispensável fazer isso, senão o filme perderia todo o interesse. O que se vê no muro do pátio é uma quantidade de pequenas histórias, é o espelho, como você diz, de um pequeno mundo.
E todas essas histórias têm o amor como ponto comum. O problema de James Stewart é que ele não tem vontade de se casar com Grace Kelly e, no muro defronte, só vê atos e gestos que ilustram o problema do amor e do casamento; há a mulher sozinha sem marido nem amante, os recém-casados que fazem amor o dia inteiro, o músico solteiro que se embriaga, a pequena dançarina cobiçada pelos homens, o casal sem filhos que transferiu todo o seu afeto para um cachorrinho, e sobretudo o marido e a esposa cujas brigas são cada vez mais violentas, até o misterioso desaparecimento da mulher.
É, e você encontrará aqui a mesma simetria de *A sombra de uma dúvida*. No casal Stewart-Kelly, ele está deitado com a perna engessada e ela está livre em seus movimentos, ao passo que, do outro lado do pátio, a mulher doente está confinada à cama e o marido faz suas idas e vindas. Há uma coisa que me deixou bastante triste nesse filme, foi a música. Conhece Franz Waxman?
Ele fazia antigamente a música dos filmes de Humphrey Bogart?
Também fez a de *Rebecca*. Tínhamos do outro lado do pátio o músico que se embebedava; eu queria que o ouvíssemos compor a canção, desenvolvê-la, e que no filme inteiro se ouvisse a evolução dessa música até a cena final, quando ela seria tocada num disco com toda a orquestração. Não funcionou. Deveria ter escolhido um autor de músicas populares para fazer isso. Fiquei muito decepcionado.
De qualquer maneira, uma parte importante da ideia inicial subsiste no filme; quando o compositor termina sua música, é ao ouvi-la que a mulher sozinha desiste de se suicidar, e creio que no mesmo momento, ainda

NA CADEIRA DE RODAS, JAMES STEWART FOGE COMO PODE DO CASAMENTO.

PARA FILMAR *JANELA INDISCRETA*, HITCHCOCK RECONSTRUIU EM CENÁRIO UM QUARTEIRÃO DE NOVA YORK.

graças à música, James Stewart percebe que está apaixonado por Grace Kelly. Uma cena muito forte mostra a reação do casal sem filhos depois da morte do cachorrinho; a mulher dá um grito, todos chegam à janela, a mulher soluça e berra: "Deveríamos nos amar mais... entre vizinhos" etc. É uma reação voluntariamente desproporcional... Imagino que a tenha concebido como se se tratasse da morte de uma criança.

Naturalmente. Esse cachorrinho é o único filho deles. No final da cena, percebe-se que todos foram olhar pela janela, menos o suposto assassino, que fuma no escuro.

É também o único momento do filme em que a direção muda de ponto de vista; deixa-se o apartamento de Stewart, a câmera se instala no pátio, visto de diversos ângulos, e a cena se torna puramente objetiva.

Somente aqui.

A propósito, penso numa coisa que provavelmente é uma regra no seu trabalho: você só mostra a totalidade de um cenário na hora mais dramática da cena. Em *Agonia de amor*, quando Gregory Peck parte, humilhado, nós o vemos indo embora, de muito longe, e pela primeira vez vemos o tribunal por inteiro, quando na verdade faz cinquenta minutos que estamos ali. Em *Janela indiscreta*, você só mostra o pátio por inteiro quando a mulher grita, depois da morte do cachorro, e depois que todos os moradores aparecem na janela para ver o que está acontecendo.

É sempre a questão de escolher o tamanho das imagens em função dos objetivos dramáticos e da emoção, e não simplesmente com a finalidade de mostrar o cenário. Outro dia, eu estava filmando um programa de uma hora para a televisão e via-se um homem entrando numa delegacia para ser preso. No início da cena, filmei o homem bem de perto, entrando, e a porta se fechando; ele se dirige a uma mesa, mas não mostrei todo o cenário. Disseram-me: "Você não quer mostrar toda a delegacia, para que as pessoas saibam que estamos numa delegacia?". Respondi: "Para quê? Temos o sargento de polícia com três galões no braço e que aparece na abertura da imagem, basta isso para estabelecer que estamos numa delegacia. O plano geral poderá ser muito útil num momento dramático, por que desperdiçá-lo?".

É interessante essa noção de desperdício, de guardar as imagens "como reserva". Outra coisa, no final de *Janela indiscreta*, quando o assassino entra na sala e diz a James Stewart: "O que você quer de mim?", ele não encontra nada para responder, porque seus atos não têm justificativa, agiu por pura curiosidade.

É verdade, e é por isso que ele merecerá o que vai lhe acontecer.

Mas ele vai se defender com o flash da câmera, cegando o assassino, disparando flashes no rosto...

A utilização de flashes tem a ver com o velho princípio de *O agente*

A TOTALIDADE DO CENÁRIO DE *JANELA INDISCRETA*, QUE SÓ APARECE NA HORA MAIS DRAMÁTICA DA CENA.

JAMES STEWART SE DEFENDE COM FLASHES, ENQUANTO GRACE KELLY PROCURA UMA PROVA DO ASSASSINATO.

secreto: na Suíça, eles têm os Alpes, os lagos e o chocolate. Aqui temos um fotógrafo, então ele olha para o outro lado do pátio com seus instrumentos de fotografia, e quando tem de se defender é também com instrumentos de fotografia, os flashes.

Para mim, é essencial me servir sempre de elementos ligados aos personagens ou aos lugares, e sinto que negligencio alguma coisa quando não os utilizo.

Desse ponto de vista, a exposição do filme é excelente. Inicia-se com o pátio adormecido, depois passamos para o rosto de James Stewart suando, pela perna engessada, depois por uma mesa sobre a qual se veem a máquina fotográfica quebrada e uma pilha de revistas e, na parede, fotos de carros de corrida capotando. Unicamente com esse movimento de câmera somos informados de onde estamos, quem é o personagem, qual é a sua profissão e o que aconteceu com ele.

É a utilização dos meios oferecidos pelo cinema para contar uma história. Isso me interessa mais do que se alguém perguntasse a Stewart: "Como você quebrou a perna?". Stewart responderia: "Estava fotografando uma corrida de automóveis, uma roda se soltou e veio bater em mim". Não é? Seria uma cena banal. Para mim, o pecado capital de um roteirista é, quando se discute uma dificuldade, escamotear o problema dizendo: "Justificaremos isso com uma linha de diálogo". O diálogo deve ser um ruído entre outros, um ruído que sai da boca dos personagens cujos atos e olhares contam uma história visual.

Observei que volta e meia você escamoteia o prelúdio das cenas de amor. Aqui, James Stewart está sozinho em casa e, repentinamente, o rosto de Grace Kelly entra no enquadramento e tem início a série de beijos. Qual é a razão disso?

É um desejo de chegar logo de uma vez ao ponto importante e não perder tempo. Aqui, é o beijo-surpresa. Em outros casos, haverá talvez o beijo-suspense e será totalmente diferente.

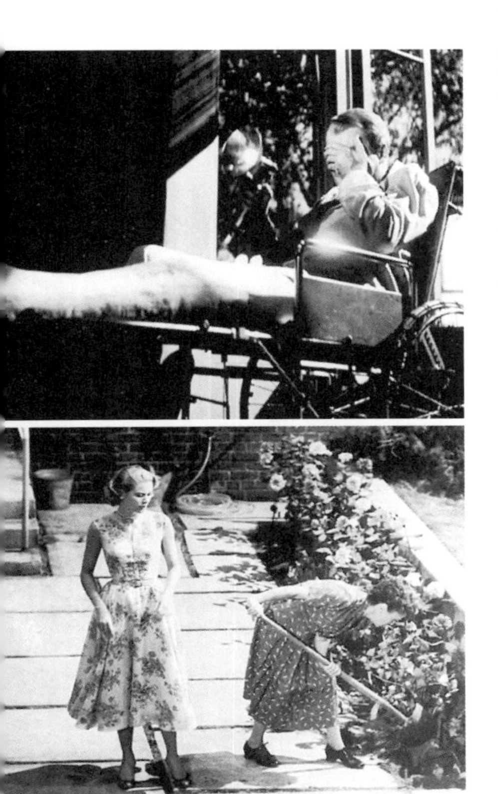

Em *Janela indiscreta* e também em *Ladrão de casaca* o beijo é trucado. Não o próprio beijo, mas a aproximação dos rostos. É meio aos solavancos, como se no laboratório se tivesse duplicado uma em cada duas imagens.

Não são trucagens de jeito nenhum, são pulsações que obtemos fazendo o dolly vibrar ou, às vezes, são as duas coisas. Há um efeito que não filmei em *Os pássaros*; numa cena de amor, queria mostrar as duas cabeças separadas que vão se juntar. Queria fazer panorâmicas ultrarrápidas de um rosto para o outro, dando uma chicotada com a câmera; como se chama isso em francês, "chicotear a câmera"?

Um *filage*.

Era isso, um chicote de um rosto a outro, mas à medida que os rostos se aproximam, o chicote diminui até ficar apenas uma vibração mínima. Terei de experimentar um dia.

Janela indiscreta* é talvez, com *Interlúdio*, o seu melhor roteiro, em todos os sentidos: construção, unidade de inspiração, riqueza dos detalhes...

Acho que eu estava muito empolgado nessa fase pois minhas baterias estavam bem carregadas. John Michael Hayes era um escritor de rádio e cuidou basicamente dos diálogos. Eu tinha dificuldades com o assassinato, então me inspirei em dois crimes ingleses: o "caso Patrick

Mahon" e o "caso Crippen". No "caso Mahon", o homem matou uma moça num bangalô, no litoral do sul da Inglaterra. Retalhou o corpo e o dispersou pedaço por pedaço, jogando pela porta de um trem. Mas não sabia o que fazer com a cabeça (foi isso que me deu a ideia de, em *Janela indiscreta*, mandar procurar a cabeça da vítima). Patrick Mahon pôs a cabeça dentro da lareira e acendeu o fogo para queimá-la. Então aconteceu uma coisa que pode parecer irreal mas é a pura verdade: no mesmo instante desabou uma tempestade, como numa peça de teatro. Houve raios, trovão e, na lareira, a cabeça apareceu envolta em chamas; provavelmente por causa do calor, os olhos se abriram e pareciam olhar para Patrick Mahon. O sujeito fugiu aos berros para a praia, no meio da tempestade, e só voltou para casa muitas horas depois. A essa altura, o fogo tinha consumido a cabeça.

Alguns anos mais tarde, um dos quatro maiores inspetores da Scotland Yard foi me ver e me contou o seguinte. Ele era o responsável pela investigação quando prenderam Patrick Mahon, e o problema foi encontrar a famosa cabeça. É claro que não conseguiria encontrá-la. Achava vestígios, indícios, mas não a cabeça. Sabia que tinha sido queimada mas queria uma indicação sobre a hora em que essa operação ocorrera e quanto tempo durara. Então foi ao açougueiro, comprou uma cabeça de carneiro e a queimou no mesmo lugar. Você está vendo

EM CADA JANELA, UMA PEQUENA HISTÓRIA QUE JAMES STEWART NÃO CONSEGUE DEIXAR DE ACOMPANHAR.

"MAS SERÁ QUE NÃO SOMOS TODOS VOYEURS?". *JANELA INDISCRETA*, 1954.

que, em todos esses casos de mutilações, o grande problema para a polícia é encontrar a cabeça.

Agora vejamos "o caso Crippen". O dr. Crippen morava em Londres, assassinou sua mulher e cortou-a em pedacinhos. Mais tarde percebeu-se que a mulher tinha desaparecido e, como é de praxe, o assassino disse: "Minha mulher foi viajar". Mas o dr. Crippen cometeu um grave erro: sua secretária usava algumas joias de sua mulher e, por isso, os vizinhos começaram a comentar. A Scotland Yard se interessou pelo caso e o inspetor Dew foi interrogar o dr. Crippen. Este deu razões extremamente verossímeis e lógicas para o desaparecimento da mulher. Ela tinha ido viver na Califórnia. O inspetor Dew estava quase abandonando a investigação e, quando voltou à casa para uma última formalidade, o dr. Crippen tinha ido embora com sua secretária. Então, naturalmente, continuaram o inquérito e emitiram um aviso de busca. Foi nessa época que se começou a usar o telégrafo sem fio nos navios. Agora estamos no navio *Montrose*, que vai de Antuérpia para Montreal, e vou lhe pedir licença para mudar de ponto de vista e lhe dar a versão do comandante.

O comandante reparou no navio em um certo sr. Robinson com seu jovem filho. Também reparou que o pai tinha um grande afeto pelo filho.

Nr 220-0

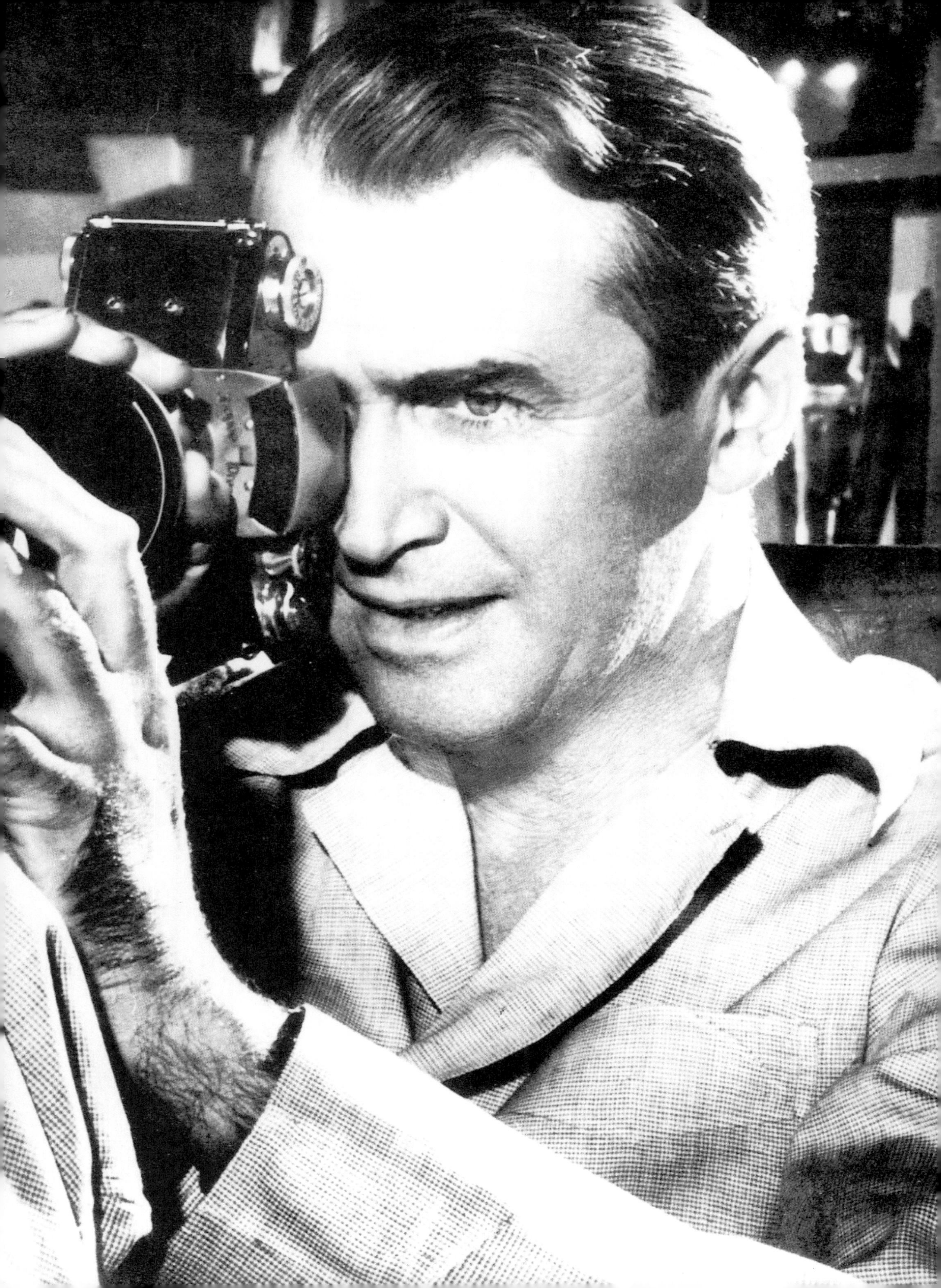

Então, sendo um voyeur — eu deveria tê-lo chamado para a filmagem de *Janela indiscreta*! —, notou que o chapéu do jovem Robinson, que tinha sido comprado em Antuérpia, estava forrado de papéis para caber certinho na sua cabeça. Viu também que um alfinete de fralda apertava a cintura de sua calça. De acordo com a descrição dada pelo aviso de busca, o dr. Crippen usava uma dentadura dupla e tinha no nariz a marca deixada por óculos de aro dourado. O comandante do barco observou esse detalhe no nariz do sr. Robinson. Então, de noite, convidou-o para a sua mesa e lhe contou histórias engraçadas a fim de que ele caísse na gargalhada e mostrasse os dentes, verdadeiros ou falsos. Eram *realmente* falsos!

Em seguida, o comandante mandou uma mensagem a terra dizendo supor que o casal procurado estaria no seu navio; depois de enviar a mensagem, o comandante passeou pelo convés e ouviu-se um leve chiado na antena de rádio. Então o sr. Robinson, quer dizer, o dr. Crippen, disse ao comandante: "Esse telégrafo sem fio é uma invenção maravilhosa, não é?".

Quando o inspetor Dew recebeu a mensagem, pegou um navio extremamente rápido da linha Canadian Pacific e chegou ao rio Saint--Laurent, a um lugar chamado Ponta Father. Sem perder tempo, o sr. Dew subiu a bordo do *Montrose* e, quando se viu diante do sr. Robinson, disse-lhe: "Bom dia, doutor Crippen". E os levou. Ele foi enforcado e ela foi absolvida.

Então foi a ideia das joias que lhe inspirou aquela cena com Grace Kelly?

Exato, a cena com a aliança. Se a mulher tivesse realmente ido viajar, teria levado a aliança...

O que é excelente no filme é o enriquecimento dessa ideia. Grace Kelly quer se casar com James Stewart, que, de seu lado, não quer. Ela se introduz no apartamento do assassino para encontrar uma prova contra ele e descobre a aliança da esposa. Passa a aliança no dedo e põe a mão para trás a fim de que, do outro lado do pátio, Stewart veja a aliança pelo binóculo. Para Grace Kelly, é como uma dupla vitória, ela é bem-sucedida em sua investigação e conseguirá se casar. Já "tem o anel no dedo".

É exatamente isso. É a ironia da situação.

Quando vi *Janela indiscreta* pela primeira vez, eu era jornalista e tinha escrito que era um filme muito negro, muito pessimista e até muito perverso. Agora, já não me parece nada perverso, e nele enxergo até mesmo uma certa bondade nos olhares. James Stewart vê de sua janela não os horrores, mas o espetáculo das fraquezas humanas. É sua opinião?

É, totalmente.

***Ladrão de casaca* lhe deu a oportunidade de fazer pela primeira vez todas as externas de um filme na França. O que acha do filme?**

Era uma história bem leve.

No gênero Arsène Lupin... John Robie (Cary Grant), vulgo "o Gato", é um ex-ladrão americano, um gentleman, aposentado na Côte d'Azur. Uma série de assaltos a mansões e roubos de joias com sua marca registrada fazem dele um suspeito. Para provar sua inocência e viver em paz, ele faz sua própria investigação, desmascara o falso "gato", que era uma gata (Brigitte Auber), e encontra o amor (Grace Kelly) no meio do caminho.

Não era uma história séria. Tudo o que posso dizer de interessante é que

"O GATO" APOSENTADO (CARY GRANT) E A JOVEM "GATA" (BRIGITTE AUBER), OS GATUNOS DE *LADRÃO DE CASACA* (1955).

NA PÁGINA AO LADO CARY GRANT, O LADRÃO GENTLEMAN, NÃO RESISTE AO GLAMOUR DE GRACE KELLY.

tentei me livrar do tecnicolor azul no céu durante as cenas noturnas. Detesto o céu azul-real. Então usei um filtro verde, mas era totalmente inadequado para se obter um azul-escuro, azul-ardósia, azul-acinzentado, como uma noite de verdade.

Uma particularidade desse roteiro, que como muitos outros é construído na base da troca de culpas, é que o vilão era uma mulher.

Era Brigitte Auber. Mostraram-me um filme de Julien Duvivier, *Sous le ciel de Paris*, em que ela fazia uma moça do interior que vai para a cidade. Escolhi-a porque devia ter um corpo bastante forte para escalar os muros dos palacetes; eu não tinha a menor ideia de que Brigitte Auber, entre um filme e outro, pratica acrobacia, então foi uma feliz coincidência.

Foi sobretudo com *Ladrão de casaca* que os jornalistas se interessaram pela sua concepção de heroína de cinema; várias vezes você declarou que Grace Kelly lhe interessava porque, nela, o sexo era "indireto"?

Quando trato das questões de sexo na tela, não esqueço que, mesmo aí, o suspense comanda tudo. Se o sexo é espalhafatoso demais e óbvio demais, acabou-se o suspense. O que é que me dita a escolha de atrizes louras e sofisticadas? Procuramos mulheres de alta classe, verdadeiras damas, mas que no quarto se tornarão putas. A pobre Marilyn Monroe tinha o sexo estampado em todo o rosto, como Brigitte Bardot, e isso não é muito fino.

Quer dizer que você faz questão, antes de mais nada, de preservar um certo paradoxo: muito recato aparente e muita volúpia na intimidade?

Sim, e acho que as mulheres mais interessantes sexualmente falando são as inglesas. Acho que as inglesas, as suecas, as alemãs do Norte e as escandinavas são mais interessantes do que as latinas, italianas e francesas. O sexo não deve ser exibido. Uma moça inglesa, com seu jeito de professora primária, é capaz de entrar num táxi com você e, para sua grande surpresa, arrancar a sua braguilha.

Compreendo muito bem o seu ponto de vista mas não garanto que o seu gosto coincida com o da maioria. Parece-me que o público masculino gosta

* Um recanto idílico no campo, em Vermont, num belo dia de outono. Três tiros. Um cadáver, o de Harry. Um velho capitão (Edmund Gwenn), que acredita tratar-se de um acidente de caça cujo responsável seria ele mesmo, enterra, desenterra e transporta várias vezes o cadáver, cuja identidade leva uma solteirona, um médico míope e um pintor abstrato (John Forsythe) a se interrogarem, perplexos. Descobre-se que Harry foi o "marido de uma noite" de Jennifer (Shirley MacLaine), mas essa descoberta não traz nada de propriamente novo. Finalmente, revela-se que Harry morreu de uma síncope e essa pequena aventura sem importância terá tido pelo menos o mérito de formar um novo casal: o pintor abstrato e a tão concreta Jennifer. (O romance *The trouble with Harry* é de Jack Trevor Story.)

de mulheres bem carnais e temos a confirmação disso com as mulheres que viraram estrelas mesmo que praticamente só fizessem maus filmes, como Jane Russel, Marilyn Monroe, Sophia Loren, Brigitte Bardot; portanto, creio que, majoritariamente, o público aprecia o sexo evidente ou, como você diz, "estampado no rosto".

É possível, mas você mesmo concorda que elas só conseguem fazer filmes ruins. Por quê? Porque com elas não pode haver surpresa, portanto nada de boas cenas. Com elas não há *descoberta* do sexo. Veja o início de *Ladrão de casaca*. Fotografei Grace Kelly impassível, fria, e no mais das vezes mostro-a de perfil, com um ar clássico, muito bonita e muito glacial. Mas quando circula pelos corredores do hotel e Cary Grant a acompanha até a porta de seu quarto, o que faz? Afunda seus lábios nos dele.

É verdade, esperava-se tudo menos isso; mas ainda assim creio que você consegue impor essa teoria do sexo glacial apesar da inclinação natural do público, que gosta de ver moças fáceis, logo de saída.

Talvez. Mas não esqueça que, quando o filme termina, o público sai contente.

Não esqueço, mas mesmo assim arrisco uma hipótese: esse aspecto de seus filmes talvez satisfaça mais o público feminino do que o masculino.

É possível, mas vou lhe responder que, num casal, é a mulher que escolhe o filme que vão ver, e direi até que é ela quem decide depois se o filme era bom ou ruim. As mulheres conseguem suportar a vulgaridade na tela, contanto que não seja exibida por pessoas de seu próprio sexo.

Meu trabalho com Grace Kelly consistiu em lhe dar, de *Disque M para matar* a *Ladrão de casaca*, papéis cada vez mais interessantes nos filmes. Em *Ladrão de casaca*, que era uma comédia meio nostálgica, eu sentia que não podia fazer um happy end sem reservas; então rodei aquela cena em torno da árvore, quando Grace Kelly agarra Cary Grant pela manga. Cary Grant deixa-se convencer, vai se casar com Grace Kelly, mas a sogra irá morar com eles. Assim, é quase um final trágico.

Em seguida você filmou *O terceiro tiro*, que é um filme um tanto fora do comum. Foi lançado em Paris num pequeno cinema dos Champs-Élysées, onde devia tentar a sorte uma ou duas semanas, e teve casa cheia por mais de seis meses. Eu nunca soube se quem achava graça eram os parisienses ou os turistas ingleses e americanos de passagem, mas creio saber que, no resto do mundo, ele não teve grande sucesso.*

De fato. Foi um filme que fiz muito livremente sobre um assunto que tinha escolhido, e, quando ficou pronto, ninguém sabia o que fazer com ele, como distribuí-lo. É muito especial, mas para mim não tinha nada de especial. É uma adaptação bem fiel de um romance inglês de Jack Trevor Story e, para meu gosto, era cheio de um humor riquíssimo; por exemplo, quando o velho Edmund Gwenn arrasta o cadáver pela primeira vez, a solteirona o encontra na floresta e lhe diz: "O senhor está com problemas, capitão?". É uma das frases mais engraçadas e, para mim, resume o espírito de toda a história.

Sinto que você tem muito afeto por esse filme.

Ele correspondia a meu desejo de trabalhar no contraste, de lutar contra

HITCHCOCK DIRIGE O BEIJO DE CARY GRANT E GRACE KELLY EM *LADRÃO DE CASACA*.

DESDE 1922 ALMA HITCHCOCK, SENTADA NO CANTO INFERIOR, À ESQUERDA, MANTÉM UM OLHO DISCRETO MAS ATENTO SOBRE O TRABALHO DO MARIDO.

O TERCEIRO TIRO (1956) É O PRIMEIRO FILME DE SHIRLEY MACLAINE, QUE CONTRACENA COM JOHN FORSYTHE.

"O SENHOR ESTÁ COM PROBLEMAS, CAPITÃO?", PERGUNTA A SRA. GRAVELY AO CAPITÃO ALBERT WILES.

a tradição, contra os estereótipos. Em *O terceiro tiro*, o melodrama sai da noite negra e é levado à luz do dia. É como se mostrasse um assassinato à beira de um riacho que canta, em cuja água límpida eu derramasse uma gota de sangue. Desses contrastes surge um contraponto, e talvez até uma súbita elevação das coisas cotidianas da vida.

De fato, mesmo quando filma coisas horríveis ou aterradoras, e que poderiam virar sórdidas ou mórbidas, você consegue que nunca seja feio. Em geral, chega a ser belíssimo.

No final do filme, um milionário dá a cada personagem a chance de pedir uma coisa, um presente que lhe será oferecido, como um voto atendido; e não ouvimos o que pedem Shirley MacLaine e John Forsythe mas sabemos que deve ser muito especial. Bem no fim, descobrimos que era uma "cama de casal". Creio que isso não estava no livro.

Não, foi John Michael Hayes que inventou.

Isso cria um pequeno suspense indagativo que confere um interesse particular a todo o último rolo do filme, que no entanto não era uma história de suspense.

É o equivalente do crescendo ou da coda em meus outros filmes; também se encontra isso no final de *Um barco e nove destinos* ou de *Festim diabólico*.

* Ver pág. 89 e seguintes.

O terceiro tiro era o primeiro filme de Shirley MacLaine; ela estava muito bem e acho que dali em diante não se saiu nada mal. O rapaz, John Forsythe, tornou-se muito popular na televisão e é a estrela de um de meus primeiros programas de sessenta minutos.

Todo o humor do filme decorre de um só mecanismo, sempre o mesmo, uma espécie de fleugma exagerada; fala-se do cadáver como se se tratasse de um maço de cigarros.

Esse é o princípio, nada me diverte mais do que essa comicidade do *understatement*.

Várias vezes falamos de *O homem que sabia demais* e das diferenças entre a versão inglesa e o remake americano.* Evidentemente, a presença de James Stewart na última versão é uma das maiores diferenças; é um grande ator, que você sempre usa muito bem; poderíamos imaginar que Cary Grant e James Stewart são intercambiáveis, mas o trabalho que você faz é sempre diferente quando dirige um ou outro. Quando tem Cary Grant, há mais humor, e quando escala Stewart, há mais emoção.

É a mais pura verdade. Isso, claro, vem das diferenças entre a vida deles; mesmo quando têm ares semelhantes, não é nada semelhante. Cary Grant, em vez de James Stewart, em *O homem que sabia demais*, não teria aquela sinceridade serena e necessária, mas se eu tivesse feito *O homem que sabia demais* com ele, naturalmente o personagem seria diferente.

Você deve ter encontrado dificuldades durante o roteiro para não envolver nenhum país e para driblar as diversas censuras nacionais. Por exemplo, a história não começa na Suíça, como na primeira versão, mas no Marrocos; quanto ao embaixador que deve ser assassinado por seu jovem auxiliar, não se sabe se representa uma democracia popular ou não.

É claro, não me comprometi com nenhum país. Sabe-se apenas que, assassinando o embaixador, os espiões esperam deixar o governo

JAMES STEWART NO REMAKE DE *O HOMEM QUE SABIA DEMAIS* (1956).

inglês numa situação constrangedora. O que *me* deixou numa situação constrangedora foi a escolha do ator que deveria interpretar o embaixador; é muito difícil ter confiança no departamento de escalação. Desconfio que quando você pede alguém para representar um ascensorista, eles olham num caderno alfabético grosso, na letra E, de "elevador", e convocam todos os artistas que já fizeram ascensoristas.
Com toda a certeza é um pouco desse jeito que as coisas se dão...
É assim que acontece. Quando eu estava em Londres para encontrar quem faria o papel do embaixador, via chegar muitos homenzinhos de barbicha. Então perguntava: "O que foi que você interpretou?". Um me dizia: "Fiz o primeiro-ministro neste ou naquele filme", outro: "Representei o adido da embaixada em tal filme" etc. Então, disse enfim a meus assistentes: "Por favor, não me enviem mais embaixadores. Vocês vão fazer o seguinte: mandarão alguém consultar os arquivos dos jornais e me trarão uma fotografia de cada embaixador servindo atualmente em Londres". Vi as fotos, nenhum deles tinha barbicha!
Aquele que você escolheu é muito adequado, totalmente careca e com um olhar muito inocente, muito meigo, quase infantil.
Era um ator de teatro muito importante em Copenhague.
Voltemos ao início do filme em Marrakesh. Na primeira versão, Pierre

O EMBAIXADOR: UM PROBLEMA PARA O DEPARTAMENTO DE ESCALAÇÃO.

A SEGUNDA VERSÃO DE *O HOMEM QUE SABIA DEMAIS* FOI FILMADA EM 1956, 22 ANOS DEPOIS DA PRIMEIRA.

ANTES DE OUVIR O SEGREDO, JAMES STEWART TOCA DANIEL GÉLIN E DESCOBRE QUE O ROSTO DELE HAVIA SIDO PINTADO.

Fresnay era morto com uma bala de revólver, aqui Daniel Gélin corre pelos mercados com um punhal enfiado nas costas.

A propósito desse punhal nas costas, na segunda versão de *O homem que sabia demais* só utilizei uma parte de uma velha ideia que eu tivera no passado.

Tratava-se de filmar, no porto de Londres, um navio que chega da Índia com uma tripulação formada por setenta e cinco por cento de marinheiros indianos. Eu queria mostrar um marinheiro indiano perseguido pela polícia; ele consegue subir num ônibus e chega ao leste de Londres, e vai até a catedral de Saint-Paul, num domingo de manhã. Ei-lo agora no alto da catedral, num corredor circular que se chama Galeria dos Murmúrios. O marinheiro indiano corre de um lado, a polícia de outro e, bem na hora em que os policiais estão prestes a agarrá-lo, ele pula no vazio e cai diante do altar. Toda a congregação

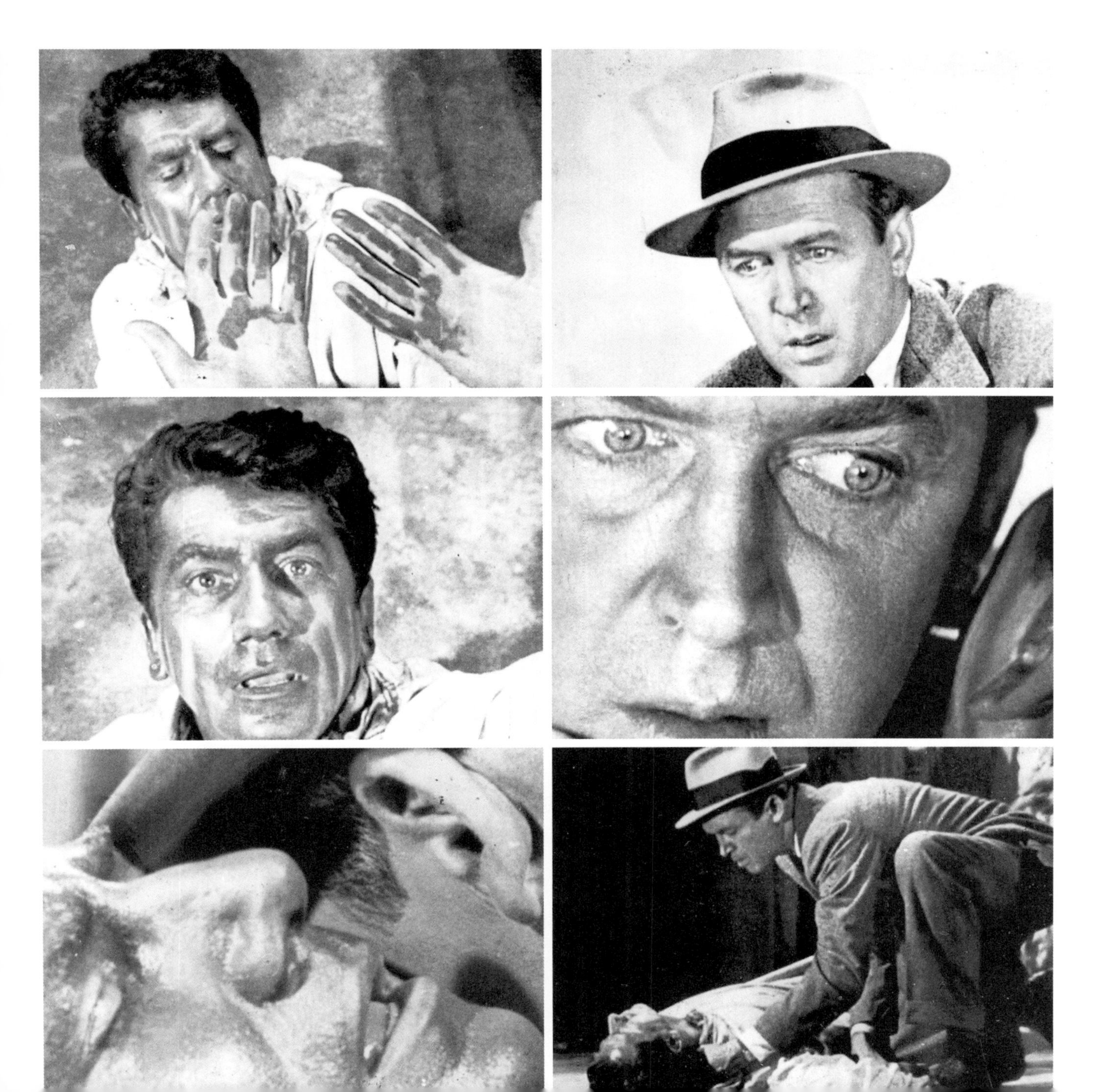

se levanta, o coro para de cantar, o serviço religioso é interrompido. Todos se precipitam até o marinheiro que se jogou lá do alto, viram seu corpo e descobrem que ele tem uma faca enfiada nas costas! Em seguida, alguém toca em seu rosto e formam-se traços brancos na pele: era um falso indiano.

A última ideia, a dos traços brancos no rosto, encontra-se no filme, na morte de Daniel Gélin...

É, mas ali só tenho o final da ideia, pois a pergunta interessante é: como um homem perseguido pela polícia, tendo pulado no vazio para fugir, pode ter sido apunhalado nas costas depois de sua queda?

É, é muito excitante; a ideia da tinta no rosto também é excelente; todavia, lembro-me de um detalhe estranho quando James Stewart passa a mão no rosto enegrecido de Daniel Gélin; vê-se em algum ponto na imagem uma mancha azul muito bonita, mas inexplicável.

Essa mancha azul faz parte de uma ideia que comecei sem jamais ter conseguido completar. Em Marrakesh, no início da perseguição a Daniel Gélin, durante uma cena nos mercados produzia-se um encontrão entre Daniel Gélin e homens que tingem lã; Daniel Gélin, de passagem, roçava na tintura azul, suas sandálias ficavam encharcadas de azul, e assim, durante o resto da fuga, ele deixava traços azuis pelo caminho. Era uma variante do velho princípio em que seguimos a pista do sangue, mas aqui se seguia o azul em vez de seguir o vermelho.

É também uma variante do Pequeno Polegar, que espalhava pedrinhas brancas em seu caminho.

Já examinamos algumas diferenças de decupagem entre as duas cenas no Albert Hall, na versão inglesa de 1934 e na versão americana de 1956. A segunda é muito mais bem-feita.

É, creio que falamos da cena do concerto no Albert Hall a respeito da primeira versão, mas gostaria de acrescentar que, para que essa cena obtivesse sua força máxima, o ideal seria que todos os espectadores soubessem ler música.*

* Lembremos que o espião encarregado de matar o embaixador durante um concerto no Albert Hall está instruído para atirar no momento exato em que soar o único toque de címbalos da partitura.

O que não me parece fácil.
Tomei tantas precauções com os címbalos que, por esse lado, não tenho que temer nenhuma confusão, mas quando a câmera passa pela partitura do tocador de címbalos, lembra?
... lembro, o travelling lateral sobre a pauta de notas?
... durante esse travelling sobre a pauta, a câmera percorre todos aqueles espaços vazios e se aproxima da única nota que o homem dos címbalos deverá tocar. O suspense seria mais forte se o público conseguisse decifrar a partitura.
É verdade, seria o ideal. Na primeira versão, você não tinha mostrado a cabeça do tocador de címbalos, e é um erro que corrigiu na segunda versão. Não sei se essa opção é consciente de sua parte, mas você pegou um homem meio parecido consigo mesmo.
Não creio ter feito de propósito.
Ele é absolutamente impassível.
Sua passividade é essencial, pois ele não sabe que é o instrumento da morte. Sem saber, é ele o verdadeiro assassino.

O TOCADOR DE CÍMBALOS ANUNCIA A MORTE QUE JAMES STEWART TENTA EVITAR, EM *O HOMEM QUE SABIA DEMAIS.*

NAS PÁGINAS SEGUINTES, DORIS DAY PROTAGONIZA A SEQUÊNCIA ESPETACULAR NO ALBERT HALL DE LONDRES: DEZ MINUTOS DE SUSPENSE REGIDOS PELO MAESTRO BERNARD HERRMANN.

12

O HOMEM ERRADO
AUTENTICIDADE ABSOLUTA
CLASSIFIQUEMOS ESTE FILME...
UM CORPO QUE CAI
A ALTERNATIVA DE SEMPRE: SURPRESA OU SUSPENSE
É PURA NECROFILIA
OS CAPRICHOS DE KIM NOVAK
DOIS PROJETOS ABORTADOS: *O NAUFRÁGIO DO* MARY DEARE E *A PLUMA DO FLAMINGO*
UMA IDEIA DE SUSPENSE POLÍTICO
INTRIGA INTERNACIONAL
ISSO DATA DE GRIFFITH
A IMPORTÂNCIA DA DOCUMENTAÇÃO
COMO MANEJAR O TEMPO E O ESPAÇO
MEU GOSTO PELO ABSURDO
O CADÁVER QUE CAI... DO NADA

O CASAL CHRISTOPHER EMMANUEL BALESTRERO, VULGO MANNY (HENRY FONDA), E ROSE (VERA MILES) EM *O HOMEM ERRADO* (1957).

François Truffaut — Logo depois você filmou *O homem errado*, que segue bem de perto um crime real...
Alfred Hitchcock — O roteiro foi tirado de uma história que li na revista *Life*. Numa noite de 1952, um músico do Stork Club de Nova York voltava para casa, e, na porta, lá pelas duas da manhã, é chamado aos berros por dois homens que o levam a diferentes lugares e o mostram às pessoas perguntando: "É este homem? É este homem?". Em suma, ele é preso como assaltante. Era totalmente inocente, mas vai a processo; sua mulher acaba perdendo o juízo por causa disso, é trancada num hospício, onde ainda deve estar. No julgamento havia um jurado convencido da culpa do réu. Quando o advogado de defesa interrogava uma das testemunhas de acusação, esse jurado se levantou e disse: "Senhor juiz, precisamos escutar tudo isso?". Pequena infração ao ritual, mas foi necessário adiar o julgamento, e enquanto se esperava o novo julgamento pegaram o verdadeiro culpado. Pensei que isso daria um filme muito interessante, sempre mostrando os fatos do ponto de vista desse homem, inocente, e do que ele deve ter sofrido ao se arriscar por um outro. Tanto mais que todos são muito cordiais, muito gentis; ele grita: "Sou inocente", e as pessoas respondem: "Mas claro, claro, isso mesmo, é óbvio". Absolutamente atroz.
Compreendo o que o seduziu nessa ideia: uma ilustração vívida e concreta do seu tema preferido — o homem acusado de um crime cometido por outro — com todas as suspeitas razoavelmente dirigidas para ele, devido ao jogo de circunstâncias da vida corrente.

Estou curioso para saber até que ponto o seu filme é real — ou seja, em que momentos e por que razões você foi obrigado a se afastar da verdade?
Bem, quase nunca me afastei da verdade e, rodando esse filme, aprendi muitas coisas. Por exemplo, a fim de se obter uma autenticidade absoluta, tudo foi minuciosamente reconstituído com a colaboração dos heróis do drama, tanto quanto possível filmado com atores pouco conhecidos e até mesmo, às vezes, nos papéis episódicos, com os que viveram o drama. Tudo isso no próprio local da ação. Na cadeia, observamos como os

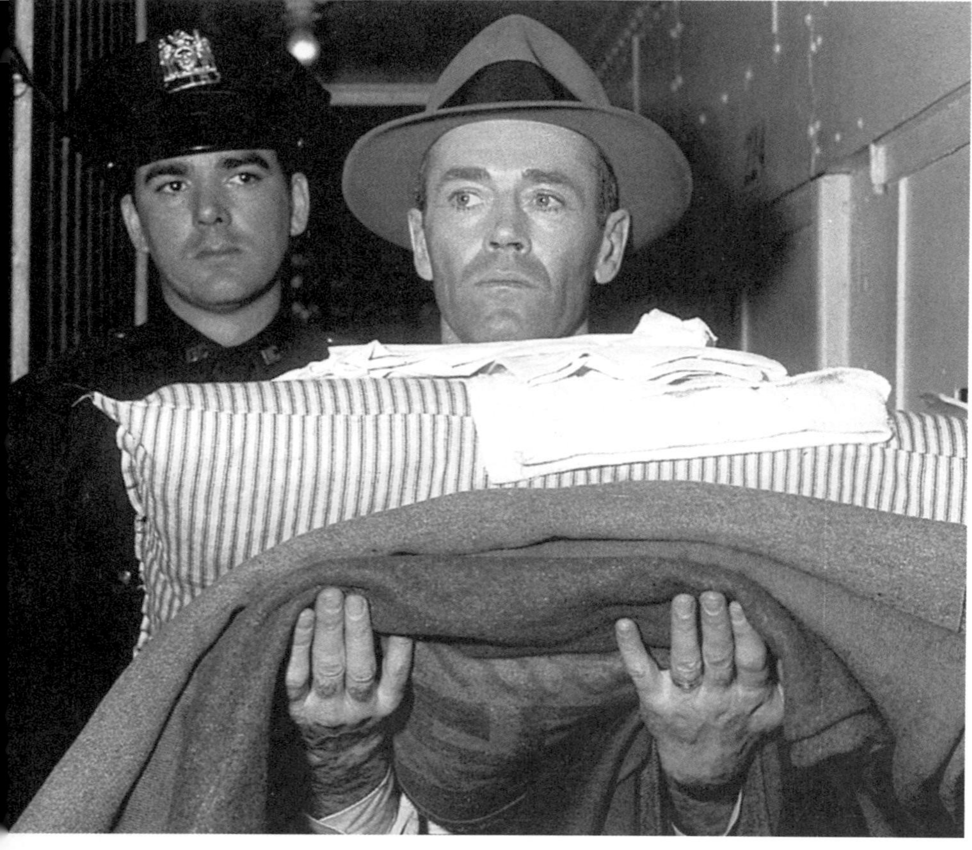

HENRY FONDA, INJUSTAMENTE ALGEMADO E PRESO.

O ASSALTO À DELICATÉSSEN E A IMAGEM SACRA EM *O HOMEM ERRADO*.

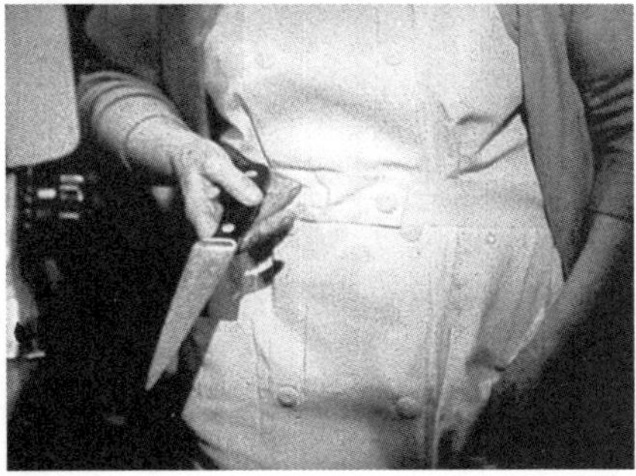

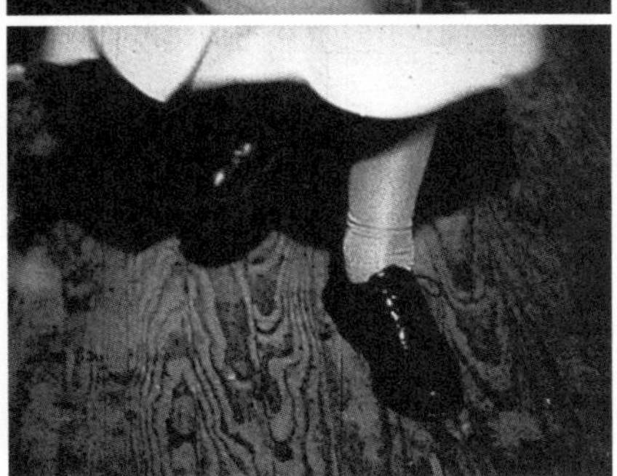

detidos recebem suas roupas de cama, suas próprias roupas, e em seguida escolhemos para Henry Fonda uma cela vazia e o mandamos fazer o que os outros presos acabavam de fazer diante de nossos olhos. A mesma coisa para as cenas que se passam no hospital psiquiátrico, onde os médicos interpretavam seus próprios papéis.

Mas eis um exemplo do que se aprende fazendo um filme cujas cenas são totalmente reconstituídas: no desfecho, o verdadeiro culpado é preso, graças à coragem da dona de uma delicatéssen na qual ele cometia mais um assalto. Eu imaginava fazer a cena assim: o homem entrava na loja, sacava o revólver e exigia o conteúdo do caixa; a vendedora conseguia, por um meio qualquer, soar o alarme; havia luta ou algo do gênero, e o bandido era dominado. Ora, o que de fato aconteceu e pus no filme foi o seguinte: o homem entra na loja e pede à vendedora duas salsichas e umas fatias de presunto; enquanto ela passa para trás do balcão, ele lhe aponta o revólver, pelo bolso do paletó. Nesse momento a mulher segurava o facão de cortar presunto e, sem se assustar, encosta a ponta na barriga do homem, que fica atordoado; logo em seguida ela dá duas batidas no chão, o homem se inquieta: "Vamos com calma, madame, com calma. Mantenha seu sangue-frio. Calma". Mas a mulher fica surpreendentemente calma, não se mexendo nem um milímetro, não proferindo uma só palavra. O homem está tão atrapalhado com essa atitude que nem sequer pensa em tentar alguma coisa. De repente, surge do porão o dono da loja, atraído pelos chutes de sua mulher, compreende imediatamente a situação e, agarrando o malfeitor pelos ombros, vai imobilizá-lo num nicho da loja, contra as prateleiras de latas de conserva, enquanto a mulher telefona para a polícia. A única reação do sujeito é implorar com voz chorosa: "Deixem-me ir embora. Minha mulher e meus filhos me esperam". Fico radiante com essa réplica; jamais pensaria em escrevê-la num roteiro e, mesmo que pensasse, não ousaria.

É, mas imagino que em outros momentos você foi obrigado a dramatizar a história real?

Naturalmente, aí estava o problema. Por exemplo, esforcei-me em dramatizar a descoberta do verdadeiro culpado, porque eu mostrava

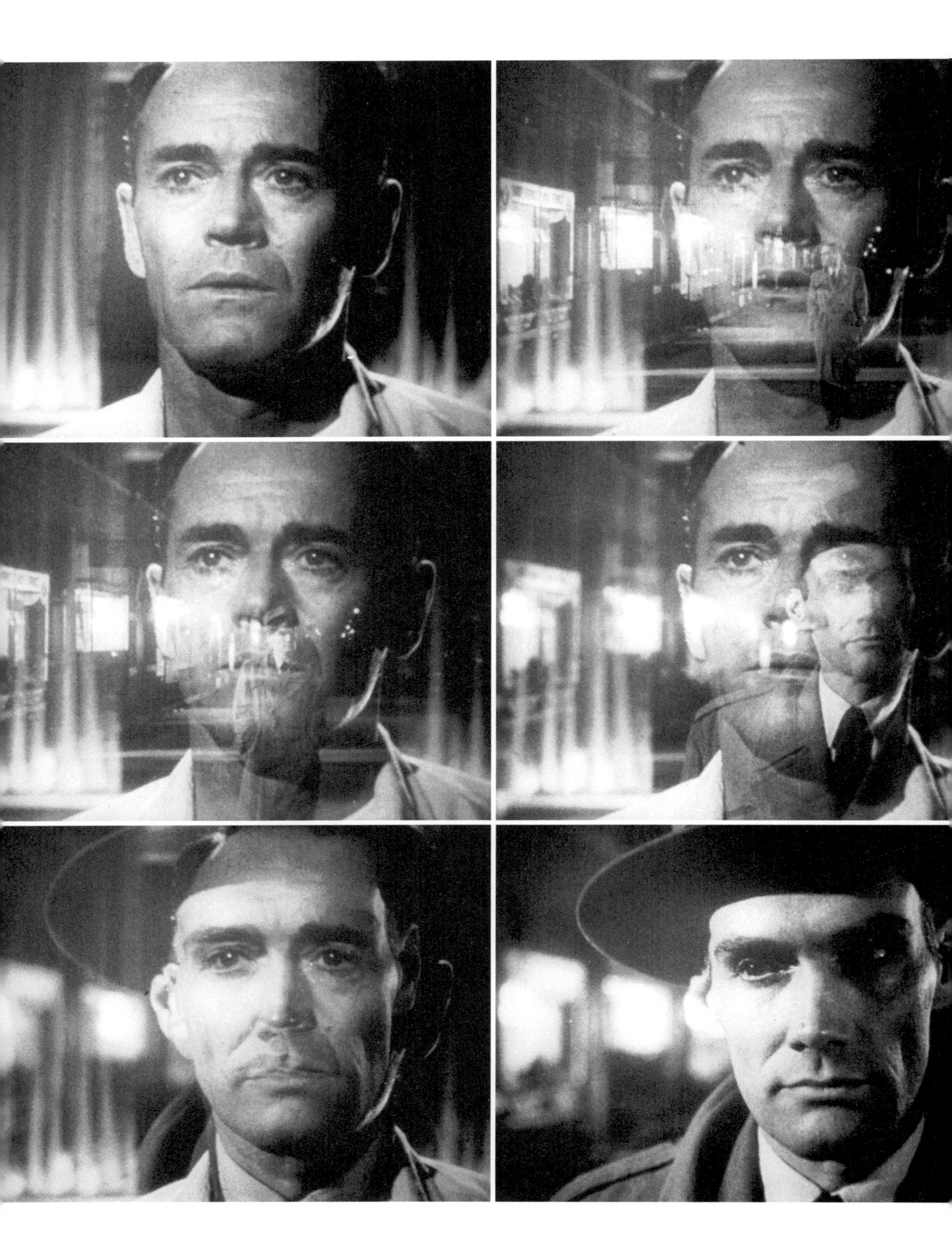

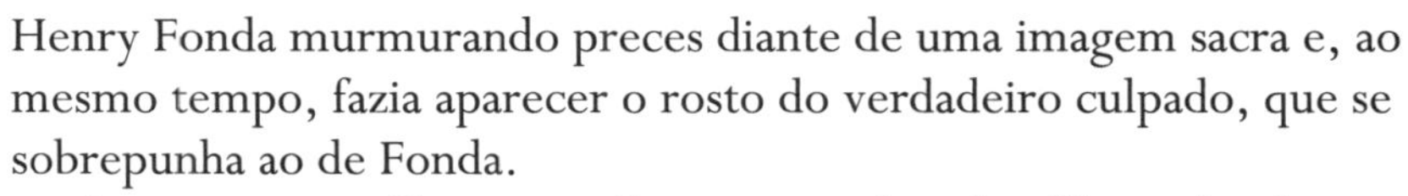

Henry Fonda murmurando preces diante de uma imagem sacra e, ao mesmo tempo, fazia aparecer o rosto do verdadeiro culpado, que se sobrepunha ao de Fonda.

Ao construir o filme, quis fazer o contrário dos filmes do gênero, *O justiceiro* [*Boomerang*] ou *Chame Norte* 777, em que se segue o investigador que trabalha para tirar um inocente da prisão.

Meu filme é feito do ponto de vista do sujeito na prisão. Assim, no início, quando Henry Fonda vai ser preso, está no carro entre dois inspetores: close-up em seu rosto, ele olha para a esquerda e vemos, de sua perspectiva, o perfil maciço do seu primeiro guarda; olha para a direita: seu segundo guarda acende um charuto; olha para a frente e, no retrovisor, avista os olhos do motorista, que olha para ele. O carro sai e ele ainda tem tempo de dar uma olhadela para sua casa: na esquina da rua fica o bar aonde costumava ir, e na frente dele brincam umas garotinhas; num carro estacionado, uma moça bonita liga o rádio. No mundo exterior, a vida continua como se nada houvesse, tudo se passa normalmente, mas ele está na radiopatrulha, preso.

Toda a encenação é subjetiva: assim, passaram-lhe algemas que o prendem ao pulso de quem o acompanha; durante o trajeto da delegacia à prisão, ele muda várias vezes de carcereiro mas, como está envergonhado, olha fixamente para a ponta dos sapatos e se mantém o tempo todo de cabeça baixa, portanto não vemos os seus carcereiros; de vez em quando, uma algema se abre e um novo pulso o dirige; da mesma forma, só vemos durante esse trajeto os pés dos policiais, a parte de baixo das pernas, o chão, a parte de baixo das portas.

Apreciei muito isso mas, no fim das contas, creio que você não está plenamente satisfeito com o resultado final. Considera que *O homem errado* foi um filme que deu certo?

Bem, minha vontade ferrenha de seguir fielmente a história original foi a causa de graves fraquezas na construção. O primeiro ponto fraco é que a história do homem foi interrompida um longo momento pela de sua mulher, que se encaminha para a loucura, e por isso o instante em que chegávamos ao julgamento era antidramático. Em seguida, o julgamento se concluía de forma muito brusca, como aconteceu na vida real.

Meu desejo de me aproximar da verdade foi grande demais e morri de medo de me conceder a licença dramática necessária.

Acho sobretudo que o seu estilo, que chegou à perfeição no campo da ficção, está forçosamente em contradição com a estética do puro documentário. Essa contradição é sensível ao longo de todo o filme. Você estilizou os rostos, os olhares e os gestos; ora, a realidade jamais é estilizada. Você dramatizou fatos reais e isso retirou-lhes toda a realidade. Não acha que a contradição de *O homem errado* reside nesse ponto?

Mas você deve se lembrar de que *O homem errado* foi feito como um filme comercial.

Naturalmente, mas não estou longe de pensar que esse filme seria mais comercial se tivesse sido realizado por outra pessoa, por um diretor talvez menos dotado e menos minucioso, e que não conhecesse nenhuma das leis relativas à participação do público. Seria um filme totalmente diferente,

O ROSTO DE MANNY BALESTRERO É SOBREPOSTO PELA FIGURA DO VERDADEIRO ASSASSINO.

ENQUANTO ISSO, ROSE, A MULHER DE MANNY, SE ENCAMINHA PARA A LOUCURA. *O HOMEM ERRADO*, 1957.

OFFICES

O CASAL BALESTRERO
NO ESCRITÓRIO
DO ADVOGADO.

O RÉU VERDADEIRO
E O FALSO SE CRUZAM
NUM CORREDOR
DA DELEGACIA.
O HOMEM ERRADO,
1957.

tratado num estilo bem neutro, como um documentário. Espero que não o aborreça ao dizer isso...

Não, não, não discordo de você, mas é bastante complicado analisar. Quando você conta uma história cujo valor humano é tão grande, talvez devesse, então, fazê-lo sem atores?

Não necessariamente. Henry Fonda estava perfeito, muito neutro e tão verdadeiro quanto alguém que você encontrasse na rua. A direção é que está em questão. Você tenta provocar a identificação do público com Henry Fonda mas, quando ele entra na cela, você mostra as paredes que rodam diante da câmera; é um efeito antirrealista, ao passo que, se víssemos apenas Fonda sentar-se num banquinho, parece-me que acreditaríamos mais.

Mas talvez não tivesse interesse.

Francamente, não creio, pois se trata de um crime que tem sua força própria. Quem sabe não seria possível filmá-lo de modo mais neutro, com a câmera na altura de um homem, como um documentário, como uma reportagem jornalística?

Mas, me diga, você quer me fazer trabalhar para os cinemas de arte?

Não, claro, desculpe por ter insistido. Você conseguiu muito bem integrar em *Janela indiscreta* detalhes inspirados pelo "caso Crippen" e pelo "caso Patrick Mahon", mas, sinceramente, creio que um material cem por cento real não é um bom material para você.
Ah! estou de acordo, não era um filme para mim. A indústria atravessava um momento de crise e, como eu havia trabalhado diversas vezes para a Warner Bros, fiz esse filme para eles, sem salário. Era propriedade deles.
Repare que, se critico esse filme de que gosto muito, é adotando o seu ponto de vista, porque você me convenceu de que os melhores filmes de Hitchcock são os que obtêm mais sucesso.

É normal: você trabalha fazendo com que as reações do público sejam parte dos seus filmes. Gosto muito de certas cenas de *O homem errado*, especialmente a segunda cena no escritório do advogado, quando ele conversa com o casal. Na primeira cena com esse advogado, tínhamos visto Henry Fonda um tanto prostrado e Vera Miles muito animada, quase tagarela. Sentia-se até que seu zelo irritava o advogado. Na segunda cena, Henry Fonda se defende mais energicamente do que na primeira vez, o próprio advogado está mais otimista, mas agora Vera Miles está completamente prostrada. Não ouve o que lhe dizem. Henry Fonda não repara nessa mudança porque vê sua mulher todo dia, mas lemos a surpresa, e depois a aflição, no rosto do advogado sentado atrás da mesa. Ele se levanta, dá a volta na sala, passa atrás de Fonda e Vera Miles, e deciframos claramente em seu rosto todo o caminho de seu pensamento; para ele, não há a menor dúvida de que a mulher de seu cliente está enlouquecendo, e pensamos: puxa, de fato, o advogado tem razão, ela está enlouquecendo. Compreende-se tudo isso enquanto o diálogo prossegue, insignificante. Eis, portanto, uma cena magnífica de puro cinema, uma cena especificamente hitchcockiana, mas aqui estamos em pleno cinema de ficção, e não mais no clima de um crime fielmente reconstituído.
Sim, está certo, classifiquemos este filme entre os "maus Hitchcock".
Não... Não creio... Gostaria que você o defendesse...
Impossível, meus sentimentos não são suficientemente fortes para isso. Eu sentia muito bem o início do filme por causa de meu próprio medo da polícia, e também gostava do momento em que o verdadeiro culpado é descoberto, enquanto Fonda está rezando; sim, eu gostava dessa coincidência irônica, e por último do instante em que os dois homens se cruzam no fundo do corredor da delegacia.
***Um corpo que cai* é tirado de um romance de Boileau e Narcejac, que se intitula *D'entre les morts* e foi escrito especialmente para você, para que o adaptasse para o cinema.**
Mas já era um livro antes que comprassem os direitos para mim...
Sim, mas esse livro foi escrito especialmente para você.
Acha mesmo? E se eu não o tivesse comprado?
Teria sido comprado na França por causa do sucesso de *As diabólicas*. Boileau e Narcejac escreveram quatro ou cinco romances construídos sobre o mesmo princípio, e quando souberam que você teria gostado de comprar os direitos de *As diabólicas*, puseram-se a trabalhar e escreveram *D'entre les morts*, que a Paramount logo comprou para você.* O que mais o interessava em tudo isso?
O que mais me interessava eram os esforços feitos por James Stewart para recriar uma mulher, a partir da imagem de uma falecida.

* Scottie (James Stewart), ex-inspetor afastado da polícia por ter propensão a sofrer de vertigens, é encarregado por um de seus velhos amigos de vigiar a belíssima mulher dele, Madeleine (Kim Novak), cujo estranho comportamento leva a temer-se um suicídio. Ele vigia a mulher, segue os passos dela, salva-a de um afogamento voluntário, apaixona-se por ela mas, devido à vertigem, não consegue impedir que ela se jogue do alto de um campanário.
Sentindo-se responsável por sua morte, é vítima de uma depressão nervosa, depois retoma uma vida normal, até o dia em que encontra na rua a sósia de Madeleine. A moça diz chamar-se Judy, mas ficamos sabendo que é mesmo Madeleine. Na verdade ela não era mulher, mas amante do amigo de Scottie, e quem foi jogada do alto do campanário, já morta, foi a mulher legítima.
Os amantes diabólicos haviam montado essa manobra para dar sumiço na importuna, aproveitando-se da enfermidade de Scottie, que o impediria de seguir Madeleine até o alto do campanário.
Quando, no final, Scottie compreende que Judy é Madeleine, arrasta-a à força para o campanário, enfrenta a própria vertigem, vê a moça aterrorizada cair no vazio — de tão transtornada — e vai embora, se não feliz, pelo menos livre.

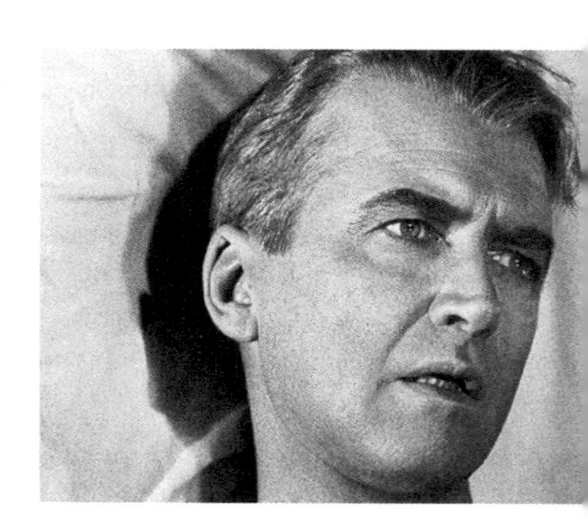

Como você sabe, há duas partes nessa história. A primeira vai até a morte de Madeleine, a queda do alto do campanário, e a segunda começa quando o protagonista encontra a moça morena, Judy, que parece Madeleine. No livro, no início da segunda parte o protagonista encontra Judy e a obriga a ficar mais parecida com Madeleine. É só no fim que ficamos sabendo, ao mesmo tempo que ele, que se tratava da mesma mulher. É a surpresa final. No filme, procedi de outro jeito. Quando Stewart encontra a moça morena, e tem início a segunda parte, resolvi revelar a verdade imediatamente, mas só para o espectador: Judy não é uma moça parecida com Madeleine, é a própria Madeleine. Ao meu redor, todos eram hostis a essa mudança, pois pensavam que essa revelação só devia ser feita no fim do filme. Imaginei-me como um garotinho sentado no colo da mãe que lhe conta uma história. Quando a mamãe para de contar, o menino pergunta, invariavelmente: "E o que acontece depois, mamãe?". Achei que, na segunda parte do romance de Boileau e Narcejac, quando o sujeito encontra a morena, tudo se passava como se depois nada acontecesse. Com a minha solução, o garotinho sabe que Madeleine e Judy são uma única e mesma mulher, e agora ele pergunta à mãe: "E aí, James Stewart não sabe?". "Não."

Eis-nos mais uma vez diante de nossa alternativa de praxe: suspense ou surpresa? Agora, temos a mesma ação que no livro; Stewart, durante certo tempo, vai acreditar que Judy é mesmo Madeleine, depois se conformará com a ideia contrária, contanto que Judy aceite se parecer, nos mínimos detalhes, com Madeleine. Mas, de seu lado, o público já recebeu a informação. Portanto, criamos um suspense baseado nessa interrogação: como James Stewart reagirá quando descobrir que ela mentiu e que é de fato Madeleine?

O DETETIVE SCOTTIE (JAMES STEWART) E OS DOIS PAPÉIS DE KIM NOVAK: MADELEINE E JUDY, A LOURA E A MORENA DE *UM CORPO QUE CAI* (1958).

Esse é o nosso pensamento principal. Acrescento que existe no filme um interesse extra, pois você observa a resistência de Judy em se tornar Madeleine. No livro, você tinha uma moça que não queria se deixar transformar, e só. No filme, você tem uma mulher que se dá conta de que aquele homem a desmascara pouco a pouco. Isso, quanto à trama. Há outro aspecto, que chamarei de "sexo psicológico", e que é, aqui, a vontade que anima esse homem de recriar uma imagem sexual impossível; para dizer as coisas simplesmente, esse homem quer se deitar com uma falecida, é pura necrofilia.

Justamente as cenas que prefiro são aquelas em que James Stewart leva Judy ao costureiro para lhe comprar um tailleur idêntico ao que Madeleine usava, o cuidado com que escolhe os sapatos dela, como um maníaco...

É a situação fundamental do filme. Todos os esforços de James Stewart para recriar a mulher são mostrados, cinematograficamente, como se ele procurasse despi-la em vez de vesti-la. E a cena que eu sentia mais profundamente era quando a moça voltava, depois de ter tingido de louro o cabelo. James Stewart não fica totalmente satisfeito, porque ela não prendeu os cabelos num coque. O que isso significa? Significa que ela está quase nua diante dele mas ainda se nega a tirar a calcinha. Então James Stewart mostra-se suplicante e ela responde: "Ok, tudo bem", e volta para o banheiro. James Stewart espera. Espera que, desta vez, ela volte nua, pronta para o amor.

Eu não tinha pensado nisso, mas o primeiro plano de James Stewart esperando que ela saia do banheiro é maravilhoso. Ele está quase com lágrimas nos olhos.

Você lembra que, na primeira parte, quando James Stewart seguiu Madeleine no cemitério, os planos que fiz dela a tornaram bastante misteriosa, pois os filmávamos com filtros de névoa. Obtínhamos assim um efeito colorido verde por cima do brilho do sol. Mais tarde, quando Stewart encontra Judy, escolhi que ela morasse no Empire Hotel, em Post Street, porque na fachada desse hotel há um luminoso de neon verde que pisca o tempo todo. Isso me permitiu provocar sem artifício o mesmo efeito de mistério na moça: quando ela sai do banheiro, está iluminada pelo neon verde, realmente volta do meio dos mortos. Em seguida passamos de novo para Stewart, que olha para ela, e de novo para a moça, mas dessa vez filmada normalmente, pois Stewart voltou

MADELEINE TENTA SE AFOGAR, MAS É SALVA PELO INSPETOR, QUE A LEVA PARA CASA. *UM CORPO QUE CAI*, 1958.

à realidade. Em todo caso, por um instante James Stewart sentiu que Judy era mesmo Madeleine e ficou atordoado, até descobrir o medalhão, que o convenceu. Então, compreendeu que o tinham enganado.

Todo esse aspecto erótico do filme é apaixonante. Penso em outra cena, no início, depois que James Stewart salva Kim Novak, que se jogou na água. Encontramo-la de novo na casa de James Stewart, deitada e nua na cama. Só então ela volta a si e isso nos prova que ele a despiu, que a viu nua, sem que nada disso seja mencionado no diálogo. O resto da cena é excelente, quando Kim Novak caminha vestindo o robe de Stewart, quando vemos seus pés nus correndo em cima do carpete, quando ela vai se sentar diante da lareira e James Stewart passa e repassa atrás dela... Há em *Um corpo que cai* uma certa lentidão, um ritmo contemplativo que não encontramos em seus outros filmes, no mais das vezes construídos sobre a rapidez, a fulgurância.

Exato, mas esse ritmo é perfeitamente natural, já que contamos a história do ponto de vista de um homem que é emotivo.

Gostou do efeito de distorção, quando Stewart olha para o vão da escada do campanário? Sabe como isso foi feito?

Pensei que fosse um travelling para trás combinado com um efeito de zoom-in, é isso?

É isso mesmo. Já ao filmar *Rebecca*, quando Joan Fontaine deve desmaiar, eu queria mostrar que ela tem uma sensação estranha, que tudo se afasta antes de sua queda. Ainda me lembrava de uma noite em que, no baile do Chelsea Art, no Albert Hall de Londres, eu tinha tomado um pileque colossal e tido essa sensação; tudo se afastava de mim, muito longe. Quis obter esse efeito em *Rebecca*, mas em vão, pois o problema é o seguinte: como o ponto de vista permanece fixo, a perspectiva deve se alongar. Pensei nesse problema durante quinze anos. Quando tornei a pedir esse efeito em *Um corpo que cai*, resolveram o problema usando o dolly e o zoom, simultaneamente. Perguntei: "Quanto isso vai me custar?". "Cinquenta mil dólares." "Por quê?" "Porque temos de pôr a câmera lá no alto da escada e improvisar todo um sistema para elevar a câmera, mantê-la no vazio, criar um contrapeso etc." Então eu disse: "Não há personagem nessa cena, é um ponto de vista. Por que não construir um vão de escada em maquete, colocá-lo horizontalmente no chão e fazer deitados nossas tomadas travelling-zoom?". Isso custou apenas dezenove mil dólares.

JAMES STEWART NA ESCADARIA VERDADEIRA; E A MESMA ESCADA NA MAQUETE "VERTIGINOSA".

UM CORPO QUE CAI: KIM NOVAK SEM SUTIÃ?

Ah, é? Mesmo assim!... Tenho a impressão de que você gosta muito de *Um corpo que cai*.

Constrange-me o furo que há no relato. O homem, o marido que jogou o corpo de sua mulher do alto do campanário, como podia saber que James Stewart não ia subir as escadas? Porque sofria de vertigens? Mas isso ninguém podia garantir!

É verdade, mas eu imaginava que você aceitasse muito bem esse postulado... O filme, creio, não foi um sucesso nem um fracasso?

Cobrirá os gastos.

Para você, portanto, é um fracasso?

Imagino que sim. Você sabe que uma de nossas fraquezas, quando um de nossos filmes não vai bem, é acusar o departamento comercial. Então, para respeitar o costume, acusemos o departamento comercial e digamos: "Venderam mal o nosso filme!".

Você sabe que eu tinha concebido *Um corpo que cai* para Vera Miles, tínhamos feito testes conclusivos e todos os figurinos eram feitos para ela.

A Paramount não quis?

A Paramount estava de acordo. Mas ela simplesmente engravidou, logo antes de filmar o papel que ia transformá-la numa estrela. Depois perdi meu interesse por ela, não havia mais ritmo.

Sei que, em muitas entrevistas, você se queixou de Kim Novak, mas mesmo assim acho-a perfeita no filme. Ela correspondia muito bem ao papel, basicamente por seu lado passivo e bestial.

A sra. Novak chegou ao set com a cabeça cheia de ideias que, infelizmente, para mim era impossível partilhar. Jamais contrario um ator durante as filmagens, a fim de não envolver os eletricistas nessas histórias. Fui encontrar a sra. Novak no camarim e lhe expliquei os vestidos e os penteados que ela devia usar: aqueles que eu tinha previsto vários meses antes. Fiz com que entendesse que a história de nosso filme me interessava muito menos do que o efeito final, visual, do ator na tela, no filme concluído.

Todas essas dificuldades prévias o levam a ser injusto com o resultado, pois lhe garanto que todos os que admiram *Um corpo que cai* gostam de Kim Novak no filme. Não é todo dia que se vê na tela uma atriz americana tão sensual. Quando é encontrada na rua, como Judy, com sua cabeleira ruiva e sua maquiagem, passa uma imagem animal, e também provavelmente porque estava sem sutiã...

De fato, ela não usa, e aliás vive se gabando disso.

Antes de filmar *Intriga internacional*, você preparou, depois abandonou, um projeto de filme sobre o naufrágio de um navio?

Era *O naufrágio do* Mary Deare. Eu tinha começado a trabalhar nesse projeto com Ernest Lehman e achamos que não seria bom. Esse tema pertence a um tipo de histórias muito difícil de dominar. Existe uma famosa lenda chamada "O mistério do *Marie-Céleste*". Conhece? A ação supostamente se passa em meados do século XIX. Um navio é descoberto no Atlântico em plena navegação. Não há nenhum homem a bordo, nenhum vestígio... o mar está calmo. Pessoas sobem nesse navio e verificam que os botes de salvamento desapareceram, que o forno ainda está quente, encontram restos de uma refeição recente, mas nenhum sinal de vida.

Por que é impossível filmar essa história? Porque ela é forte demais no início. Há tanto mistério desde o começo que, quando enfim temos de explicar esse mistério, chegamos a algo muito pesado e que não consegue, em nenhuma hipótese, estar à altura das cenas de abertura...

Entendo o que quer dizer...

... Enfim, um escritor, Hammond Innes, escreveu o romance *The wreck of the* Mary Deare. Um cargueiro que atravessa o canal da Mancha com um só homem a bordo, que alimenta o forno de carvão. Dois marinheiros conseguem abordar o navio... Em suma, o extraordinário é isso: um navio misterioso com um só homem a bordo. Quando você começa a explicar tudo, a coisa fica muito banal e o público está no direito de se perguntar por que não lhe mostramos os fatos que precederam o início do filme. Abrir uma história com esse mistério equivale a fornecer de imediato o seu clímax. Eu tinha um contrato com a Metro para fazer esse filme, e disse a eles: "Essa história não vai funcionar, vamos fazer outra coisa". Então nos dirigimos, a partir de nada, para *Intriga internacional*. Quando se começa a trabalhar num projeto e a coisa não funciona, a sabedoria consiste em abandoná-lo pura e simplesmente.

Acho que isso aconteceu com você várias vezes... Com um filme na África...

Eu tinha comprado uma história, *A pluma do flamingo*, escrita por um diplomata da África do Sul, o holandês Laurens Van der Post. Era a história de acontecimentos misteriosos que se passavam na África do Sul contemporânea. Havia uma profusão de personagens envolvidos, e a coisa se concluía por uma concentração de nativos que faziam um aprendizado secreto sob a direção de agentes russos. Fui à África do Sul estudar as possibilidades de filmagem e descobri que era impossível conseguir cinquenta mil nativos. Perguntei: "Como se filmou *As minas do rei Salomão?*". Responderam-me: "Com umas poucas centenas de nativos", e fiquei sabendo, além disso, que os figurinos tiveram de ser mandados de Hollywood. Então insisti: "Por que eu não poderia conseguir cinquenta mil nativos?". Responderam-me: "Os nativos trabalham nas plantações de abacaxi e em outras tarefas, e é impossível suspender o trabalho deles por causa de um filme". Em seguida olhei a paisagem, em Natal, o vale das Mil Montanhas, e disse: "Mas temos a mesma coisa a cem quilômetros de Los Angeles".No fim, eu fiquei tão desapontado que abandonei essa ideia.

Mas, a propósito, o aspecto político do filme não o teria incomodado?

Teria.

Porque você sempre evitou a política em seus filmes...

O público não se interessa por política no cinema. Como você explica que quase todos os filmes que tratam de política, da Cortina de Ferro, foram um fracasso?

Talvez fossem filmes de propaganda, ingênuos demais?

Mas houve diversos filmes sobre Berlim Oriental e Berlim Ocidental. Carol Reed fez *O outro homem* [*The man between*]. Elia Kazan, *Os saltimbancos* [*The man on the tight rope*], a Fox fez com Gregory Peck um filme sobre o filho de um homem de negócios capturado pelos alemães orientais, e ainda *Ilusão perdida* [*The big lift*], com Montgomery Clift. Nenhum desses filmes fez sucesso.

INTRIGA INTERNACIONAL (1959): UM DOS MAIORES SUCESSOS DE HITCHCOCK.

Podemos supor que o público não gosta da mistura de realidade e ficção. Nesse caso, nada é melhor do que um bom documentário...

Tenho, porém, uma ideia para um bom suspense político sobre a Guerra Fria. Um americano que conhece russo perfeitamente cai de paraquedas na Rússia de hoje, mas por acaso o homenzinho que o auxiliava no avião cai ao mesmo tempo e os dois descem no mesmo paraquedas. O primeiro está com os documentos perfeitamente em ordem, fala russo fluentemente e pode muito bem ser confundido com um russo. Mas tem a seu lado um pequeno americano que não fala uma palavra de russo, não tem documentos e, a partir daí, começa uma história em que cada segundo é um suspense.

Imagino que uma das primeiras soluções para o homem que está em ordem é fingir que o companheiro é seu irmão mais moço, mudo de nascença?

Certamente, isso servirá por algum tempo. O grande interesse do filme é que terá diálogos em um russo impecável, é claro, e que o segundo personagem nos será utilíssimo pois perguntará o tempo todo, em inglês: "O que foi que eles disseram? O que foi que eles fizeram?". Esse pequeno personagem veiculará a narrativa.

Ah, sim! muito astucioso!

Mas jamais conseguiremos a autorização para filmá-lo!

Nas diversas vezes em que tivemos ocasião de mencionar *Intriga internacional*, você aceitou a ideia de que esse filme era um pouco o resumo de sua obra americana, assim como *Os 39 Degraus* era o de sua obra inglesa. Seus filmes de peripécias são difíceis de resumir, e nesse caso, é praticamente impossível...*

Ah, sim! Vou lhe contar um incidente engraçado: na primeira parte, coisas de todo tipo acontecem com o personagem numa rapidez desconcertante e ele não entende rigorosamente nada do que está acontecendo. Ora, um dia Cary Grant veio me ver e disse: "Acho esse roteiro pavoroso, pois já filmamos a primeira terça parte do filme, acontecem coisas de todo tipo, e não entendo de jeito nenhum do que se trata".

* Portanto aqui está, mais que um resumo da ação, o princípio do roteiro de *Intriga internacional*. Um serviço americano de contraespionagem precisa inventar um agente que não existe. Ele tem uma identidade, Kaplan, um apartamento num hotel, roupas, mas não tem existência concreta. Quando, por acaso e por engano, o publicitário Cary Grant é identificado por espiões como sendo esse Kaplan que procuram, não consegue de jeito nenhum se explicar diante dessa gente, muito menos diante da polícia. E viverá aventuras de todo tipo, perigosas e divertidas, antes de encontrar a felicidade ao lado de Eva Marie-Saint, a sedutora agente dupla.

Ele não entendia o roteiro?
É, mas sem se dar conta dizia isso empregando uma frase do diálogo!
A propósito, eu pretendia justamente lhe perguntar se às vezes lhe acontece colocar uma cena de diálogo absolutamente inútil, com a ideia de que as pessoas não a escutarão?
E por que isso, santo Deus?
Seja para permitir que o público descanse entre dois momentos de tensão, seja talvez para resumir um pouco a situação, pensando nos espectadores que não puderam ver o início do filme.
Ah! isso é uma boa coisa, pela segunda razão, e data da época de Griffith. Ele colocava uma legenda narrativa bastante longa, geralmente após um terço do filme, para resumir tudo o que tinha acontecido desde o início, para os espectadores que haviam chegado atrasados.
Em *Intriga internacional*, o equivalente desse resumo se situa no fim da segunda terça parte, é a cena de diálogo no aeroporto, na qual Cary Grant conta a Leo G. Carroll, o chefe da contraespionagem, tudo o que aconteceu com ele desde o início do filme?
Exatamente, e essa cena tem duas funções: primeiro, esclarecer e resumir a ação para o público; segundo, o chefe da contraespionagem revelar a Cary Grant, que terminou de lhe contar tudo, o outro aspecto do mistério, e lhe explicar por que a polícia não pode fazer nada para ajudá-lo.
Mas isso nós não ouvimos, pois você abafa com os ruídos de motores de aviões.
Não precisávamos ouvir isso pois já sabíamos de que se tratava; lembre-se da grande cena de explicação entre o pessoal da contraespionagem, quando ficou decidido que não deviam socorrer Cary Grant, sob pena de despertarem a desconfiança dos espiões.
Eu me lembro. Mas o recurso aos roncos de aviões deve ter outra vantagem, a de nos fazer perder a noção do tempo: o chefe da contraespionagem conta a Cary Grant em trinta segundos um relato que, na realidade, duraria pelo menos três minutos.
Isso mesmo, faz parte do jogo com o tempo. Nada foi deixado ao acaso nesse filme e é por isso que, a certa altura, tive de levantar a voz. Nunca tinha trabalhado para a MGM antes e, quando a montagem ficou pronta, fizeram muita pressão para que eu cortasse um episódio lá pelo final, e recusei.
Que episódio?
Imediatamente depois da cena da cafeteria, de onde se podia ver de binóculo o monte Rushmore. Você lembra que Eva Marie-Saint atirou em Cary Grant. Na verdade, ela fingiu matá-lo para salvar a vida dele. Na cena seguinte, eles estão no bosque, é essa cena aí...
Quando os dois carros se encontram? É uma cena indispensável...
Indispensável, porque é a primeira vez que ele e ela se juntam, desde que Cary Grant teve a revelação de que Eva Marie-Saint era a amante de James Mason, e é nessa cena que ficamos sabendo que na verdade ela trabalha para o governo. Meu contrato tinha sido feito por meus agentes da MCA e, ao relê-lo, percebi que, sem que eu tivesse pedido nada, meu agente tomara a precaução de introduzir uma cláusula que me dava o controle artístico total do filme, fosse qual fosse o custo, a duração,

O PUBLICITÁRIO ROGER TORNHILL (CARY GRANT), ACUSADO DE VÁRIOS CRIMES, SE METE EM AVENTURAS DE TIRAR O FÔLEGO PARA FUGIR DE UMA ORGANIZAÇÃO CRIMINOSA. *INTRIGA INTERNACIONAL*, 1959.

o que quer que acontecesse. Isso me permitiu dizer muito polidamente ao pessoal da MGM: “Sinto muito, mas esse episódio ficará no filme”.

Parece-me que há muitas trucagens em *Intriga internacional*, muitas trucagens invisíveis, maquetes, cenários falsos...

Tudo o que ocorre na sede da ONU foi reconstituído em estúdio muito fielmente, é cópia exata. Depois de um filme chamado *The glass wall*, Dag Hammarskjöld tinha proibido que se fizessem filmes de ficção utilizando o prédio da ONU. Mesmo assim, fomos até a frente do edifício e, enquanto os guardas vigiavam nosso material, filmamos um plano com uma câmera escondida: Cary Grant entrando no prédio. Haviam nos negado a autorização para fazer fotografias ou planos sem atores, o que nos teria permitido apelar para as retroprojeções. Então escondemos uma câmera na traseira de um caminhão, e assim conseguimos rodar material suficiente para os segundos planos. Em seguida, levei um fotógrafo comigo para dentro do prédio e passeei com ele, como um visitante, dizendo-lhe: “Faça uma foto disto, e agora uma foto da sacada etc.”. Essas fotos em cores permitiram reconstituir os cenários em estúdio. O lugar onde o homem da ONU é apunhalado nas barbas de Cary Grant é a sala de espera dos delegados mas, para não ferir o prestígio da ONU, dizemos no diálogo do filme que é o saguão do público; isso justifica que um homem tenha podido entrar lá com uma faca, mas de qualquer maneira o lugar é real. A questão da autenticidade dos cenários e dos móveis me preocupa muito e, quando não é possível filmar no lugar real, peço que se faça uma documentação fotográfica muito completa.

HITCHCOCK CONSEGUIU FOTOGRAFAR O INTERIOR DO PRÉDIO DA ONU PARA DEPOIS RECONSTITUÍ-LO EM ESTÚDIO E PODER FILMAR O ASSASSINATO DE *INTRIGA INTERNACIONAL*.

CENA INESQUECÍVEL: OS SETE MINUTOS EM QUE CARY GRANT É PERSEGUIDO PELO AVIÃO.

Quando preparamos *Um corpo que cai*, em que James Stewart é um detetive aposentado que fez longos estudos, mandei um fotógrafo a San Francisco dizendo-lhe: "Você vai ver os detetives aposentados, sobretudo os que frequentaram colégios, e fará fotos do apartamento deles".

Em *Os pássaros*, por exemplo, cada habitante de Bodega Bay, homem, mulher, velho, criança, foi fotografado para o departamento de figurinos. O restaurante é uma cópia exata do que existe lá. A casa da professora é uma combinação do apartamento de uma professora real em San Francisco e da casa da professora titular de Bodega Bay, pois lembro-lhe que, no roteiro, trata-se de uma professora de San Francisco que vai lecionar em Bodega Bay. A casa do fazendeiro cujos olhos foram furados pelos pássaros é a cópia fiel de uma casa que existe, a mesma entrada, o mesmo corredor, o mesmo quarto, a mesma cozinha e, atrás da janelinha do corredor, a vista para a montanha é exatamente a mesma.

No fim de *Intriga internacional*, mostramos o esconderijo de James Mason, é uma casa de Frank Lloyd Wright reproduzida em maquete quando a vemos de longe e parcialmente reconstruída quando Cary Grant se aproxima dela e a contorna.

Gostaria que falássemos um pouco da grande cena em que Cary Grant está sozinho no deserto, que começa muito tempo antes da chegada do avião. Essa cena muda dura sete minutos, o que é uma façanha. A do concerto no Albert Hall, em *O homem que sabia demais*, dura dez minutos mas é sustentada pela cantata e pela expectativa de um acontecimento que conhecemos de antemão. Creio que a velha tradição nesse gênero de roteiro teria sido recorrer à montagem acelerada, apresentar uma sucessão de planos cada vez mais curtos, ao passo que aqui eles têm uma duração praticamente idêntica.

Exato, pois nesse caso não se trata de manejar o tempo mas o espaço. A duração dos planos é destinada a indicar as diferentes distâncias que Cary Grant tem de percorrer para se proteger e, sobretudo, para demonstrar

que não consegue fazê-lo. Uma cena desse tipo não pode ser inteiramente subjetiva, pois tudo iria rápido demais. É preciso mostrar a chegada do avião — mesmo antes que Cary Grant o veja — porque, se o plano é rápido demais, o avião não fica tempo suficiente no enquadramento e o espectador não tem consciência do que está acontecendo.

É a mesma coisa em *Os pássaros*, quando Tippi Hedren vai ser bicada na testa por uma gaivota, na canoa; o trajeto da gaivota no enquadramento seria tão rápido que se poderia pensar que é apenas um pedaço de papel que bateu em seu rosto. Se a cena é subjetiva, você mostra a moça no barco, depois mostra para onde ela está olhando, para o ancoradouro por exemplo, e repentinamente alguma coisa bate em sua cabeça; é rápido demais. Então o único jeito é quebrar a regra do ponto de vista; temos de trocar o ponto de vista subjetivo pelo ponto de vista objetivo, ou seja, mostrar a gaivota antes que ela bata na moça, a fim de que o público tome consciência do que está acontecendo.

Com o avião de *Intriga internacional* foi o mesmo princípio, precisávamos preparar o público para a ameaça antes de cada mergulho do avião.

Acho que a utilização da montagem acelerada para ritmar as cenas de ações rápidas, em diversos filmes, não passa de uma escapatória diante das dificuldades, ou até de uma compensação feita na sala de montagem. Volta e meia, o diretor não filmou material suficiente, então o montador dá um jeitinho, usando as "duplicatas" de cada plano e montando-os cada vez mais "curtos", mas não é satisfatório e isso acontece com frequência, por exemplo quando se quer mostrar alguém esmagado por um carro...

Você quer dizer que tudo anda depressa demais e que não dá tempo de entender?

É, em geral, na maioria dos filmes.

Bem, justamente, no meu novo programa de uma hora para a televisão, tenho um acidente de carro que está na base de todo o processo. Então coloquei cinco planos de pessoas que olham o acidente, antes de mostrar o próprio acidente, e em seguida elas ouvem o barulho do acidente, cinco vezes. Depois, filmo o final do acidente, o instante exato em que o homem que estava na motocicleta cai no chão, a motocicleta vira e o carro foge. São momentos em que se deve parar o tempo, dilatar a duração.

É isso. Volto à cena do avião no deserto. O aspecto sedutor dessa cena reside em sua própria gratuidade. É uma cena esvaziada de qualquer verossimilhança e de qualquer significado; praticado dessa maneira, o cinema torna-se de fato uma arte abstrata, como a música. E essa gratuidade que criticam em você costuma fornecer, justamente, o interesse e a força da cena. Está muito bem indicado pelo diálogo quando o camponês, antes de subir no ônibus, diz a Cary Grant, falando do avião que começa a fazer evoluções ao longe: "Ih! Olhe lá um avião que está pulverizando sulfato, e no entanto não há nada para sulfatar...". O avião não está pulverizando nada e você jamais deveria ser criticado pela gratuidade em seus filmes, pois é um adepto da religião da gratuidade, do gosto da fantasia baseada no absurdo.

O fato é que pratico religiosamente esse gosto do absurdo.

Uma ideia como a do avião no deserto não pode germinar na cabeça de um roteirista pois ela não faz a ação avançar, é uma ideia de diretor.

Eis como me veio essa ideia. Quis reagir contra um velho estereótipo:

o homem que se dirige para um lugar onde provavelmente vai ser morto. Bem, nesses casos, o que se costuma fazer? Uma noite em estilo "noir" num cruzamento secundário da cidade. A vítima aguarda, em pé sob o halo de um poste. O calçamento ainda está molhado da chuva recente. Um close-up de um gato preto correndo furtivo por um muro. Um plano de uma janela e, escondido, o rosto de alguém que puxa a cortina para olhar lá fora. A aproximação lenta de uma limusine preta etc. Pensei cá comigo: qual seria o contrário dessa cena? Uma planície deserta, em pleno sol, nem música, nem gato preto, nem rosto misterioso atrás das janelas!

Ainda a respeito de *Intriga internacional* e de minha religião da gratuidade, gostaria de lhe contar uma cena que não consegui inserir mas na qual trabalhei. Sempre no espírito do chocolate na Suíça e dos moinhos na Holanda, lembrei-me de que estávamos a noroeste de Nova York e que uma das etapas do trajeto seria Detroit, onde ficam as grandes fábricas de automóveis da Ford.

Já viu uma linha de montagem?

Ah, não! Nunca!...

É fantástico! Queria filmar uma longa cena de diálogo entre Cary Grant e um contramestre da fábrica diante de uma linha de montagem. Eles andam, conversando sobre um terceiro homem que talvez tenha uma relação com a fábrica. Atrás deles, o automóvel começa a ser montado, peça por peça, e inclusive enchem-se os tanques de óleo e de gasolina;

NOVAS PERIPÉCIAS: CARY GRANT E EVA MARIE-SAINT NO ALTO DO MONTE RUSHMORE, EM *INTRIGA INTERNACIONAL*.

no final do diálogo, olham para o automóvel completamente montado a partir do nada, de um simples pino, e dizem: "Realmente, é fantástico, hein!". E então abrem a porta do carro e cai um cadáver.

É uma ideia genial!

De onde teria caído o cadáver? Não do carro, que no início era uma simples porca! O cadáver caiu do *nada*, entende? E é provavelmente o cadáver do sujeito de quem eles falavam no diálogo.

Aí está a gratuidade absoluta! Deve ser difícil abrir mão de uma ideia dessas. Você desistiu por causa da duração da cena?

Quanto à duração poderíamos dar um jeito, mas realmente não conseguimos integrar essa ideia na história. Uma cena, mesmo gratuita, não pode ser introduzida com uma gratuidade total.

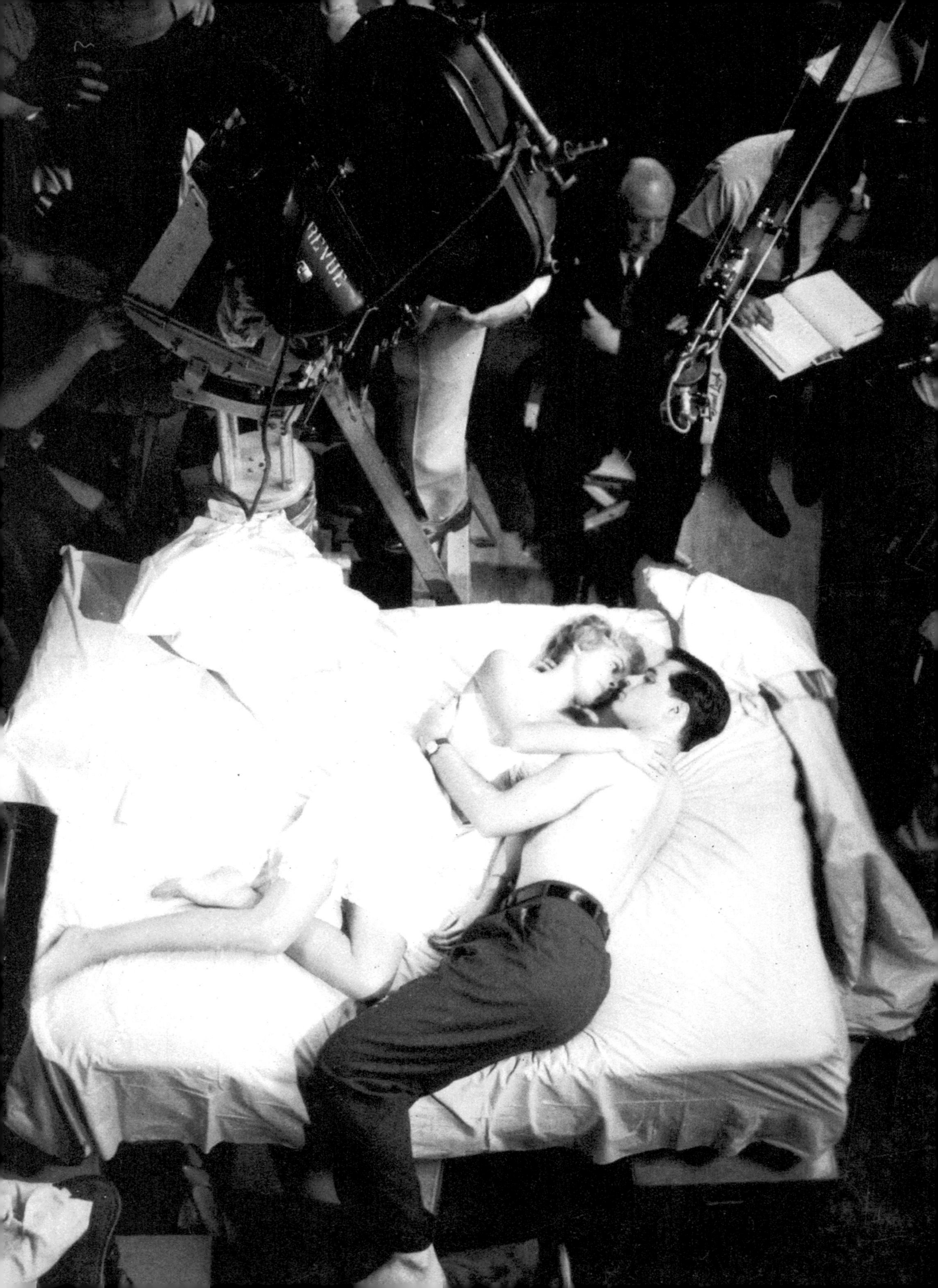
REVUE

13

MEUS SONHOS SÃO MUITO SENSATOS

AS IDEIAS DA NOITE

POR QUE O LONGO BEIJO DE *INTERLÚDIO* E COMO TIVE ESSA IDEIA

UM EXEMPLO DE PURO EXIBICIONISMO

JAMAIS DESPERDIÇAR O ESPAÇO

AS PESSOAS QUE NÃO ENTENDEM NADA DE CRIAÇÃO DE IMAGENS

FAZER O CLOSE-UP VIAJAR

PSICOSE

O SUTIÃ DE JANET LEIGH

UM "ARENQUE VERMELHO"

SOBRE A DIREÇÃO DE ESPECTADORES

O ASSASSINATO DE ARBOGAST

O TRANSPORTE DA VELHA MÃE

AS PUNHALADAS EM JANET LEIGH

OS PÁSSAROS EMPALHADOS

CRIEI UMA EMOÇÃO DE MASSA

PSICOSE PERTENCE A NÓS, CINEASTAS

13 MILHÕES DE DÓLARES DE LUCRO

NA TAILÂNDIA, UM HOMEM EM PÉ

JANET LEIGH E JOHN GAVIN EM *PSICOSE* (1960).

François Truffaut —Alfred Hitchcock, você me disse hoje de manhã que ter remexido em tantas lembranças nestes últimos dias o perturbou um pouco e que seu sono ficou agitado. Por outro lado, vimos que certos filmes, como *Interlúdio*, *Um corpo que cai*, *Psicose*, parecem sonhos. Gostaria de lhe perguntar: você sonha muito?

Alfred Hitchcock — Não muito... às vezes... e meus sonhos são muito sensatos. Num deles, eu me via na Sunset Boulevard, debaixo das árvores, e esperava um táxi amarelo (*yellow cab*) para me levar para almoçar. Não havia táxi amarelo, pois todos os carros que passavam eram de 1916. E pensei: "É inútil ficar mofando aqui à espera de um táxi amarelo, já que estou tendo um sonho de 1916". Então andei até o restaurante.

É realmente um sonho ou uma gag?

Não, não é uma gag, é um sonho.

Então é quase um sonho de época! Você admite que há de fato todo um lado onírico em seus filmes?

São devaneios diurnos.

Talvez isso seja inconsciente em você, e nos leve de novo aos contos de fadas. Filmando o homem sozinho, cercado por coisas hostis, mesmo sem querer você vai parar, automaticamente, no campo do sonho, que é também o da solidão e dos perigos.

É provável que seja eu no interior de mim mesmo.

Sem dúvida, pois a lógica de seus filmes — a qual, como vimos, nem sempre satisfaz os críticos — é um pouco a lógica dos sonhos. Filmes como *Pacto sinistro* ou *Intriga internacional* são sucessões de formas estranhas, como num pesadelo.

Isso vem do fato de que nunca trabalho bem com o que é mediano, jamais me sinto à vontade no banal, no cotidiano.

Exatamente. Não se imagina um filme de Hitchcock em que a morte não tenha nenhum papel. E estou convencido de que você sente profundamente o que filma, o medo, por exemplo...

Ah, sim! Sou uma pessoa muito medrosa. Faço o possível para evitar todo tipo de dificuldades e complicações. Gosto que ao meu redor tudo seja transparente, sem nuvens, perfeitamente calmo. Uma mesa de trabalho bem-arrumada me proporciona uma paz interior. Quando tomo banho num banheiro, recoloco todos os objetos no lugar, depois de usá-los. Não deixo nenhum vestígio de minha passagem. Em mim, essa sensação de ordem acompanha uma clara aversão a qualquer complicação.

É por isso que você se protege tanto. Suas eventuais dificuldades de direção são solucionadas antes da filmagem graças aos desenhos, que evitam os aborrecimentos e as decepções. Jacques Becker dizia a seu respeito: "No mundo todo, Alfred Hitchcock é o diretor que deve ter menos surpresas no visionamento".

É exato, e aliás sempre sonhei em não ir assistir aos visionamentos! Agora, a propósito dos sonhos, preciso lhe contar uma historinha. Havia certa vez um roteirista que sempre tinha suas melhores ideias no meio da noite e, quando acordava de manhã, não conseguia se lembrar delas. Finalmente, pensou: "Vou pôr um papel e um lápis ao lado da cama, e quando a ideia chegar poderei escrevê-la". Então o sujeito se deita e, evidentemente, no meio da noite acorda com uma ideia fantástica; escreve depressa a ideia e readormece todo contente. Na manhã seguinte acorda e, primeiro, esquece que escreveu a ideia. Está se barbeando e pensa: "Ah! essa não! Tive de novo uma ideia fantástica na noite passada mas agora esqueci. Ah! é terrível... Ah! mas que nada, não esqueci, tinha meu lápis e meu papel". Corre até o quarto, apanha o papel e lê: "Rapaz se apaixona por uma moça".

É engraçado... muito bom...

Há nisso uma grande verdade, pois em geral as ideias que achamos fantásticas no meio da noite se revelam lamentáveis na manhã seguinte.

Uma discussão sobre os sonhos a respeito de seus filmes não vai muito longe, creio que é um enfoque que não o interessa muito, então...

Seja como for, o que é certo é que nunca tenho sonhos eróticos!

No entanto, o amor e o erotismo ocupam lugar de destaque no seu trabalho. Não falamos o suficiente do amor em seus filmes. Acho que a partir de *Interlúdio* você foi considerado não só um especialista do suspense, mas também um especialista do amor físico no cinema.

É, havia um aspecto físico nas cenas de amor de *Interlúdio*, e provavelmente você está pensando na longa cena do beijo de Ingrid Bergman e Cary Grant...

É, e se não me falha a memória a publicidade dizia a respeito dessa cena: "O beijo mais longo da história do cinema...".

... Os atores detestaram fazer essa cena, é claro. Sentiam-se tremendamente encabulados e sofriam por terem de se agarrar daquele jeito. Pensei: "Que estejam à vontade ou não, para mim tanto faz; tudo o que me interessa é o efeito que obtivermos na tela".

Imagino que os leitores vão se perguntar por que os dois atores estavam constrangidos ao filmar essa cena. Então vamos esclarecer que você filmava em close-up os rostos colados e que eles deviam cruzar todo o cenário. A dificuldade para eles era andar assim, colados um ao outro, mas isso não era problema seu, pois na tela só devíamos ver os dois rostos. É isso mesmo?

"O BEIJO MAIS LONGO DA HISTÓRIA DO CINEMA", ANUNCIAVA A PUBLICIDADE DE *INTERLÚDIO*.

Exatamente. Essa cena foi concebida para mostrar o desejo que um sente pelo outro e precisávamos evitar, acima de tudo, quebrar o tom, o clima dramático. Se eu tivesse separado um do outro, a emoção teria se perdido. Ora, de fato havia gestos a fazer, eles tinham de andar até o telefone que tocava, continuar se beijando enquanto durasse o telefonema, depois um segundo movimento os levava até a porta. Eu sentia que era fundamental que não se separassem e não interrompessem esse enlace; sentia também que a câmera, representando o público, devia ser admitida como uma terceira pessoa que se juntava àquele longo enlace. Dei ao público o grande privilégio de beijar Cary Grant e Ingrid Bergman juntos. Foi uma espécie de ménage à trois temporário.

Bem, a vontade absoluta de não romper aquela emoção sentimental me foi inspirada por uma lembrança muito instrutiva e que nos leva a muitos anos antes, na França.

Eu estava num trem indo de Boulogne para Paris e atravessávamos Etaples, muito devagar. Era um domingo de tarde; eu via pela janela uma grande fábrica com uma construção de tijolos vermelhos, e um jovem casal encostado no muro; a moça e o rapaz estavam de braços dados e o rapaz mijava contra o muro; a moça não soltou seu braço nem um instante; olhava o que ele fazia, olhava o trem passar, e depois olhava de novo o rapaz. Achei que ali estava, realmente, o verdadeiro amor "trabalhando", o verdadeiro amor que "funciona".

Quem se ama não se separa.

Perfeitamente. Nunca me esqueci disso, e foi assim que soube exatamente o que queria na cena dos beijos de *Interlúdio*.

É muito interessante, e acho que deveríamos falar de como os atores se aborrecem quando têm de filmar cenas desconfortáveis. Tenho a impressão de que muitos cineastas dirigem as cenas em função da verossimilhança do que se vê no cenário por inteiro e não em função da parcela de espaço que se verá no enquadramento, e portanto na tela. Penso nisso com frequência, trabalhando e sobretudo assistindo aos seus filmes, e digo para mim mesmo que talvez o grande cinema, o cinema puro, comece quando a arrumação do plano a ser filmado parece absurda para toda a equipe.

Pois é, exatamente...

Tomemos outro exemplo além do longo beijo de *Interlúdio*: o beijo entre Cary Grant e Eva Marie-Saint no compartimento do trem em *Intriga internacional*. Eles estão encostados na parede, beijam-se, e seus corpos giram sobre si mesmos escorregando contra a parede divisória. Na tela é perfeito, mas na filmagem devia parecer muito irreal.

É, eles rodam diante da parede; é sempre o mesmo princípio: não separar o casal. Creio que há muito a fazer com as cenas de amor. Em geral, trata-se de colar o homem e a mulher um contra o outro, mas seria interessante tentar o contrário e colocar cada um deles numa extremidade do aposento. É impossível fazer isso pois, nesse caso, para que fosse uma cena de amor, eles deveriam se mostrar um ao outro e teríamos uma cena de puro exibicionismo. O normal seria que o homem abrisse a braguilha, ao passo que na frente dele a moça levantaria a saia e, inevitavelmente, o diálogo deveria ser em contraponto; falariam de banalidades, ou então diriam: "O que é que vamos comer esta noite?".

O que nos leva a *Interlúdio*, no qual, enquanto se beijam, falam de comer um frango e de quem lavará a louça etc.

Volto um pouco atrás na conversa, pois você estava prestes a dizer alguma coisa a respeito do realismo do enquadramento e da impressão que se tem no set de filmagem... Eu o interrompi...

Pois é! Concordo com você; muitos cineastas têm na cabeça o conjunto do set inteiro e o clima da filmagem, ao passo que deveriam ter no espírito um único pensamento: o que aparecerá na tela. Como você sabe, nunca olho no visor, mas o câmera sabe direitinho que não quero ar nem espaço em torno dos personagens e que é preciso reproduzir fielmente os desenhos que fizemos. Nunca devemos nos deixar impressionar pelo espaço que existe defronte da câmera, pois temos de levar em conta que, para obter a imagem final, podemos pegar uma tesoura e cortar as sobras, o espaço inútil.

Outro aspecto da questão é que não devemos desperdiçar esse espaço, já que sempre poderemos aproveitá-lo de forma dramática. Por exemplo, em *Os pássaros*, quando as aves atacaram a casa entrincheirada, quando Melanie recuou para o sofá, mantive a câmera bem longe dela, e ali me aproveitei do espaço para indicar o vazio, o nada do qual ela recua. Em seguida fiz uma variante, quando tornei a enquadrá-la e pus a câmera bem no alto, para dar a impressão de que essa angústia subia dentro dela. E por último houve um terceiro movimento, que foi este: no alto e ao redor. Se eu tivesse começado desde o início bem pertinho da moça, teríamos a impressão de que ela recuava diante de um perigo que ela enxergava mas que o público não percebia. Inversamente, eu queria mostrar que ela recuava diante de um perigo que não existia, daí a utilização de todo o espaço na frente dela.

Mas os diretores cujo trabalho consiste simplesmente em situar os atores nos cenários e que colocam a câmera numa distância maior ou menor, dependendo de os personagens estarem sentados, de pé ou deitados, estes confundem as ideias, e o trabalho deles nunca é muito nítido, não expressa nada.

O BEIJO DE CARY GRANT E EVA-MARIE SAINT, NO TREM DE *INTRIGA INTERNACIONAL*.

Portanto, há uma coisa que todo cineasta deveria admitir: é que, para conseguir o realismo no interior do enquadramento previsto, terá eventualmente de aceitar uma grande irrealidade do espaço em torno; por exemplo, o close-up de um beijo de dois personagens que supostamente devem ficar em pé talvez seja obtido colocando-se os dois personagens ajoelhados em cima de uma mesa de cozinha.

Talvez. E talvez seja preciso fazer a mesma coisa com a mesa, que vamos levantar uns dezoito centímetros a fim de que ela entre no enquadramento. Você quer mostrar um homem que se mantém de pé atrás de uma mesa? Pois bem! Quanto mais nos aproximarmos desse homem, mais será preciso elevar a mesa, se desejarmos conservá-la na imagem. Naturalmente, há diretores que não pensam nisso e deixam a câmera bem longe para que se conserve a mesa na imagem; pensam que, na tela, tudo deve ser exatamente como no cenário.

Aqui você toca num ponto muito importante, um ponto fundamental. A arrumação das imagens na tela com o intuito de expressar alguma coisa nunca deve ser prejudicada por algum elemento factual. Em nenhum momento. A técnica cinematográfica permite conseguir tudo o que se deseja, realizar todas as imagens que previmos, portanto não há nenhuma razão para se desistir ou para se instalar no compromisso entre a imagem prevista e a imagem obtida. Se nem todos os filmes são rigorosos, é porque há em nossa indústria muita gente que não entende nada de "criação de imagens".

O termo "criação de imagens" convém muito bem a esta discussão. Digamos que o trabalho do diretor que quer dar uma impressão de violência não é filmar a violência, mas filmar qualquer coisa, contanto que isso transmita uma impressão de violência. Como exemplo, penso numa das primeiras cenas de *Intriga internacional*, quando os vilões, num salão, começam a maltratar Cary Grant. Se olhamos a cena em câmera lenta na telinha da mesa de montagem, vemos muito bem que os vilões não fazem rigorosamente nada contra Cary Grant. E no entanto, na tela do cinema a sequência dos fotogramas bem juntinhos e dos pequenos deslocamentos da câmera dá uma impressão de brutalidade e violência.

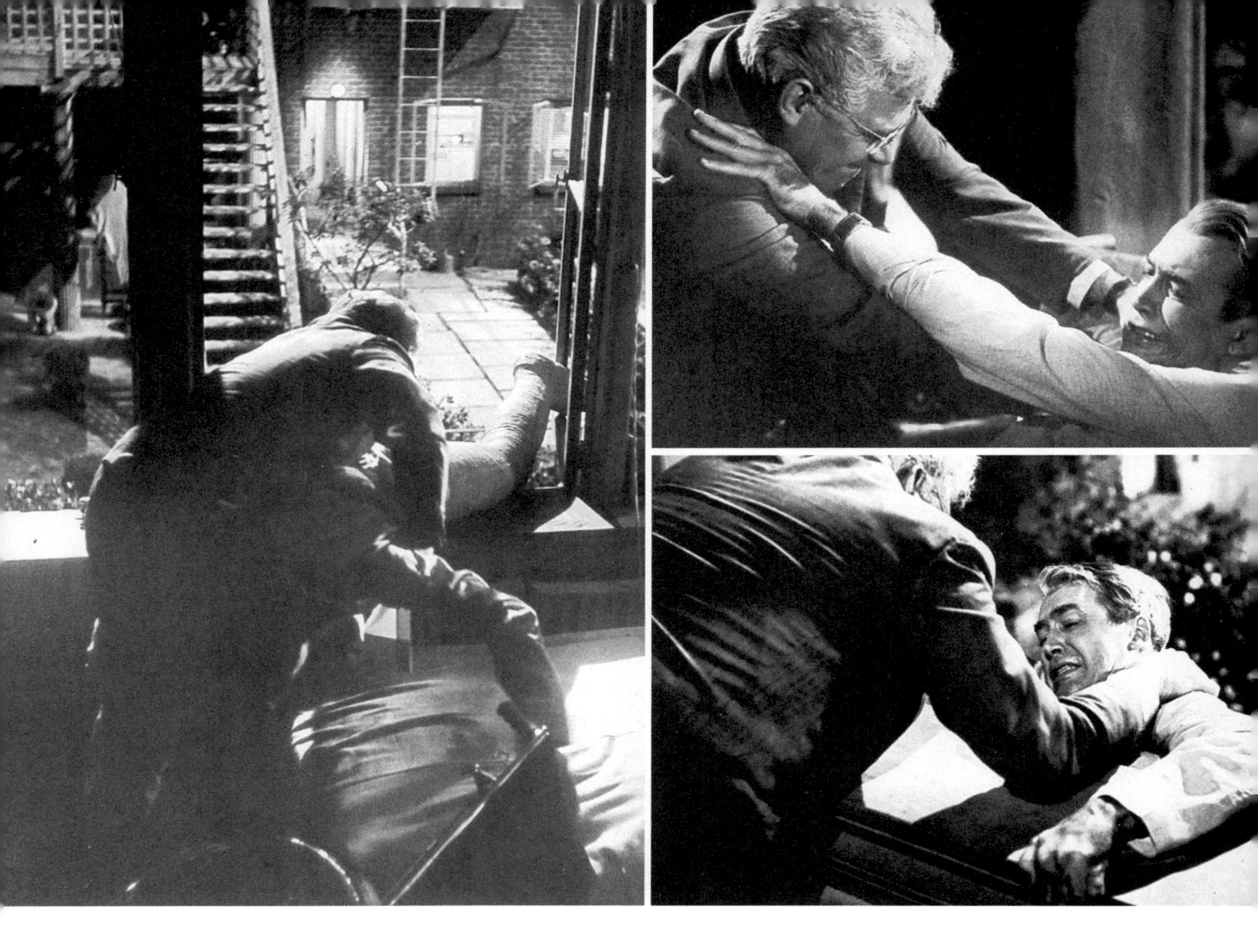

Há um exemplo ainda mais flagrante do que esse em *Janela indiscreta*, quando o homem entra no quarto para jogar James Stewart pela janela. Primeiro filmei a coisa completa, por inteiro, de modo realista. Era fraco, não rendia nada. Então filmei o close-up da mão que se agita, close-up do rosto de Stewart, close-up das pernas, close-up do assassino, e em seguida dei ritmo a tudo isso; a impressão final foi correta.

Agora, busquemos uma analogia na vida: se você está bem perto de um trem que avança na sua direção, fica apavorado, não fica? A emoção quase o derruba. Se olhar o mesmo trem a um quilômetro de distância, não sentirá nada. Então, se quiser mostrar dois homens lutando entre si, você não conseguirá nada que preste se fotografar simplesmente essa luta. No mais das vezes a realidade fotografada torna-se irreal. O único jeito é entrar na briga para que o público a sinta, e aí então você conseguirá a verdadeira realidade.

Parece-me que em geral, no tipo de cenas em que se visa obter a realidade final por meio da irrealidade na filmagem, há um princípio que consiste em fazer o cenário se mexer atrás dos atores.

É possível, mas não é uma regra. Eu diria que isso depende do tipo de movimento que você estabelece para os atores. Eu ficaria contentíssimo em deixar os planos fixos criarem o movimento. Em *Sabotagem*, por exemplo, quando o menino estava no ônibus, tendo colocado a bomba

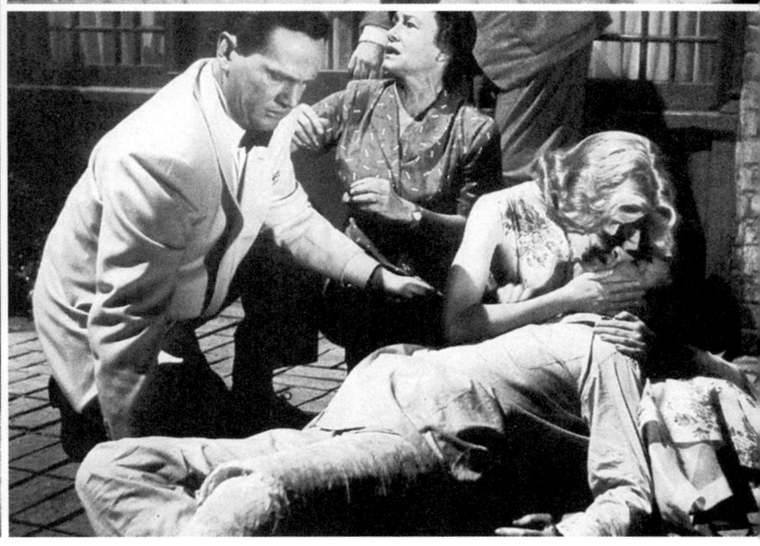

UM EXEMPLO DE CENA MOVIMENTADA E RITMADA PELA MONTAGEM, EM *JANELA INDISCRETA*.

ao lado de si, toda vez que eu mostrava a bomba eu a filmava de um ângulo diferente, para dar vitalidade ao objeto, para animá-lo. Se tivesse mostrado a bomba o tempo todo sob o mesmo ângulo, o público teria se acostumado com aquele embrulho: "Ora essa! Afinal de contas, é só um embrulho", mas eu queria lhe dizer: "Não é, não! Veja! Tome cuidado, preste atenção!".

Da mesma maneira, para voltar ao exemplo do trem, quando você o mostra do exterior, a câmera está presa no trem, dependente dele, e não fincada no campo, do lado de fora. Evidentemente lembro de *Intriga internacional*.

A câmera fincada no campo e filmando o trem que passa nos daria apenas o famoso ponto de vista de uma vaca olhando um trem passar. De fato, esforcei-me para manter o público no trem, junto com o trem, e todos os planos gerais do trem foram filmados como de uma janela sempre que a via férrea fazia uma curva. Pusemos três câmeras em cima de uma plataforma engatada no trem, o Twenty Century Ltd., e percorremos exatamente o trajeto do filme, nas horas exatas em que se passa a ação. Uma das câmeras estava destinada aos planos gerais do trem nas curvas, e as duas outras, ao material dos segundos planos.

A sua técnica é totalmente subordinada à eficácia dramática, é de certo modo uma técnica de acompanhamento dos personagens.

Justamente, já que estamos falando de movimentos de câmera e de decupagem em geral, há um princípio que para mim é essencial: quando um personagem que estava sentado se levanta para andar por um aposento, sempre evito mudar de ângulo ou recuar a câmera. Sempre inicio o movimento com um close-up, o mesmo close-up que usava quando ele estava sentado. Na maioria dos filmes, se nos mostram dois personagens conversando, temos close-up de um, close-up de outro, close-up de um, close-up de outro e, abruptamente, um plano geral para permitir que um dos personagens se levante e circule. Acho que fazer isso é um erro.

Também acho, porque nesse caso a técnica precede a ação, em vez de acompanhá-la, e o público consegue adivinhar que um dos personagens vai se levantar... Em outras palavras, nunca se deve mudar o lugar da câmera com o objetivo de favorecer a apresentação do que vem em seguida...

Exatamente, porque isso distende a emoção, e estou convencido de que é ruim. Se um personagem se mexe e queremos conservar a emoção em seu rosto, é preciso fazer o close-up viajar.

Antes de abordarmos *Psicose*, gostaria de lhe perguntar se tem uma teoria qualquer a respeito da primeira cena dos seus filmes. Às vezes você começa com uma ação violenta, às vezes com uma simples indicação do lugar onde nos encontramos...

Depende do nosso objetivo. A abertura de *Os pássaros* é uma descrição da vida normal, corriqueira e aprazível de San Francisco. Às vezes, indico por uma legenda que estamos em Phoenix ou em San Francisco, mas isso me constrange um pouco porque é fácil demais. Volta e meia tenho vontade de apresentar um lugar, mesmo familiar, de um jeito mais sutil. Afinal de contas, não há nenhum problema em "vender" Paris com a torre Eiffel ao fundo ou Londres com o Big Ben em profundidade.

Quando não se trata de uma ação violenta, você utiliza quase sempre o mesmo princípio de exposição, do mais longe para o mais perto: a cidade, um prédio nessa cidade, um quarto nesse prédio... é o início de *Psicose*.*

Na abertura de *Psicose*, senti a necessidade de inserir na tela o nome da cidade, Phoenix, e depois o dia e a hora em que começava a ação, e isso para chegar a este fato muito importante: faltavam dezessete minutos para as três da tarde, e é o único momento em que essa pobre moça, Marion, pode dormir com Sam, seu amante. A indicação da hora sugere que ela se priva de almoçar para fazer amor.

Isso dá imediatamente um aspecto clandestino à relação deles.

E, além do mais, autoriza o público a se tornar voyeur.

Um crítico de cinema, Jean Douchet, disse uma coisa engraçada: "Na primeira cena de *Psicose*, John Gavin está de peito nu, Janet Leigh usa um sutiã e, por causa disso, essa cena só satisfaz metade do público".

É verdade que Janet Leigh não deveria usar sutiã. Essa cena não me parece especialmente imoral; não me provoca nenhuma sensação particular, pois você sabe que sou como um celibatário, ou seja, um abstencionista, mas não há nenhuma dúvida, a cena seria mais interessante se o seio da moça se esfregasse no peito do homem.

Sei que em *Psicose* você se esforçou para lançar o público em pistas falsas, assim imagino que outra vantagem desse início erótico era desviar a atenção dos espectadores para o aspecto sexual; mais tarde, quando

* A jovem Marion (Janet Leigh), amante de Sam (John Gavin), num momento de insensatez foge de Phoenix, de carro, levando 40 mil dólares que seu patrão a encarregara de depositar no banco. À noite, para num motel pouco frequentado. O jovem dono do motel, Norman Bates (Anthony Perkins), abre-se com ela: vive em companhia da velha mãe, que ele adora, mesmo que o convívio seja difícil; aliás, ainda há pouco Marion a ouviu gritar com o filho. Antes de deitar, Marion está tomando uma ducha quando abruptamente a velha surge e a mata com uma dúzia de facadas, depois desaparece tal como tinha aparecido. Norman reaparece berrando: "Mãe, ai, meu Deus! Mãe, sangue, sangue!". Ele contempla o ambiente ensanguentado e parece sinceramente consternado. Procede então a uma rigorosa arrumação do local, limpa o banheiro, apaga os vestígios do crime, transporta o corpo de Marion, suas bagagens, suas roupas (assim como o dinheiro) para o porta-malas do carro da jovem. Por último, livra-se do carro deixando-o afundar num pântano.
Marion, desaparecida, é logo procurada pela irmã Leila (Vera Miles), por Sam e por um detetive da companhia de seguros encarregado de recuperar o dinheiro, Arbogast (Martin Balsam). Arbogast vai ao motel, onde é recebido por Norman, que fica atrapalhado com as perguntas e se recusa categoricamente a deixá-lo falar com a velha mãe.
Arbogast sai para telefonar para Leila e Sam, e volta sorrateiramente à casa do motel, a fim de falar com a velha senhora. Sobe então ao primeiro andar e ali, no patamar, é recebido a facadas e desaparece do mundo.
A terceira parte do filme mostra-nos Leila e Sam sendo informados pelo xerife de que a mãe de Norman Bates está morta há oito anos. Os dois vão ao motel e Leila, vasculhando a casa, escapa da morte por um triz. Desmascarado, Norman perde a peruca: o rapaz era ele mesmo e a mãe falecida, duas personalidades coabitavam nele.

JANET LEIGH E JOHN GAVIN EM *PSICOSE*.

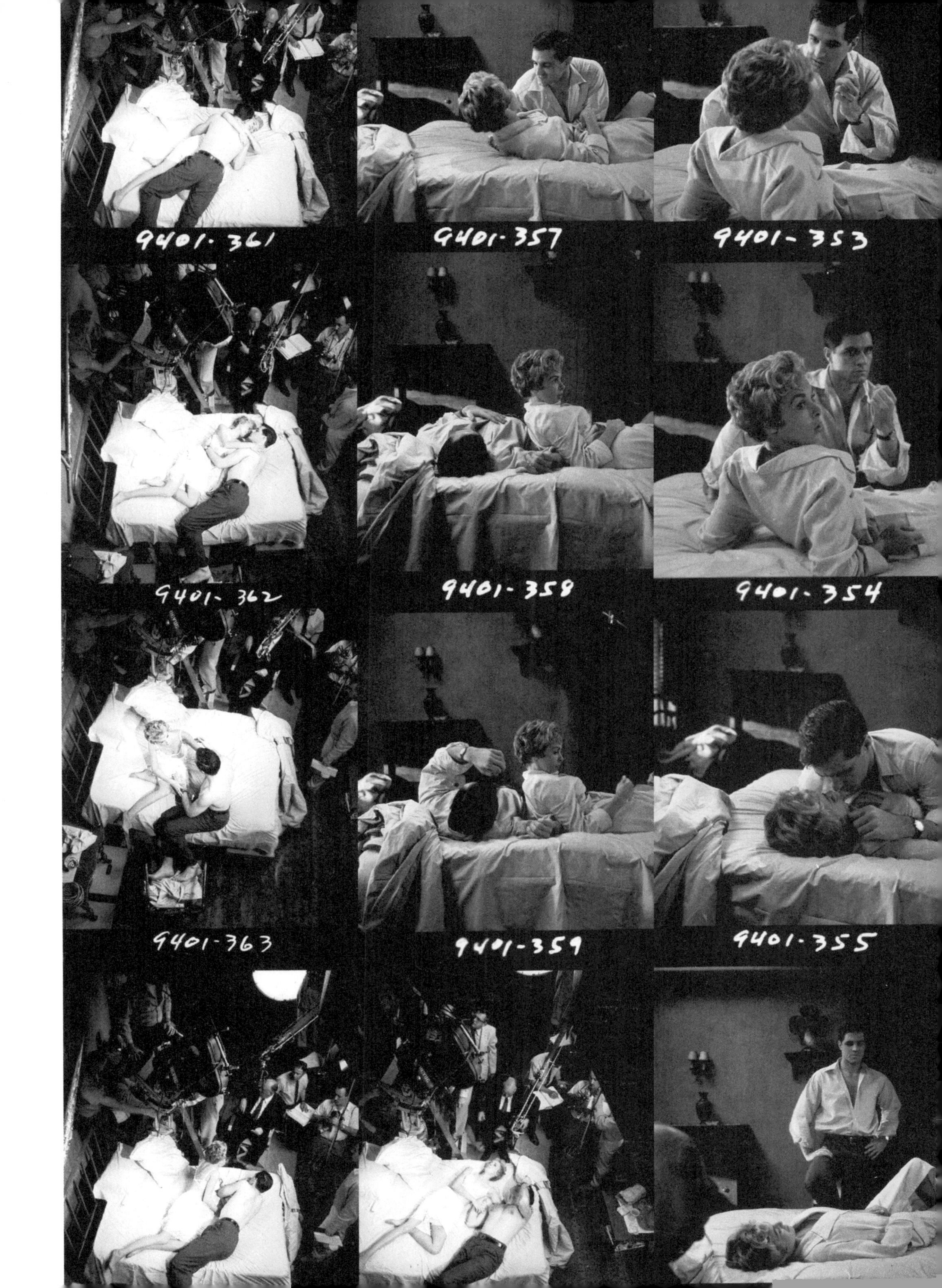
9401-361
9401-357
9401-353
9401-362
9401-358
9401-354
9401-363
9401-359
9401-355

A ÚNICA VEZ EM QUE HITCHCOCK MOSTROU NA TELA UMA ESTRELA (JANET LEIGH) DE SUTIÃ, *PSICOSE* (1960).

NAS PÁGINAS SEGUINTES, DOIS DOS IMÓVEIS MAIS CONHECIDOS DA HISTÓRIA DO CINEMA: A CASA CALIFORNIANA E O MOTEL DE NORMAN BATES.

estivermos no motel, por causa dessa primeira cena mostrando Janet Leigh de sutiã pensaremos que Anthony vai se comportar apenas como um voyeur. Por outro lado, a menos que eu esteja enganado, é a única cena de sutiã em todos os seus cinquenta filmes.

Senti necessidade de filmar desse jeito a primeira cena, com Janet Leigh de sutiã, pois o público muda, evolui. A cena clássica do beijo puro seria hoje desprezada pelos jovens espectadores, que tenderiam a dizer: "Que idiotice". Sei que eles mesmos se comportam como John Gavin e Janet Leigh, e quase sempre temos de mostrar-lhes como eles mesmos se comportam. Além disso, nessa cena quis dar visualmente uma impressão de desespero e solidão.

É, justamente, tive a impressão de que em *Psicose* você levou em conta a renovação do público nesses dez últimos anos, e que o filme tinha uma profusão de coisas que antigamente, em seus outros filmes, você não teria feito.

Isso mesmo, e há ainda muitos exemplos desse tipo em *Os pássaros*, do ponto de vista técnico.

Li o romance *Psicose*, de Robert Bloch, e achei-o vergonhosamente deturpado. A toda hora lemos algo como: "Norman foi se sentar ao lado de sua velha mãe e começaram a conversar". Essa narrativa convencional me choca muito. O filme é contado com muito mais lealdade, o que se percebe ao revê-lo. O que lhe agradou nesse livro?

Acho que a única coisa que me agradou e me fez decidir fazer o filme foi o caráter repentino do assassinato no chuveiro; é completamente inesperado e, por isso, me interessou.

Esse assassinato é como um estupro... O romance era inspirado num crime real, não?

Na história de um sujeito que tinha guardado o cadáver da mãe em casa, em algum lugar do Wisconsin.

Há em *Psicose* todo um instrumental de terror que, normalmente, você procura evitar: um lado fantasmagórico, um ambiente misterioso, a casa velha...

Creio que o ambiente misterioso é, em certo sentido, acidental; por exemplo, na Califórnia do Norte você encontrará muitas casas isoladas que lembram a de *Psicose*; chamamos essas casas de "gótico californiano" e, quando são francamente feias, dizemos até: "pão de mel californiano". Não iniciei meu trabalho tencionando reproduzir a atmosfera de um velho filme de terror da Universal, queria apenas ser autêntico. Ora, não há a menor dúvida, a casa é uma reprodução fiel de uma casa verdadeira, e o motel também é uma cópia exata. Escolhi essa casa e esse motel porque me dei conta de que a história não teria o mesmo efeito com um bangalô banal; esse gênero de arquitetura convinha ao clima do filme.

E, além disso, essa arquitetura é agradável de se ver, a casa é vertical, ao passo que o motel é totalmente horizontal.

Isso mesmo, aí está a nossa composição... Sim, um bloco vertical e um bloco horizontal.

Por outro lado, não há em *Psicose* nenhum personagem simpático com quem o público consiga se identificar.

Porque não era necessário. Ainda assim, creio que o público teve pena de Janet Leigh no momento da morte. Na verdade, a primeira parte da história é exatamente o que aqui em Hollywood se chama de "arenque vermelho", ou seja, um truque destinado a desviar a atenção, a fim de intensificar o assassinato, a fim de que ele seja uma surpresa total. Todo o início devia ser propositadamente um pouco longo, tudo o que se refere ao roubo do dinheiro e à fuga de Janet Leigh, a fim de encaminhar o público para a pergunta: "Será que a moça vai ser pega ou não?". Lembre-se de minha insistência nos quarenta mil dólares; trabalhei antes do filme, durante o filme e até o fim da filmagem para aumentar a importância desse dinheiro.

Você sabe que o público sempre procura prever e gosta de poder dizer: "Ah! sei o que vai acontecer agora". Então, temos não só de levar isso em conta como temos de dirigir completamente os pensamentos do espectador. Quanto mais detalhes fornecermos sobre a viagem de carro da moça, mais o público ficará absorvido com sua fuga e é por isso que demos tanta importância ao policial motociclista de óculos pretos e à mudança de automóvel. Mais tarde, Anthony Perkins descreve a Janet Leigh sua vida no motel, trocam impressões e, também aí, o diálogo tem a ver com o problema da moça. Supõe-se que ela resolveu voltar para Phoenix e devolver o dinheiro. É provável que a parcela do público que procura adivinhar pense: "Ah, bem! Esse rapaz está tentando fazê-la mudar de opinião". Fazemos com que o público fique quebrando a cabeça, o mantemos tão longe quanto possível do que vai acontecer. Aposto tudo o que você quiser que, numa produção comum, teriam dado a Janet Leigh o outro papel, o da irmã que investiga, pois não é hábito matar a estrela na primeira terça parte do filme. Quanto a mim, foi de propósito que matei a estrela, pois assim o crime era mais inesperado ainda. Aliás, foi por isso que, mais adiante, insisti para que não se deixasse o público entrar depois de o filme ter começado, pois os retardatários ficariam esperando o momento de ver Janet Leigh, quando na verdade ela já teria deixado a tela e morrido!

A construção desse filme é muito interessante e é minha experiência mais apaixonante de jogo com o público. Com *Psicose*, fiz a direção dos espectadores, exatamente como se eu tocasse órgão.

Admiro imensamente o filme, mas há um momento meio vazio, a meu ver, que corresponde às duas cenas na casa do xerife, depois do segundo crime.

A intervenção do xerife decorre do que já falamos muitas vezes, da pergunta fatídica: "Por que eles não vão à polícia?". Em geral eu respondo: "Eles não vão à polícia porque é uma chatice". Está aí um exemplo do que acontece quando os personagens vão à polícia, viu só?

A SECRETÁRIA MARION (JANET LEIGH) FOGE COM QUARENTA MIL DÓLARES DO ESCRITÓRIO ONDE TRABALHA.

SEU AMANTE (JOHN GAVIN), SUA IRMÃ (VERA MILES) E O XERIFE (JOHN MCINTIRE), OBSERVADO PELA MULHER, INVESTIGAM SEU DESAPARECIMENTO. *PSICOSE*, 1960.

NAS PRÓXIMAS PÁGINAS, A MORTE DO DETETIVE ARBOGAST: CENA CUIDADOSAMENTE ELABORADA POR HITCHCOCK.

Mas bem depressa recuperamos o interesse. Acho que várias vezes o público muda de sentimentos durante o filme. No início, esperamos que Janet Leigh não seja pega. Ficamos muito surpresos com o assassinato, mas assim que Anthony Perkins elimina os indícios, ficamos a favor dele, esperamos que não seja incomodado. Mais tarde, quando sabemos pelo xerife que a mãe de Perkins morreu há oito anos, então mudamos abruptamente de lado e ficamos contra Anthony Perkins, mas por pura curiosidade.
Tudo isso nos leva à ideia do público voyeur. Tínhamos um pouco disso em *Disque M para matar*.
De fato. Quando Ray Milland custava a telefonar para a mulher e o assassino fazia menção de querer sair do apartamento sem ter matado Grace Kelly, pensávamos: "Tomara que ele espere mais um pouco".
É uma regra geral. Falamos disso a propósito do ladrão que está num quarto vasculhando as gavetas e a quem o público é sempre favorável... Da mesma forma, quando Perkins vê o carro afundando no lago e o carro para um pouquinho de afundar, o público pensa, ainda que haja um cadáver ali dentro: "Tomara que o carro afunde todinho". É um instinto natural.
Mas nos seus filmes habituais o espectador é mais inocente, porque treme pelo homem injustamente suspeito. Em *Psicose*, começamos a tremer por causa de uma ladra, depois trememos por um assassino e, por último, quando sabemos que esse assassino tem um segredo, queremos que ele seja pego para descobrirmos a chave da história!
Será que nos identificamos a esse ponto?
Talvez não seja totalmente uma identificação, mas o cuidado com que Perkins apagou todos os vestígios do crime nos leva a achá-lo fascinante. Isso equivale a admirar uma pessoa que fez bem o seu trabalho. Creio que, além das letras dos créditos, Saul Bass fez os desenhos para o filme?
Só para uma cena, e não pude utilizá-los. Saul Bass devia fazer os créditos e, como o filme o interessava, deixei-o desenhar uma cena, a do detetive Arbogast subindo a escada antes de ser apunhalado. Durante a filmagem fiquei de cama dois dias, com febre, e como não podia ir ao estúdio disse ao diretor de fotografia e ao assistente que filmassem a subida da escada utilizando os desenhos de Saul Bass. Não se tratava do crime, mas só do que o precede, a subida da escada. Então, havia um plano da mão do detetive deslizando no corrimão e um travelling pelas barras da escada, mostrando lateralmente os pés de Arbogast. Quando vi os copiões da cena, percebi que não estava bom, o que foi uma revelação interessante para mim. A subida da escada, decupada daquele jeito, não transmitia uma impressão de inocência, mas de culpa. Aqueles planos teriam servido caso se tratasse de um assassino subindo a escada, mas o espírito da cena era o oposto disso.

Lembre-se dos esforços que fizemos a fim de preparar o público para essa cena; estabelecemos que havia uma mulher misteriosa na casa, estabelecemos que essa mulher misteriosa tinha saído da casa e apunhalado até a morte uma moça no chuveiro. Tudo o que pudesse conferir suspense ao detetive subindo a escada estava contido nesses elementos. Por conseguinte, devíamos recorrer ali à extrema simplicidade; bastava-nos mostrar uma escada e um homem subindo essa escada com a maior simplicidade possível.
Estou convencido de que ter visto primeiro a cena mal filmada o ajudou a indicar ao detetive Arbogast a expressão adequada. Em francês, diríamos:

“Ele chega como uma flor”, portanto, pronto para “ser colhido”...
Não se trata propriamente de transmitir uma sensação de impassibilidade, mas quase de benevolência. Por isso usei uma só tomada de Arbogast subindo a escada, e, quando ele se aproximou do último degrau, deliberadamente instalei a câmera no alto, por duas razões: a primeira, a fim de poder filmar a mãe verticalmente, pois se a tivesse mostrado de costas daria a impressão de esconder de propósito seu rosto e o público teria desconfiado. Do ângulo onde me coloquei, não dava a impressão de que evitasse mostrar a mãe.

A segunda e principal razão para subir tão alto com a câmera era que eu queria conseguir um forte contraste entre o plano geral da escada e o close-up do rosto de Arbogast quando a faca se abatia sobre ele. Era exatamente como a música: a câmera lá no alto, junto com os violinos, e de repente a grande cabeça, junto com os instrumentos de sopro. No plano do alto, eu tinha a mãe que chegava e a faca que ia baixando. Dava um corte no movimento da faca baixando e passava para um primeiro plano de Arbogast. A produção tinha colado na cabeça dele um tubinho de plástico, cheio de hemoglobina. Na hora em que a faca se aproximava do rosto eu puxava bruscamente o fio, que soltava a hemoglobina, e assim o rosto ficava inundado de sangue, mas de acordo com um traçado já previsto. Finalmente ele caía para trás, na escada.

Essa queda de costas na escada me intrigou muito. No fundo, ele não cai propriamente. Não vemos seus pés, mas a impressão que temos é de que ele desce a escada de marcha a ré, tocando em cada degrau com a ponta dos pés, um pouco como faria um bailarino...
É a impressão correta, mas você descobriu como a conseguimos?
De jeito nenhum. Compreendo muito bem que se tratava de dilatar a ação, mas não sei como você fez.
Com uma trucagem. Primeiro filmei com o dolly a descida da escada sem o personagem. Depois instalei Arbogast numa cadeira especial e, assim, ele ficava sentado diante da tela de retroprojeção, na qual se projetava a descida da escada. Então sacudíamos a cadeira e Arbogast só tinha de fazer uns gestos para abanar o ar com os braços.
É muito bem-feito. Mais tarde no filme você utiliza de novo a posição mais alta para mostrar Perkins levando a mãe para o porão.
É, e elevei a câmera assim que Perkins sobe a escada. Ele entra no quarto e não o vemos mais, mas ouvimos: “Mamãe, preciso descer com você para o porão porque eles vêm nos vigiar”. Depois vemos Perkins descendo com a mãe para o porão. Eu não podia cortar o plano porque o público ficaria desconfiado: por que será que subitamente a câmera se retira? Portanto, fico com a câmera suspensa, seguindo Perkins quando ele sobe a escada, entra no quarto e sai do enquadramento, mas a câmera continua a subir sem cortes e, quando estamos no alto da porta, a câmera gira, olha de novo para o pé da escada e, para que o público não se interrogue sobre esse movimento, nós o distraímos fazendo-o ouvir uma briga entre a mãe e o filho. O público presta tanta atenção ao diálogo que não pensa mais no que a câmera está fazendo, e graças a isso estamos agora na vertical e o público não se espanta ao ver Perkins transportando a mãe, e visto na vertical por cima da cabeça deles. Para mim, era apaixonante utilizar a câmera a fim de desorientar o público.

NORMAN BATES, PERSONAGEM PSICÓTICO E EDIPIANO QUE DEU FAMA A ANTHONY PERKINS, NA SEQUÊNCIA EM QUE CARREGA A MISTERIOSA MÃE PARA O PORÃO. *PSICOSE*, 1960.

NAS PÁGINAS SEGUINTES: O ASSASSINATO DE MARION NA BANHEIRA, CENA QUE LEVOU SETE DIAS PARA SER FILMADA.

As punhaladas em Janet Leigh também são muito bem-feitas.

A filmagem disso durou sete dias e houve setenta posições de câmera para quarenta e cinco segundos de filme. Para essa cena, me fabricaram um maravilhoso torso falso com o sangue que devia jorrar sob a faca, mas não o utilizei. Preferi usar uma moça, uma modelo nua, que foi a dublê de Janet Leigh. De Janet só vemos as mãos, os ombros e a cabeça. Todo o resto é com a modelo. Naturalmente a faca jamais encosta no corpo, tudo é feito na montagem. Nunca se vê uma parte tabu do corpo da mulher, pois filmamos certos planos em câmera lenta para evitar os seios na imagem. Os planos filmados em câmera lenta não foram acelerados depois, e sua inserção na montagem dá a impressão de velocidade normal.

É uma cena de uma violência inacreditável.

É a cena mais violenta do filme e, depois, à medida que o filme avança, há cada vez menos violência, pois basta a lembrança desse primeiro crime para tornar angustiantes os momentos de suspense que virão em seguida.

É uma ideia engenhosa e novíssima. Pela musicalidade eu prefiro, ao próprio crime, a cena de limpeza, quando Perkins maneja a vassoura e o pano de chão para apagar todos os vestígios. Toda a construção do filme me faz pensar numa espécie de escalada do anormal, primeiro uma cena de adultério, depois um roubo, depois um crime, dois crimes, e finalmente a psicopatia; cada etapa nos faz subir um degrau. É isso?

É, mas para mim Janet Leigh faz o papel de uma burguesa qualquer.

Mas ela nos transporta ao anormal, a Perkins e às suas aves empalhadas.

Os pássaros empalhados me interessaram muito, como uma espécie de símbolo. Naturalmente, Perkins se interessa pelos pássaros empalhados porque ele mesmo empalhou sua mãe. Mas há um segundo significado, com a coruja, por exemplo: essas aves pertencem ao reino da noite, são espreitadoras, e isso afaga o masoquismo de Perkins. Ele conhece bem os pássaros e sabe que está sendo vigiado por eles. Sua culpa se reflete no olhar desses pássaros que o vigiam, e é porque ele gosta de taxidermia que sua mãe ficou cheia de palha.

Na verdade, poderia ser considerado *Psicose* um filme experimental?

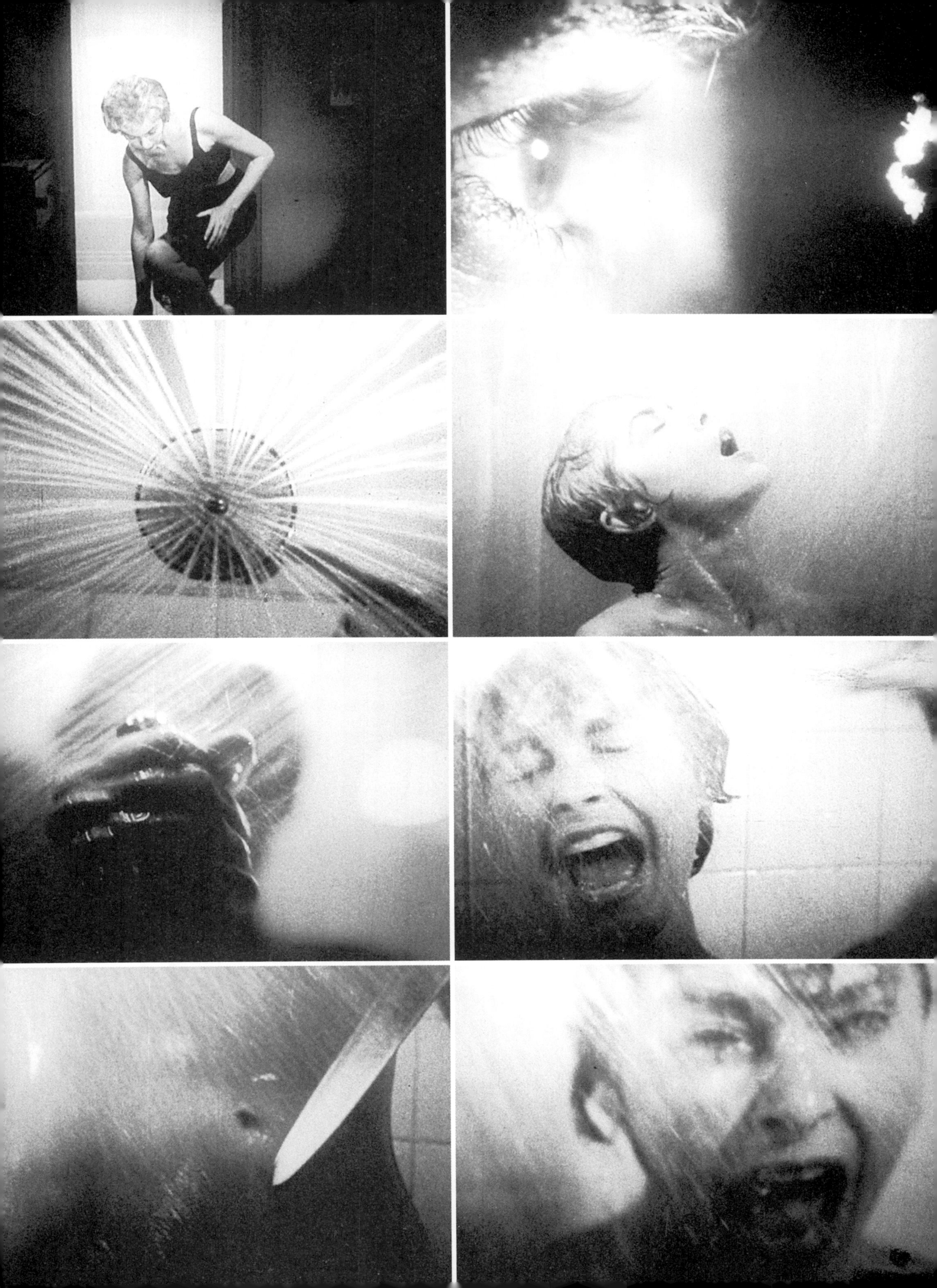

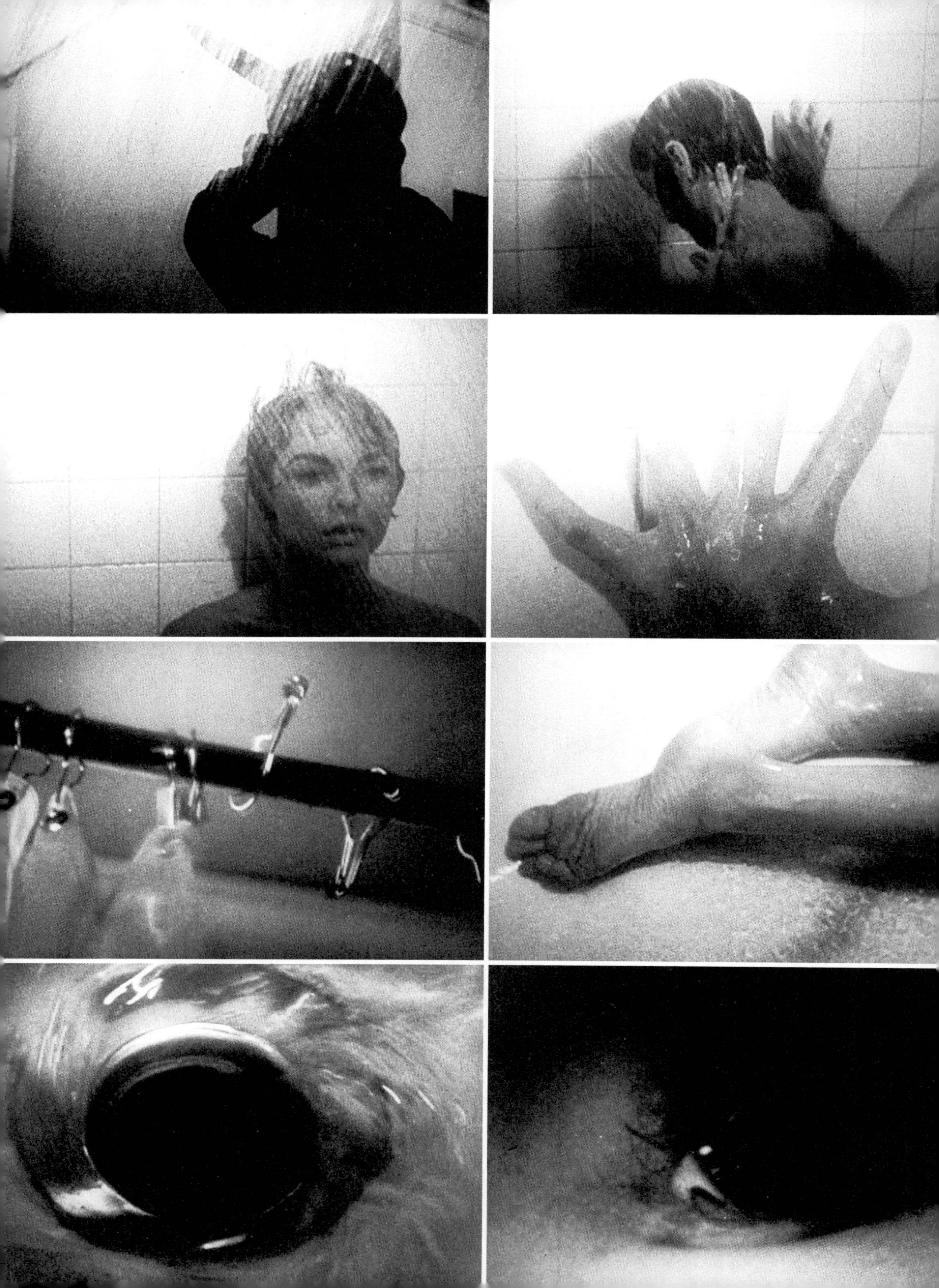

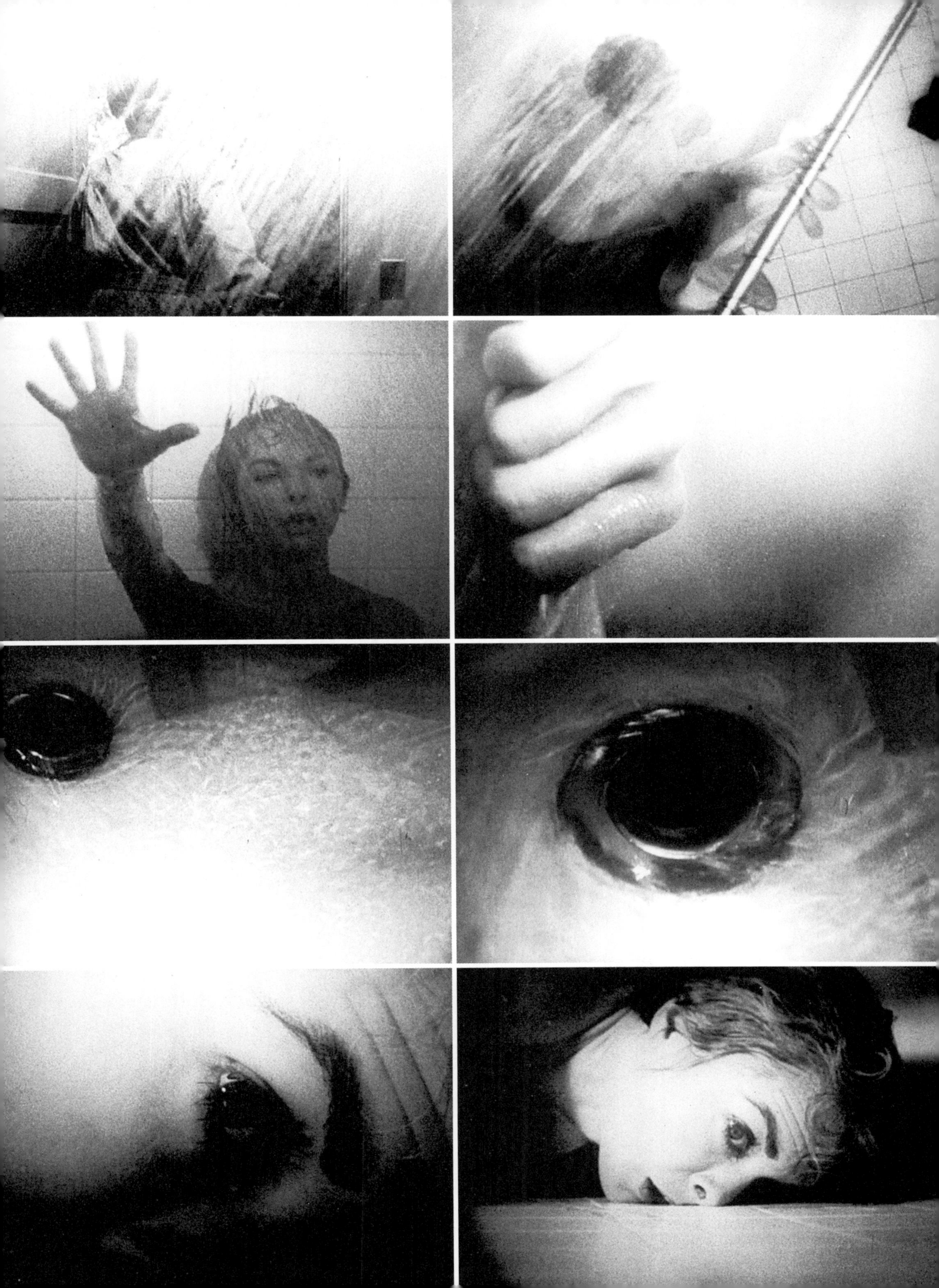

Talvez. Minha principal satisfação é que o filme agiu sobre o público, e disso eu fazia muita questão. Em *Psicose*, o tema me importa pouco, os personagens me importam pouco, o que me importa é que a montagem dos fragmentos de filme, a fotografia, a trilha sonora e tudo o que é puramente técnico conseguiam arrancar berros do público. Creio que para nós é uma grande satisfação usar a arte cinematográfica para criar uma emoção de massa. E, com *Psicose*, realizamos isso. Não foi uma mensagem que intrigou o público. Não foi uma grande interpretação que transtornou o público. Não era um romance muito apreciado que cativou o público. O que emocionou o público foi o filme puro.

É verdade...

E daí vem o orgulho que sinto de *Psicose*: é um filme que pertence a nós, cineastas, a você e a mim, mais do que todos os filmes que fiz. Eu não conseguiria ter com ninguém uma verdadeira discussão sobre esse filme nos termos que estamos empregando neste momento. As pessoas dirão: "Não era uma coisa para se filmar, o tema era horroroso, os protagonistas eram pequenos, não havia personagens". Claro, mas o modo de construir a história e de contá-la levou o público a reagir de um modo emocional.

Emocional, sim... físico.

Emocional. Para mim tanto faz que se pense que é um pequeno ou um grande filme. Não me lancei nele com a ideia de fazer um filme importante. Achei que podia me divertir fazendo uma experiência. O filme custou apenas oitocentos mil dólares e a experiência consistia no seguinte: "Posso fazer um longa-metragem nas mesmas condições de um filme de televisão?". Utilizei uma equipe de televisão para filmar bem depressa. Só reduzi o ritmo da filmagem quando rodei a cena do assassinato no chuveiro, a cena da limpeza e uma ou duas outras que marcavam a passagem do tempo. Todo o resto foi filmado como na televisão.

Sei que você produziu pessoalmente *Psicose*. O filme fez muito sucesso?

Psicose custou apenas oitocentos mil dólares e até agora rendeu mais ou menos treze milhões de dólares.

É fantástico! É o seu maior sucesso até hoje!

É, e gostaria que você fizesse um filme que lhe rendesse o mesmo, mundo afora! Esse é um terreno em que devemos estar muito felizes com o próprio trabalho, do ponto de vista técnico, não necessariamente do ponto de vista do roteiro. Num filme desse gênero, a câmera é que faz todo o trabalho. Claro, você não conseguirá necessariamente as melhores críticas, pois os críticos só se interessam pelo roteiro. É preciso desenhar o seu filme como Shakespeare construía suas peças, para o público.

***Psicose* é tanto mais universal na medida em que é cinquenta por cento um filme mudo. Tem dois ou três rolos sem nenhum diálogo. Deve ter sido fácil dublar e legendar...**

É. Na Tailândia, não sei se você sabe, eles não usam legendas nem dublagem; suprimem o som, pura e simplesmente, e um homem, que fica em pé ao lado da tela, fala todos os papéis do filme, cada um com uma voz diferente.

14

OS PÁSSAROS

A VELHA ORNITOLOGISTA

OS OLHOS ARRANCADOS

AS PESSOAS QUE TENTAM ADIVINHAR

A GAIOLA DOURADA DE MELANIE DANIELS

LANCEI-ME EM IMPROVISAÇÕES

A SAÍDA DA ESCOLA

OS SONS ELETRÔNICOS

UMA CAMINHONETE ÀS VOLTAS COM EMOÇÕES

ATRIBUEM-ME MUITAS BRINCADEIRAS

A GAG DA VELHA SENHORA

SEMPRE TIVE MEDO QUE BATESSEM EM MIM

François Truffaut — Como tomou conhecimento da novela *The birds*, de Daphne du Maurier? Antes ou depois que ela fosse editada?
Alfred Hitchcock — Eu a li numa dessas coletâneas que se chamam "Alfred Hitchcock presents"! Depois, soube que tinham tentado adaptar *The birds* para o rádio e para a televisão, mas não conseguiram.
Antes de se decidir, você procurou ter certeza de que os problemas técnicos com os pássaros seriam superáveis?
De jeito nenhum. Nem pensei nisso. Li a novela e concluí: "Está aí um negócio que vamos fazer, façamo-lo". Não teria feito o filme se se tratasse de abutres ou de aves de rapina; o que me agradou foi que se tratava de pássaros comuns, pássaros de todo dia. Entende esse estado de espírito?
Mais ainda porque tem a ver também com o seu princípio do menor para o maior, tanto plástica como intelectualmente. Após ter mostrado pássaros amáveis que arrancam os olhos dos homens, você precisa fazer uma história de flores cujo perfume envenena as pessoas!...
Não, não! É preciso mostrar as flores que comem os homens.
Desde 1945, quando se fala do fim do mundo se pensa evidentemente na bomba atômica. É inesperado substituir a bomba por milhares de pássaros...
Por isso é que o ceticismo em relação à possível catástrofe é expressado pela velha, a ornitologista; é uma reacionária, uma conservadora, incapaz de acreditar que os pássaros pudessem causar algo de grave.
Você fez bem em não justificar a ação agressiva dos pássaros. O filme é claramente uma especulação, uma fantasia.
Era assim mesmo que eu via a coisa.
Imagino que a ideia dos pássaros atacando as pessoas no campo foi inspirada a Daphne du Maurier por acontecimentos reais...
Isso acontece, sim, de vez em quando, e resulta de uma doença dos pássaros, mais exatamente a raiva, mas era horrendo demais para pôr no filme, não acha?
Horrendo demais sem dúvida, e certamente mais feio.*

* Melanie Daniels (Tippi Hedren), uma jovem meio esnobe da alta sociedade de San Francisco, vai a Bodega Bay levando dois *lovebirds* numa gaiola, presente de aniversário para uma garotinha que ela não conhece, mas cujo irmão mais velho, Mitch (Rod Taylor), um advogado sarcástico, lhe parece muito sedutor. Assim que chega, é ferida na testa por uma gaivota e, por isso, é convidada a passar 24 horas na casa de Mitch, cuja mãe (Jessica Tandy) logo de saída

Enquanto eu filmava em Bodega Bay, li uma nota num jornal de San Francisco a respeito de corvos que atacavam jovens ovelhas, e isso acontecia pertinho do nosso local de filmagem. Encontrei um camponês que me explicou como os corvos tinham descido para matar as ovelhas, furando seus olhos, e isso me inspirou a morte do fazendeiro, com os olhos arrancados.

O filme começa, portanto, em San Francisco, com nossos dois personagens principais, e transporto-os até Bodega Bay. Construímos a casa e a fazenda reconstituindo fielmente as moradias do lugar; era uma velha fazenda russa, de 1849, pois naquela época os russos viviam nessa costa e, a oito milhas de Bodega, existe uma cidade que se chama justamente Sebastopol, ao norte da baía. Quando os russos ocupavam o Alasca, desciam até lá para caçar focas.

No gênero de filmes que você faz tem algo ingrato, porque em geral as pessoas sentem prazer ao assistir a eles mas tendem a mostrar que não são bobas, o que de vez em quando as leva a boicotar o próprio prazer.

É evidente. Vão ao cinema, sentam e dizem: "Mostre-me". Depois têm vontade de antecipar: "Posso adivinhar o que vai acontecer". E sou obrigado a aceitar o desafio: "Ah, é? Vocês acham mesmo? Pois bem! Veremos". Em *Os pássaros*, agi de modo que o público nunca pudesse adivinhar qual seria a cena seguinte.

Não creio que se tente antecipar tanto assim em *Os pássaros*. Apenas se pressente que os ataques serão cada vez mais graves. Na primeira parte,

se revela possessiva, ciumenta e intrometida. Não foi ela a responsável pela ruptura do noivado de Mitch com a professora (Annie Hayworth)? No dia seguinte, durante o piquenique de aniversário da menina, gaivotas atacam as crianças, e depois, na própria noite, pardaizinhos invadem a casa, entrando pela chaminé. Mais um dia, e corvos atacam as crianças na saída da escola, e gaivotas descem abruptamente sobre a cidade, provocando um incêndio. Durante todas essas tragédias, Melanie sabe ser útil, protege a irmãzinha de Mitch, faz-se aceitar pela mãe, conseguindo assim afagá-la, e se aproxima de Mitch.

Mas, numa manhã, ela sofre, numa água-furtada, um derradeiro e terrível ataque das gaivotas, ficando muito abalada e nervosa. Aproveitando-se de uma espécie de trégua, Mitch, a família e Melanie abandonam a casa e alcançam o carro, mas por toda parte, na paisagem, os pássaros se mantêm à espreita, imóveis, ameaçadores.

assistimos a um filme normal, psicológico, e só o último plano de cada cena evoca a ameaça dos pássaros.

Eu tinha de agir assim porque o público é afetado pela publicidade, pelos artigos, pelas críticas... O público ouve falar do filme pelos comentários boca a boca. Não quero que se impaciente à espera dos pássaros, pois nesse caso não prestaria a devida atenção na história dos personagens. Essas alusões no final de cada cena são como se eu dissesse ao público: "Tenham paciência, tenham paciência, eles estão chegando". Mas com certeza aí existem nuances que passarão despercebidas, embora sejam absolutamente necessárias, pois enriquecem o conjunto e lhe dão mais força. No início do filme, temos Rod Taylor na loja onde se vendem os pássaros. Ele agarra o canário que fugiu, guarda-o em sua gaiola e, rindo, diz a Tippi: "Recoloco você na sua gaiola dourada, Melanie Daniels". Acrescentei essa frase à filmagem porque achei que elucidava a personagem da moça rica e mimada. Assim, mais tarde, durante o ataque das gaivotas no casarão, quando Melanie Daniels se refugia na cabine telefônica envidraçada, minha intenção é mostrar que ela é como um pássaro numa gaiola. Já não se trata de uma gaiola dourada, mas de uma gaiola de infelicidade, e isso marca também o início de sua prova de fogo. Assiste-se à reversão do velho conflito entre os homens e os pássaros, e dessa vez os pássaros estão do lado de fora e o humano está dentro da gaiola. Então, quando filmo isso, não espero que o público compreenda totalmente.

NA PÁG. 288, TIPPI HEDREN EM *OS PÁSSAROS* (1963).

OS PÁSSAROS INVADEM A CASA PELA CHAMINÉ DA LAREIRA.

Mesmo se a metáfora não vem ao espírito, a cena está lá, com sua força. Na mesma ordem de ideias, acho ótimo o diálogo da cena na loja de pássaros girar em torno da procura dos pássaros do amor, os *lovebirds, porque em seguida o filme porá em cena os pássaros do ódio. Essas referências aos *lovebirds* em todo o filme são muito irônicas.**

Irônicas e necessárias, porque o amor sobrevive a toda essa prova, hein? No final, antes de entrar no carro, a garotinha pergunta: "Posso levar os pássaros do amor?". Então, isso mostra que algo de bom sobrevive graças a esse casal de *lovebirds*.

Toda vez que o diálogo faz alusão aos pássaros do amor, é justamente numa cena que acaba de tratar de relações amorosas, não só com a mãe mas também com a professora; utiliza-se o tempo todo o duplo sentido.

É, e isso prova muito bem que a palavra "amor" é uma palavra cheia de suspeição.

A história é construída de modo muito satisfatório, respeitando as três unidades da tragédia clássica: unidade de lugar, de tempo e de ação. Toda a ação se passa em Bodega Bay, em dois dias, os pássaros são cada vez mais numerosos e cada vez mais perversos. O princípio da narrativa era excelente desde o início, ainda que tenha sido difícil estabelecer o roteiro, e creio que foi, não?

Gostaria de lhe explicar as emoções que senti... Sempre me gabo de jamais olhar o roteiro enquanto filmo. Conheço o filme todo de cor. Sempre tive medo de improvisar no set porque ali, se acaso tivermos tempo de ter ideias, não teremos tempo de examinar a qualidade dessas ideias. Há operários demais, eletricistas e maquinistas, e sou muito escrupuloso com as despesas inúteis. Realmente, não conseguiria imitar esses diretores que fazem toda uma equipe esperar enquanto eles mesmos se sentam para refletir, eu jamais poderia fazer isso.

Mas fiquei muito agitado, o que é raro, pois em geral brinco muito durante a filmagem. À noite, quando voltava para casa e encontrava minha mulher, ainda estava atordoado, emocionado. Alguma coisa aconteceu, algo novíssimo para mim: comecei a estudar o roteiro durante a filmagem e encontrei pontos fracos. Essa crise que atravessei despertou em mim algo novo do ponto de vista da criação.

Lancei-me em improvisações. Por exemplo, toda a cena do ataque exterior à casa, do assédio da casa pelos pássaros que não vemos, foi improvisada no set. Isso quase nunca tinha me acontecido, mas não demorei muito para me decidir, e desenhei depressa os diferentes movimentos dos personagens na sala. Resolvi que a mãe e a garotinha se deslocariam para procurar um refúgio. Ora, não havia refúgio. Mas eu mandava que fizessem movimentos em várias direções contraditórias, para que se deslocassem como bichos, como ratos que fogem para todos os cantos.

Foi de propósito que filmei Melanie Daniels à distância, pois quis mostrar que ela se afastava... do nada. De que se afastaria? Está cada vez mais encurralada contra a parede. Ela recua, se afasta, mas não sabe nem mesmo do que se afasta.

Tudo isso me veio depressa e facilmente, graças ao estado emocional em que me encontrava. Comecei a questionar outros momentos do filme. Depois do primeiro ataque no quarto, quando os pardais já

* Os *lovebirds* são pequenos periquitos da família dos agapórnis, palavra formada pelos elementos gregos *agap* (amor, afeição) e *órnis* (pássaro). (N. T.)

TIPPI HEDREN, DESCOBERTA POR HITCHCOCK NUM COMERCIAL DE TV, É A BELA MELANIE DANIELS.

O XERIFE NA CASA ATACADA PELOS PÁSSAROS, E A FAMÍLIA À ESPERA DE UM NOVO ATAQUE.

desceram pela chaminé, chega à casa o xerife e conversa com Mitch; o xerife é um homem cético que não acredita no que vê: "Ah, sei! Pardais por esta chaminé? Eles os atacavam? É mesmo?". Examinei essa cena e pensei: "É uma bobagem, é uma cena antiquada, não se deve mais fazer isso", e transformei a cena. Resolvi mostrar a mãe vista pelos olhos de Melanie. A cena começa com o grupo todo de personagens: o xerife, Mitch, a mãe e Melanie, em segundo plano. Em seguida, toda a cena consistirá numa transferência do ponto de vista objetivo para o ponto de vista subjetivo. O xerife diz mais ou menos: "É, de fato, é um pardal". De um grupo de rostos estáticos, isolamos o da mãe, que se destaca e se transforma em uma silhueta que se mexe; ela se agacha para limpar o chão e esse movimento para baixo faz com que você concentre todo

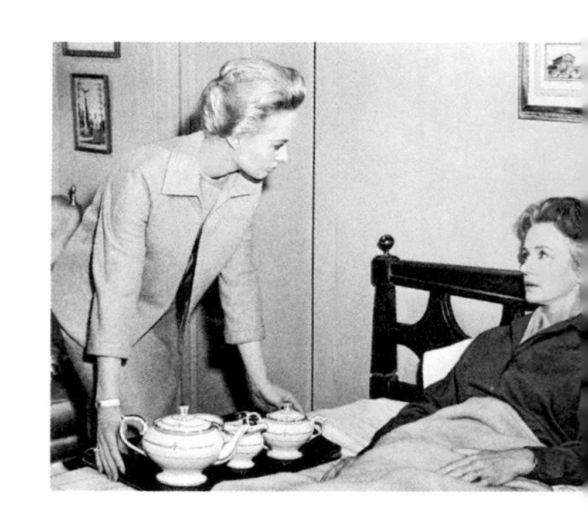

o seu interesse no personagem da mãe. Então, agora voltamos para Melanie e a direção adotará o ponto de vista de Melanie, que olha para a mãe. Agora, a câmera mostra a mãe em diferentes posições, zanzando pelo quarto para apanhar os objetos quebrados e as xícaras de chá; ela se levanta para ajeitar o retrato emoldurado, e cai um pássaro morto de trás da moldura. Os planos de corte sobre Melanie, que olha cada gesto da mãe, mostram-na evoluindo sutilmente, começando aqui, indo até ali e subindo até lá. Todos esses gestos de Melanie, bem como sua expressão, traduzem sua preocupação crescente com a mãe, com o estranho comportamento da mãe. Toda essa visão da realidade pertence apenas a Melanie e é por isso que ela se aproxima de Mitch para lhe dizer: "Acho que vou ficar aqui esta noite". Para ir ao encontro de Mitch, tem de cruzar o aposento; mas mantenho-a em close-up durante todo o trajeto, pois sua aflição e seu interesse exigiam que conservássemos a mesma dimensão da imagem na tela. Se eu cortasse ou se me colocasse mais atrás, dando uma forma mais vaga, a aflição de Melanie teria diminuído na mesma proporção.

O tamanho da imagem é muito importante emocionalmente, mais ainda quando nos servimos dessa imagem para criar a identificação com o público. Melanie representa o público nessa cena que significa: "Vejam, a mãe de Mitch está ficando meio desequilibrada".

Outro momento de improvisação ocorre quando a mãe chega à fazenda, entra na casa e chama o fazendeiro, antes de ver o quarto revirado e o cadáver dele. Ao filmar, pensei: "Isso não tem lógica; ela chama o fazendeiro, ele não responde, portanto uma mulher nessa situação não insistiria e sairia da casa". Ora, eu precisava mantê-la na casa. Portanto imaginei que ela vê na parede cinco xícaras de chá quebradas, presas aos ganchos apenas pelas asas.

Compreendemos o significado dessas xícaras quebradas ao mesmo tempo que ela, pois na cena anterior vimos a mãe de Mitch apanhando as xícaras quebradas, depois do primeiro ataque. É uma ideia muito forte, visualmente.

Você me explicou a parte de improvisação em *Os pássaros*, mas filmou cenas do roteiro que teriam sido suprimidas na montagem?

Só uma ou duas, depois que a mãe descobre o cadáver do fazendeiro. Primeiro, havia uma cena de amor entre a moça e o rapaz. Passava-se enquanto a mãe saía para levar a garotinha à escola. Melanie põe o casaco de pele nos ombros e, de longe, vê Mitch queimando os cadáveres de pássaros. Ela se aproxima, e compreendemos que está meio de olho nele. Quando Mitch acaba de queimar os pássaros, aproxima-se dela e lemos em seu rosto que ele deseja ficar perto da moça. De repente ele dá meia-volta e entra na casa. Qual foi o problema? Melanie fica decepcionada e filmo essa decepção para mostrar que ela se interessa mesmo por Mitch e para ressaltar o fato de que ele não completou o trajeto até a moça. Mas ele torna a sair de casa e diz: "Pus uma camisa limpa, porque afinal a outra estava com cheiro de pássaros velhos...".

Em seguida a cena continuava num estilo de comédia em torno do tema: por que os pássaros fizeram isso? Eles lançavam hipóteses de brincadeira e sugeriam que os pássaros tinham um chefe que era

MELANIE AGRADA
A MÃE POSSESSIVA
INTERPRETADA
POR JESSICA TANDY.
OS PÁSSAROS, 1963.

um pardal e que, de cima de uma plataforma, se dirigia a todos os pássaros dizendo-lhes: "Pássaros do mundo inteiro, uni-vos. Não tendes nada a perder senão vossas plumas".

Era uma boa ideia...

... e a cena continuava, evoluía, ficava séria e terminava com um beijo. Depois, voltávamos à mãe, que está vindo de sua visita à fazenda, transtornada. Eu queria mostrar o casal se beijando de novo e, nesse momento, uma leve careta no rosto da mãe. Não se sabe realmente se ela viu o beijo, mas seu comportamento mais tarde leva a pensar que sim.

Então, nessa versão anterior do filme, o diálogo da cena seguinte, no quarto, entre a mãe e Melanie era levemente diferente do atual, pois suprimi essa cena de amor.

A ideia que inspirava a cena era que aquela mulher, Jessica Tandy, mesmo tomada de emoção, depois de ver o fazendeiro com os olhos arrancados, continuava ainda assim a ser, e acima de tudo, a mãe possessiva, cujo amor pelo filho dominava todo o resto.

Mas, então, por que cortou toda essa passagem?

Porque senti que essa cena de amor tornaria a história mais lenta. Temi que os comentários boca a boca a respeito do filme deixassem o público impaciente: "Sei, sei, tudo bem, queremos os pássaros, onde estão os pássaros?".

Por isso é que, depois de Melanie ser agredida pela primeira vez pela gaivota que a feriu na testa, tomei o cuidado de colocar diante da porta da professora, de noite, uma gaivota morta que acaba de desabar, e depois outras gaivotas nos fios telegráficos, quando a moça vai para casa de noite, e tudo isso é como se eu dissesse ao público: "Os pássaros vão chegar, eles vão chegar, não se preocupem". Pensei que, se deixasse aquela longa cena de amor entre a moça e o rapaz, ela teria irritado as pessoas.

Nesse espírito, há uma cena que, da primeira vez em que a vi, me pareceu meio longa, e cuja importância talvez eu não calculasse: é no café da cidade, depois dos primeiros ataques...

De fato, não é muito necessária, mas eu sentia que depois do ataque das gaivotas às crianças, no piquenique, da descida dos pequenos pardais pela chaminé, dos olhos arrancados do fazendeiro e do ataque dos corvos na saída da escola, o público devia descansar um pouco, antes de partir novamente para o horror. Nessa cena do café há uma descontração, risos, o bêbado inspirado nos personagens de Sean O'Casey, há sobretudo a velha ornitologista; também acho que a cena se estende um pouco, mas afinal de contas sempre considerei que o tamanho de uma cena só tem importância em relação ao interesse do público. Se você desperta o interesse do público, a cena será sempre muito curta, se você o chateia, será sempre muito longa.

Quando você tem uma boa cena de suspense, de expectativa muda, instala-se nela majestosamente, com muita autoridade, graças a um estilo de decupagem que é absolutamente pessoal, raramente previsível e sempre eficaz, é um pouco o seu segredo profissional... Penso, por exemplo, na que precede a saída da escola...

Examinemos essa cena, do lado de fora da escola, quando Melanie Daniels está sentada e, atrás dela, os corvos se juntam. Melanie, inquieta, entra na escola para avisar a professora. A câmera entra com ela e, um pouco depois, a professora diz às crianças: "Agora vocês vão sair, e quando eu pedir que corram, vocês correrão". Conduzo a cena até a porta e depois corto para passar só aos corvos, todos juntos, e fico com eles sem cortes e sem que nada aconteça, durante trinta segundos. "Mas o que está acontecendo com as crianças, onde elas estão?" E só então começamos a ouvir os ruídos de passos de crianças correndo, todos os pássaros levantam voo e os vemos passar por cima do telhado da escola antes de se jogarem sobre as crianças.

Nessa cena, a velha técnica para obter o suspense teria consistido em dividi-la mais; primeiro, mostraríamos as crianças saindo da sala de aula, depois passaríamos aos corvos que esperam, depois às crianças que descem a escada, depois aos corvos que se preparam, depois às crianças que saem da escola, depois aos pássaros que levantam voo, depois às crianças que correm, e finalmente às crianças atacadas. Mas acho que hoje esse modo de agir está fora de moda. Pela mesma razão, quando a moça espera do lado de fora da escola, fumando um cigarro, a câmera se mantém fixa nela por quarenta segundos, ela olha ao redor e vê um corvo, continua a fumar e, quando olha de novo, vê *todos* os corvos juntos.

A cena do incêndio na cidade é impressionante graças a essa surpreendente filmagem de muito alto. Ali, é de certa forma o ponto de vista das gaivotas!

Coloquei-me lá no alto por três razões. A primeira, a principal, era mostrar o início da descida das gaivotas sobre a cidade. A segunda era mostrar na mesma imagem a topografia exata da baía de Bodega com a cidade atrás, o mar, o litoral e o posto de gasolina em chamas. A terceira era escamotear as operações fastidiosas da extinção do incêndio. É sempre mais fácil mostrar as coisas rapidamente quando nos mantemos à distância.

Aliás, é um princípio válido sempre que se tem de filmar uma ação confusa ou maçante, ou simplesmente quando se quer evitar entrar nos detalhes. Por exemplo, quando o frentista é ferido pela gaivota, todo mundo se precipita para socorrê-lo e olhamos isso de muito longe, de dentro do bar e do ponto de vista de Melanie Daniels. Na verdade, as pessoas que prestaram socorro ao frentista deveriam tê-lo levantado muito mais depressa, mas preciso de um tempo mais longo para fazer nascer o suspense em torno do rastro de gasolina que começa a se espalhar pela rua. Em outra circunstância, talvez seja o contrário, e ficaremos longe de uma ação lenta para fazê-la durar menos tempo.

Isso equivale a resolver problemas de tempo jogando com o espaço.

É, já falamos disso, a direção de cinema existe para contrair o tempo ou para dilatá-lo, de acordo com nossas necessidades, e à vontade.

Quanto à gaivota que cruza a tela e vai bater na cabeça do frentista do posto, como foi possível dirigi-la com tamanha precisão?

Era uma gaivota viva lançada de uma plataforma altíssima, fora do enquadramento, e amestrada para ir de um lugar a outro passando justo por cima da cabeça do homem. Ele era um especialista de movimentos, um dublê, e exagerou sua reação para nos dar a entender que a gaivota o havia atingido.

REPRODUÇÃO DE UM STORYBOARD. MELANIE PERCEBE, ATRÁS DELA, O AJUNTAMENTO DE CORVOS.

417C
418
424
417 D
419
425
417 E
420
425 A
417 F
421
437B- 12 FEET
417G 5 more CROWS - TOTAL OF 10-
422
417 H- HOLD FOR 20 OR 30 FEET.
423 CAMERA WHIPS UP AS MELANIE LEAPS TO HER FEET
437C PAN UP AS CROWS FLY UP AND OVER CAMERAS

É o princípio dos falsos socos nas cenas de brigas?
É. Você acha que eu estava certo ao fazer a professora ser morta pelos pássaros?
Não assistimos à sua morte, chegamos depois. A bem da verdade, não me fiz essa pergunta. Qual era a sua ideia?
Tendo em vista o que os pássaros faziam com a população, senti que ela era uma pessoa condenada; aliás, ela se sacrificou para proteger a irmã do homem que amava. Esse é seu gesto final.

Numa primeira versão do roteiro, ela ficava na casa até o fim do filme; era ela que subia ao sótão, sofria o último ataque e, ferida, era levada de carro.

Eu não podia me dar a esse luxo, pois minha protagonista, Tippi Hedren, é que enfrentava a experiência, portanto era ela que devia sofrer as últimas consequências.
Uma conversa sobre *Os pássaros* ficaria muito incompleta se não falássemos da trilha sonora. Não há música, mas os sons de pássaros foram trabalhados como uma verdadeira partitura. Penso por exemplo numa cena puramente sonora, o ataque da casa pelas gaivotas.
Quando filmei essa cena do ataque vindo do exterior, com os personagens apavorados dentro da casa, a dificuldade foi conseguir reações dos atores a partir do nada, pois ainda não tínhamos os ruídos das asas nem os gritos de gaivotas. Então mandei levar para o set um pequeno tambor, um microfone, um alto-falante, e toda vez que os atores representavam suas cenas de angústia, os rufos do tambor os ajudavam a reagir.

Em seguida, pedi a Bernard Herrmann* que supervisionasse o som de todo o filme. Quando os músicos compõem ou fazem um arranjo, ou ainda quando a orquestra está sendo afinada, volta e meia ouvimos não música, mas sons. Foi disso que nos servimos para o filme inteiro. Não havia música.
Quando a mãe encontra o cadáver do fazendeiro, abre a boca mas não a ouvimos gritar... Você fez isso para valorizar a sonoplastia?
A trilha sonora é capital nesse momento. Ouvimos ruídos de passos da mãe desabalada pelo corredor e, sobre esse som, há um ligeiro eco. O interesse sonoro está na diferença entre o ruído de passos dentro e fora da casa. Justamente, fiz a mãe correr à distância e só passei ao primeiro plano quando ela está imobilizada, paralisada de medo. Silêncio. Em seguida, quando ela sai, o ruído dos passos é proporcional à dimensão da imagem, aumenta até que ela entre na caminhonete e, nesse momento, ouve-se um som de agonia, o do ronco do motor da caminhonete, deformado. Fazíamos realmente algo experimental com todos esses sons verdadeiros, que depois estilizávamos de modo a utilizá-los mais dramaticamente. Por exemplo, lembra-se de que para a chegada da caminhonete eu tinha mandado jogar água na estrada a fim de evitar a poeira, pois queria que a caminhonete só levantasse poeira na estrada na volta?
Lembro-me perfeitamente, e além da poeira havia muita fumaça saindo do cano de escapamento.
Fiz isso porque a caminhonete é vista bem de longe, andando a toda a velocidade, e para mim essa imagem expressa o frenesi da mãe. Na cena anterior mostramos uma mulher às voltas com a mais violenta

* Bernard Herrmann compôs e dirigiu a música de todos os filmes recentes de Alfred Hitchcock desde *O terceiro tiro* (1955). É interessante notar que, antes, ele foi o compositor de *Cidadão Kane* (1940) e de *Soberba* (1942), os dois primeiros filmes de Orson Welles.

NUMA ATITUDE POUCO USUAL PARA O DIRETOR, HITCHCOCK LANÇOU-SE EM IMPROVISAÇÕES DURANTE A FILMAGEM DE *OS PÁSSAROS*.

MITCH, MELANIE E MRS. BRENNER TENTAM FUGIR DE BODEGA BAY.

emoção. Essa mulher está dentro de uma caminhonete, portanto devo mostrar agora uma caminhonete às voltas com emoções. Não só a imagem, mas também o som devem alimentar essa emoção, por isso o que se ouve não é um simples ronco de motor, mas um som como um grito, como se a caminhonete desse um grito.

De qualquer maneira você sempre trabalhou muito com o som nos seus filmes e justamente de um modo dramático; volta e meia ouvimos ruídos que não correspondem à imagem que vemos mas que evocam propositadamente uma cena anterior etc. Haveria milhares de exemplos a citar...

Quando termino a montagem de um filme, dito a uma secretária um verdadeiro roteiro de sons. Visionamos o filme rolo por rolo e dito paulatinamente tudo o que desejo escutar. Até aqui só se tratava de sons naturais, mas agora, graças ao som eletrônico, devo não só indicar os sons a obter, mas descrever minuciosamente o estilo e a natureza deles. Por exemplo, quando Melanie, trancada na água-furtada, é atacada pelos pássaros, tínhamos muitos sons naturais, bater de asas, mas nós os estilizamos para conseguir uma intensidade maior. Precisávamos conseguir, não tanto um som num único nível, mas uma

onda ameaçadora de vibrações, a fim de termos uma variação no interior mesmo desse ruído, uma assimilação do som desigual das asas. Naturalmente, permiti-me a licença dramática de não deixar de jeito nenhum os pássaros gritarem.

Para descrever bem um ruído, deve-se imaginar o que renderia o seu equivalente em diálogo. Na água-furtada, eu queria conseguir um som que tivesse o mesmo significado de uma frase que os pássaros poderiam eventualmente dizer a Melanie: "Agora você não escapa. Vamos cair em cima de você. Não precisamos dar gritos de triunfo, não temos necessidade de nos enfurecer, iremos cometer um assassinato em silêncio".

Eis o que os pássaros estão dizendo a Melanie Daniels, e foi isso que consegui dos técnicos do som eletrônico. Para a cena final, quando Rod Taylor abre a porta da casa e vê pela primeira vez os pássaros, a perder de vista, pedi um silêncio, mas não um silêncio qualquer; um silêncio eletrônico de uma monotonia capaz de evocar o barulho do mar ouvido de muito longe. Transposto em diálogo de pássaros, o som desse silêncio artificial quer dizer: "Ainda não estamos prontos para atacá-lo mas estamos nos aprontando. Somos como um motor que está esquentando. Em breve daremos a partida". É isso que se deve entender com os sons bastante suaves, mas esse murmúrio é tão frágil que não temos certeza de ouvi-lo ou de imaginá-lo.

Li num jornal que há muito tempo, para fazer uma brincadeira, Peter Lorre lhe deu de presente cinquenta canários, quando você estava embarcando num navio, e você se vingou mandando-lhe telegramas noturnos dando notícias dos canários, um por um. Penso nessa história por causa de *Os pássaros*. Essa piada é autêntica ou foi inventada pela imprensa?

Não é uma história autêntica; atribuem-me muitas brincadeiras que nunca fiz, e olhe que antigamente eu fazia um bocado! Por exemplo, num aniversário de minha mulher, tínhamos um jantar de umas doze pessoas no jardim de um restaurante. Eu havia contratado, contando-lhe do que se tratava, uma senhora aristocrática de certa idade, alinhadíssima, e a instalei no lugar de honra. Depois, ignorei-a completamente. Os convidados chegavam, uns após os outros, olhavam a grande mesa onde só a velha estava sentada, e todos perguntavam: "Mas quem é a velha ricaça?". Eu respondia: "Não sei". Só os garçons do restaurante conheciam a gag, e minha mulher perguntava a eles: "Mas o que foi que ela disse, ninguém falou com ela?". "Essa mulher nos disse que tinha sido convidada para a festa do senhor Hitchcock." Quando me perguntavam, eu insistia: "Mas não sei quem é ela". Todos a olhavam, todos indagavam: "Mas quem é ela... afinal, é preciso saber...". Estávamos no meio do jantar quando um escritor deu um soco na mesa e disse: "É uma gag". Então todos os olhares se voltaram para a velha ricaça e o escritor olhou para um outro convidado, um jovem que alguém tinha levado, e disse ao rapaz: "E você também, você é uma gag!". Gostaria de retomar essa brincadeira e levá-la mais longe. Contrataria uma mulher desse tipo para um jantar e a apresentaria aos convidados como se fosse minha tia. E a falsa tia me diria: "Será que eu poderia beber alguma coisa?" e eu diria na frente de todo mundo: “Não, não, você sabe muito bem que o álcool não lhe faz bem, você não deve beber”. Então a tia se afastaria com cara muito triste e iria se sentar no seu canto. Todos os convidados ficariam encabulados, muito constrangidos com essa história. Um pouco mais tarde, a tia se levantaria e viria em minha direção com um olhar de extrema súplica e eu lhe diria bem alto: “Não, não, não adianta me olhar assim... E a sua atitude constrange todo mundo”, e a pobre velha diria: “Oh, oh!”. Todos se sentiriam realmente encabulados, não saberiam mais onde pôr os olhos e minha falsa tia começaria a chorar baixinho. Finalmente, eu lhe diria: “Escute, você está estragando a nossa noite, vá embora, volte para o seu quarto”. Nunca fiz essa brincadeira, pois tenho muito medo de que alguém bata em mim.

O CINEASTA OUVE OS SONS ELETRÔNICOS DO CANTO DAS AVES E DO FARFALHAR DAS ASAS.

15

MARNIE, CONFISSÕES DE UMA LADRA

UM AMOR FETICHISTA

TRÊS ROTEIROS ABANDONADOS: *OS TRÊS REFÉNS, MARIE-ROSE* E *R.R.R.R.*

CORTINA RASGADA

O ÔNIBUS MALVADO

A CENA DA FÁBRICA

NUNCA ME COPIEI

A CURVA ASCENDENTE

FILMES DE SITUAÇÕES E FILMES DE PERSONAGENS

SÓ LEIO O *TIMES* DE LONDRES

MEU ESPÍRITO É ESTRITAMENTE VISUAL

VOCÊ É UM CINEASTA CATÓLICO?

MEU AMOR PELO CINEMA

24 HORAS NA VIDA DE UMA CIDADE

François Truffaut — Agora tratemos de *Marnie, confissões de uma ladra*. Ouvimos falar desse filme muito tempo antes de sua realização, pois a certa altura imaginou-se que ele podia marcar o retorno de Grace Kelly às telas. O que lhe interessou nesse romance de Winston Graham?

Alfred Hitchcock — Eu gostava sobretudo da ideia de mostrar um amor fetichista. Um homem quer dormir com uma ladra porque ela é uma ladra, como outros têm vontade de dormir com uma chinesa ou com uma negra. Infelizmente esse amor fetichista não foi tão bem transposto para a tela como o de Jimmy Stewart por Kim Novak em *Um corpo que cai*. Para falar cruamente, seria preciso mostrar Sean Connery flagrando a ladra diante do cofre-forte e tendo vontade de pular em cima dela e violentá-la ali mesmo.

O que é que tanto apaixona o herói de *Marnie*? Que essa ladra dependa dele, pois ele conhece o seu segredo e poderia entregá-la à polícia? Ou, mais simplesmente, que ele ache excitante deitar-se com uma ladra?

São as duas coisas ao mesmo tempo, sem dúvida.

Enxergo uma contradição no filme. Sean Connery está ótimo, tem uma aparência um tanto bestial que traduz bem o lado sexual da história, mas o roteiro e o diálogo não tratam propriamente desse aspecto. Mark Rutland é apresentado aos espectadores como um personagem simplesmente protetor. Só ao olharmos atentamente para seu rosto é que adivinhamos o desejo que você demonstrou de orientar o roteiro para um enfoque mais original.*

É verdade, mas lembre-se de que desde o início mostrei que Mark tinha prestado atenção em Marnie. Quando fica sabendo que ela foi embora com a caixa, faz o seguinte comentário: "Ah, sei! A moça das lindas pernas?...". Se eu tivesse utilizado, como no meu velho filme inglês *Assassinato*, o processo do monólogo interior, teríamos ouvido Sean Connery dizer a si mesmo: "Quero que ela se apresse em cometer um novo roubo a fim de que eu consiga lhe dar um flagrante e finalmente possuí-la". Assim, eu teria obtido um duplo suspense. Teríamos filmado

* Marnie (Tippi Hedren) é uma ladra. Sempre que vai embora com a caixa, muda de identidade e consegue ser contratada em outra praça. Mark Rutland (Sean Connery) a identifica, mas não deixa transparecer nada e a contrata como secretária contábil. Corteja-a, sem muito sucesso, e logo ela desaparece, levando o conteúdo do cofre-forte da firma Rutland.

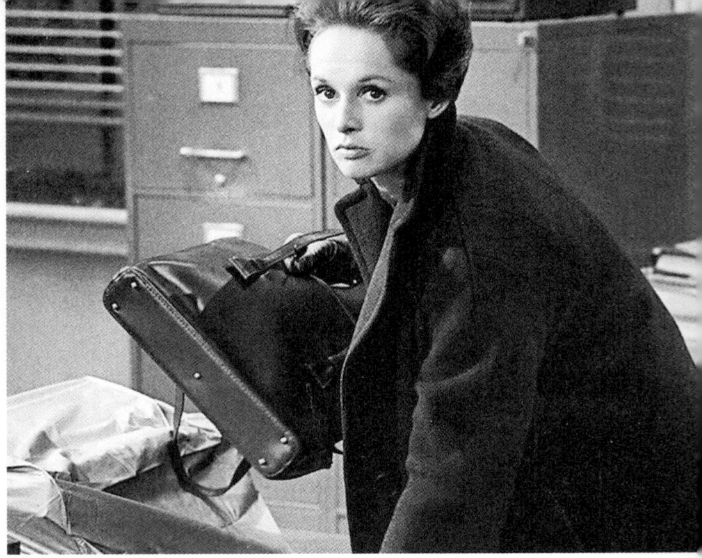

sempre Marnie do ponto de vista de Mark e mostrado a satisfação dele quando vê a moça cometer o roubo.

Pensei muito em construir a história desse outro jeito, mostrar aquele homem olhando e até *contemplando* secretamente um verdadeiro roubo. Em seguida, ele seguiria Marnie, a agarraria, fingindo ter descoberto sua pista, e a possuiria, bancando o homem ultrajado. Mas realmente não é possível representar essas coisas na tela porque o público recusa, dizendo: "Ah, não! Essa não!...".

É uma pena, pois essa construção era apaixonante. Gosto muito de *Marnie* tal como é, mas sinto que era um filme difícil para o público devido a seu clima bastante triste, melhor dizendo, sufocante, um pouco como um pesadelo.

Nos Estados Unidos foi relançado numa sessão dupla, com *Os pássaros*, e juntos dão bons lucros.

Creio que o filme seria mais equilibrado se durasse três horas. Não há nada que esteja sobrando nessa história; ao contrário, em diversos pontos gostaríamos de saber mais.

É verdade. Fui forçado a simplificar tudo o que dizia respeito à psicanálise. Você sabe que, no romance, para fazer uma concessão ao marido, Marnie aceita ir ver um psicanalista toda semana. No livro, os esforços dela para disfarçar a vida real e o passado davam cenas ótimas, a um só tempo divertidas e trágicas. Tivemos de comprimir tudo isso numa única cena durante a qual o próprio marido dirige a sessão de análise.

É, de noite, depois de um de seus pesadelos, o que rende uma das melhores cenas do filme.

O que realmente detesto em *Marnie* são os personagens secundários, por exemplo o pai de Mark. Eu tinha a impressão de que não conhecia essas pessoas, esses personagens. Sean Connery não era um gentleman da Filadélfia dos mais convincentes. No fundo, se quisermos reduzir a história de *Marnie* à sua expressão mais vulgar, obteremos algo como *O príncipe e a mendiga*. Numa história desse tipo, é preciso ter um homem muito elegante.

Alguém como o Laurence Olivier de *Rebecca*?

Exatamente. E assim a ideia de um amor fetichista ganha nitidez. Tive o mesmo problema com *Agonia de amor*.

Mark percebe o roubo, substitui o dinheiro roubado, descobre a pista de Marnie, leva-a de volta para a Filadélfia e, em vez de entregá-la à polícia, casa-se com ela! Que não tem escolha...
A viagem de núpcias num navio é um desastre, Marnie é absolutamente frígida e tenta até se suicidar depois que Mark a possui à força.
Com pavor da cor vermelha, sujeita a pesadelos horrorosos, Marnie é uma neurótica, sua cleptomania é uma compensação de sua frigidez.
Ao descobrir que ela mentiu quando lhe disse ser órfã, Mark consegue, graças aos serviços de um detetive, encontrar a pista da mãe de Marnie.
Depois Marnie tenta mais uma vez esvaziar o cofre dos Rutland. É flagrada por Mark, que a arrasta para Baltimore a fim de arrancar de sua mãe o segredo de seu nascimento e de sua neurose.
O segredo é abominável, pois se trata de um assassinato cometido por Marnie a golpes de atiçador, quando tinha cinco anos, para defender a mãe, prostituta, contra as brutalidades de um marinheiro bêbado. Não há a menor dúvida de que, de posse desse doloroso segredo, Marnie poderá se curar, com a ajuda de Mark.

Você se apega muito a esse motivo dramático que Claude Chabrol chamou de "tentação da decadência", e que você chama de "degradação por amor". Espero que um dia consiga realizá-lo como gostaria...
Não, não creio, pois as histórias desse tipo estão ligadas à consciência de classe tal como ela existia trinta anos atrás. Hoje uma princesa pode se casar com um fotógrafo, ninguém se espanta com isso.
No seu primeiro projeto de adaptação, havia uma ideia que eu achava apaixonante e que você abandonou. Você queria fazer uma cena de amor em que Marnie se livraria da frigidez, e queria que ela se passasse em público...
Sim, de fato, me lembro. Nesse caso, ela ia ver a mãe e encontrava a casa cheia de vizinhos: a mãe acabava de morrer. Depois vinha a grande cena de amor interrompida pela chegada dos policiais que prendiam Marnie. Abandonei-a por causa do inevitável estereótipo a que teria de recorrer, o homem dizendo à mulher que ele ama e que é levada pela polícia: "Vá, esperarei por você...".

NA PÁG. 302, HITCHCOCK E TIPPI HEDREN EM *MARNIE, CONFISSÕES DE UMA LADRA* (1964).

A CLEPTOMANÍACA MARNIE (TIPPI HEDREN).

SEAN CONNERY E TIPPI HEDREN CONTRACENAM EM *MARNIE, CONFISSÕES DE UMA LADRA.*

Você preferiu suprimir a polícia e sugerir que, tendo Mark ressarcido as diversas vítimas de seus roubos, Marnie não será importunada. Aliás, tenho a impressão de que o público não sente a ameaça de detenção que pesa sobre *Marnie*: nunca se pensa que ela é procurada ou está em perigo. Observei o mesmo fenômeno em *Quando fala o coração*. Você entremeia dois mistérios de essência diferentes: a) um problema moral e psicanalítico: o que esta pessoa (Gregory Peck ou Tippi Hedren) pode ter feito na infância? e b) um problema material: a polícia vai pegar esta pessoa, sim ou não?
Peço desculpas, mas a ameaça da prisão também me parece uma questão moral.
Sem dúvida, mas mesmo assim creio que uma investigação de polícia e uma investigação psicanalítica não podem se misturar. Como espectador, já não sabemos o que devemos desejar ao personagem: descobrir o segredo de sua neurose ou escapar da polícia? E, no fundo, além do mais deve ser muito difícil conduzir essas duas ações ao mesmo tempo porque a caçada policial exige um andamento rápido, ao passo que a investigação psicológica desenvolve-se mais lentamente.
É verdade, e em *Marnie* atrapalhei-me na construção por causa do tempo longo demais, que vai desde que ela consegue a vaga na empresa Rutland até o momento em que comete o roubo. Entre os dois, Mark apenas a cortejava, e isso não bastava. Volta e meia enfrentamos esse problema, sentimos que uma coisa exige certa preparação mas a própria preparação pode ser fastidiosa, já que, para não alongá-la ainda mais, evitamos alimentá-la com detalhes divertidos que a tornariam mais interessante! Senti isso em *Janela indiscreta*, quando se passava muito tempo até que James Stewart começasse a lançar olhares desconfiados para o outro homem, no lado oposto do pátio.

É, havia um primeiro dia que era apenas a exposição, mas achei-o muito interessante.

Porque Grace Kelly era bonita de se ver e porque o diálogo era bom.

Depois de *Marnie*, a imprensa anunciou sucessivamente três projetos de filmes que, pelo visto, você adiou ou abandonou: *Os três reféns*, *Marie-Rose*, adaptado da peça de sir James Barrie, e um roteiro original intitulado *R.R.R.R.*

De fato, trabalhei nesses três projetos. Comecemos por *Os três reféns*. É um romance repleto de situações típicas do espírito de Buchan, muito próximo de seu livro *Os 39 Degraus* e do filme que tirei daí; o protagonista é o mesmo, Richard Hannay. O princípio de *Os três reféns*, escrito em 1922, é o seguinte: o governo está prestes a pôr a mão numa quadrilha de inimigos secretos do Império Britânico (subentenda-se uns "bolcheviques"). Os espiões, sabendo que vão ser presos numa data precisa, sequestram três crianças cujos pais estão entre as pessoas mais importantes do país. A missão de Richard Hannay é descobrir os diferentes lugares onde estão detidos os três reféns e devolvê-los às respectivas famílias.

Antes de sair de Londres, Richard Hannay encontra, à guisa de primeiro indício, Medina, um gentleman levemente oriental mas elegantíssimo, grande conhecedor de vinhos, confidente de primeiros-ministros, e esse homem o convida para ir à sua casa e propõe ajudá-lo. Pouco a pouco, Richard Hannay compreende que, por trás da enxurrada de palavras com que ele se embriaga, Medina o está lentamente hipnotizando, e finge estar caindo na hipnose. Dias depois, volta à casa de Medina e este, para provar a um de seus cúmplices ali presentes que Hannay está de fato sob seu poder, ordena-lhe: "Hannay, ande de quatro como um cachorro... Agora, vá até aquela mesa e me traga entre os dentes aquele cinzeiro etc.". Evidentemente, isso devia render uma cena cheia de suspense e, ao mesmo tempo, muito engraçada, pois na verdade Hannay mantinha sua absoluta lucidez.

Graças a isso, Hannay consegue indícios que lhe permitem encontrar o primeiro refém, um rapaz de dezoito anos, sequestrado numa ilha norueguesa, depois o segundo, uma moça, numa taberna sinistra em Londres, e o terceiro, em algum outro lugar. De fato, todos esses jovens reféns tinham sido hipnotizados.

Abandonei o projeto porque sinto que não se pode mostrar a hipnose na tela de modo suficientemente convincente. É um estado longe demais das experiências vividas pelo público e, aqui, caímos na mesma impossibilidade que sentimos de filmar os "ilusionistas-mágicos". O público viu tantas trucagens nos filmes que instintivamente adivinha como os cineastas agiram; e pensa: "Pararam o filme no rolo, fizeram a mulher sair da caixa e a desamarraram!". É a mesma coisa com a hipnose, e visualmente não haveria diferença entre um personagem de fato hipnotizado e outro que fingiria estar.

Aliás, na primeira versão de *O homem que sabia demais* você já tinha descartado a ideia de um sequestro feito por alguém hipnotizado.

De fato, e tanto mais que o primeiro roteiro de *O homem que sabia demais*, se bem que adaptado de uma história de Bulldog Drummond, foi influenciado por minha leitura de Buchan.

O segundo projeto, esse aí não abandonei de vez, é *Marie-Rose*, que lembra um pouco uma história de ficção científica.

Há alguns anos se pensaria que a história era irracional demais para o público, mas desde então certos programas de televisão familiarizaram as pessoas com relatos desse tipo.

A peça começa com a chegada de um jovem soldado a uma casa vazia; ali encontra uma governanta, ambos falam do passado e o soldado lhe diz que é membro de uma família que lá vivia. Nesse momento, começa um flashback que nos leva a trinta anos atrás. Vemos a vida cotidiana de uma família e um jovem tenente da marinha indo pedir aos pais de Marie-Rose a mão da moça.

A certa altura pai e mãe trocam olhares e, quando Marie-Rose se ausenta da sala, contam ao rapaz: "Quando Marie-Rose tinha dez anos, fomos passar férias numa ilha na Escócia e lá ela desapareceu por quatro dias. Quando voltou, não tinha a menor consciência de ter desaparecido, não havia sentido o tempo passar". Os pais acrescentam: "Nunca falamos disso com ela e vocês podem se casar, mas não faça nenhuma alusão a isso".

Agora passaram-se quatro anos e Marie-Rose, que tem um filho de dois anos e meio, diz ao marido: "Gostaria que partíssemos finalmente em lua de mel, gostaria de voltar à ilha onde estive quando era criança". O marido fica transtornado mas aceita. O segundo ato se passa na ilha; um jovem barqueiro, estudante da universidade de Aberdeen, onde estuda para ser padre, ciceroneia o jovem casal e os entretém com o folclore local; menciona que no passado, naquela ilha, um garotinho desapareceu, e que outra vez foi uma menininha, por quatro dias.

Durante uma pescaria, enquanto o barqueiro mostra ao marido como se cozinham as trutas em cima dos rochedos, Marie-Rose ouve abruptamente vozes celestes que se elevam como em *As sereias*, de Debussy; ela anda pelos rochedos, o vento sopra e em breve ela desaparece. Faz-se silêncio, o vento para, o marido começa a procurar

STORYBOARD PARA A CENA DE ABERTURA DE *MARNIE, CONFISSÕES DE UMA LADRA.*

Marie-Rose por todo lado, está com medo, chama-a, ela desapareceu e é o fim do segundo ato.

O último ato nos leva de volta à família, vinte e cinco anos depois. Marie-Rose caiu no esquecimento, os pais estão muito velhos e o marido tem um barrigão. Toca o telefone. É o antigo barqueiro, que virou padre e acaba de descobrir Marie-Rose na ilha, inalterada. Ela volta para sua família, e sente-se cruelmente constrangida ao encontrá-los tão velhos; quando pede para ver o filho, respondem-lhe: "Ele fugiu para ser marujo, quando tinha dezesseis anos". O choque dessa notícia provoca um ataque cardíaco que mata Marie-Rose.

Depois voltamos ao presente, com o soldado na casa vazia. Marie-Rose aparece do outro lado da porta, como um fantasma. Os dois têm uma conversa, com a maior naturalidade, e a cena fica um tanto patética. Ela diz que espera há muito tempo; ele pergunta: "O que você espera?" e ela responde: "Não sei, esqueci". Ela se senta no colo dele — na peça de teatro, evidentemente —, levanta-se, vira-se, e eis que ouvimos novas "vozes" através das portas. Distinguimos uma luz forte para a qual Marie-Rose vai andando, desaparecendo...

Bem interessante.

Você deveria fazer um filme com essa história, é melhor que seja você, pois de fato não é um "Hitchcock"... O que me incomoda um pouco é o fantasma. Se fizesse o filme, poria na moça um vestido cinza e, dentro da bainha, uma luz de neon, de modo que esse clarão só se refletisse na heroína. Quando ela se deslocasse, a silhueta não causaria nenhuma sombra nas paredes, apenas uma luz azul.

Teríamos de dar a impressão de filmar, não um corpo, mas uma "presença", por isso às vezes ela apareceria muito pequena na imagem, e às vezes muito grande, e mais como uma "sensação" do que como um "bloco sólido"; assim se desfaria a impressão do espaço e do tempo reais, e nos sentiríamos em presença de alguma coisa de efêmero.

É um tema muito bonito e muito triste.

É, muito triste porque por trás de tudo isso há essa ideia exposta com grande fleugma: se os mortos voltassem, não teríamos a menor ideia do que fazer com eles!

Seu terceiro projeto é um roteiro original encomendado aos dois roteiristas italianos de *Eternos desconhecidos* [*I soliti ignoti*], Age e Scarpelli?

Esse aí, acabo de abandoná-lo só agora, mas definitivamente. Era a história de um italiano que emigrou para os Estados Unidos. Começa como ascensorista num grande hotel, do qual, graças a seu trabalho, se torna o diretor. Manda vir a família da Sicília, mas são todos ladrões, e acima de tudo ele tem de impedi-los de roubar uma coleção de medalhas exposta no hotel. Desisti de rodar esse filme porque me parecia disforme e, além disso, como você sabe, os italianos são muito desleixados com as questões de construção.

Foi por isso que, deixando de lado esses três projetos, você se lançou em *Cortina rasgada*. Como lhe veio a ideia desse filme?*

Ela me foi inspirada pelo desaparecimento de dois diplomatas ingleses, Burgess e Maclean, que deixaram seu país e foram para a Rússia. Fiquei pensando: "O que foi que a sra. Maclean achou de tudo isso?".

* A fim de arrancar do professor Lindt, de Leipzig, uma fórmula científica, um cientista atômico (Paul Newman) finge trair os Estados Unidos e vai a Berlim Oriental. Primeiro imprevisto: sua noiva (Julie Andrews) o acompanha; segundo imprevisto: tem de participar do assassinato de seu guarda-costas, que compreendeu a verdade. No entanto, obtém a fórmula secreta que procura e consegue sair da Alemanha Oriental, com sua noiva, depois de uma movimentada perseguição.

Por isso é que a primeira terça parte do filme é quase totalmente mostrada do ponto de vista da moça, até a confrontação dramática entre os dois, no quarto de hotel em Berlim.

Em seguida, adoto o ponto de vista de Paul Newman e mostro o assassinato não premeditado do qual ele é obrigado a participar, e depois seus esforços para chegar ao professor Lindt e arrancar-lhe o segredo antes que o crime seja descoberto.

Por fim, a última parte é formada pela fuga do casal. Você vê que o filme se divide nitidamente em três partes. A história se desenvolveu desse jeito com bastante naturalidade, pois respeitei sua topografia lógica; para ter certeza de que tudo seria exato, mesmo antes de começar o roteiro fiz o mesmo trajeto dos personagens. Fui a Copenhague, depois, pegando uma companhia de aviação romena, fui a Berlim Oriental, a Leipzig, e de novo a Berlim Oriental, e depois à Suécia.

De fato, a divisão da história em três partes é muito nítida mas confesso-lhe que prefiro o filme a partir da segunda parte. A primeira me toca pouco, pois tenho a impressão de que o público adivinha as coisas, não só antes de Julie Andrews, mas antes até de receber as informações que lhe são destinadas.

Concordo com você nesse ponto. Quando Newman diz a Julie Andrews: "Você volta para Nova York e eu vou para a Suécia", o público é incapaz de acreditar, pois dei indícios do comportamento estranho do jovem cientista. No entanto, tudo isso devia ser corretamente estabelecido, quando nada por respeito aos espectadores que verão o filme uma segunda vez e que então perceberão que não foram tapeados.

Evidentemente, quando a moça fica sabendo que o noivo reservou uma passagem para Berlim Oriental e então lhe diz: "Mas é atrás da Cortina de Ferro!", os espectadores estão adiantados em relação a nós, mas não acho que isso atrapalhe, pois eles ficam pensando, acima de tudo, em como a moça vai reagir.

Até aí estou de acordo, é a etapa seguinte que contesto, o longo tempo durante o qual a moça acredita que o noivo é um traidor, quando ninguém na plateia acredita.

Sem dúvida, mas preferia começar a história com um "mistério" para evitar um início de filme que no passado utilizei muito, e que virou um

JULIE ANDREWS NO PAPEL DE SARAH SHERMAN.

PAUL NEWMAN E LUDWIG DONATH, NO PAPEL DO PROFESSOR LINDT.

"COMO É DIFÍCIL MATAR UM HOMEM", COMENTA HITCHCOCK SOBRE ESTA CENA DE *CORTINA RASGADA* (1966).

estereótipo: o homem a quem se confia uma missão. Não queria fazer isso de novo. Você tem uma cena desse gênero em cada James Bond; um homem lhe diz: "Meu caro 007, você vai a tal lugar e lá fará o seguinte...". Acabei fazendo uma dessas cenas, mas ela chega de surpresa no meio do filme, é a discussão com o fazendeiro sobre o trator, logo antes do assassinato.

O assassinato de Gromek na fazenda é, naturalmente, a cena mais forte, a que mais apaixona o público. É muito selvagem e ao mesmo tempo muito realista, sem música.

Com essa cena de assassinato muito longa quis, em primeiro lugar, ir na direção oposta à do estereótipo. Em geral, nos filmes, um assassinato se passa muito depressa: uma facada, um tiro de fuzil, o personagem do assassino nem tem tempo de examinar o corpo para ver se a vítima está morta ou não. Então pensei que era hora de mostrar como é difícil, trabalhoso e longo matar um homem. Graças à presença do motorista de táxi diante da fazenda, o público admite que esse crime deve ser silencioso e por isso é que é impossível pensar em um tiro. De acordo com nosso velho princípio, o assassinato deve ser executado com os meios que nos sugerem o lugar e os personagens. Estamos numa fazenda e é uma fazendeira que mata, utilizamos portanto os instrumentos domésticos: o caldeirão cheio de sopa, uma faca de trinchar, uma pá e, por último, o forno do fogão a gás!

E, cúmulo do realismo, a lâmina da faca quebra na garganta de Gromek! Há coisas muito bonitas nessa cena de assassinato, os pequenos planos curtos focalizando a mão de Gromek, que bate no paletó de Newman de um jeito ameaçador, os golpes de pá dados pela fazendeira nas pernas de Gromek e, depois, os dedos de Gromek que abanam o ar antes de se imobilizarem, quando sua cabeça está dentro do forno a gás.

Em relação ao roteiro do filme, notei duas mudanças importantes: a supressão de uma cena na fábrica, entre Berlim e Leipzig, e a simplificação da sequência do ônibus; é muito longa no roteiro e cheia de detalhes fantásticos.

Tive de comprimir o episódio do ônibus porque não conseguiria sustentar a tensão. Trata-se de uma cena que já comprime o tempo, criando a ilusão de um longo trajeto. Dirigi toda essa sequência imaginando que o ônibus é um personagem. Portanto, trata-se de um ônibus bonzinho que ajuda nosso casal a fugir. Quinhentos metros atrás, há um ônibus malvado que pode causar a desgraça do bonzinho. Dito isso, não fiquei satisfeito com a qualidade técnica das retroprojeções para essa cena. Por medida de economia, mandei que um câmera alemão filmasse esse cenário; ora, eu deveria ter escalado uma equipe americana.

Mas esse material de retroprojeção não poderia ser filmado em estradas americanas?

Não, por causa da entrada na cidade, no final da sequência, quando vemos os bondes etc. Fora esse contratempo, você gostou da fotografia do filme?

Gostei, sim, é ótima.

Para mim é uma mudança radical. É uma luz projetada em grandes superfícies brancas e filmamos tudo através de uma gaze cinza. Os atores perguntavam: onde estão as luzes? Quase atingimos o ideal, que seria filmar com luz natural.

E a famosa cena da fábrica, você a eliminou antes ou depois da filmagem?*

Depois. Filmei-a e ela é excelente, muito impressionante. Eliminei-a da montagem final por ser muito longa e por eu não estar satisfeito com a interpretação de Paul Newman.

Como você bem sabe, Paul Newman é um ator do "método", ou seja, é incapaz de se contentar com olhares neutros, esses olhares que me permitem fazer a montagem de uma cena. Em vez de olhar simplesmente para o irmão de Gromek, para a faca e para o pedaço de chouriço, fazia a cena no estilo do "método", com emoção excessiva e sempre desviando a cabeça. Na montagem consegui dar um jeito, o melhor que pude, mas finalmente, apesar do entusiasmo que ela provocava ao meu redor, suprimi a cena por causa do tamanho do filme e também por me lembrar de meus aborrecimentos em *O agente secreto*. Em *O agente secreto*, que filmei na Inglaterra trinta anos antes, eu tinha excelentes cenas, mas todas essas belas coisas se perderam pois o filme foi um fiasco. Por quê? Porque o protagonista tinha a missão de cometer um assassinato que lhe repugnava e o público não conseguia se identificar com um personagem tão amargo. Então eu temia, em *Cortina rasgada*, cair de novo nessa armadilha, sobretudo durante a cena da fábrica. No entanto, estava satisfeito com o ator que faz Gromek. Para fazer o papel de seu próprio irmão, transformei-o muito, mandei que lhe pusessem cabelos brancos, óculos, e ele mancava. Então, no set, todos me disseram: "Mas ele não se parece nadinha com o outro". As pessoas ao meu redor achavam que o público deveria ter a impressão de ver o gêmeo do morto. Respondi-lhes: "Seus cretinos, se fizermos de Gromek II o sósia de Gromek I, o público dirá simplesmente: 'Xi, é o mesmo homem!'". Isso para você ver como todos raciocinam em termos de estereótipos. Pensando bem, a cena era muito boa. Vou lhe mandar esse trecho para Paris.

Ah, é?

É, esse pedaço do filme, vou dá-lo a você.

* Essa cena ocorria depois do assassinato de Gromek na fazenda, numa fábrica visitada durante uma parada entre Berlim Oriental e Leipzig. Na cantina dos operários, o professor Armstrong (Paul Newman) descobria estupefato um contramestre inacreditavelmente parecido com Gromek. Na verdade, tratava-se do próprio irmão de Gromek, que então andava até Armstrong e se apresentava; depois Gromek II pegava uma faca de cozinha (semelhante àquela cuja lâmina se quebrara na garganta do irmão no episódio anterior) e cortava uma grossa fatia de chouriço, entregando-a a Armstrong muito transtornado, e dizendo-lhe: "É chouriço, meu irmão adora isso, o senhor poderia fazer a gentileza de lhe entregar, em Leipzig?".

Ah, muito obrigado! Vou vê-lo e depois darei para Henri Langlois, para a Cinemateca Francesa.

Sr. Hitchcock, parece-me que desde o início da sua carreira você foi motivado pela vontade de só filmar aquilo que o inspirava visualmente e o interessava dramaticamente. Durante nossas conversas, às vezes empregou duas expressões reveladoras: "carregar de emoção" e "completar a tapeçaria". De tanto suprimir dos roteiros o que chama de "buracos dramáticos" ou de "manchas de tédio", procedendo por eliminação contínua tal como se filtra um líquido várias vezes a fim de purificá-lo, você reuniu um material dramático bem seu. De tanto aperfeiçoar esse material, chegou, voluntariamente ou não, a fazer com que ele expressasse ideias pessoais que vieram como que em suplemento da ação, em sobreimpressão... É assim que você vê as coisas?

É isso mesmo, a experiência nos ensina muito. Sei que, para você e para certos críticos, todos os meus filmes se parecem, mas curiosamente, para mim, cada um deles representa uma coisa inteiramente nova.

Com certeza. Você sempre se lançou em novas experiências, mas acho que nunca abandonou uma ideia cinematográfica antes de tê-la concretizado inteiramente. E certas vezes essa ideia só se concretizou depois de diversos filmes.

É, compreendo. E de vez em quando, inconscientemente, eu acabo voltando atrás, no mínimo por causa do "*run for cover*", mas creio jamais ter caído tão baixo a ponto de dizer para mim mesmo: "Vou copiar o que fiz em tal filme".

Ah, não! Nunca! Mas nas raras vezes em que foi levado a fazer um filme que não se encaixa perfeitamente no gênero Hitchcock, como *Valsas de Viena* ou *Um casal do barulho*, não os considerou como uma experiência interessante, e sim como tempo perdido.

Aí, estou totalmente de acordo.

Portanto, a sua evolução consiste em melhorar incessantemente o que foi esboçado no filme anterior e, quando está satisfeito com o resultado, a passar para um novo exercício?

É, é isso. Tenho obrigatoriamente de avançar, evoluir, e ainda não sei se conseguirei fazer tudo o que tenho na cabeça.

Agora, sinto-me à vontade num projeto quando posso contá-lo de forma muito simples do início ao fim, numa versão resumida. Gosto de imaginar uma moça que foi assistir ao filme e volta para casa toda contente com o que viu. Sua mãe lhe pergunta: "Como era o filme?", e ela

PAUL NEWMAN E JULIE ANDREWS EM *CORTINA RASGADA*.

ABAIXO, A PIOR LEMBRANÇA DE HITCHCOCK: *VALSAS DE VIENA*, DE 1933.

responde: "Era muito bom". A mãe: "Era sobre o quê?". A filha: "Bem, era sobre uma moça que... etc.". Ela termina de contar à mãe a história do filme e sinto que deveríamos estar satisfeitos em saber que conseguimos fazer a mesma coisa antes de começar a rodar o filme. É um ciclo.

É, é uma noção importante: deve-se completar o ciclo. É uma ideia correta. Principalmente quando nos iniciamos nessa profissão, temos a impressão de que o filme, finalizado, não tem nada a ver com o que era no início. No entanto, se os primeiros espectadores do nosso filme nos falam dele utilizando expressões, palavras que nós mesmos empregamos antes de filmá-lo, nesse momento sentimos que, apesar da perda eventual, o essencial foi salvo, sendo o essencial as razões profundas pelas quais fizemos este filme e não outro.

É, exatamente. Volta e meia fico perturbado com esse dilema: "Será que devo me obstinar e permanecer fiel à curva ascendente de uma história ou será que deveria experimentar mais, tomando mais liberdades com a narração?".

Creio que tem razão de se obstinar com a curva ascendente, já que no seu caso isso está certíssimo...

Por exemplo, pessoalmente, isso me constrangeu um pouco no seu filme *Jules e Jim*, a curva não ascende automática e necessariamente... A certa altura, um personagem pula por uma janela, a história para. Lê-se uma legenda na tela: "Algum tempo depois", e a ação retoma em seguida numa sala de cinema onde se assiste às atualidades. Nessas atualidades queimam-se livros, e na sala dois personagens dizem: "Ah! olhe lá o nosso amigo, lá na frente". Eles se encontram na saída do cinema e a história recomeça mais uma vez. Bem, isso talvez seja bom e correto, a seu modo, mas no gênero de histórias de suspense é algo que não poderíamos nos permitir.

Concordo. Mesmo independentemente das questões de suspense... não se pode, sistematicamente, sacrificar tudo aos personagens, há em todos os filmes um momento em que a história tem de tomar a dianteira. Não se deve sacrificar demais a curva, você tem razão.

Compreendo muito bem a sua diferenciação entre os filmes de situações e os filmes de personagens, mas às vezes fico pensando se seria capaz de conseguir um suspense num filme mais relaxado, mais frouxo, não tão apertado...

Seria muito perigoso, mas interessante de testar... Na verdade, acho que você já experimentou um pouco...

A história de *Marnie* é menos apertada, pois é conduzida pelos personagens, mas ainda temos a curva ascendente do interesse, por causa da pergunta fundamental: "Quando é que se vai descobrir o segredo dessa moça?". Essa era a primeira pergunta, e a segunda: "Por que essa moça não quer ir para a cama com o marido?". E isso constitui uma espécie de mistério psicológico.

Você só filma coisas excepcionais, mas mesmo assim essas coisas são muito pessoais, um pouco como obsessões. Não quero dizer que você viva no assassinato e no sexo, mas aposto que, abrindo o jornal, começa pelo noticiário policial.

Pois é! Perca as ilusões, não leio os crimes nos jornais e, aliás, não leio nenhum jornal exceto o *Times* de Londres, porque é um jornal muito

seco, muito austero, com detalhes muito espirituosos. No ano passado havia no *Times* uma notícia com o título: "Um peixe preso". Li o artigo e se tratava de alguém que tinha mandado um pequeno aquário num pacote para a prisão feminina de Londres. Mas o título era: "Um peixe preso". É isso que espero encontrar quando leio um jornal.

E fora o *Times*, lê revistas, romances?

Nunca leio romances nem nenhuma obra de ficção; leio biografias de personagens contemporâneos e livros de viagens. É impossível para mim ler ficção pois, instintivamente, eu ficaria imaginando: "Será que isso daria um filme, ou não?". Não me interesso pelo estilo em literatura, a não ser em Somerset Maugham, em quem admiro a simplicidade. Não gosto de literatura muito elaborada cuja sedução reside no estilo. Meu espírito é estritamente visual e, se leio uma descrição detalhada, fico impaciente, pois poderia mostrar a mesma coisa e mais depressa com uma câmera.

Conhece o único filme dirigido por Charles Laughton, *O mensageiro do diabo* [*The night of the hunter*]?

O mensageiro do diabo? Não, não vi.

Havia uma bela ideia em que, volta e meia, penso a respeito dos seus filmes. O personagem interpretado por Robert Mitchum era um pregador de uma seita muito sigilosa e muito preocupante; suas preces consistiam num combate entre as duas mãos; na mão direita estava escrito: "Bem", e na outra: "Mal". Era muito interessante porque as duas mãos lutavam de um modo patético. Isso me faz pensar nos seus filmes que mostram a luta do Bem e do Mal sob formas muito variadas e muito fortes, mas sempre extremamente simplificadas, como essa luta das mãos. Concorda?

Certamente é verdade, e então poderíamos transpor nosso slogan "quanto mais perfeito for o vilão, mais perfeito será o filme" para "quanto mais intenso for o mal, mais ferrenha será a luta e melhor será o filme".

Você aceita ser considerado um artista católico?

Não posso lhe responder exatamente, é uma questão muito difícil. Pertenço a uma família católica e minha educação foi estritamente religiosa. Aliás, minha mulher se converteu ao catolicismo antes do nosso casamento. Não creio que se possa dizer que eu seja um artista católico, mas é possível que a educação, tão importante para um homem, e meu instinto transpareçam em meu trabalho.

Por exemplo, em vários filmes, mas aparentemente por acaso, fui levado a filmar igrejas católicas, e não igrejas protestantes ou luteranas. Em *Um corpo que cai* precisava de uma igreja com um campanário e naturalmente procurei uma velha igreja, e ocorre que na Califórnia as velhas igrejas são das missões católicas. Portanto, talvez vá se pensar que eu quisesse filmar uma igreja católica, quando na verdade essa ideia é de Boileau e Narcejac. Não se imagina alguém se jogando do alto de uma igreja moderna protestante.

Não sou de jeito nenhum contra a religião, mas às vezes devo ser negligente nesse aspecto.

Não tenho nenhuma reserva a esse respeito e não tento lhe fazer dizer o que quer que seja, mas achava que só um católico seria capaz de filmar a cena da prece de Henry Fonda em *O homem errado*.

"SÓ LEIO O *TIMES* DE LONDRES, UM JORNAL MUITO SECO, MUITO AUSTERO."

Talvez, mas não esqueça que se tratava de uma família italiana. Na Suíça eles têm chocolates e lagos, na Itália...
... na Itália, têm o papa! É uma resposta... Eu tinha esquecido que no filme Henry Fonda era italiano. No entanto, em todo o seu trabalho respiro fortemente o cheiro do pecado original, do sentimento de culpa do homem.
Como pode dizer isso, quando temos sempre o tema do homem inocente, constantemente em perigo?
Ele é inocente mas só daquilo de que é acusado; quase sempre é culpado de suas intenções, *before the fact*, a começar pelo personagem de James Stewart em *Janela indiscreta*: a curiosidade não é só um feio defeito para a Igreja, é um pecado.
Concordo plenamente com você, é verdade. A imprensa londrina foi elogiosa com *Janela indiscreta*, mas uma crítica considerou que era um filme horroroso por causa da ideia do voyeur. Mesmo se alguém tivesse me dito isso antes que eu iniciasse o filme, isso jamais me impediria de fazê-lo, pois devo lhe dizer que meu amor pelo cinema é mais importante do que qualquer moral.
Certamente, mas a meu ver essa crítica estava errada, pois *Janela indiscreta* não é um filme condescendente. A moral num filme desses é simplesmente a lucidez, e já tivemos a oportunidade de citar a cena em que o assassino vai ver James Stewart para lhe dizer: "O que deseja de mim?".

Em nove entre dez filmes, ou mais exatamente em quarenta e cinco dos cinquenta filmes que fez, você mostrou na tela duplas de "bons" e "maus" que se defrontavam. O ambiente ficava cada vez mais opressivo até que eles resolvessem se explicar, se entregar ou se confessar. Esse é o retrato falado dos seus filmes. Há quarenta anos você se obstina, por meio de enredos de caráter policial, a filmar antes de tudo (ou depois de tudo, não é essa a questão) dilemas morais.
É absolutamente verdade, e várias vezes me perguntei por que não consigo me interessar por uma simples história de conflitos humanos cotidianos. A resposta é que talvez me pareçam não possuir interesse visual.
Certamente. Poderíamos dizer que o material de seus filmes é tirado de três elementos: a angústia, o sexo e a morte. Não são preocupações do dia, como as que podemos encontrar em filmes sobre o desemprego, o racismo, a miséria, ou ainda em filmes sobre os problemas diários de amor entre homens e mulheres, mas são preocupações da noite, portanto preocupações metafísicas...
O essencial não é que esteja próximo da vida?

Sabe, há outra coisa, é que não sou um escritor. Talvez fosse capaz de escrever eu mesmo um roteiro todo, mas como sou preguiçoso demais ou como meu espírito vai em diversas direções, o fato é que chamo outros escritores para colaborar comigo. No entanto, suponho que meus filmes de atmosfera e de suspense são realmente criações minhas como escritor e, aliás, tenho certeza de que não conseguiria fazer um filme totalmente escrito por outra pessoa. Disse-lhe o quanto sofri com *Juno and the Paycock*, qual foi minha sensação de impotência de não poder fazer nada com essa história. Eu a olhava, examinava, era uma obra em si, de Sean O'Casey, e tudo o que eu tinha a fazer era filmar os atores. Pegar o roteiro de alguém e fotografá-lo do meu jeito não me

basta. Sou obrigado a estabelecer eu mesmo o tema, para o bem e para o mal. No entanto, devo prestar muita atenção para não ficar à míngua de ideias, pois sou como todo artista que pinta ou escreve, sou limitado a um certo campo. Não quero me comparar com ele, mas o velho Roualt contentou-se em pintar palhaços, algumas mulheres, Cristo na cruz, e isso constituiu toda a obra de sua vida. Cézanne se contentou com algumas naturezas-mortas e algumas cenas de floresta, mas como um cineasta pode continuar a pintar o mesmo quadro?

Sinto, contudo, que ainda tenho muito a fazer e atualmente tento corrigir a grande fraqueza de meu trabalho, que reside na inconsistência dos personagens no suspense. Isso é muito difícil para mim, pois quando trabalho com personagens fortes, levam-me na direção em que querem ir. Então sou como a velha que os jovens escoteiros querem forçar a atravessar a rua: não quero obedecer. E isso sempre foi fonte de um conflito interior porque exijo certos efeitos. Sou atraído pelo desejo de colocar em meus filmes cenas intrigantes como as que lhe descrevi a respeito da linha de montagem da fábrica Ford. Atualmente eu chamaria isso de forma de escrita bastarda, um modo inverso de chegar ao resultado. Quando me lancei na ideia de *Intriga internacional*, que não é tirada de um romance, quando tive a ideia do filme, o vi por inteiro, e não um lugar ou uma cena em especial, mas uma direção contínua do início ao fim; e olhe que eu não sabia de jeito nenhum sobre o que era esse filme!

Creio, sr. Hitchcock, que seu modo de agir é antiliterário, estrita e exclusivamente cinematográfico e... que você sofre de atração pelo vazio! A sala do cinema está vazia, você quer enchê-la, a tela está vazia, quer enchê-la. Não parte do conteúdo, mas do continente. Para você, um filme é um recipiente que se deve encher de ideias cinematográficas ou, como diz volta e meia, "carregar de emoção".

É provável... De fato, um projeto de filme começa muitas vezes por uma formulação muito vaga, uma ideia que eu gostaria de filmar a respeito das vinte e quatro horas na vida de uma cidade; posso enxergar todo o filme do início ao fim. Ele é cheio de incidentes, cheio de planos de fundo, é um grande movimento cíclico. A coisa tem início às cinco horas da manhã, está clareando, e há uma mosca que zanza pelo nariz de um mendigo deitado no vão de uma porta-cocheira. Depois começa o movimento matutino na cidade. Quero tentar filmar uma antologia da comida. A chegada da comida à cidade. A distribuição. A compra. A venda. A cozinha. O ato de comer. O que acontece com a comida em diferentes tipos de hotéis, e como ela é servida e absorvida. Pouco a pouco, lá pelo fim do filme, surgirão os bueiros e os restos que vão ser jogados no oceano. É um ciclo completo, desde as verduras ainda molhadas de tão frescas até o final do dia, a sujeira que sai dos esgotos. Nesse momento, o tema do movimento cíclico torna-se o que as pessoas fazem com as boas coisas; e o tema geral torna-se a podridão da humanidade. É preciso cruzar toda a cidade, ver tudo, filmar tudo, mostrar tudo.

Pronto! Esse exemplo ilustra perfeitamente o seu estado de espírito. Para esse filme sobre a cidade, você enumera todas as suas imagens,

"SOU COMO A VELHA QUE OS JOVENS ESCOTEIROS QUEREM FORÇAR A ATRAVESSAR A RUA: NÃO QUERO OBEDECER."

as sensações possíveis, e depois o tema se destaca por si só. Será um filme apaixonante de fazer.

Há decerto os mais variados modos de escrever o roteiro desse filme, mas com quem fazê-lo? Também é preciso que seja divertido, é preciso um elemento romântico, é preciso conseguir dez filmes num só. Há muitos anos, pedi a um escritor que trabalhasse nessa ideia mas não deu certo.

Imagino que queira ter um personagem que atravessa a cidade e a quem seguimos ao longo de todo o filme?

De fato, essa é a dificuldade. Em que podemos fixar o nosso tema? Evidentemente, há todo um leque de possibilidades: o homem que foge, o jornalista, o jovem casal do interior que visita a cidade pela primeira vez, mas são motivos um tanto menores em relação à vastidão do projeto. A tarefa é imensa mas sinto a necessidade de fazer esse filme. Aqui, curiosamente, existe algo a deplorar. Quando você filma uma grande história moderna, o público não aprecia a sua dimensão. Se você coloca a mesma história na Antiguidade romana, vira um filme cuja importância é reconhecida. Eis o mal-entendido: o público aceita o modernismo, mas isso não o impressiona. Fica impressionado com os templos romanos porque sabe que devem ter sido construídos em estúdio. Afinal de contas, *Cleópatra* é uma história tão insignificante como *A princesa e o plebeu*, na qual se trata de uma princesa moderna, em trajes urbanos.

Isso me desanima um pouco, pois esse filme sobre a grande cidade seria tremendamente caro. Eu mostraria um grande espetáculo de music hall, uma luta de boxe no Madison Square Garden, a multidão em Wall Street, os grandes arranha-céus... toda a Nova York... o filme estaria repleto de celebridades que seriam entrevistas num piscar de olhos, colunistas conhecidos, o prefeito da cidade, que faria uma declaração de duas linhas para a televisão etc...

Teríamos ao mesmo tempo um grande tema e um grande panorama, e talvez muitos personagens riquíssimos, como num afresco de Charles Dickens.

Agora, nesse filme, o que deveríamos evitar? Naturalmente, os lugares-comuns, os velhos estereótipos: os paralelepípedos molhados, a eterna imagem da rua vazia com um velho jornal rodopiando...

Evidentemente, o filme não deveria ser feito para a primeira fila do balcão ou para três strapontins na plateia, mas para os dois mil lugares da sala de cinema, pois o cinema é o meio de comunicação mais difundido no mundo e o mais poderoso. Se você cria o seu filme corretamente, emocionalmente, o público japonês deve reagir nos mesmos momentos em que o público da Índia reagiria. Isso é sempre um desafio para mim, como cineasta. Se você escreve um romance, ele perde o essencial de seu interesse com a tradução, se escreve ou dirige uma peça, ela será representada corretamente na primeira noite e depois se tornará disforme. Um filme circula pelo mundo inteiro. Perde quinze por cento de sua força quando é legendado, só dez por cento se for bem dublado, mas a imagem permanece intacta, mesmo se o filme for mal projetado. É o *seu* trabalho que é mostrado, você está protegido e se faz entender da mesma maneira pelo mundo inteiro.

HITCHCOCK ADORAVA A PUBLICIDADE: ACEITOU POSAR FANTASIADO DE MULHER PARA UM GRANDE JORNAL AMERICANO.

THE ANTIC ARTS

The Man Behind the Body

by John D. Weaver

PHOTOGRAPH BY MAXWELL COPLAN

The complex world

of Alfred Hitchcock

includes murder,

mayhem and

artful disguises

▪ Alfred Hitchcock, like Charles Dickens, has created a popular body of work so distinctive that his name has passed into the language. A hundred years after Dickensian characters had young Queen Victoria's subjects cliff-hanging from one installment to the next, their great-grandchildren streamed into the London cinemas to surrender themselves to a Hitchcockian world of spies and saboteurs, assassins and blackmailers. This shadowy, stylized realm has been ruled for forty years by a calm, ample creature of habit who has made his bundle frightening film audiences while living the orderly nine-to-six life of a civil servant.

He awakens each morning at the same time (seven A.M.) in the same house to the same wife (they were married in 1926). He drinks a cup of tea before breakfast, slips into one of his six identical blue suits and leaves for the office. At six-thirty, after nine hours of cunningly contrived murder and mayhem, he comes home to eat dinner in his remodeled kitchen, help his wife with the dishes, and then read (biography and romantic novels) and watch television. Somewhere between nine-thirty and ten o'clock, his two miniature Sealyhams asleep beside him, he dozes off in front of the television screen.

"Television," he says, "was made for that purpose."

Hitchcock's comfortable, unostentatious house faces the fifteenth fairway of the Bel-Air Country Club, which provides a pleasant suggestion of the English countryside without putting him to any expense or bother, except when a sliced drive sends a ball into Mrs. Hitchcock's azaleas. There is no swimming pool (Hitchcock abhors any form of avoidable exertion), but the wine cellar contains an awesome assortment of estate-bottled vintages from the Médoc and the Côte-d'Or, some so venerable as to be only of historic interest. "I'm a Burgundy man myself," Hitchcock says, and, quite in character, he has sunk more money into renovating his kitchen than he originally spent in buying the house.

16

OS ÚLTIMOS ANOS DE HITCHCOCK

GRACE KELLY ABANDONA O CINEMA

RETORNO A *OS PÁSSAROS*, *MARNIE* E *CORTINA RASGADA*

HITCH TEM SAUDADE DAS ESTRELAS

OS GRANDES FILMES DOENTES

UM PROJETO ABANDONADO

TOPÁZIO OU A ENCOMENDA IMPOSSÍVEL

VOLTA A LONDRES COM *FRENESI*

O MARCA-PASSO E *TRAMA MACABRA*

HITCHCOCK COBERTO DE HONRARIAS E HOMENAGENS

AMOR E ESPIONAGEM: *THE SHORT NIGHT*

HITCHCOCK VAI MAL, SIR ALFRED MORRE

ACABOU

Quando eu gravava essas conversas com Hitchcock, ele estava no auge de sua força criativa. Nos dez anos anteriores, tinha realizado onze filmes, entre eles *Pacto sinistro*, *Janela indiscreta*, *O homem que sabia demais*, *Um corpo que cai*, *Intriga internacional*, *Psicose*.

Tendo se tornado seu próprio produtor quando expirou o contrato que o ligava a David O. Selznick, ele era inclusive — isso é raro em Hollywood — dono de vários de seus negativos.

A partir de *Os pássaros*, faria todos os seus filmes sob a égide da empresa presidida por seu ex-agente na MCA, seu amigo mais chegado, Lew Wasserman. Trata-se da Companhia Universal, da qual também se tornaria um dos cinco maiores acionistas. Na verdade, em troca de um volumoso pacote de ações, Hitchcock cedeu à Universal-MCA a propriedade de cerca de duzentas horas de programas de suspense que ele havia produzido e supervisionado, em dez anos, para a televisão comercial.

O que faltava, em 1962, a Alfred Hitchcock para se considerar plenamente realizado? Lamentava o desaparecimento dos astros. James Stewart tinha envelhecido muito para voltar a estrelar um de seus filmes e, privadamente, Hitchcock atribuía o fracasso comercial de *Um corpo que cai* ao rosto acabado de Stewart. Quanto a Cary Grant, ele abandonava voluntariamente o cinema, apesar do sucesso de *Intriga internacional*, a fim de deixar no público uma imagem sedutora; aliás, recusou o papel principal de *Os pássaros*, atribuído afinal a Rod Taylor, ator sólido mas sem carisma.

Mais grave era o problema feminino, já que, por trás da obra de Hitchcock, corre o dito: *cherchez la femme*. Embora ele jamais perdoasse Ingrid Bergman por tê-lo trocado por Rossellini, Hitchcock não tinha mágoa de Grace Kelly. Primeiro, o príncipe Rainier não era um diretor de cinema, depois, o ex-pequeno *cockney* não era insensível ao título de princesa que a esplêndida estreante da Filadélfia recebera ao trocar Hitchcock pelo rochedo de Mônaco.

DOMENICA DEL CORRIERE

Anno 64 - N. 26 - L. 50 Settimanale del CORRIERE DELLA SERA 1 Luglio 1962

Grace resterà con me

Intervista esclusiva con Ranieri di Monaco

GRACE KELLY, COTADA PARA FAZER *MARNIE*, ABANDONOU HITCHCOCK EM FAVOR DO PRINCIPADO DE MÔNACO.

Portanto, em relação a Grace Kelly, Hitchcock não sentia nenhum rancor, mas saudades, e de fato esperava trazê-la de volta com *Marnie, confissões de uma ladra*, o romance de Winston Graham cujos direitos ele comprara especialmente para ela. O acordo estava a dois passos de ser fechado, Grace Kelly estava realmente tentada e o príncipe, que gostava muito de Hitchcock, mostrava-se favorável. Mas nessa época o general De Gaulle, irritado com as vantagens fiscais que o principado consentia a certos empresários franceses, lançava-se num ataque e mais uma vez questionava o estatuto privilegiado de Mônaco. Para não romper os laços com a França, o príncipe teve de se dobrar, alterar a imagem frívola ligada ao principado, e foi assim que Grace Kelly desistiu de vez do cinema.

Um filme amorosamente concebido para uma atriz e que acaba sendo filmado por outra, a história do cinema está cheia dessas traições e dessas crueldades. Era a Catherine Hessling que Renoir queria entregar *A cadela*, e foi Janie Marèze que conseguiu o papel. Myriam Hopkins devia fazer *A oitava esposa de Barba-azul*, e não Claudette Colbert. Imaginado para Anna Magnani, *Stromboli* foi filmado com Ingrid Bergman. Inspirada em Linda Darnell, *A condessa descalça* acabou sendo Ava Gardner. No seu livro de recordações, Doris Day conta como se sentia desamparada com o laconismo do diretor ao filmar *O homem que sabia demais*, pois pensava o tempo todo que Hitchcock a escolhera na qualidade de cantora, mas que estaria sentindo falta de Grace Kelly. Talvez se enganasse e, aliás, lá pelo final da filmagem Hitchcock lhe disse: "Eu não falava com você porque tudo corria bem, mas se alguma coisa não estivesse direito, teria lhe dito".

Em compensação, para *Um corpo que cai* não havia nenhuma dúvida. A atriz que vemos na tela é uma substituta, o que torna o filme mais curioso ainda na medida em que essa substituição constitui o próprio argumento do filme: um homem, ainda apaixonado por uma mulher que ele acredita estar morta, esforça-se, quando o acaso o coloca em presença da falecida, em recriar a imagem da primeira. Foi durante uma homenagem a Hitchcock em Nova York, em 1974, que essa ironia me pareceu uma obviedade. Sentado ao lado de Grace Kelly, assistindo na tela ao trecho que mostra James Stewart implorando a Kim Novak que reapareça diante dele com os cabelos presos, compreendi que *Um corpo que cai* ganhava em ser visto assim: um diretor de cinema obriga uma atriz substituta a imitar a atriz escolhida inicialmente.

Portanto, no início dos anos 1960 Hitchcock sentia saudades das estrelas. Se, mais que outros diretores, precisava delas, era porque não praticava um cinema de personagens mas um cinema de situações. Tinha horror às cenas inúteis, aquelas que podemos facilmente cortar na montagem porque não fazem a ação avançar. Não era o homem das digressões nem dos pequenos detalhes que "dão verossimilhança", e jamais vemos em seus filmes um ator esboçar um gesto inútil, como passar a mão nos cabelos ou espirrar. Se o ator é enquadrado de pé, tem de compor um perfil impecável; se está cortado na altura do peito, suas mãos não devem aparecer na parte de baixo do quadro. Por isso, nos filmes de Hitchcock volta e meia a impressão de vida é dada pela personalidade que o ator forjou para si mesmo em filmes rodados por outros diretores. James Stewart traz para o cinema hitchcockiano o calor de John Ford, Cary Grant leva o charme de suas comédias sobre infidelidade conjugal.

No entanto, o imenso sucesso de *Psicose* — a segunda maior bilheteria do ano de 1960, atrás de *Ben Hur* — tranquilizou Hitchcock sobre sua capacidade de interessar o grande público com um pequeno filme; foi por isso que, no início de 1962, ele se lançou confiante na filmagem de *Os pássaros*.

Como costuma acontecer, foi a partir do momento em que Hitchcock se viu enfim reconhecido, festejado e celebrado, que a sorte começou a lhe dar as costas.

Como *Intriga internacional*, seu grande "melodrama de caça ao homem" — para empregar a terminologia simplificadora e modesta que em geral era a dele —, tinha sido plagiado, desvalorizado, caricaturado (em especial pela série dos James Bond), Hitchcock sentiu que devia desistir desse gênero de filmes que, fazia trinta anos, ele vinha aperfeiçoando, desde a época de *Os 39 Degraus*, e isso o levou a abrir mão dos grandes orçamentos. *Os pássaros* estava alguns anos adiantado à moda dos filmes-catástrofe e custou caríssimo por causa dos efeitos especiais mas não conseguiu o sucesso que mereceria. O filme seguinte, *Marnie, confissões de uma ladra*, foi um tremendo fracasso, e ao mesmo tempo uma obra apaixonante, que entra na categoria dos "grandes filmes doentes".

Abro um parêntese para definir em poucas palavras o que chamo de "um grande filme doente": nada mais é do que uma obra-prima abortada, um empreendimento ambicioso que sofreu erros de percurso: um belo roteiro infilmável, um elenco inadequado, uma filmagem envenenada pelo ódio ou ofuscada pelo amor, uma defasagem grande demais entre intenção e execução, um projeto que vai se afundando sorrateiramente ou sofrendo uma exaltação ilusória. Evidentemente, essa noção de "grande filme doente" só pode ser aplicada a excelentes diretores, aqueles que demonstraram em outras circunstâncias ser capazes de atingir a perfeição. De vez em quando, um certo grau de cinefilia encoraja-nos a preferir, na obra de um diretor, seu "grande filme doente" à sua obra-prima inconteste, portanto, *Um rei em Nova York* a *Em busca do ouro*, ou então *A regra do jogo* a *A grande ilusão*. Se aceitamos a ideia de que, no mais das vezes, uma realização perfeita consegue dissimular as intenções, admitimos que os "grandes filmes doentes" deixam transparecer mais cruamente sua razão de ser. Observemos também que, se a obra-prima nem sempre é vibrante, o "grande filme doente" costuma ser, e isso explica que, mais facilmente do que a obra-prima reconhecida, vire objeto daquilo que os críticos americanos chamam um cult.

Por fim, eu diria que o "grande filme doente" sofre em geral de um excesso de sinceridade, o que, paradoxalmente, o torna mais claro para os cinéfilos e mais obscuro para o público, arrastado a engolir misturas cuja dosagem privilegia mais a astúcia do que a confissão direta. A meu ver, *Marnie* entra nessa categoria estranha dos "grandes filmes doentes", muito negligenciada pelos críticos de cinema.

Aliás, tenho certeza de que Hitchcock não foi mais o mesmo homem depois de *Marnie* e que perdeu nessa época boa parte de sua autoconfiança, não tanto por causa do fracasso financeiro do filme — afinal de contas, ele havia enfrentado outros —, mas por, logo em seguida, ter havido o fracasso de sua relação profissional e particular com Tippi Hedren, descoberta por ele num comercial de televisão, e com quem afagara a ideia, durante duas filmagens, de torná-la a "nova Grace Kelly".

É importante ter na lembrança que, entre a filmagem de *Os pássaros* e a de *Marnie*, antes de dar a Tippi Hedren sua segunda "chance", Hitchcock mandou fazer testes com inúmeras e lindas mulheres, entre as quais diversas modelos europeias.

Sobre o desfecho desastroso da relação de Hitchcock com Tippi Hedren, sobre o naufrágio de Hitchcock depois de *Trama macabra* e enquanto escrevia *The short night*, será leitura útil a biografia de Donald Spoto, *The dark side of Alfred Hitchcock*, assim como o longo texto de David Freeman, "The last days of Alfred Hitchcock", publicado na *Esquire* de abril de 1982. Certos resenhistas criticaram esses dois escritores pelo fato de terem tornado públicos os momentos mais dolorosos da velhice

TIPPI HEDREN, PROTAGONISTA DE *OS PÁSSAROS* E DE *MARNIE*: "A NOVA GRACE KELLY".

de um grande homem. Não partilho dessa severidade pois, afinal, como só conheceram Hitchcock socialmente, profissionalmente, e nos últimos dois anos de sua vida, esses jovens não tinham com ele dívidas de gratidão ou de amizade a respeitar. Consideremos de preferência que fizeram um trabalho de historiadores do cinema. No caso de Alfred Hitchcock, o homem e a obra oferecem riqueza e complexidade tamanhas que é possível prever que, antes do fim do século, lhe serão dedicadas tantas obras como as que existem hoje sobre Marcel Proust.

Hitchcock não era um notório escritor de cartas, mas, graças aos treze mil quilômetros que nos separavam, uma correspondência manteve o contato entre nós com bastante regularidade, o que me permitiu citá-lo com suas próprias palavras, sem todavia faltar ao dever de reserva, no momento de tratar do último período de sua vida.

Vimos ao longo de todo este livro que Hitchcock era um tanto severo com seu trabalho, sempre lúcido e, de bom grado, autocrítico... contanto que o filme em discussão tivesse alguns anos de vida e que seu fracasso tivesse sido compensado por um sucesso mais recente. De meu lado, respeitando essa suscetibilidade bastante compreensível num homem, aliás, pouco orgulhoso e pouco vaidoso, evitei fazer, sobre *Marnie* e *Cortina rasgada*, as observações críticas que teria formulado na frente dele se esses dois filmes fossem mais antigos.

Creio, no entanto, que desde *Psicose* Hitchcock não estava satisfeito com nenhum de seus filmes.

Em meados dos anos 1960, Hollywood atravessava uma crise provocada pela expansão da televisão. Os filmes americanos perdiam seu impacto internacional, a tal ponto que certas *major companies* eram levadas a financiar pequenas produções europeias em seus países de origem, a fim de aproveitar o ensejo para inserir os produtos de Hollywood em mercados não americanos. Na mesma época, para reduzir seus gastos gerais, as principais companhias fundiram suas agências estrangeiras: a Paramount aliou-se à Universal, a Warner à Columbia, enquanto a MGM parava a sua produção.

Decepcionado com a bilheteria de *Cortina rasgada*, pela primeira vez em muito tempo Hitchcock não tinha mais em vista um argumento de filme. Afirmei acima que desde *Marnie* ele havia perdido parte de sua autoconfiança. Isso explica que, ao filmar *Cortina rasgada*, tivesse se deixado influenciar pelo estúdio, primeiro na escolha dos dois protagonistas, Paul Newman e Julie Andrews, e depois, o que foi mais grave, por ter de se desfazer de dois de seus mais antigos colaboradores. Hitchcock teria tão pouco fair play para imputar a Herrmann a impressão de tristeza que se desprende de *Marnie*? A demissão de Bernard Herrmann traduz uma injustiça flagrante, já que podemos afirmar que seu trabalho em obras como *O homem que sabia demais*, *Intriga internacional* e *Psicose* contribuiu de verdade para o sucesso desses filmes. Ora, para *Cortina rasgada* Herrmann havia escrito e dirigido uma partitura de uns cinquenta minutos que não ficava nada a dever a seu talento, e cuja beleza podemos apreciar, pois finalmente foi prensada em disco, em Londres. O que aconteceu? O Estúdio — sempre dizemos "o Estúdio" quando há uma decisão aberrante — não gostava da partitura de Bernard Herrmann para *Cortina rasgada* e, embora ela tivesse sido gravada, "alguém" conseguiu convencer Hitchcock a não utilizá-la. É bom lembrar que, por volta de 1966, a moda em Hollywood (e em outros lugares) era a das partituras que faziam "vender disco", músicas de filmes com as quais todos podem se rebolar nas discotecas, e nesse jogo, Herrmann — discípulo de Wagner e de Stravinski — era de antemão um perdedor.

Nos créditos de *Cortina rasgada*, está faltando outro nome considerável,

o de Robert Burks, diretor de fotografia de todos os filmes de Hitchcock desde *Pacto sinistro*. Não só Hitchcock não era responsável pelo encerramento dessa colaboração como também a deplorava, sinceramente: Burks tinha morrido no ano anterior, quando sua casa pegou fogo.

Privado de suas estrelas preferidas, seu diretor de fotografia, seu músico e seu montador, Hitchcock sentia abrir-se diante dele uma nova etapa de sua carreira, que seria dura e comparável com o que os comentaristas de turfe chamam de "reta final antes do steeplechase das tribunas". Estávamos em 1967, na imprensa especializada não havia nenhum novo filme de Hitchcock anunciado, quando ele me escreveu: "Atualmente estou preparando um novo filme. Ainda não temos o título mas é sobre um psicopata, assassino de mulheres jovens. É vagamente inspirado num caso inglês. É uma história puramente realista, o personagem é um rapaz que tem relações de certo tipo com sua mãe [...]. O que me interessa nessa história é que, depois do primeiro assassinato, quando ele encontra a segunda moça você sabe que ela corre um perigo mortal e se pergunta como a coisa evoluirá. A terceira moça é uma policial cuja missão é pegar o assassino. Assim, o último terço da história está cheio de suspense, já que você aguarda o momento em que o jovem assassino descobrirá que lhe armaram uma cilada. Comprei essa história de um autor inglês chamado Benn W. Levy. A última vez que trabalhei com ele foi em 1929, quando escreveu os diálogos para meu primeiro filme inglês falado, *Chantagem e confissão*. Depois escreveu peças de teatro, anos a fio, com mais ou menos sucesso. Vou tratar esse filme com realismo e utilizar tantos interiores reais quantos puder" (trecho de uma carta datada de 6 de abril de 1967).

ANOS 1960: O MAESTRO BERNARD HERRMANN, ANTIGO COLABORADOR DE HITCHCOCK, É DEMITIDO PELA UNIVERSAL.

NO FINAL DA DÉCADA, ENQUANTO PROCURAVA UM ARGUMENTO PARA UM NOVO FILME, HITCHCOCK DEIXOU-SE CONVENCER A FILMAR *TOPÁZIO* (1969).

Algumas semanas depois, Hitchcock me enviou o roteiro, que ele havia intitulado *Frenesi* (mas que não deve ser confundido com o filme que ele realizou quatro anos depois com o mesmo título). De acordo com minhas lembranças, esse primeiro *Frenesi* era uma boa história mas tinha o inconveniente de apresentar demasiados pontos em comum com *Psicose*, razão pela qual, suponho, Hitchcock o abandonou.

Foi então que Hitchcock, que sempre tivera a força, especialmente na época em que era contratado de Selznik, de resistir às ofertas de filmes que considerava inadequados,* deixou-se convencer pela cúpula da Universal a adaptar um romance que o Estúdio acabava de comprar, e de comprar caríssimo.

Topázio era um romance de espionagem cujos únicos méritos eram se inspirar numa história verdadeira (a presença de um agente comunista no círculo do general De Gaulle) e ser um best-seller nos Estados Unidos. Na França, o livro estava proibido pela censura gaullista mas, como na época da Ocupação, podia-se encontrar, por baixo do pano, a edição canadense, com a versão em francês. Infelizmente, a história contada em *Topázio* encenava lugares demais, conversas demais, personagens demais. O contrato de compra dos direitos literários permitia ao autor do pesado romance fazer ele mesmo a adaptação para o cinema, o que causou grandes perdas de tempo até que Hitchcock pudesse enfim ter o direito de pedir socorro a seu amigo Samuel Taylor, que escreveu, o melhor que pôde, o roteiro definitivo.

Durante a filmagem de *Topázio*, que o levou a Paris para algumas locações, Hitchcock deixou transparecer, nas respostas dadas a Pierre Billard, que o entrevistou para *L'Express*, suas dúvidas e sua inquietação: "Para mim, um filme está noventa e nove por cento terminado quando está escrito. Às vezes eu preferiria não ter de filmá-lo. Você imagina o filme e, depois, tudo degringola. Os atores em quem pensou não estão livres, você não consegue ter o elenco certo. Sonho com uma máquina IBM na qual de um lado eu poria o roteiro, e do outro sairia o filme, pronto e em cores".

Hitchcock sempre tinha evitado falar de política em seus filmes; ora, *Topázio* era deliberadamente anticomunista e continha diversas cenas muito sarcásticas contra o círculo de Fidel Castro. Viam-se até mesmo policiais cubanos torturar gente do povo que se opunha ao regime. À pergunta do *L'Express*: "O senhor se considera um liberal?", Hitchcock responde: "Acho que sim, em todos os sentidos da palavra. Recentemente perguntaram-me se eu era democrata ou republicano,

* Em 1961, quando Rouben Mamoulian foi demitido da filmagem de *Cleópatra*, Walter Wanger e Zanuck chamaram Hitchcock para socorrê-los, como "o único diretor capaz de salvar essa empreitada". Hitchcock recusou e fez *Os pássaros*. Joseph Mankiewicz embarcou em *Cleópatra* e naufragou junto com o filme.

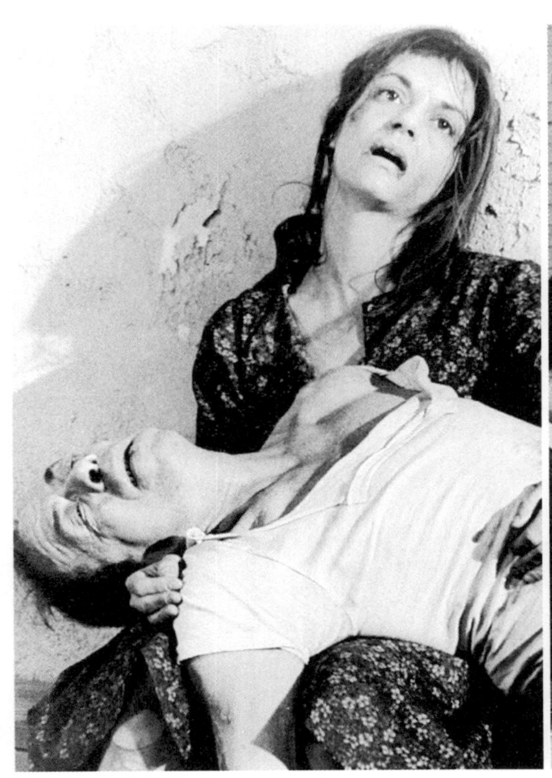

A REVOLUÇÃO CUBANA ENTRA EM CENA. *TOPÁZIO*, 1969.

ABAIXO, O ESPIÃO SOVIÉTICO MICHEL PICCOLI; O DUELO NO ESTÁDIO CHARLETY, CORTADO NA VERSÃO FINAL; E PHILIPPE NOIRET, DE BENGALA, QUE PERMITE A "EMBROMAÇÃO" NO FINAL DE *TOPÁZIO*.

respondi que era um democrata, mas quanto ao meu dinheiro, sou um republicano. Não sou hipócrita".

Ao contrário de *Cortina rasgada*, no qual os salários de Paul Newman e Julie Andrews representavam mais da metade do orçamento do filme, *Topázio* não será interpretado por estrelas mas por sólidos atores americanos, franceses, escandinavos e hispânicos. A participação francesa será garantida por Philippe Noiret, Michel Piccoli, Michel Subor, Dany Robin e pela jovem Claude Jade, que poderia ser uma filha clandestina de Grace Kelly.

Frederick Stafford, ator de capacidade limitada, se é verossímil como agente secreto, é implausível como pai de família. Impecável no gênero *bodygraphe*, aqui, visivelmente, ele substitui Sean Connery. Aliás, antes de filmar *Marnie, confissões de uma ladra*, Hitchcock tentou ver se Sean Connery assinaria um contrato para dois ou três filmes, mas, embora preocupado em fugir da influência de James Bond, ele não quis se comprometer a mais de uma filmagem.

Portanto, o tema principal de *Topázio* é o desmascaramento, no círculo do general De Gaulle, de um espião soviético, papel que coube a Michel Piccoli. O roteiro previa que no final da história, sentindo-se descoberto, Piccoli se deixasse matar voluntariamente por Frederick Stafford, num duelo de pistola filmado no belo cenário do estádio Charlety vazio. Numa *preview* em Los Angeles, os jovens espectadores americanos gargalharam durante a projeção dessa cena. Hitchcock voltou a Paris a fim de filmá-la uma segunda vez com uma ou outra variante. Retorno a Los Angeles. Nova montagem, nova *preview*, novo arquivamento. Dessa vez, Piccoli e Stafford não estão mais livres. Hitchcock joga no lixo a cena do duelo e trata com desprezo os sarcasmos do público das *previews*. Segundo

Hitchcock, os jovens americanos tornaram-se tão materialistas e cínicos que já não conseguem aprovar, na tela, um comportamento cavalheiresco. Que um traidor de seu próprio país aceite um duelo de pistola e se deixe matar, isso ultrapassa o entendimento deles.

O fato é que o tempo urge e que, talvez pela primeira vez em sua carreira, Hitchcock não sabe mais como terminar um filme! Adota uma solução puramente formal, na qual creio enxergar a influência do filme de Costa-Gavras, *Z*, que acabava de ser lançado com sucesso. No fim de *Topázio*, vemos desfilar na tela, homogeneizados por uma música bombástica, diferentes planos e close-ups dos personagens do filme, com o ritmo das imagens e a trilha sonora anunciando ao público que o desfecho está próximo. Contudo, Hitchcock faz absoluta questão de avisar ao público que, finalmente, Piccoli se suicidou. Mas *como fazê-lo*, já que toda a metragem filmada no estádio Charlety é considerada imprestável? Hitchcock recorre então à solução do desespero, a uma "embromação" rudimentar e comovente ao extremo para todos aqueles que arrancaram os cabelos diante de uma moviola, exigindo de sua montadora-chefe a inserção de um plano que não foi filmado! Durante o filme, o público viu direitinho o exterior da casa de Piccoli, uma espécie de garçonnière no térreo de um palacete, no fundo de uma vila ou de um beco discreto, afastado das grandes artérias, em algum lugar do XVIIe *arrondissement* de Paris. Agora, o plano de que Hitchcock precisa para terminar seu filme mostraria, idealmente, Piccoli entrando em casa (depois de compreender que tinha sido desmascarado). Em seguida, a imagem do palacete, visto de fora, ficaria "fixa" por um segundo, tempo suficiente para se encaixar o som de um tiro de pistola. Assim, a ideia fundamental seria preservada: Piccoli voltou para casa e, mal fechou a porta, se suicidou... Infelizmente, durante o filme *nunca* se viu Piccoli entrar em casa! No início da história ele recebeu, de roupão, a amante Dany Robin. Quando ela saiu do palacete, cruzou lá fora com Philippe Noiret, antes que este, por sua vez, entrasse na casa de Piccoli, a quem ia visitar.

Portanto, o único pedacinho de plano de que Hitchcock dispõe para transmitir sua ideia — Piccoli entra em casa e se mata — é um plano de... Noiret entrando no palacete! Ora, mesmo que o plano seja filmado de longe, é impossível confundir a silhueta de Noiret com a de Piccoli, tanto mais que, no filme, Noiret anda de bengala! Então, finalmente, o que se vê no filme é a entrada de Noiret na casa, mas já bem no final do plano, no instante em que o braço que segura a bengala já passou para dentro do apartamento. Portanto, vê-se na tela a metade de um corpo, escuro, de um homem, que desaparece atrás da porta, e depois, como previsto, a imagem do palacete se fixa, ouve-se o tiro e Hitchcock pode encadear com o número musical e os créditos do final. Pressentimos, compreendemos, sabemos: apesar de autênticas belezas esparsas — reunidas basicamente no episódio cubano — *Topázio* não é um bom filme. O Estúdio não gostava dele, o público também não, os críticos muito menos, nem sequer os hitchcockianos, e o diretor, que não queria nem ouvir falar do filme, sentia imperiosamente a vontade de uma desforra contra si mesmo.

O TARADO BOB RUSK (BARRY FOSTER) ESTRANGULA SUAS VÍTIMAS COM UMA GRAVATA, EM *FRENESI* (1972).

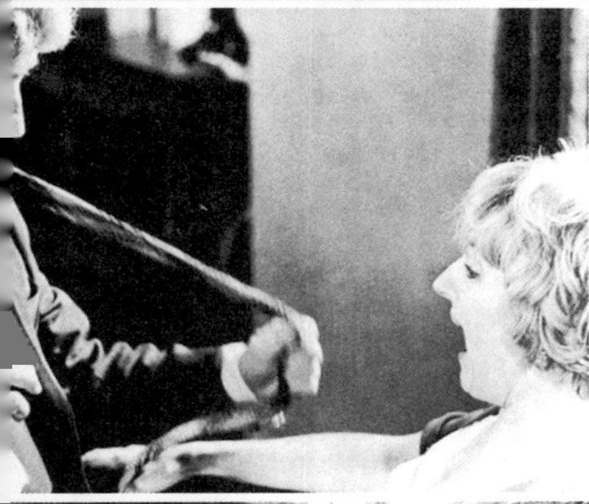
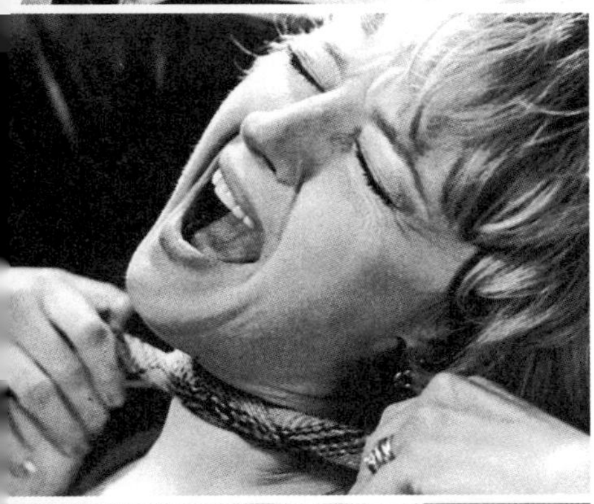
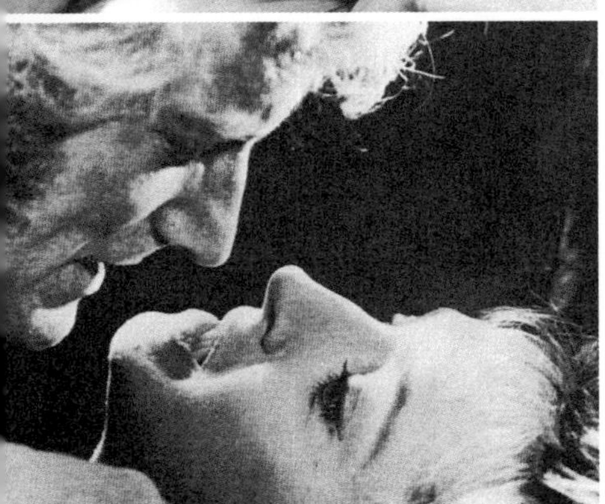

Em Hollywood, continuavam a crise e o desespero, como Hitchcock me descrevia nesta carta, durante o verão de 1970:

"Estou à procura de um outro argumento, o que não é fácil. Há no cinema daqui tantos tabus: é preciso evitar as pessoas idosas e só ter personagens jovens; um filme tem de conter elementos antipoder, nenhum filme deve custar mais de 2 ou 3 milhões de dólares. Como se não bastasse, o departamento de roteiros me envia sugestões de todo tipo sobre o que imagina ser capaz de render um bom Hitchcock. Naturalmente, quando as leio, não têm nada de um bom Hitchcock.

"Como você tem sorte de não ser catalogado e marcado como eu, pois é essa a origem das dificuldades que sinto em conseguir bons argumentos, especialmente no que se refere à aceitação pública.

"Todos aqui são muito prudentes, ainda mais as grandes empresas. A Paramount, por exemplo, tem uns quatro grandes filmes que foram um fracasso, filmes cujo custo total foi de cerca de cem milhões de dólares. A Fox está quase nos mesmos maus lençóis e o destino dessa firma depende de um filme que ainda não se viu: *Tora! Tora! Tora!*, a história de Pearl Harbor, feita metade pelos americanos, metade pelos japoneses. De vários lados, confirmaram-me que o custo seria de 32 milhões de dólares. A Universal faz grande sucesso, em particular nos Estados Unidos, com *Aeroporto*, sobre o qual ouvimos falar dos mais variados números otimistas, até 30 milhões de dólares de receitas nos Estados Unidos.

"Depois, temos outros filmes que faturam enormemente, filmes que chamo de 'acidentais'. Feitos, em sua maioria, por amadores, são aparentemente muito populares entre os jovens espectadores. É evidente que nem todos os filmes acidentais são sucessos, sobretudo os que contêm nus, porque se está descobrindo que a nudez não é em si uma garantia de sucesso de bilheteria.

"Pois bem, isso representa a mais ampla exposição que posso lhe dar da situação aqui" (trecho de uma carta de 27 de agosto de 1970).

Finalmente, pouco tempo depois de me enviar essa carta, Hitchcock fixa sua escolha num romance inglês, *Goodbye Piccadilly, farewell Leicester Square*, de Arthur Le Bern. Simplifica consideravelmente o enredo e lhe dá o título do roteiro rejeitado, *Frenesi*.

Em Londres, nos dias de hoje, um maníaco sexual estrangula mulheres com o auxílio de uma gravata. No 15º minuto, Hitchcock nos revela a identidade desse assassino que vimos na segunda cena da narrativa. Um segundo personagem, cuja história acompanhamos, será acusado desses crimes, localizado, perseguido, preso e condenado: durante uma hora e meia, o veremos se debatendo qual uma mosca presa numa teia de aranha.

Frenesi é a combinação de dois tipos de filmes: aqueles em que Hitchcock nos convida a seguir o itinerário de um assassino — *A sombra de uma dúvida*, *Pavor nos bastidores*, *Disque M para matar*, *Psicose* — e aqueles em que descreve os tormentos de um inocente perseguido: *Os 39 Degraus*, *A tortura do silêncio*, *O homem errado*, *Intriga internacional*. Encontramos em *Frenesi* esse mundo hitchcockiano fechado como um pesadelo, no qual os personagens se conhecem: o assassino, o inocente, as vítimas, as testemunhas, esse mundo reduzido ao essencial em que cada conversa de loja ou de bar trata *justamente* dos assassinatos em questão, um mundo feito de coincidências tão metodicamente ordenadas que se cruzam vertical e horizontalmente: *Frenesi* oferece a imagem de um quadro de palavras cruzadas sobre o tema do assassinato.

Em maio de 1972, encontrei Hitchcock antes do Festival de Cannes em que ele ia apresentar *Frenesi*. Achei-o envelhecido, cansado, nervoso também, pois era sempre muito emotivo na véspera de mostrar um novo filme, tal como um jovem que vai se submeter a uma prova. Como a televisão tinha me pedido que retomasse, nessa ocasião, meu papel de perguntador, entrevistei Hitchcock:

APÓS UMA LONGA CARREIRA EM HOLLYWOOD, HITCHCOCK VOLTAVA A FILMAR NA INGLATERRA. *FRENESI* (1972).

ALMA AND ALFRED HITCHCOCK

Un tres Heureux.

CDEFGHIJKMN

QRSTUVWXYZ

Alma & Hitch

MALICIOSO HITCHCOCK. QUANDO TRUFFAUT CHEGA A BEVERLY HILLS NO FINAL DE 1973, PERTO DO NATAL, RECEBE ESTE BILHETE CUJO SIGNIFICADO SÓ ENTENDE DEPOIS DE UM LONGO EXAME. ALMA E HITCHCOCK COPIARAM O ALFABETO MAS OMITIRAM, DE PROPÓSITO, A LETRA "L". PORTANTO, NO CARTÃO QUE LHE ENVIARAM DEVE-SE LER: "UN TRÈS HEUREUX NO L [NOËL]" ["UM FELIZ NATAL"].

François Truffaut — Você sempre fez filmes estilizados. Não tem saudades do cinema em preto e branco?

Alfred Hitchcock — Não, gosto da cor. É verdade que filmei *Psicose* em preto e branco para não mostrar o sangue vermelho durante o assassinato de Janet Leigh no chuveiro. Aliás, desde o advento da cor os cenários representam um problema difícil. Os contrastes violentos, por exemplo um luxo ultrajante ou uma ultrajante miséria, podem ser expressos na tela com exatidão e nitidez. Em compensação, se quisermos mostrar um apartamento médio, fica difícil conferir verossimilhança a esse cenário de apartamento, corremos o risco de ter algo de impreciso.

Há alguns anos as audácias cinematográficas, como o erotismo, a violência, a política, vinham da produção europeia. Hoje, o cinema americano superou a Europa na insolência e na liberdade de expressão. O que acha disso?

Vejo nisso a consequência da moral e do modo de vida que reinam nos Estados Unidos.

Consequência dos acontecimentos também, que levam público e cineastas a evoluírem, mas há muito tempo o cinema americano trata dos assuntos sociais e políticos. Aliás, sem atrair massas de espectadores.

Você é favorável ao ensino do cinema nas universidades?

Contanto que se ensine o cinema desde Méliès, que se ensine a fazer filmes mudos, pois não há exercício melhor. Quase sempre o cinema falado só serviu para introduzir o teatro nos estúdios. O perigo é que jovens e menos jovens, com demasiada frequência, imaginam que é possível ser diretor de cinema sem saber desenhar um cenário ou fazer uma montagem.

Segundo a sua concepção, um filme deve fazer pensar na pintura, na literatura ou na música?

O essencial é emocionar o público, e a emoção nasce de como se conta a história, de como se justapõem as sequências. Portanto, tenho a impressão de ser um maestro, para quem um toque de trombeta corresponde a um close-up, e um plano ao longe sugere toda uma orquestra que toca em surdina; diante de belas paisagens, e utilizando cores e luzes, sou como um pintor. Em contrapartida, desconfio da literatura: um bom livro não vira necessariamente um bom filme.

Acha que as velhas regras — personagem principal simpático, final feliz — ainda são válidas?

Não. O público evoluiu. O beijo final é dispensável.

Por que você não filma hoje os assuntos que o atraíram no passado e que os produtores não queriam financiar na época?

A busca de rentabilidade continua em vigor. Ainda que eu mesmo quisesse escrever, representar, financiar um filme, não poderia, tendo em vista que esbarraria nas exigências dos sindicatos.

Você prefere filmar um roteiro com situações fortes e personagens não muito profundos ou o contrário?

Prefiro situações fortes. É mais fácil visualizá-las. Volta e meia, para estudar um personagem precisamos de palavras demais. O assassino de *Frenesi* é simpático. É a situação que o torna inquietante.

Em 1956 você obteve um grande sucesso com o remake de *O homem que sabia demais*, cuja primeira versão havia filmado vinte e dois anos antes. Se tivesse hoje de pensar em filmar outro remake, qual dos seus antigos filmes escolheria?

O inquilino sinistro, que filmei em 1926. Uma família londrina fica pensando se não teria alugado um quarto para Jack, o Estripador. Excelente história filmada sem nenhum som, da qual depois foram tiradas duas versões, sem mim.

Você teria reformas a propor para a atribuição dos Oscars?

Seria preciso concedê-los a cada três meses, o que me parece difícil. O inconveniente da fórmula atual é que as recompensas vão sempre para os filmes lançados entre setembro e 31 de dezembro!

Há alguns anos, a vida cotidiana era banal e o extraordinário estava nos filmes. Hoje, o extraordinário está na vida: os sequestros políticos, os sequestros de aviões, os escândalos, os assassinatos de chefes de Estado... Como um diretor de filmes de suspense e de espionagem pode competir com a vida em 1972?

A reportagem de jornal sobre um acontecimento nunca terá tanto impacto como um filme. As catástrofes só acontecem com os outros, com gente que não conhecemos. Uma tela o faz conhecer imediatamente o assassino e a sua vítima, pela qual você vai tremer pois, aos seus olhos, ela se tornou alguém. Há milhares de acidentes de carro todo dia. Se o seu irmão é a vítima, isso começa a lhe interessar. Se o filme for bem feito, um herói de cinema deve se tornar seu irmão ou seu inimigo.

***Frenesi* é o seu primeiro filme europeu depois de vinte anos. Quais são a seu ver as diferenças entre o trabalho em Hollywood e o trabalho na Inglaterra?**

Quando entro nos estúdios, quer em Hollywood quer em Londres, e as portas pesadas se fecham atrás de mim, não faço nenhuma diferença. Uma mina de carvão é sempre uma mina de carvão.

Uma semana depois, quando o revi voltando de Cannes, Hitchcock tinha remoçado quinze anos. *Frenesi* fora magnificamente recebido no festival e Hitchcock, radiante, confessava então que tivera muito medo. Agora sabia que esse "pequeno filme", cujo orçamento total ficava um pouco abaixo dos 2 milhões de dólares, daria lucro e faria o Estúdio esquecer os parcos resultados artísticos e financeiros daquele *Topázio* que ele havia filmado sem nele acreditar.

Em *Frenesi*, pela primeira vez Hitchcock tinha desistido das heroínas glamorosas e sofisticadas, cujo melhor espécime continua a ser Grace Kelly, e recorreu a mulheres do dia a dia e admiravelmente bem escolhidas: Barbara Leigh-Hunt, Anna Massey, Vivien Merchant e Billie Whitelaw; elas conferiam um novo realismo à obra de Hitchcock, reforçavam o aspecto de notícia de jornal, enchiam de plausibilidade e até de crueldade esse novo conto macabro que excluía todo e qualquer sentimento.

O elenco masculino era menos feliz. O rosto do inocente injustamente suspeito (Jon Finch) expressava no fundo alguém emburrado e egoísta, e a simpatia do público por ele não eram favas contadas. Quanto ao vilão (Bob Rusk), era inconsistente demais para nos meter medo.

No entanto, *Frenesi* transmite um charme inegável, provavelmente porque Hitchcock o filmou — depois do pesadelo de *Topázio* — num estado de euforia: em breve festejaria seus cinquenta anos de cinema e, acompanhado por Alma, fincava sua câmera em Covent Garden, na Londres popular e tão cheia de vida de sua juventude.

Várias vezes Hitchcock tinha dito: "Alguns diretores filmam fatias de vida, eu filmo fatias de bolo", e *Frenesi*, com seu jeito cem por cento britânico, apareceu de fato como um bolo feito "em casa" por um gastrônomo septuagenário que voltava a ser o *young boy director* de seu começo.

Três meses depois, Hitchcock comprava os direitos de mais um romance inglês, *The rainbird pattern*, de Victor Canning, cuja ação ele transporia para Los Angeles e San Francisco. Foi enquanto construía com Ernest Lehman o roteiro desse filme — que se tornaria *Deceit*, e depois

Trama macabra — que Hitchcock teve de sofrer uma intervenção cirúrgica para colocar um marca-passo. Não tenho a impressão de estar sendo indiscreto ao mencionar esse fato pois entre todas as pessoas, jornalistas ou amigos, que visitavam Hitchcock a partir de 1975, raras foram aquelas a quem ele não mostrava essa engenhoca médica, abrindo a camisa, revelando o objeto retangular instalado sob a pele do peito, dizendo, separando bem as sílabas: "Está previsto para funcionar dez anos", fixando os olhos do interlocutor, como para estudar sua reação. Sabe-se que o marca-passo é destinado a regularizar os batimentos cardíacos. Trabalhando com bateria, o marca-passo assegura ao coração setenta batimentos por minuto, seu funcionamento deve ser checado uma vez por mês... por telefone. Basta ligar para o número do Medical Center em Seattle (ou em Chicago, no caso de Hitchcock) e encostar o gancho do telefone no peito, para se tranquilizar imediatamente sobre o estado do coração.

Quando o visitante não ignorava mais nada a respeito do uso do marca-passo, Hitchcock se dedicava a seu exercício predileto: contar seu próximo filme, cena por cena, como para provar a si mesmo que a construção era sólida e que estava com a história todinha na cabeça.

Em *Trama macabra*, o que mais lhe interessava era a passagem de uma figura geométrica a outra. Duas histórias apresentadas, primeiro, em paralelo, e que depois se aproximam, se entrelaçam para formar uma só, bem no final da narrativa.

Essa construção o excitava e lhe dava a impressão de enfrentar uma dificuldade inédita.

Em *Trama macabra*, estamos em presença de dois casais que pertencem a mundos diferentes. O primeiro casal? Uma falsa vidente (Barbara Harris) e seu cúmplice (Bruce Dern), um motorista de táxi que, por conta da profissão, vai discretamente colher aqui e ali informações factuais que, depois, sua namorada fingirá adivinhar. O outro casal? Um elegante joalheiro (William Devane) e sua namorada (Karen Black), cujo passatempo consiste em sequestrar celebridades e trocá-las por imensos diamantes que eles escondem entre os pingentes de cristal de um lustre que têm em casa.

A história fica muito clara quando o espectador percebe que o bastardo procurado pela falsa vidente a pedido de uma velhinha, a fim de fazer dele seu herdeiro, é nada menos do que o joalheiro-sequestrador. Temos de

A FALSA VIDENTE (BARBARA HARRIS) PERSEGUE O CASAL SEQUESTRADOR (WILLIAM DEVANE E KAREN BLACK). *TRAMA MACABRA* (1976) É O ÚLTIMO FILME DE HITCHCOCK.

O DISFARCE DE PADRE DO JOALHEIRO-SEQUESTRADOR INTERPRETADO POR WILLIAM DEVANE.

esperar o último rolo para assistir ao movimentado confronto entre os quatro personagens.

Trama macabra, lançado nos Estados Unidos e na Europa no verão de 1976, foi bem recebido pela imprensa, não tão bem pelo público. Nesse filme cem por cento americano — onde, aí também, a fraqueza do vilão* fazia a fraqueza do filme — Hitchcock retomava a mistura "sequestro movimentado e humor", que antes da guerra tinha garantido o sucesso de vários de seus filmes ingleses.

Todos concordaram em elogiar a interpretação de Bruce Dern, e sobretudo de Barbara Harris, maravilhosamente inventiva e engraçada no papel de Blanche Tyler, a falsa vidente.

Infelizmente, logo se percebeu que *Trama macabra* não era um bom filme. Como em *Topázio*, foi preciso cortar, nas cópias em circulação nos Estados Unidos, um pequeno trecho de suspense que fazia o público americano rir. Creio que as cópias europeias são mais fiéis à montagem original.

Contrariamente ao que se pensa, os artistas com fama de grandes especialistas na arte de se promoverem ou de controlar a publicidade feita em torno de seus nomes e de suas obras exprimem-se, no mais das vezes, com franqueza. Pode-se até pensar que, quanto mais fazem piadas, mais são sinceros, como Salvador Dalí quando dizia que as duas coisas que mais amava no mundo eram dinheiro e sua mulher. Por ocasião do lançamento de *Trama macabra* em Nova York, vi Hitchcock na televisão americana, diante de uns trinta jornalistas especializados. Todos lhe demonstravam respeito e condescendência, não porque tivessem apreciado particularmente seu 53º filme, mas porque, passando dos setenta anos, um diretor de cinema, se ainda está na ativa, goza do que se poderia chamar de imunidade crítica.

A certa altura, um jornalista levantou o dedo e perguntou: "Quem tem 76 anos e chama-se Alfred Hitchcock, quando acorda de manhã o que é que sente?". A pergunta não era genial mas adorei a resposta: "Quando o filme vai bem, é muito agradável, quando não vai bem, a gente se sente miserável".

Depois de *Trama macabra*, Hitchcock não demorou a se sentir miserável, e em breve chegou-me uma carta dele, em Montpellier, onde eu estava filmando *O homem que amava as mulheres*:

"Neste momento estou desesperadamente à procura de um argumento. Bem, como você percebe, agora está livre para fazer tudo o que quiser. Mas eu só posso fazer aquilo que esperam que venha de mim, ou seja, um filme policial ou de suspense, e é isso que acho difícil fazer. Pelo visto, todos os scripts falam de neonazistas etc., de palestinos que lutam contra israelenses, e de tudo isso. Infelizmente, sabe, nenhum desses assuntos comporta um conflito humano. Como você pode colocar um combatente árabe numa comédia? Isso não existe, tanto quanto não existe um soldado israelense engraçado. Descrevo esses temas porque chegam à minha mesa para que eu os examine. De vez em quando, acho que a melhor comédia ou o melhor drama poderiam ser realizados justamente aqui, no meu escritório, com Peggy, Sue e Alma. A única coisa chata dessa ideia é que uma delas teria de morrer, o que me deixaria terrivelmente desconsolado" (trecho de uma carta datada de 20 de outubro de 1976).

* Para o papel do vilão, antes de escalar William Devane, no último instante, o diretor tinha contratado Roy Thinnes, que ele despachou depois de dois dias de filmagem. Era a primeira vez que isso acontecia na carreira de Hitchcock. Na mesma época Luis Buñuel, que dirigia seu último filme, *Esse obscuro objeto do desejo*, fazia a mesma coisa. Hitchcock e Buñuel tinham a mesma idade, com uma diferença de apenas seis meses. Moral da história: aos 75 anos um diretor de cinema não quer mais que um ator difícil lhe encha a paciência.

AOS 76 ANOS, HITCHCOCK E ALMA FECHAM SEU ESCRITÓRIO NO ESTÚDIO UNIVERSAL, EM HOLLYWOOD.

Dois meses depois, quando visitei Hitchcock no Natal de 1976, no estúdio Universal onde vinte anos atrás ele ocupava o mesmo bangalô, "Alfred Hitchcock's Productions", ele estava visionando o filme de Peter Bogdanovich *No mundo do cinema* [*Nickelodeon*]. Parou a projeção, me arrastou para sua sala, encomendou dois steaks e nossa conversa foi retomada no mesmo ponto e quase nas mesmas circunstâncias de quando tínhamos iniciado este livro, catorze anos antes!

Assim, fiz-lhe com atraso uma pergunta que sempre me intrigara a respeito de *Psicose*. No momento do assassinato de Janet Leigh no chuveiro, eu ficava imaginando quem entra no banheiro, de faca na mão: o próprio Anthony Perkins com uma peruca? Uma mulher? Uma dublê? Um dançarino? Quando nos lembramos de que o assassino é filmado na contraluz, aparecendo-nos como uma sombra chinesa, aceitamos a ideia de que todas essas eventualidades eram plausíveis. Hitchcock me respondeu que se tratava de uma moça usando peruca, mas que tinha sido preciso filmar a cena duas vezes, pois, embora a única fonte de iluminação estivesse colocada atrás da mulher, distinguia-se com muita nitidez seu rosto nas primeiras tomadas, de tal modo era forte a reverberação do branco do banheiro. Assim, da segunda vez teve de escurecer o rosto dessa dublê, para obter finalmente o efeito de uma silhueta escura na tela, escura e não identificável.

A conversa prosseguiu com generalidades sobre a situação de Hitchcock, a rivalidade entre a Paramount e a Universal, que preparavam, como concorrentes, um remake de *King Kong*, pois nenhum dos dois estúdios quis se associar ao outro para dividir os riscos do projeto. Como todos os homens realmente poderosos, Hitchcock disfarçava seu poder, preferindo dar a entender que era apenas, na Universal, um produtor-diretor aplicado e temeroso, que respeitava a opinião do *front office*. Nunca falava de si mesmo como sendo um dos cinco principais acionistas de uma das maiores companhias mundiais de cinema, o amigo íntimo de Lew Wasserman e, por força das circunstâncias, um conselheiro mais que ouvido.

Como o filme *Aeroporto* tinha salvado o caixa da Universal alguns anos antes, o estúdio havia filmado uma continuação, e naquele momento preparava-se nos escritórios vizinhos um terceiro episódio das aventuras aéreas. Dessa vez, o roteirista havia previsto que o grande 747 ia cair na água. Aparentemente, o estúdio gostava muito dessa ideia. Quanto a Hitchcock, era difícil saber se a achava ridícula ou interessante mas, sem sombra de dúvida, ela criava um problema apaixonante para quem também era um engenheiro e um narrador: "Vão fazer o avião cair na água com 450 passageiros, mas a fuselagem ficará inteira e por algumas horas a reserva de oxigênio será suficiente. Depois disso, vão ter de dar um jeito para fazer o avião subir de novo. O estúdio contratou dois jovens escritores extras, que vão procurar uma solução". Observei a Hitchcock que ele teria de enfrentar problemas desse tipo se Selznick, em 1939, tivesse perseverado no projeto de mandá-lo filmar *Titanic* em vez de *Rebecca*. Depois voltamos ao presente.

Com uma real satisfação, Hitchcock me anunciou que tinha escolhido o tema do seu 54º filme. Abandonando *Unknown man nº 89*, romance de Elmore Leonard, cujos direitos tinha comprado, ia retomar um de seus antigos projetos, adaptando dois livros dedicados a um mesmo assunto, o primeiro, escrito na forma de uma investigação-reportagem, *The springing of George Blake*, de Sean Bourke, e o segundo, o romance *The short night*, de Ronald Kirkbride, inspirado na mesma história.

Tratava-se de uma história de espionagem entre o Leste e o Oeste.

Agente duplo, condenado a 42 anos de prisão pelo Tribunal de Old Bailey por espionagem em favor da URSS, o inglês George Blake fugiu da prisão de Wormwood-Scrubs em outubro de 1966 graças à cumplicidade de certos presos mas, sobretudo, de elementos do submundo do crime londrino recrutados pela KGB.

Blake, que dividia a cela com o preso irlandês Sean Bourke, fugiu ao mesmo tempo que seu companheiro de cadeia, perambulou por Londres com ele até que, recuperados pelos serviços secretos soviéticos, os dois foram encaminhados para Moscou.

Mas Bourke, que sentia saudades da pátria, voltou no ano seguinte à Irlanda, onde escreveu o relato de sua aventura, que iria inspirar o romance de Kirkbride. O governo britânico pediu sua extradição, que foi negada. Enquanto isso, Blake viajava pelos países do Leste e escrevia à sua mãe. Parece que seus problemas sentimentais foram um fator determinante de seu comportamento e de sua fuga. Sua situação conjugal tinha desandado. Aliás, sua mulher pediu o divórcio pouco depois de sua fuga e casou-se de novo.

Fazia tempo que Hitchcock pensava nessa história, já que em 1970 tinha sondado Catherine Deneuve e Walter Matthau para interpretá-la. Mais tarde, quando resolveu situar a história na Finlândia, pensou em chamar Liv Ullmann e Sean Connery.

"ALFRED HITCHCOCK'S
THE SHORT NIGHT"

1 EXT. LONDON - ARTILLERY ROAD - 6:45 P.M.

A drizzly London evening in the fall.

Wormwood Scrubs Prison and Hammersmith Hospital sit side by side. Artillery Road, hardly more than a service lane runs between them.

A Humber Hawk sits on the prison side facing Du Cane Road, the main drag that runs past the front of both prison and hospital.

CAMERA is outside the car looking at BRENNAN, who sits in the front holding a bouquet of chrysanthemums. He's in his early thirties, a little paunchy and very Irish. He's listening to a voice we can't quite make out. It could be the car radio, but Brennan's ear is cocked slightly toward the mums.

CAMERA pans off the flowers, toward the prison wall, over the cobble stones and up the rough red bricks toward the top. As CAMERA pans, the voice starts to become clearer.

As CAMERA goes over the top of the wall and starts down the other side, we realize we're going into the prison, toward the source of the voice.

MAN'S VOICE
(becoming audible;
urgent)
...I'm here...I'm here...hurry on
now...can you hear? I said I'm
here...

2 EXT. PRISON YARD - NIGHT

GAVIN BRAND stands huddled against the wall speaking into a walkie-talkie. He's 39, tall and lean, dressed in prison garb, an intense, aristocratic, imperious man who at the moment is taking a very great risk.

BRAND
Do you read me?...I'm here, damn it,
I'm here. Now move!

3 ARTILLERY ROAD

Brennan, still in the car, speaks into the flowers.

BRENNAN
(soothingly)
I'm here. You'll be fine...you'll
be fine...stay calm.

CONTINUED

O ROTEIRO DE *THE SHORT NIGHT*, QUE SERIA O 54º FILME DE HITCHCOCK.

Estava muito decidido a privilegiar a história de amor, a fim de obter entre espionagem e sentimentos o mesmo equilíbrio de *Interlúdio*, filme ao qual frequentemente se referia antes de começar um novo roteiro.

A história de *The short night* seria, portanto, a seguinte: um espião inglês trabalhando para os soviéticos foge de uma prisão de Londres. Os serviços americanos sabem que ele vai se empenhar em chegar à Rússia mas não sem recolher, de passagem, a mulher e os filhos, que vivem numa ilha do litoral finlandês.

Portanto, um agente americano é enviado para essa ilha, com a missão de esperar o espião foragido e matá-lo quando ele chegar. Durante essa espera, o agente se apaixona pela esposa do espião, que também começa a amá-lo, mas evidentemente ele não pode lhe revelar sua missão. Assim, como em *Interlúdio*, a história ilustrará o conflito entre o dever e o amor, mas o final, mais movimentado, incluirá uma perseguição num trem na fronteira da Rússia com a Finlândia, com um happy end.

O roteirista Ernest Lehman — que tinha assinado *Intriga internacional* e *Trama macabra* — já havia entregado várias versões do roteiro, mas Hitchcock nunca se dava por satisfeito.

Ao redor de Hitchcock, o ceticismo ia crescendo. Alma, que tinha sofrido um primeiro derrame em Londres no fim da filmagem de *Frenesi*, ficara inválida. As enfermeiras tinham de se revezar em torno dela, dia e noite. Ninguém, no estúdio, imaginava Hitchcock largando a mulher para ir filmar dois meses na Finlândia, e ele mesmo, sofrendo de artritismo, locomovia-se cada vez mais dificilmente. Ora, o roteiro estava escrito de tal forma que era quase inconcebível pensar na parte finlandesa realizada por uma segunda equipe, enquanto Hitchcock dirigiria os interiores no estúdio Universal. Aliás, antes de filmar *Frenesi*, Hitchcock tinha feito uma viagem de reconhecimento à Finlândia e fotografado todas as locações onde desejava filmar.

Porém, no final de 1978 ele tomou duas decisões para dar credibilidade à perspectiva de uma filmagem próxima. Mandou Norman Lloyd, um de seus colaboradores mais chegados nos últimos 35 anos, fazer um novo reconhecimento na Finlândia, e, como para sinalizar em público que o atraso do projeto era culpa de Ernest Lehman, contratou por seis meses um jovem escritor, David Freeman, para escrever uma nova versão do roteiro.

Não revi Hitchcock em 1978, e por isso é que a noite de homenagem que lhe foi prestada no Beverly Hilton, em 7 de março de 1979, pelo American Film Institute, com o título a um só tempo glorioso e fúnebre de "Life Achievement Award", me deixa uma lembrança sinistra, sinistra e macabra, em mim e em todos os que lá estavam, mesmo que a rede CBS, por astúcias diversas de montagem, tenha conseguido apresentar dois dias depois aos telespectadores uma versão que salvava as aparências.

Já se sabendo condenada pelo câncer, Ingrid Bergman, que presidia e apresentava a cerimônia, ficou transtornada ao ver Hitchcock e sua mulher num estado tão calamitoso. Nos bastidores, ela murmurava: "Por que se organiza sempre esse tipo de cerimônia quando é tarde demais?". Estando lá para isso, eu faria, também, o meu discurso, destinado a provocar risos: "Nos Estados Unidos vocês chamam este homem de

Benefactors and Patrons
will please join
Alfred Hitchcock
for champagne and
"just desserts"
on the Grand Promenade of the
New York State Theater, Lincoln Center
Monday, April 29, 1974
following the
performance at
Avery Fisher Hall
Admit One Black Tie

TRUFFAUT, GRACE KELLY E HITCHCOCK, NA HOMENAGEM DE 1974, EM NOVA YORK.

Hitch. Na França, nós o chamamos de monsieur Hitchcock...", mas o desânimo era geral. Na frente de toda Hollywood que lhes prestava uma homenagem com anedotas, trechos de filmes, brindes, Alfred e Alma Hitchcock marcavam presença mas suas almas já não estavam ali, ambos estavam tão pouco vivos como a mãe de Anthony Perkins, empalhada no porão da casa gótica.

Duas semanas depois, conformado com a ideia de que não poderia mais filmar, Hitchcock fechava seu escritório, despedia seu pessoal e voltava para casa. A rainha da Inglaterra o nomeou sir Alfred, empatando o placar da velha competição secreta com um outro garoto genial de Londres, Charles Chaplin. Só restava a sir Alfred esperar a morte, cuja chegada algumas vodcas proibidas ajudaram a acelerar. Aconteceu no dia 29 de abril de 1980.

Quando quero esquecer o Hitchcock dos anos de decadência física, transporto-me para seis anos antes de sua morte, mais exatamente para a noite de 29 de abril de 1974, no Avery Fisher Hall do Lincoln Center, onde a New York Film Society lhe dedicou sua festa anual.

Aquela noite foi de fato estimulante.

Pudemos rever durante três horas de espetáculo uma centena de trechos de seus filmes, todas as suas "páginas antológicas" reunidas sob diferentes rubricas: *The screen cameos* (as aparições de Hitchcock em seus filmes), *The chase* (as perseguições), *The bad guys* (os vilões), os assassinatos, as cenas de amor e duas grandes cenas integrais: o *cymbal crash* (o estrondo do címbalo) em *O homem que sabia demais* e o avião perseguindo Cary Grant em *Intriga internacional*, que tinham me pedido para que apresentasse.

Cada série de trechos era precedida de um pequeno discurso proferido pelas mais lindas atrizes hitchcockianas: Grace Kelly, Joan Fontaine, Teresa Wright, Janet Leigh, e alguns amigos.

O que me impressionou, naquela noite, ao rever todos aqueles trechos de filmes conhecidos de cor mas, por uma só noite, isolados de seu contexto foi ao mesmo tempo a sinceridade e a selvageria da obra hitchcockiana. Era impossível não ver que todas as cenas de amor eram filmadas como cenas de assassinato e todas as cenas de assassinato como cenas de amor. Eu conhecia aquela obra, acreditava conhecê-la muito bem e estava siderado com o que via. Na tela, eram só respingos, fogos de artifício, ejaculações, suspiros, estertores, gritos, perdas de sangue, lágrimas, pulsos torcidos, e pareceu-me que, no cinema de Hitchcock, decididamente mais sexual do que sensual, fazer amor e morrer são uma coisa só.

No final da noite, enquanto os aplausos crepitavam, estava previsto que Hitchcock pronunciaria umas palavras no palco. Para surpresa geral, a luz se apagou de novo e Hitchcock apareceu... na tela! Tinha filmado a si mesmo, dias antes, com o seu agradecimento final, diante de uma cortina, nos estúdios da Universal.

Quando, pela segunda vez, a luz reacendeu, um refletor foi apontado para o camarote onde estava Hitchcock ao lado de sua mulher, Alma. Como o pressionassem a dizer alguma coisa, ele aceitou proferir estas poucas palavras: "*As you have seen on the screen, scissors are the best way*" [Como vocês viram na tela, as tesouras são o melhor método]. Era uma dessas declarações de duplo sentido que Hitchcock adorava; de um lado, queria dizer que a cena do assassinato de *Disque M para matar* (Grace Kelly enfiando uma tesoura entre as omoplatas do chantagista) era a mais efetiva, de outro, essa fórmula prestava uma homenagem ao trabalho de montagem, feito com tesouras na *cutting room*! A obra de Hitchcock fez muitos discípulos, o que é normal quando se trata de um mestre, mas como sempre só se imita o que é imitável: a escolha do material, eventualmente o tratamento dado a esse material, mas não o espírito que o impregnava.

Muita gente só enxerga em Hitchcock a ciência, a habilidade, desconhecendo aquilo que, passado o tempo, mais me impressiona nele: sua profunda emotividade.

Hitchcock não tinha nada do artista maldito ou incompreendido, pois foi um cineasta público e até mesmo popular. Alguém pensará que manipulo o paradoxo se incluir entre os méritos de Hitchcock o de ter sido um artista comercial? Por certo, não é difícil conseguir a adesão do grande público quando esse público é igual a nós, quando ri das mesmas coisas,

quando é sensível aos mesmos aspectos da vida, quando se comove com os mesmos dramas. Essa correspondência entre certos criadores e seu público faz carreiras felizes e despretensiosas. A meu ver, Hitchcock não entrava nessa categoria pois era um homem especial por seu físico, seu espírito, sua moral, suas obsessões. Era, ao contrário de Chaplin, Ford, Rossellini ou Hawks, um neurótico, e não deve ter sido fácil para ele impor sua neurose ao mundo inteiro.

Quando, adolescente, percebeu que seu físico o colocava à margem, Hitchcock retirou-se do mundo e o olhou com uma severidade inaudita. Se digo que praticou o cinema como uma religião, não é um exagero, e aliás neste livro ele profere pelo menos duas vezes a seguinte expressão: "Quando as portas pesadas do estúdio se fecharam atrás de mim...".

Quando uma linha do diálogo de *A sombra de uma dúvida* diz: "O mundo é um chiqueiro...", evidentemente é Hitchcock que se exprime pela boca de Joseph Cotten. Encontro Hitchcock quando Claude Rains, em plena noite, entra timidamente no quarto de sua mãe para lhe confessar, como um garotinho culpado: "Mamãe, casei-me com uma espiã americana...". Encontro-o de novo em *A tortura do silêncio*, quando o sacristão assassino diz à sua mulher (que se chama justamente Alma, e é apresentada como um anjo): "Somos estrangeiros, encontramos trabalho neste país, não nos façamos notar...".

Por último, ao longo de todo o *Marnie, confissões de uma ladra*, sem a menor dúvida seu último filme totalmente *sentido*, por trás de Sean Connery tentando controlar, dominar e possuir Tippi Hedren, investigando-a, arrumando-lhe trabalho e dinheiro, quem se descreve é evidentemente Hitchcock-pigmaleão posto em ridículo.

Em outras palavras, o que me interessa não é tanto a aparição ritual de Hitchcock cruzando em rápidas vinhetas cada um de seus filmes, mas são os momentos em que creio ver expressas as suas emoções pessoais, toda a sua violência contida sendo enfim liberada. Acho que todos os cineastas interessantes — os que chamávamos, nos *Cahiers du Cinéma* de 1955, de autores, antes que a expressão fosse deturpada — escondem-se por trás de diferentes personagens de seus filmes. Alfred Hitchcock realizava um verdadeiro tour de force levando o público a se identificar com o jovem herói sedutor, enquanto ele, Hitchcock, se identificava quase sempre com o segundo papel, com o homem enganado, decepcionado, monstro ou assassino, aquele que não tem o direito de amar, aquele que olha sem participar.

André Bazin não era um fã incondicional de Hitchcock, mas sou-lhe grato por ter, a seu respeito, empregado a palavra-chave "equilíbrio". Todos conhecem a silhueta de Hitchcock, é a de um homem que sempre viveu com medo de perder seu equilíbrio. Em Los Angeles, tive a sorte de encontrar, antes de sua morte, um velho padre jesuíta, o professor Hugh Gray, que foi o primeiro tradutor de André Bazin nos Estados Unidos e também colega de Hitchcock no colégio Saint Ignatius de Londres, no início do século. Lembrava-se muito bem do pequeno estudante Alfred Hitchcock, todo rechonchudo, mantendo-se afastado no pátio do recreio. Encostado num muro, olhava para os coleguinhas jogando bola, com um ar de desprezo, as duas mãos já cruzadas sobre a barriga.

É mais que evidente que Hitchcock organizou toda a sua vida de modo a que ninguém tivesse a ideia de lhe dar um tapa nas costas. David O. Selznick compreendera isso muito bem quando escreveu à sua mulher em 1938: "Finalmente conheci Hitchcock. O homem é bem simpático, mas não é o tipo de sujeito que se leva para acampar".

É por isso que a imagem hitchcockiana por excelência é a do homem inocente que é confundido com outro, que é perseguido e se flagra caindo de um telhado, agarrado numa calha prestes a quebrar.

Esse homem que o medo impeliu a contar as histórias mais terrificantes, esse homem que se casou virgem aos 25 anos e nunca conheceu outra mulher além da sua, sim, só esse homem foi capaz de representar o assassinato e o adultério como escândalos, só ele sabia fazê-lo e só ele tinha o direito de fazê-lo.

O que dizem exatamente seus filmes, Hitchcock nunca se preocupou muito em saber — e menos ainda em fazer saber — mas nenhum outro cineasta soube descrever melhor que ele, nas respostas às perguntas que Helen Scott e eu lhe fazíamos, o percurso que seguiu para ordenar as histórias que ele escolhia se contar ao mesmo tempo que nos contava.

Quando foi inventado, o cinema serviu primeiro para registrar a vida, e era então uma extensão da fotografia. Tornou-se uma arte quando escapou ao documentário. Compreendeu que não se tratava mais de reproduzir a vida mas de intensificá-la. Os cineastas do cinema mudo inventaram tudo, e os que não eram capazes de inventar tiveram de desistir. Alfred Hitchcock muitas vezes deplorou o recuo decorrente do advento do cinema falado, quando se recrutaram diretores de teatro que não se preocupavam em visualizar as histórias e se contentavam em registrá-las na película.

Hitchcock fazia parte de outra família, a de Chaplin, Stroheim, Lubitsch. Como eles, não se contentou em praticar uma arte mas se empenhou em aprofundá-la, em produzir suas leis, mais estritas do que as que regem o romance.

Hitchcock não intensificou só a vida, ele intensificou o cinema.

F.T. 1983

CLOSING PRICES

N.Y. Stocks

Los Angeles Times

TUESDAY

Late Final

CIRCULATION: 1,057,611 DAILY / 1,344,660 SUNDAY — TUESDAY, APRIL 29, 1980 — LF / 108 PAGES / Copyright 1980 Los Angeles Times / DAILY 25c

Alfred Hitchcock Dies

Carter Picks Muskie to Be Secretary of State

NEW JOB—Edmund S. Muskie will be named secretary of state
Associated Press photo

Maine Senator to Take Post Left by Vance

From Times Wire Services

WASHINGTON—President Carter said today that he will nominate Sen. Edmund S. Muskie (D-Me.) to succeed Cyrus R. Vance as secretary of state, congressional sources said.

Carter notified top congressional leaders of his decision this afternoon. He is expected to make the announcement at a nationally broadcast news conference, scheduled for 6 p.m. PDT.

Muskie, 66, is chairman of the Senate Budget Committee and was Hubert H. Humphrey's Democratic vice presidential running mate in 1968. He lost his own bid for the Democratic nomination in 1972 to George S. McGovern after polls showed him the heavy early favorite.

He replaces Vance, who resigned Monday in a dispute with Carter over the ill-fated Iran rescue effort.

Senate sources said the choice of Muskie, highly respected on Capitol Hill, virtually assures that the nomination will be confirmed. Muskie is a member of the Senate Foreign Relations Committee.

Muskie, a towering 6-foot-6, craggy Down-Easter, is the son of a Polish immigrant tailor who was raised in Rumford, Me.

Muskie has served in the Senate since 1959 and before that served a four-year term as Maine governor, breaking a long dominance there of Republican officeholders.

Muskie's high hopes for the presidency died before the New Hampshire primary in 1972 when he reacted emotionally and with tears to a newspaper article about his wife, Jane.

Muskie also fell victim to what turned out to be a "dirty trick" on the part of Richard M. Nixon's campaign.

The "dirty trick" was a letter planted in the Manchester (N.H.) Union Leader, claiming that Muskie had referred sneeringly to French Canadians as "Canucks" during a visit to Florida.

Heavily favored, he barely defeated McGovern in New Hampshire, and his campaign quickly ran into serious trouble.

Muskie has spent most of his Senate career backing legislation to preserve the nation's environment and wilderness areas, and in 1974 became the first and only chairman of the Congressional Budget Committee—a job that has taken on great importance since Congress began drafting its own version of the budget each year.

The Muskies have five children—Stephen, 31; Ellen, 28; Melinda, 23; Martha, 21, and Edmund Jr., 19.

SUCCUMBS—Alfred Hitchcock died at his Bel-Air home today
Times photo by Tony Barnard

Master of Suspense Dead at 80

By JERRY BELCHER
Times Staff Writer

Sir Alfred Hitchcock, the master director who probably frightened more movie-goers than anyone in history with his 54 suspense-packed movies, died peacefully today at his Bel-Air home. He was 80.

Hitchcock, who began his movie career in London in the 1920s, was one of the few motion picture directors to become a superstar in his own right.

Some of his best known films are "Psycho," "The Birds" and "Dial M for Murder".

In ill health for several years—he suffered from a heart condition and arthritis—Hitchcock had still remained active, visiting his office at Universal Studios almost everyday until quite recently.

He had entered Cedars-Sinai Hospital Medical Center early last month for several days of diagnostic tests, but a hospital spokesman said at the time that the octogenarian "just didn't feel good" and added that the health problem then was not serious.

The cause of death was not immediately announced. A source at Universal Studios said, however, that he died quietly of natural causes about 9 a.m.

Actor Jimmy Stewart, who starred in several of Hitchcock's finest films, was shocked to learn of his old friend's death.

"I've lost a great friend and the world has lost one of its finest directing talents," Stewart said. "Alfred Hitchcock has made a tremendous contribution to the art of motion pictures and has been a source of joy to people all over the world."

Hitchcock was noted as a genius not only as a filmmaker but for his skill in promoting himself as a personality through his cameo appearances in nearly all of his films. He was also well-known for hosting the television series Alfred Hitchcock Presents.

The cameo appearances were always ingenious, often humorous, and became his trademark. One famous appearance showed the stout, slow-moving Hitchcock trying to wrestle a cello through a revolving door.

But despite his fame and his penchant for professional self-promotion, the British-born director did not live the limelight life of a celebrity. His personal life revolved about his family—his wife Ama, daughter Patricia and his grandchildren.

Their lives were intensely private.

"My wife and I," he said in an interview, "have never gone into the nightclubs and cafes."

Hitchcock was the son of a London poultry dealer. He began his film career in London in 1925, settled in the United States in 1940 and became an American citizen in 1955.

Among his many films, he once listed his own favorites as "Spellbound," "Lifeboat," "Shadow of a Doubt" and "Psycho."

His first American made film, "Rebecca," won the Academy Award for best picture in 1938.

Oddly, he never won an Oscar in his own name as best director, but was nominated four times.

Some critics consider Hitchcock one of the inventors of the modern motion picture—and certainly the greatest master of the suspense genre in which he specialized.

While often including scenes perceived as gruesome—the "Psycho" stabbing scene is perhaps the most notorious and chilling—the horror was more often implied than directly shown. And always, there was the subtle—sly Hitchcock humor.

In an interview several years ago, Hitchcock was asked to outline his traditional film.

"It encompasses pure horror and comedy at the same time," he said. "If you do a realistic murder story, you should show that life goes on around murder just as in real life. People still laugh and joke in the corridors, as it were. And I've always adhered to the fact that the amusement comes out of the characters as much as anything, not out of the situation."

Hitchcock was knighted by Queen Elizabeth II late last year for his contributions to British culture.

Funeral arrangements are pending.

LATE NEWS

Dow Rollin' On

From Times Wire Services

NEW YORK—The stock market continued its week-old rally with a moderate advance today.

The Dow Jones average of 30 industrials closed up 5.63 at 811.09.

New York Stock Exchange volume was about 28 million shares compared with 30.6 million Monday.

Tables in Business Section.

Rosie's Victory Voided

BOSTON (AP)—The Boston Athletic Assn. today stripped Rosie Ruiz of New York of her Boston Marathon women's division victory and named Montreal's Jacqueline Gareau official winner.

Race director Will Cloney said the investigation showed "beyond any reasonable doubt" that Ruiz, a 36-year-old Manhattan office worker who said she had run in only one prior marathon, did not cover the entire 26.2-mile Boston footrace.

Executions to Stop

MONROVIA, Liberia (AP)—Liberian leader Master Sgt. Samuel K. Doe, whose regime executed 13 former government officials last week, bowed to domestic and international pressure today and promised there would be no more such executions.

More than 80 officials of the ousted government of assassinated President William Tolbert were still awaiting trial for treason, corruption and violation of human rights.

Plane Crash Kills 7

Seven persons including two children were found dead in the wreckage of a private aircraft in hilly country about 15 miles north of Bakersfield today.

The plane took off at 8:49 p.m. Monday night from Meadows Field for Visalia, Federal Aviation Administration Tower Manager Hank Van Sant reported.

Draft Signup Advances

WASHINGTON (AP)—President Carter's draft registration plan for young men, narrowly approved last week by the House, was passed by a surprisingly wide margin today in a Senate subcommittee.

A Senate appropriations subcommittee voted 8-4 in favor of spending $13.3 million to begin registration this summer of young men, aged 19 and 20. The bill now goes to the full Appropriations Committee, and then to the Senate.

TEXAS DEFENSIVE BACK RAMS' TOP DRAFT PICK

By BOB OATES
Times Staff Writer

This will be remembered as the year when Oklahoma halfback Billy Sims was drafted first (by Detroit), when USC halfback Charles White was drafted 27th (by Cleveland) and when the Rams, as their top choice, went for a defensive back from Texas.

He is All-American safety Johnnie Johnson, who became the 16th athlete selected when the Rams traded a bundle of draft choices to Cleveland.

Johnson continues a local trend. During Dick Steinberg's four years as a chief scout, the Rams have consistently picked one kind of player: one with good size and speed who has been a starter for many years on a big-time college team.

Tall for a defensive back, Johnson, 6-1, 185, has started for Texas since the sixth game of his freshman season. Neutral scouts say he has 4.65 speed for 40 yards. He will play strong safety here. The free safety, Nolan Cromwell, a 1977 draftee, also 6-1, had been a four-year starter at Kansas.

On the first day of the National Football League's first 1980 player-selection meeting, four running backs were named ahead of White, the 1979 Heisman Trophy winner. They are Sims, the 1978 Heisman winner; Curtis Dickey, Texas A&M (Baltimore); Earl Cooper, Rice (San Francisco), and Vegas Ferguson, Notre Dame (New England).

Two other Trojans went ahead of White on the first round: tackle Anthony Munoz, the third player chosen (Cincinnati) and guard Brad Budde, the 11th (Kansas City).

The Oakland/Los Angeles Raiders emerged with the year's top quarterback, Marc Wilson of Brigham Young.

Speculation that the 49ers wanted Wilson proved erroneous when, drafting 13th, they passed him up for running back Cooper. In a draft choice trade earlier, the 49ers had yield the day's second pick to the New York Jets, who named Texas receiver Jonnny Lam Jones.

Altogether, three members of the Texas team went on the first round, including two defensive backs, Johnson and Derrick Hatchett (Baltimore).

U.S. Says Jets Chased Off Iran Plane Over Oman Gulf

From Associated Press

Iran claimed that two carrier-based U.S. fighter jets "started to shoot" at an Iranian patrol plane over the Gulf of Oman today in the first U.S.-Iranian military confrontation since the American hostages were seized nearly six months ago. The Pentagon denied that there was any shooting.

In Washington, the Defense Department said: "Two F-14 aircraft from the aircraft carrier Nimitz made a routine intercept of an Iranian C-130 aircraft near the Strait of Hormuz. The U.S. aircraft escorted the Iranian plane back to Iranian airspace. It was a routine intercept. There was no firing of weapons."

Washington officials said the Iranian plane came within about 50 miles of the Nimitz and the two F-14s were launched to chase it off. The Nimitz is one of about 30 U.S. warships stationed in the Indian Ocean after the takeover of the U.S. Embassy in Tehran last Nov. 4 by Iranian militants and the December Soviet thrust into Afghanistan.

The official Iranian news agency Pars quoted the Iranian army joint staff as saying the two American planes started to shoot at the Iranian plane but four Iranian jets were sent up and they "warded off the attack." Pars quoted the army as saying the U.S. planes "changed their direction as the four Iranian jet fighters escorted the patrol plane" back to Iran.

Tehran Radio reported that the Iranian army joint staff has warned the armed forces to "expect extensive action by the U.S. Army" in the wake of last week's abortive attempt to rescue the American hostages in Iran.

Melchite Catholic Archbishop Hilarion Capucci arrived in Tehran today and said he will accompany the bodies of the eight U.S. commandos killed in last week's aborted rescue mission "to another country and hand them over to the International Red Cross for delivery to their families."

"I do not want to have any contact with the United States," he said, and did not name the neutral country he would take the bodies to or give a timetable.

But a Swiss news agency said today in Bern that the bodies will be flown to Zurich.

U.S. Buys Corn

WASHINGTON (AP)—An additional 40.4 million bushels of corn that had been expected to be shipped to the Soviet Union has been bought by the government to help boost farmers' grain prices, Agriculture Secretary Bob Bergland said today.

THE LATEST WEATHER

Decreasing cloudiness and a lingering chance of scattered light showers were forecast by the National Weather Service. The chance of showers today is 30%, decreasing to 20% Wednesday. The expected high today and Wednesday is 67. The low tonight should be in the mid-50s.

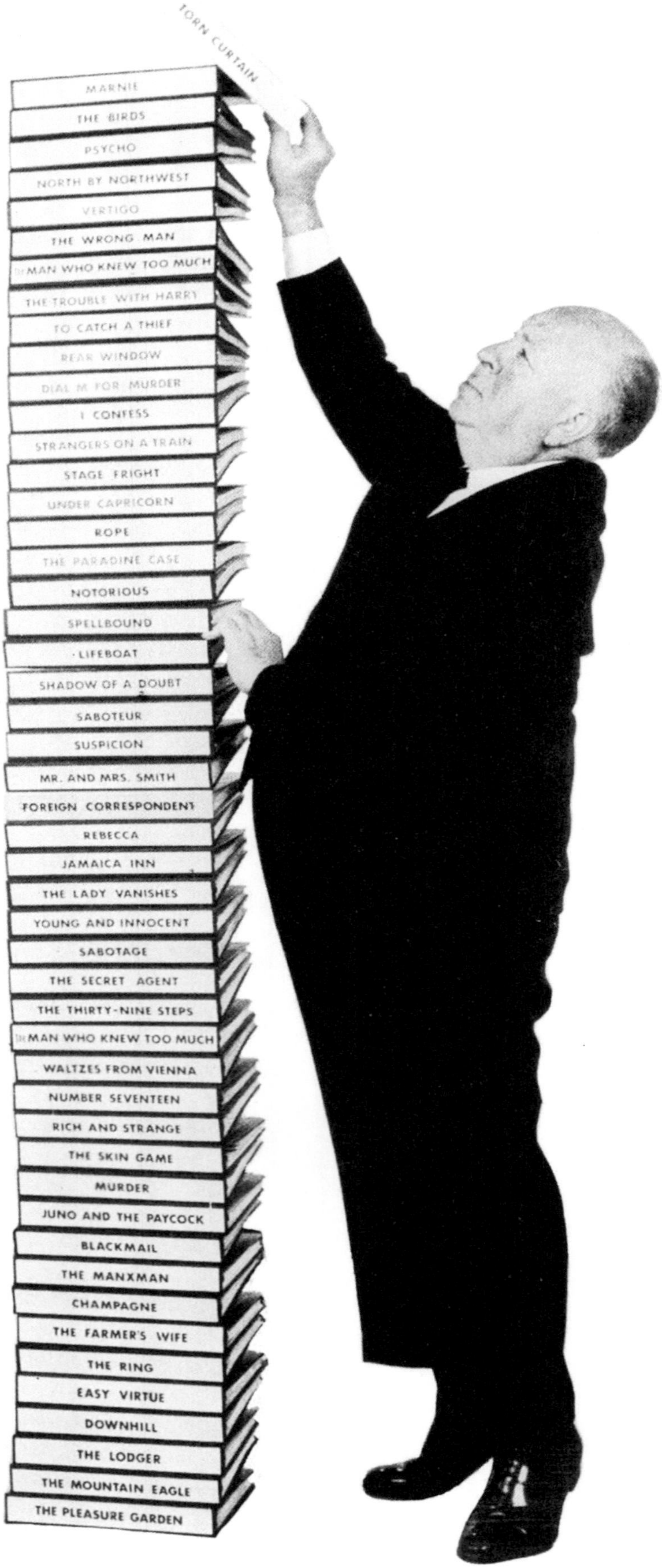

TORN CURTAIN
MARNIE
THE BIRDS
PSYCHO
NORTH BY NORTHWEST
VERTIGO
THE WRONG MAN
MAN WHO KNEW TOO MUCH
THE TROUBLE WITH HARRY
TO CATCH A THIEF
REAR WINDOW
DIAL M FOR MURDER
I CONFESS
STRANGERS ON A TRAIN
STAGE FRIGHT
UNDER CAPRICORN
ROPE
THE PARADINE CASE
NOTORIOUS
SPELLBOUND
LIFEBOAT
SHADOW OF A DOUBT
SABOTEUR
SUSPICION
MR. AND MRS. SMITH
FOREIGN CORRESPONDENT
REBECCA
JAMAICA INN
THE LADY VANISHES
YOUNG AND INNOCENT
SABOTAGE
THE SECRET AGENT
THE THIRTY-NINE STEPS
MAN WHO KNEW TOO MUCH
WALTZES FROM VIENNA
NUMBER SEVENTEEN
RICH AND STRANGE
THE SKIN GAME
MURDER
JUNO AND THE PAYCOCK
BLACKMAIL
THE MANXMAN
CHAMPAGNE
THE FARMER'S WIFE
THE RING
EASY VIRTUE
DOWNHILL
THE LODGER
THE MOUNTAIN EAGLE
THE PLEASURE GARDEN

FILMOGRAFIA DE ALFRED HITCHCOCK

Em negrito, os filmes que Alfred Hitchcock dirigiu.

1922

NUMBER THIRTEEN (inacabado)
PRODUÇÃO Wardour & F., 1922 PRODUTOR Alfred Hitchcock DIREÇÃO Alfred Hitchcock DIRETOR DE FOTOGRAFIA Rosenthal ESTÚDIO Islington ELENCO Claire Greet, Ernest Thesiger

ALWAYS TELL YOUR WIFE
Como o diretor adoeceu, o filme foi terminado por Alfred Hitchcock e pelo produtor Seymour Hicks. A Famous Players-Lasky interrompe sua produção em Islington. Alfred Hitchcock é mantido pelo estúdio, com uma pequena equipe. Quando Michael Balcon funda, com Victor Saville e John Freedman, uma nova companhia independente e vai rodar seu primeiro filme em Islington, Alfred Hitchcock, contratado como assistente de direção, exercerá simultaneamente outras funções.

WOMAN TO WOMAN
PRODUÇÃO Michael Balcon, Victor Saville, John Freedman, 1922-3 PRODUTOR Michael Balcon DIREÇÃO Graham Cutts ROTEIRO Graham Cutts e Alfred Hitchcock, adaptação da peça de Michael Morton DIRETOR DE FOTOGRAFIA Claude L. McDonnell CENÁRIO Alfred Hitchcock ASSISTENTE DE DIREÇÃO Alfred Hitchcock MONTAGEM Alma Reville ESTÚDIO Islington DISTRIBUIÇÃO Wardour & F., 1923, 7 B; França, Gaumont, 1924; Estados Unidos, Selznick, 1924 ELENCO Betty Compson (Deloryse), Clive Brook (David Compos e David Anson-Pond) e Josephine Earle, Marie Ault, Myrtle Peter

1923

THE WHITE SHADOW
PRODUÇÃO Michael Balcon, Victor Saville, John Freedman, 1923, Inglaterra PRODUTOR Michael Balcon DIREÇÃO Graham Cutts ROTEIRO Alfred Hitchcock e Michael Morton DIRETOR DE FOTOGRAFIA Claude L. McDonnell CENÁRIO Alfred Hitchcock MONTAGEM Alfred Hitchcock ESTÚDIO Islington DISTRIBUIÇÃO Wardour & F., 1923, 6 B; Estados Unidos, Selznick, 1924 ELENCO Betty Compson, Clive Brook, Henry Victor, Daisy Campbell, Olaf Hitton

1924

THE PASSIONATE ADVENTURE
PRODUÇÃO Michael Balcon, Gainsborough, 1922-3, Inglaterra DIREÇÃO Graham Cutts ROTEIRO Alfred Hitchcock e Michael Morton DIRETOR DE FOTOGRAFIA Claude L. McDonnell CENÁRIO Alfred Hitchcock ASSISTENTE DE DIREÇÃO Alfred Hitchcock ESTÚDIO Islington DISTRIBUIÇÃO Gaumont, 1923; França, Excella Film (com a autorização de A. C. e R. C. Bromhead), 1928; Estados Unidos, Selznick, 1924 ELENCO Alice Joyce, Clive Brook, Lillian Hall-Davies, Marjorie Daw, Victor McLaglen, Mary Brough, John Hamilton, J. R. Tozer

1925

THE BLACKGUARD
PRODUÇÃO Gainsborough, Michael Balcon, 1925, Inglaterra PRODUTOR ASSOCIADO Erich Pommer DIREÇÃO Graham Cutts ROTEIRO Alfred Hitchcock, adaptado de um romance de Raymond Paton CENÁRIO Alfred Hitchcock ASSISTENTE DE DIREÇÃO Alfred Hitchcock ESTÚDIO UFA em Neubabelsberg (Berlim) DISTRIBUIÇÃO Wardour & F., 1925, 6016 pés ELENCO Walter Rilla (o patife), Jane Novak, Bernard Goetzke, Frank Stanmore

THE PRUDE'S FALL
PRODUÇÃO Michael Balcon, Victor Saville, John Freedman, 1925, Inglaterra PRODUTOR Michael Balcon DIREÇÃO Graham Cutts ROTEIRO Alfred Hitchcock CENÁRIO Alfred Hitchcock ASSISTENTE DE DIREÇÃO Alfred Hitchcock ESTÚDIO Islington DISTRIBUIÇÃO Wardour & F. ELENCO Betty Compson

THE PLEASURE GARDEN
PRODUÇÃO Michael Balcon (Gainsborough), Erich Pommer (Emelka-GBA, 1925) DIREÇÃO Alfred Hitchcock ROTEIRO Eliot Stannard, adaptado do romance de Olivier Sandys DIRETOR DE FOTOGRAFIA Baron Ventimiglia ASSISTENTE DE DIREÇÃO E SCRIPT-GIRL Alma Reville ESTÚDIO Emelka (Munique) DISTRIBUIÇÃO Wardour & F., 1925, 6459 pés; Estados Unidos, Aymon Independant, 1926 ELENCO Virginia Valli (Patsy Brand, a bailarina), Carmelita Geraghty (Jill Cheyne), Miles Mander (Levett), John Stuart (Hugh Fielding), Frederic K. Martini, Florence Helminger, George Snell, C. Falkenburg

1926

THE MOUNTAIN EAGLE
Estados Unidos **FEAR O'GOD**
PRODUÇÃO Gainsborough, Emelka, 1926 PRODUTOR Michael Balcon DIREÇÃO Alfred Hitchcock ROTEIRO Eliot Stannard DIRETOR DE FOTOGRAFIA Baron Ventimiglia ESTÚDIO Emelka (Munique) LOCAÇÕES Tirol austríaco DISTRIBUIÇÃO Wardour & F., 1926, 6000 pés; Estados Unidos, Artlee Indep. Distr., 1926 ELENCO Bernard Goetzke (Pettigrew), Nita Naldi (Beatrice, a professora), Malcolm Keen (Fear O'God), John Hamilton (Edward Pettigrew)

O INQUILINO SINISTRO
[THE LODGER – A STORY OF THE LONDON FOG]
PRODUÇÃO Gainsborough, Michael Balcon, 1926 DIREÇÃO Alfred Hitchcock ROTEIRO Alfred Hitchcock e Eliot Stannard, adaptado do romance de Marie Belloc-Lowndes DIRETOR DE FOTOGRAFIA Baron Ventimiglia ASSISTENTE DE DIREÇÃO Alma Reville CENÁRIO C. Wilfred Arnold e Bertram Evans MONTAGEM E LEGENDAS Ivor Montagu ESTÚDIO Islington DISTRIBUIÇÃO Wardour & F., 1926, 6 bobinas, 7685 pés ELENCO Ivor Novello (o inquilino), June (Daisy Jackson), Marie Ault (sra. Jackson, sua mãe), Arthur Chesney (sr. Jackson), Malcolm Keen (Joe Betts, o policial, noivo de Daisy)

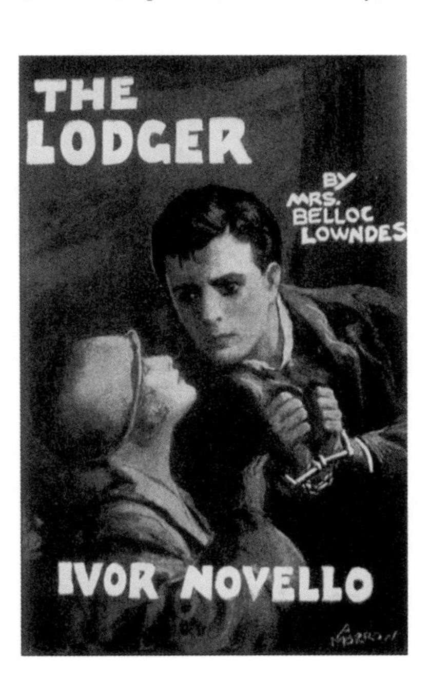

1927

DOWNHILL
Estados Unidos **WHEN BOYS LEAVE HOME**
PRODUÇÃO Michael Balcon, Gainsborough, 1927, Inglaterra DIREÇÃO Alfred Hitchcock ROTEIRO Eliot Stannard, adaptado da peça de Ivor Novello e Constance Collier, sob o pseudônimo de David Lestrange DIRETOR DE FOTOGRAFIA Claude McDonnell MONTAGEM Ivor Montagu ESTÚDIO Islington DISTRIBUIÇÃO Wardour & F., 1928, 6500 pés; Estados Unidos, World Wide Distr., 1928 ELENCO Ivor Novell (Roddy Berwick), Ben Webster (dr. Dowson), Robin Irvine (Tim Wakely), Sybil Rhoda (Sybil Wakely), Lillian Braithwaite (lady Berwick) e Hannah Jones, Violet Farebrother, Isabel Jeans, Norman McKinnel, Jerrold Robertshaw, Annette Benson, Ian Hunter, Barbara Gott, Alfred Goddard

EASY VIRTUE
PRODUÇÃO Michael Balcon, Gainsborough Prod., 1927 DIREÇÃO Alfred Hitchcock ROTEIRO Eliot Stannard, adaptado da peça de Noel Coward DIRETOR DE FOTOGRAFIA Claude McDonnell MONTAGEM Ivor Montagu ESTÚDIO Islington DISTRIBUIÇÃO Wardour & F., 1927, 6500 pés; Estados Unidos, World Wide Dist., 1928 ELENCO Isabel Jean (Larita Filton), Franklin Dyall (sr. Filton), Eric Bransby Williams (o correspondente), Ian Hunter (o advogado da querelante), Robin Irvine (John Whittaker), Violet Farebrother (sua mãe, sra. Whittaker) e Frank Elliott, Dacia Deane, Dorothy Boyd, Enid Stamp-Taylor

O RINGUE
[THE RING]
PRODUÇÃO British International Pictures, 1927, Inglaterra PRODUTOR John Maxwell DIREÇÃO Alfred Hitchcock ROTEIRO Alfred Hitchcock ADAPTAÇÃO Alma Reville DIRETOR DE FOTOGRAFIA Jack Cox ASSISTENTE DE DIREÇÃO Frank Mills ESTÚDIO Elstree DISTRIBUIÇÃO Wardour & F., 1927; Pathé Consortium Cinéma, 1928 ELENCO Carl Brisson (Jack Sander, vulgo "One Round"), Lillian Hall-Davies (Nelly), Ian Hunter (Bob Corby, o campeão), Forrester Harvey (Harry, o empresário, apresentador das lutas de boxe) e Harry Terry, Gordon Harker, Billy Wells

1928

A MULHER DO FAZENDEIRO
[THE FARMER'S WIFE]
PRODUÇÃO British International Pictures, 1928, Inglaterra PRODUTOR John Maxwell DIREÇÃO Alfred Hitchcock ROTEIRO Alfred Hitchcock, adaptado da peça de Eden Phillpots DIRETOR DE FOTOGRAFIA Jack Cox ASSISTENTE DE DIREÇÃO Frank Mills MONTAGEM Alfred Booth ESTÚDIO Elstree LOCAÇÕES País de Gales DISTRIBUIÇÃO Wardour & F., 67 minutos; França, Pathé Consortium Cinéma, 1928 ELENCO Lillian Hall-Davies (Araminta Dench, a jovem criada), James Thomas (Samuel Sweetland), Maud Gill (Thirza Tapper), Gordon Harker (Cheirdles Ash) e Louise Pounds, Olga Slade, Antonia Brough

CHAMPAGNE
PRODUÇÃO British International Pictures, 1928, Inglaterra DIREÇÃO Alfred Hitchcock ROTEIRO Eliot Stannard DIRETOR DE FOTOGRAFIA Jack Cox ESTÚDIO Elstree DISTRIBUIÇÃO Wardour & F., 1928 ELENCO Betty Balfour (Betty), Gordon Harker (seu pai), Ferdinand von Alten (o passageiro), Jean Bradin (o rapaz), Jack Trever e Marcel Vibert

CHAMPAGNE (versão alemã)
PRODUÇÃO Sascha Film. British International Pict., 1929 DIREÇÃO Goza von Bolvary ELENCO Betty Balfour, Vivian Gibson, Jack Trevor, Marcel Vibert

1929

HARMONY HEAVEN
PRODUÇÃO British International Pictures, 1929 DIREÇÃO Alfred Hitchcock. Parte musical dirigida por Eddie Pola. Parte lírica dirigida por Edward Brandt DISTRIBUIÇÃO França, Société des Ciné-romans, 1929

O ILHÉU
[THE MANXMAN]
PRODUÇÃO British International Pictures, 1929 PRODUTOR John Maxwell DIREÇÃO Alfred Hitchcock ROTEIRO Eliot Stannard, adaptado do romance de Sir Hall Caine DIRETOR DE FOTOGRAFIA Jack Cox ASSISTENTE DE DIREÇÃO Frank Mills ESTÚDIO Elstree DISTRIBUIÇÃO Wardour & F., 1929; Estados Unidos, UFA Eastman Division, 1929 ELENCO Carl Brisson (Pete), Malcolm Keen (Philip), Anny Ondra (Kate), Randle Ayrton (seu pai) e Clare Greet. *O ilhéu* é o último filme mudo de Alfred Hitchcock.

CHANTAGEM E CONFISSÃO
[BLACKMAIL]
PRODUÇÃO British International Pictures, 1929, Inglaterra PRODUTOR John Maxwell DIREÇÃO Alfred Hitchcock ROTEIRO Alfred Hitchcock, Benn W. Levy e Charles Bennett, adaptado da peça de Charles Bennett ADAPTAÇÃO Alfred Hitchcock DIÁLOGOS Benn W. Levy DIRETOR DE FOTOGRAFIA Jack Cox CENÁRIO Wilfred C. Arnold e Norman Arnold MÚSICA Campbell e Conney, completada com arranjos de Hubert Bath e Henry Stafford, interpretada pela British Symphony Orchestra sob a regência de John Reynders MONTAGEM Emile de Ruelle ESTÚDIO Elstree DISTRIBUIÇÃO Wardour & F., 1929, 7136 pés; Estados Unidos, Sono Art World Wide Pict., 1930 ELENCO Anny Ondra (Alice White), Sara Allgood (sra. White), John Longden (detetive Frank Webber), Charles Paton (sr. White), Donald Calthrop (Tracy), Cyril Ritchard (o artista) e Harvey Braban, Hannah Jones, Phyllis Monkman, ex-detetive Sargento Bishop (Joan Barry dublava Anny Ondra na versão falada)

1930

ELSTREE CALLING
(Primeiro musical inglês)
PRODUÇÃO British International Pictures, 1930 DIREÇÃO Alfred Hitchcock, André Charlot, Jack Hulbert, Paul Murray SUPERVISÃO Adrian Brunel ROTEIRO Val Valentine DIRETOR DE FOTOGRAFIA Claude Freise Greene MÚSICA Reg Casson, Vivian Ellis, Chic Endor CANÇÃO Ivor Novello e Jack Strachey Parsons ENGENHEIRO DE SOM Alex Murray (Alfred Hitchcock dirige Gordon Harker). Havia um burlesco, "A megera domada", interpretado por Anna May Wong e Donal Calthrop, que era uma das melhores cenas do filme. Esse burlesco tinha sido feito por ocasião do lançamento do filme *A megera domada*, protagonizado por Mary Pickford e Douglas Fairbanks.

JUNO AND THE PAYCOCK
PRODUÇÃO British International Pictures, 1930 PRODUTOR John Maxwell DIREÇÃO Alfred Hitchcock ROTEIRO Alfred Hitchcock e Alma Reville, adaptado da peça de Sean O'Casey DIRETQR DE FOTOGRAFIA Jack Cox CENÁRIO Norman Arnold MONTAGEM Emile de Ruelle ESTÚDIO Elstree DISTRIBUIÇÃO Wardour & F., 1930, 85 minutos; Estados Unidos, British International por Capt. Harold Auten, 1930 ELENCO Sara Allgood (Juno), Edward Chapman (capitão Boyle), Sidney Morgan (Joxer), Maire O'Neill (sra. Madigan) e John Laurie, Dennis Wyndham, John Longden, Kathleen O'Regan, Dave Morris, Fred Schwartz

ASSASSINATO
[MURDER]
PRODUÇÃO British International Pictures, 1930 PRODUTOR John Maxwell DIREÇÃO Alfred Hitchcock ROTEIRO Alma Reville, adaptado da obra de Clemence Dane (pseudônimo de Winifred Ashton) e Helen Simpson, *Enter sir John* ADAPTAÇÃO Alfred Hitchcock e Walter Mycroft DIRETOR DE FOTOGRAFIA Jack Cox CENÁRIO John Mead MONTAGEM René Harrison SUPERVISÃO Emile de Ruelle ESTÚDIO Elstree DISTRIBUIÇÃO Wardour & F., 1930, 92 minutos ELENCO Herbert Marshall (sir John Menier), Norah Baring (Diana Baring), Phyllis Konstam (Doucie Markham), Edward Chapman (Ted Markham), Miles Mander (Gordon Druce), Esme Percy (Handel Fane), Donald Calthrop (Ion Stewart) e Amy Brandon Thomas, Joynson Powell, Esme V. Chaplin, Marie Wright, S. J. Warmington, Hannah Jones, R. E. Jeffrey, Alan Stainer, Kenneth Kove, Guy Pelham Boulton, Violet Farebrother, Ross Jefferson, Clare Greet, Drusilla Wills, Robert Easton, William Fazan, George Smythson

MARY — SIR JOHN GREIFT EIN
Versão alemã de **MURDER**
PRODUÇÃO Sud Film A. G., 1930 DIREÇÃO Alfred Hitchcock DIRETOR DE FOTOGRAFIA Jack Cox ESTÚDIO Elstree ELENCO Alfred Abel, Olga Tchekowa, Paul Graetz, Lotte Stein, E. Arenot, Jack Nylong-Munz, Louis Ralph, Hermine Sterler, Fritz Alberti, Hertha V. Walter, Else Schunzel, Julius Brandt, Rudolph Meinhardt Junger, Fritz Grossmann, Lucie Euler, Harry Hardt, H. Gotho, Eugen Burg

1931

THE SKIN GAME
PRODUÇÃO British International Pictures, 1931 PRODUTOR John Maxwell DIREÇÃO Alfred Hitchcock ROTEIRO Alfred Hitchcock e Alma Reville, adaptado da peça de John Galsworthy DIÁLOGOS ADICIONAIS Alma Reville DIRETOR DE FOTOGRAFIA Jack Cox e Charles Martin, como assistente MONTAGEM René Marrison e A. Gobbett ESTÚDIO Elstree DISTRIBUIÇÃO Wardour & F., 1931, 85 minutos; Estados Unidos, British International, 1931 ELENCO Edmund Gwenn (sr. Hornblower), Jill Esmond (Jill), John Longden (Charles), C. V. France (sr. Hillcrest), Helen Haye (sra. Hillcrest), Phyllis Konstam (Chloe), Frank Lawton (Rolf) e Herbert Ross, Dora Gregory, Edward Chapman, R. E. Jeffrey, George Bancroft, Ronald Frankau

1932

RICH AND STRANGE
Estados Unidos **EAST OF SHANGAI**
PRODUÇÃO British International Pictures, 1932, Inglaterra PRODUTOR John Maxwell DIREÇÃO Alfred Hitchcock ROTEIRO Alma Reville e Val Valentine, adaptado de uma história de Dale Collins ADAPTAÇÃO Alfred Hitchcock DIRETORES DE FOTOGRAFIA Jack Cox e Charles Martin CENÁRIO C. Wilfred Arnold MÚSICA Hal Dolphe, dirigida por John Reynders MONTAGEM Winifred Cooper e René Harrison ENGENHEIRO DE SOM Alec Murray ESTÚDIO Elstree LOCAÇÕES Marseille, Port-Said, Colombo, Suez DISTRIBUIÇÃO Wardour & F., 1932, 83 minutos; Estados Unidos, Powers Pictures, 1932 ELENCO Henry Kendall (Fred Hill), Joan Barry (Emily Hill), Betty Amann (a princesa), Percy Marmont (Gordon), Elsie Randolph (a solteirona)

O MISTÉRIO DO NÚMERO 17
[NUMBER SEVENTEEN]
PRODUÇÃO British International Pictures, 1932 PRODUTOR John Maxwell DIREÇÃO Alfred Hitchcock ROTEIRO Alfred Hitchcock, adaptado da peça e do romance de Jefferson Farjeon DIRETOR DE FOTOGRAFIA Jack Cox ESTÚDIO Elstree DISTRIBUIÇÃO Wardour & F., 1932 ELENCO Leon M. Lion (Ben), Anne Grey (Nora, a moça), John Stuart (o detetive) e Donald Calthrop, Barry Jones, Garry Marsh

LORD CAMBER'S LADIES
PRODUÇÃO British International Pictures, 1932, Inglaterra PRODUTOR Alfred Hitchcock DIREÇÃO Benn W. Levy ROTEIRO Benn W. Levy, adaptado da peça de Horace Annesley Vachell, *The case of lady Camber* ESTÚDIO Elstree DISTRIBUIÇÃO Wardour & F., 1932 ELENCO Gertrude Lawrence (Lady Camber), sir Gerald du Maurier (Lord Camber) e Benita Hume, Nigel Bruce

1933

VALSAS DE VIENA
[WALTZES FROM VIENNA]
Estados Unidos **STRAUSS GREAT WALTZ**
PRODUÇÃO Gaumont British, por GFD, 1933, Inglaterra DIREÇÃO Alfred Hitchcock ROTEIRO Alma Reville e Guy Bolton, adaptado da peça de Guy Bolton CENÁRIO Alfred Junge e Peter Proud MÚSICA Johann Strauss, pai e filho ESTÚDIO Lime Grove DISTRIBUIÇÃO GFD, 1933, 80 minutos; Estados Unidos, Tom Arnold, 1935 ELENCO Jessie Matthews (Rasi), Esmond Knight (Shani, o jovem Strauss), Frank Vosper (o príncipe), Fay Compton (a condessa), Edmund Gwenn (Johann Strauss, pai), Robert Hale (Ebezeder), Hindle Edgar (Leopold), Marcus Barron (Drexter) e Charles Heslop, Sybil Grove, Billy Shine Junior, Bertram Dench, B. M. Lewis, Cyril Smith, Betty Huntley Wright, Berinoff and Charlot

1934

O HOMEM QUE SABIA DEMAIS
[THE MAN WHO KNEW TOO MUCH]
PRODUÇÃO Gaumont British Pictures, Inglaterra, 1934 PRODUTORES Michael Balcon; associado, Ivor Montagu DIREÇÃO Alfred Hitchcock ROTEIRO A. R. Rawlinson, Charles Bennett, D. B. Wyndham-Lewis, Edwin Greenwood, adaptado de uma história original de Charles Bennett e de D. B. Wyndham-Lewis DIÁLOGOS ADICIONAIS Emlyn Williams DIRETOR DE FOTOGRAFIA Curt

Courant CENÁRIO Alfred Junge e Peter Proud MÚSICA Arthur Benjamin, dirigida por Louis Levy MONTAGEM H. St. C. Stewart ESTÚDIO Lime Grove DISTRIBUIÇÃO GFD, 1934, 84 minutos; França-Estados Unidos, GB Prod., 1935 ELENCO Leslie Banks (Bob Lawrence), Edna Best (Jill Lawrence), Peter Lorre (Abbott), Frank Vosper (Ramon Levine), Hugh Wakefield (Clive), Nova Pilbeam (Betty Lawrence), Pierre Fresnay (Louis Bernard) e Cicely Oates, D. A. Clarke-Smith, George Curzon

1935

OS 39 DEGRAUS [THE THIRTY-NINE STEPS]

PRODUÇÃO Gaumont British, 1935 PRODUTORES Michael Balcon e Ivor Montagu, associado DIREÇÃO Alfred Hitchcock ROTEIRO E ADAPTAÇÃO Charles Bennett e Alma Reville, adaptado do romance de John Buchan DIÁLOGOS ADICIONAIS Ian Hay DIRETOR DE FOTOGRAFIA Bernard Knowles CENÁRIO Otto Werndorff e Albert Jullion FIGURINOS J. Strassner MÚSICA Louis Levy MONTAGEM Derek N. Twist ENGENHEIRO DE SOM A. Birch, Full Range Record System, em Shepherd's Bush, Londres ESTÚDIO Lime Grove DISTRIBUIÇÃO GFD, 1935, 81 minutos; França, GECE, 1935 (Exclusividade FIC) ELENCO Madeleine Carroll (Pamela), Robert Donat (Richard Hannay), Lucie Mannheim (Annabella Smith), Godfrey Tearle (professor Jordan), Peggy Ashcroft (sra. Crofter), John Laurie (Crofter, o fazendeiro), Helen Haye (sra. Jordan), Frank Cellier (o xerife), Wylie Watson (Mister Memory)

1936

O AGENTE SECRETO [THE SECRET AGENT]

PRODUÇÃO Gaumont British, 1936 PRODUTORES Michael Balcon e Ivor Montagu DIREÇÃO Alfred Hitchcock ROTEIRO Charles Bennett, adaptado da peça que Campbell Dixon tirou do romance *Ashenden*, de Somerset Maugham ADAPTAÇÃO Alma Reville DIÁLOGOS Ian Hay e Jesse Lasky Junior DIRETOR DE FOTOGRAFIA Bernard Knowles CENÁRIO Otto Werndorff e Albert Jullion FIGURINOS J. Strassner MÚSICA Louis Levy MONTAGEM Charles Frend ESTÚDIO Lime Grove DISTRIBUIÇÃO GFD, 1936, 83 minutos; Estados Unidos, GB Prod., 1936 ELENCO Madeleine Carroll (Elsa Carrington), John Gielgud (Richard Ashenden), Peter Lorre (o general), Robert Young (Robert Marvin) e Percy Marmont, Florence Kahn, Lilli Palmer, Charles Carson, Michael Redgrave

SABOTAGEM ou O MARIDO ERA O CULPADO [SABOTAGE]

Estados Unidos **THE WOMAN ALONE**

PRODUÇÃO Shepherd, Gaumont-British Pictures, 1936 PRODUTORES Michael Balcon e Ivor Montagu DIREÇÃO Alfred Hitchcock ROTEIRO Charles Bennett, adaptado do romance de Joseph Conrad, *The secret agent* ADAPTAÇÃO Alma Reville DIÁLOGOS Ian Hay, Helen Simpson e E.V. H. Emmett DIRETOR DE FOTOGRAFIA Bernard Knowles CENÁRIO Otto Werndorff e Albert Jullion FIGURINOS J. Strassner MÚSICA Louis Levy MONTAGEM Charles Frend ESTÚDIO Lime Grove ANIMAÇÃO Sequência de "Who killed Cock Robin", *Silly Simphony*, de Walt Disney, com sua autorização DISTRIBUIÇÃO GFD, 1936, 76 minutos; Estados Unidos, GB Prod., 1937 ELENCO Sylvia Sidney (Sylvia Verloc), Oscar Homolka (Verloc, seu marido), Desmond Tester (irmão de Sylvia), John Loder (Ted, o detetive), Joyce Barbour (Renée), Matthew Boulton (o comissário) e S. J. Warmington, William Dewhurst, Peter Bull, Torin Tchatcher, Austin Trevor, Clare Greet, Sam Wilkinson, Sara Allgood, Martita Hunt, Pamela Bevan

1937

JOVEM E INOCENTE [YOUNG AND INNOCENT]

Estados Unidos **A GIRL WAS YOUNG**

PRODUÇÃO Gainsborough, Gaumont British, 1937 PRODUTOR Edward Black DIREÇÃO Alfred Hitchcock ROTEIRO Charles Bennett e Alma Reville, adaptado do romance *A shilling for candles*, de Joséphine Tey DIRETOR DE FOTOGRAFIA Bernard Knowles CENÁRIO Alfred Junge MÚSICA Louis Levy MONTAGEM Charles Frend ESTÚDIO Lime Grove e Pinewood DISTRIBUIÇÃO GFD, 1937, 80 minutos; Estados Unidos, GB Prod., 1938 ELENCO Derrick de Marney (Robert Tisdall), Nova Pilbeam (Erica), Percy Marmont (coronel Burgoyne), Edward Rigby (o velho Will), Mary Clare (tia de Erica), John Longden (Kent), Georges Curzon (Guy), Basil Radford (tio Basil) e Pamela Carme, George Merritt, J. H. Roberts, Jerry Verno, H. F. Maltby, John Miller, Torin Thatcher, Peggy Simpson, Anna Konstam, Beatrice Varley, William Fazan, Frank Atkinson, Fred O'Donovan, Albert Chevalier, Richard George, Jack Vyvian, Clive Baxter, Pamela Bevan, Humbertson Wright, Gerry Fitzgerald, Syd Crossley

1938

A DAMA OCULTA [THE LADY VANISHES]

PRODUÇÃO Gainsborough Pictures, 1938, Inglaterra PRODUTOR Edward Black DIREÇÃO Alfred Hitchcock ROTEIRO Sidney Gilliat e Frank Launder, adaptado do romance *The wheel spins*, de Ethel Lina White ADAPTAÇÃO Alma Reville DIRETOR DE FOTOGRAFIA Jack Cox CENÁRIO Alex Vetchinsky, Maurice Carter e Albert Jullion MÚSICA Louis Levy MONTAGEM Alfred Roome e R. E. Dearing ESTÚDIO Lime Grove ENGENHEIRO DE SOM Sidney Wiles DISTRIBUIÇÃO GB, 97 minutos, 8650 pés; Estados Unidos, GB Prod., 1938 ELENCO Margareth Lockwood (Iris Henderson), Michael Redgrave (Gilbert), Paul Lukas (dr. Hartz), Dame May Whitty (srta. Froy), Googie Withers (Blanche), Cecil Parker (sr. Todhunter), Linden Traves (sra. Todhunter), Mary Clare (a baronesa), Naunton Wayne (Caldicott), Basil Radford (Charters) e Emile Boreo, Zelma Vas Dias, Philip Leaver, Sally Stewart, Catherine Lacey, Josephine Wilson, Charles Olivier, Kathleen Tremaine

1939

A ESTALAGEM MALDITA [JAMAICA INN]

PRODUÇÃO Mayflowers-Productions, 1939, Inglaterra PRODUTORES Erich Pommer e Charles Laughton PRODUTOR EXECUTIVO Hugh Perceval DIREÇÃO Alfred Hitchcock ROTEIRO Sidney Gilliat e Joan Harrison, adaptado do romance homônimo de Daphne du Maurier ADAPTAÇÃO Alma Reville DIÁLOGOS Sidney Gilliat e J. B. Priestley DIRETOR DE FOTOGRAFIA Harry Stradling e Bernard Knowles EFEITOS ESPECIAIS Harry Watt CENÁRIO Tom N. Moraham FIGURINOS Molly McArthur MÚSICA Eric Fenby, dirigida por Frederic Lewis MONTAGEM Robert Hamer ENGENHEIRO DE SOM Jack Rogerson DISTRIBUIÇÃO Associates British, 1939 ELENCO Charles Laughton (sir Humphrey Pengallan), Horace Hodges (Chadwick, seu mordomo), Hay Petrie (seu cavalariço), Frederick Piper (seu agente), Leslie Banks (Joss Merlyn), Marie Ney (Patience, sua mulher), Maureen O'Hara (Mary, sua sobrinha) e Herbert Lomas, Clare Greet, William Delvin, Jeanne de Casalis, A. Bromley Davenport, Mabel Terry Lewis, George Curzon, Basil Radford, Emlyn Williams, Wilie Watson, Morland Graham, Edwin Greenwood, Stephen Haggard, Robert Newton, Mervyn Johns. *A estalagem maldita* foi o último filme inglês de Alfred Hitchcock. A pedido de David O. Selznick, ele parte para os Estados Unidos em 1939, mas volta à Inglaterra para fazer alguns filmes.

1940

REBECCA, A MULHER INESQUECÍVEL [REBECCA]

PRODUÇÃO David O. Selznick, Estados Unidos, 1940 PRODUTOR David O. Selznick DIREÇÃO Alfred Hitchcock ROTEIRO Robert E. Sherwood e Joan Harrison, adaptado do romance de Daphne du Maurier ADAPTAÇÃO Philip Mac Donald e Michael Hogan DIRETOR DE FOTOGRAFIA George Barnes CENÁRIO Lyle Wheeler MÚSICA Franz Waxman MONTAGEM Hal C. Kern ESTÚDIO Selznick International DISTRIBUIÇÃO United Artists, 1940, 130 minutos ELENCO Laurence Olivier (Maxim de Winter), Joan Fontaine (sra. de Winter), George Sanders (Jack Fawell), Judith Anderson (sra. Danvers), Nigel Bruce (major Giles Lacy), C. Aubrey-Smith (coronel Julyan) e Reginald Denny, Gladys Cooper, Philip Winter, Edward Fielding, Florence Bates, Leo. G. Carroll, Forrester Harvey, Lumsden Hare, Leonard Carey, Edith Sharpe, Melville Cooper

CORRESPONDENTE ESTRANGEIRO [FOREIGN CORRESPONDENT]

PRODUÇÃO Walter Wanger, United Artists, 1940 DIREÇÃO Alfred Hitchcock ASSISTENTE DE DIREÇÃO Edmond Bernoudy ROTEIRO Charles Bennett e Joan Harrison DIÁLOGOS James Hilton e Robert Benchley DIRETOR DE FOTOGRAFIA Rudolf Maté EFEITOS ESPECIAIS Lee Zavitz CENÁRIO William Cameron Menzies e Alexander Golitzen MÚSICA Alfred Newman MONTAGEM Otho Lovering e Dorothy Spencer ESTÚDIO United Artists, em Hollywood DISTRIBUIÇÃO United Artists, 1940, 120 minutos ELENCO Joel McCrea (Johnny Jones, jornalista), Laraine Day (Carol Fisher), Herbert Marshall (Stephen Fisher, seu pai), George Sanders (Herbert Folliott, jornalista), Albert Basserman (Van Meer), Robert Benchley (Stebbins), Eduardo Ciannelli (Krug), Edmund Gwenn (Rowley), Harry Davenport (sr. Powers) e Martin Kosleck, Eddie Conrad, Gertrude W. Hoffman, Jane Novak, Ken Christy, Crawford Kent, Joan Brodel-Leslie, Louis Borell

1941

UM CASAL DO BARULHO [MR. AND MRS. SMITH]

PRODUÇÃO RKO, 1941 PRODUTOR EXECUTIVO Harry E. Edington DIREÇÃO Alfred Hitchcock ARGUMENTO E ROTEIRO Norman Krasna DIRETOR DE FOTOGRAFIA Harry Stradling, A.S.C. CENÁRIO Van Nest Polglase e L. P. Williams MÚSICA Roy Webb EFEITOS ESPECIAIS Vernon L. Walker MONTAGEM William Hamilton ESTÚDIO RKO DISTRIBUIÇÃO RKO, 1941, 95 minutos ELENCO Carole Lombard (Ann Smith e Ann Krausheimer), Robert Montgomery (David Smith), Gene Raymond (Jeff Custer), Jack Carson (Chuck Benson), Philip Merivale (sr. Custer), Lucile Watson (sra. Custer), William Tracy (Sammy) e Charles Halton, Esther Dale, Emma Dunn, Betty Compson, Patricia Farr, Williams Edmunds, Murray Alper, D. Johnson, James Flavin, Sam Harris

SUSPEITA [SUSPICION]

PRODUÇÃO RKO 1941 DIREÇÃO Alfred Hitchcock ASSISTENTE DE DIREÇÃO Dewey Starkley ROTEIRO Samson Raphaelson, Joan Harrison e Alma Reville, adaptado do romance *Before the fact*, de Francis Iles (Anthony Berkeley) DIRETOR DE FOTOGRAFIA Harry Stradling A.S.C. EFEITOS ESPECIAIS Vernon L. Walker CENÁRIO Van Nest Polglase CENÓGRAFO ADJUNTO Carroll Clark MÚSICA Franz Waxman MONTAGEM William Hamilton ENGENHEIRO DE SOM John E. Tribly ESTÚDIO RKO DISTRIBUIÇÃO RKO, 1941, 99 minutos ELENCO Cary Grant (John Aysgarth, "Johnnie"), Joan Fontaine (Lina McLaidlaw), sir Cedric Hardwike (general McLaidlaw), Nigel Bruce (Beaky), Dame May Whitty (sra. McLaidlaw), Isabel Jeans (sra. Newsham) e Heather Angel, Auriol Lee, Reginald Sheffield, Leo G. Carroll

1942

SABOTADOR [SABOTEUR]

PRODUÇÃO Universal, 1942 PRODUTORES Frank Lloyd e Jack H. Skirball DIREÇÃO Alfred Hitchcock ROTEIRO Peter Viertel, Joan Harrison e Dorothy Parker, adaptado de uma história original de Alfred Hitchcock DIRETOR DE FOTOGRAFIA Joseph Valentine, A.S.C. CENÁRIO Jack Otterson MÚSICA Charles Previn e Frank Skinner MONTAGEM Otto Ludwig ESTÚDIO Universal DISTRIBUIÇÃO Universal, 1942, 108 minutos ELENCO Robert Cummings (Barry Kane), Priscilla Lane (Patricia Martin, "Pat"), Otto Kruger (Charles Tobin), Alan Baxter (sr. Freeman), Alma Kruger (sra. Van Sutton) e Vaughan Glazer, Dorothy Peterson, Ian Wolfe, Anita Bolster, Jean e Lynne Romer, Norman Lloyd, Oliver Blake, Marie Le Deaux, Pedro de Cordoba, Kathryn Adams, Murray Alper, Frances Carson, Billy Curtis

1943

A SOMBRA DE UMA DÚVIDA [SHADOW OF A DOUBT]

PRODUÇÃO Universal, 1943 PRODUTOR Jack H. Skirball DIREÇÃO Alfred Hitchcock ROTEIRO Thornton Wilder, Alma Reville e Sally Benson, adaptado de uma história de Gordon Mc Donnell DIRETOR DE FOTOGRAFIA Joseph Valentine, A.S.C. CENÁRIO John B. Goodman, Robert Boyle, A. Gausman e L. R. Robinson FIGURINOS Adrian e Vera West MÚSICA Dimitri Tiomkin, dirigida por Charles Previn MONTAGEM Milton Carruth ESTÚDIO Universal, filmado em Santa Rosa DISTRIBUIÇÃO Universal, 1943, 108 minutos ELENCO Joseph Cotten (o tio Charlie Oakley), Teresa Wright (Charlie Newton), MacDonald Carey (detetive Jack Graham), Patricia Collinge (Emma Newton), Henry Travers (Joseph Newton), Hume Cronyn (Herbie Hawkins), Wallace Ford (detetive Fred Saunders) e Janet Shaw, Estelle Jewell, Eily Malyon, Ethel Griffies, Clarence Muse, Frances Carson, Charlie Bates, Edna May Wonacott

UM BARCO E NOVE DESTINOS [LIFEBOAT]

PRODUÇÃO Kenneth Mac Gowan, 20th Century Fox, 1943 DIREÇÃO Alfred Hitchcock ROTEIRO Jo Swerling, adaptado de uma história original de John Steinbeck DIRETOR DE FOTOGRAFIA Glenn MacWilliams EFEITOS ESPECIAIS Fred Sersen CENÁRIO James

Basevi e Maurice Ransford MÚSICA Hugo Friedhofer, dirigida por Emil Newman FIGURINOS René Hubert MONTAGEM Dorothy Spencer ENGENHEIROS DE SOM Bernard Freericks e Robert Heman ESTÚDIO Fox, 1943 DISTRIBUIÇÃO 20th Century Fox, 1943, 96 minutos ELENCO Tallulah Bankhead (Constance Porter, "Connie"), William Bendix (Gus Smith), Walter Slezak (Willy, o comandante do submarino), Mary Anderson (Alice Mackenzie), John Hodiak (John Kovac), Henry Hull (Charles R. Rittenhouse), Heather Angel (sr. Higgins), Hume Cronyn (Stanley Garett), Canada Lee (George Spencer, vulgo "Joe", o camareiro de bordo)

1944

BON VOYAGE (curta-metragem)
PRODUÇÃO Ministry of Information, 1944, Inglaterra DIREÇÃO Alfred Hitchcock ROTEIRO J. O. C. Orton, Angus McPhail, adaptado de uma história original de Arthur Calder-Marshall DIRETOR DE FOTOGRAFIA Gunther Krampf CENÁRIO Charles Gilbert ESTÚDIO Associated British ELENCO John Blythe, The Molière Players (trupe de atores franceses refugiados na Inglaterra)

AVENTURE MALGACHE (curta-metragem)
PRODUÇÃO Ministry of Information, 1944, Inglaterra DIREÇÃO Alfred Hitchcock DIRETOR DE FOTOGRAFIA Gunther Krampf CENÁRIO Charles Gilbert ESTÚDIO Associated British ELENCO The Molière Players

1945

QUANDO FALA O CORAÇÃO [SPELLBOUND]
PRODUÇÃO Selznick International, 1945 PRODUTOR David O. Selznick DIREÇÃO Alfred Hitchcock ROTEIRO Ben Hetch, adaptado do romance *The house of dr. Edwardes*, de Francis Beeding, Hilary St. George Sanders e John Palmer ADAPTAÇÃO Angus MacPhail DIRETOR DE FOTOGRAFIA George Barnes, A.S.C. EFEITOS ESPECIAIS FOTOGRÁFICOS Jack Cosgrove CENÁRIO James Basevi e John Ewing MÚSICA Miklos Rozsa FIGURINOS Howard Greer MONTAGEM William Ziegler e Hal C. Kern SEQUÊNCIA DO SONHO Salvador Dalí CONSULTORA PSIQUIÁTRICA May E. Romm ESTÚDIO Selznick International DISTRIBUIÇÃO United Artists, 1945, 111 minutos ELENCO Ingrid Bergman (dra. Constance Petersen), Gregory Peck (John Ballantine), Jean Acker (a diretora), Rhonda Fleming (Mary Carmichael), Donald Curtis (Harry), John Emery (dr. Fleurot), Leo G. Carroll (dr. Murchison), Norman Lloyd (Garmes) e Steven Geray, Paul Harvey, Erskine Sandford, Janet Scott, Victor Killian, Bill Goodwin, Art Baker, Wallace Ford, Regis Toomey, George Meader, Matt Moore, Harry Brown, Clarence Straigh, Joel Davis, Edward Fielding, Richard Bartell, Michael Chekhov

1946

INTERLÚDIO [NOTORIOUS]
PRODUÇÃO Alfred Hitchcock, RKO, 1946 PRODUTOR ASSOCIADO Barbara Keon DIREÇÃO Alfred Hitchcock ASSISTENTE DE DIREÇÃO William Dorfman ROTEIRO Ben Hetch,

adaptado de uma história de Hitchcock DIRETOR DE FOTOGRAFIA Ted Tetzlaff, A.S.C. EFEITOS ESPECIAIS Vernon L. Walker e Paul Eagler, A.S.C. CENÁRIO Albert S. D'Agostino, Carrol Clark, Darrel Silvera e Claude Carpenter FIGURINOS Edith Head MÚSICA Roy Webb, dirigida por Constantin Bakaleinikoff MONTAGEM Theron Warth ENGENHEIROS DE SOM John Tribby e Clem Portman ESTÚDIO RKO DISTRIBUIÇÃO RKO, 1946, 101 minutos ELENCO Ingrid Bergman (Alicia Huberman), Cary Grant (Devlin), Claude Rains (Alexander Sebastian), Louis Calhern (Paul Prescott), Leopoldine Konstantin (sra. Sebastian), Reinhold Schünzel (dr. Anderson) e Moroni Olsen, Ivan Triesault, Alexis Minotis, Eberhardt Krumschmidt, Fay Baker, Ricardo Costa, Lenore Ulric, Ramon Nomar, Peter von Zerneck, sir Charles Mendl, Wally Brown

1947

AGONIA DE AMOR [THE PARADINE CASE]
PRODUÇÃO Selznick International, 1947 PRODUTOR David O. Selznick DIREÇÃO Alfred Hitchcock ROTEIRO David O. Selznick, adaptado do romance de Robert Hichens ADAPTAÇÃO Alma Reville DIRETOR DE FOTOGRAFIA Lee Garmes CENÁRIO J. Mac Millan Johnson e Thomas Morahan FIGURINOS Travis Banton MÚSICA Franz Waxman MONTAGEM Hal C. Kern e John Faure ESTÚDIO Selznick International DISTRIBUIÇÃO United Artists, 1947, 125 minutos ELENCO Gregory Peck (Anthony Keane), Ann Todd (Gay Keane), Charles Laughton (o juiz Horfield), Ethel Barrymore (Lady Sophie Horfield), Charles Coburn (sir Simon Flaquer, o consultor jurídico), Louis Jourdan (André Latour), Alida Valli (Maddalena, Anna Paradine) e Leo G. Carroll, John Goldsworthy, Isobel Elson, Lester Matthews, Pat Aherne, Colin Hunter, John Williams

1948

FESTIM DIABÓLICO [ROPE]
PRODUÇÃO Transatlantic Pictures, Warner Bros, 1948 PRODUTORES Sidney Bernstein e Alfred Hitchcock DIREÇÃO Alfred Hitchcock ROTEIRO Arthur Laurents, adaptado da peça de Patrick Hamilton ADAPTAÇÃO Hume Cronyn DIRETORES DE FOTOGRAFIA Joseph Valentine e William V. Skall, A.S.C. CONSULTORA DE CORES EM TECNICOLOR Natalie Kalmus CENÁRIO Perry Ferguson FIGURINOS

Adrian MÚSICA Leo F. Forbstein, baseada no tema do "Movimento perpétuo nº 1", de Francis Poulenc MONTAGEM William H. Ziegler ESTÚDIO Warner Bros DISTRIBUIÇÃO Warner Bros, 1948, 80 minutos ELENCO James Stewart (Rupert Cadell), John Dall (Brandon Shaw), Joan Chandler (Janet Walker), sir Cedric Hardwicke (sr. Kentley, pai de David), Constance Collier (sra. Atwater), Edith Evanson (sra. Wilson, a governanta), Douglas Dick (Kenneth Lawrence), Dick Hogan (David Kentley), Farley Granger (Phillip Morgan)

1949

SOB O SIGNO DE CAPRICÓRNIO [UNDER CAPRICORN]

PRODUÇÃO Transatlantic Pictures, Warner Bros, 1949 PRODUTORES Sidney Bernstein e Alfred Hitchcock DIREÇÃO Alfred Hitchcock ROTEIRO James Bridie, adaptado do romance de Helen Simpson ADAPTAÇÃO Hume Cronyn DIRETOR DE FOTOGRAFIA Jack Cardiff, A.S.C., e Paul Beeson, Ian Craig, David McNeilly, Jack Haste CORES Technicolor CONSULTORES Natalie Kalmus e Joan Bridge CENÁRIO Thomas Morahan FIGURINOS Roger Furse MÚSICA Richard Addinsell, dirigida por Louis Levy MONTAGEM A. S. Bates ESTÚDIO MGM em Elstree DISTRIBUIÇÃO Warner Bros, 1949, 117 ELENCO Ingrid Bergman (lady Harrietta Flusky), Joseph Cotten (Sam Flusky), Michael Wilding (Charles Adare), Margaret Leighton (Milly), Jack Watling (Winter, secretário de Flusky), Cecil Parker (sir Richard, o governador), Denis O'Dea (Corrigan, o procurador-geral) e Olive Sloane, John Ruddock, Bill Shine, Victor Lucas, Ronald Adam, G. H. Mulcaster, Maureen Delaney, Julia Lang, Betty McDermott, Roderick Lovell, Francis de Wolff

1950

PAVOR NOS BASTIDORES [STAGE FRIGHT]

PRODUÇÃO Alfred Hitchcock, Warner Bros, 1950, Inglaterra DIREÇÃO Alfred Hitchcock ROTEIRO Whitfield Cook, adaptado das histórias *Man running* e *Outrun the Counstable*, de Selwyn Jepson ADAPTAÇÃO Alma Reville DIÁLOGOS ADICIONAIS James Bridie DIRETOR DE FOTOGRAFIA Wilkie Cooper CENÁRIO Terence Verity MÚSICA Leighton Lucas, sob a regência de Louis Levy MONTAGEM Edward Jarvis ENGENHEIRO DE SOM Harold King ESTÚDIO Elstree, Inglaterra DISTRIBUIÇÃO Warner Bros, 1950, 110 minutos ELENCO Marlene Dietrich (Charlotte Inwood), Jane Wyman (Eve Gill), Michael Wilding (inspetor Wilfred Smith), Richard Todd (Jonathan Cooper), Alastair Sim (comodoro Gill), Dame Sybil Thorndike (sra. Gill) e Kay Walsh, Miles Malleson, André Morell, Patricia Hitchcock, Hector MacGregor, Joyce Grenfell

1951

PACTO SINISTRO [STRANGERS ON A TRAIN]

PRODUÇÃO Alfred Hitchcock, Warner Bros, 1951, Estados Unidos DIREÇÃO Alfred Hitchcock ROTEIRO Raymond Chandler, adaptado do romance de Patricia Highsmith ADAPTAÇÃO Whitfield Cook DIRETOR DE FOTOGRAFIA Robert Burks, A.S.C. EFEITOS FOTOGRÁFICOS ESPECIAIS H. F. Koene Kamp CENÁRIOS Ted Hawortt e George James Hopkins MÚSICA Dimitri Tiomkin, dirigida por Ray Heindorf FIGURINOS Leah Rhodes MONTAGEM William H. Ziegler ENGENHEIRO DE SOM Dolph Thomas ESTÚDIO Warner Bros DISTRIBUIÇÃO Warner Bros, 1951, 101 minutos ELENCO Farley Granger (Guy Haines), Ruth Roman (Anne Morton), Robert Walker (Bruno Anthony), Leo G. Carroll (senador Morton), Patricia Hitchcock (Barbara Morton), Laura Elliot (Miriam Haines), Marion Lorne (sra. Anthony), Jonathan Hale (sr. Anthony) e Howard St-John, John Brown, Norma Warden, Robert Gist, John Doucette, Charles Meredith, Murray Alper, Robert B. Williams, Roy Engel

1952

A TORTURA DO SILÊNCIO [I CONFESS]

PRODUÇÃO Alfred Hitchcock, Warner Bros, 1952 PRODUTOR ASSOCIADO Barbara Keon PRODUTOR SUPERVISOR Sherry Shourdes DIREÇÃO Alfred Hitchcock ROTEIRO George Tabori e William Archibald, adaptado da peça *Our two consciences*, de Paul Anthelme DIRETOR DE FOTOGRAFIA Robert Burks, A.S.C. CENÁRIO Edward S. Haworth e George-James Hopkins MÚSICA Dimitri Tiomkin, dirigida por Ray Heindorf MONTAGEM Rudi Fehr, A.C. E. FIGURINOS Orry-Kelly ENGENHEIRO DE SOM Olivier S. Garretson CONSULTOR TÉCNICO padre Paul La Couline CONSULTOR POLICIAL inspetor Oscar Tangvay ESTÚDIO Warner Bros LOCAÇÕES Quebec ASSISTENTE DE DIREÇÃO Don Page DISTRIBUIÇÃO Warner Bros, 1952, 95 minutos ELENCO Montgomery Clift (padre Michael Logan), Anne Baxter (Ruth Grandfort), Karl Malden (inspetor Larrue), Brian Aherne (promotor Willy Robertson), O. E. Hasse (Otto Keller), Dolly Haas (Alma Keller, sua mulher), Roger Dann (Pierre Grandfort), Charles André (padre Millars), Judson Pratt (o policial Murphy), Oliva Legaré (o advogado Villette), Gilles Pelletier (padre Benoît)

1954

DISQUE M PARA MATAR [DIAL M FOR MURDER]

PRODUÇÃO Alfred Hitchcock, Warner Bros, 1954 DIREÇÃO Alfred Hitchcock ROTEIRO Alfred Hitchcock, adaptado da peça de Frederick Knott DIRETOR DE FOTOGRAFIA Robert Burks, A.S.C. Filmado em *naturalvision* e em 3-d CORES Warner Color CENÁRIO Edward Carrere e George James Hopkins MÚSICA Dimitri Tiomkin, dirigida pelo autor FIGURINOS Moss Mabry ENGENHEIRO DE SOM Olivier S. Garretson MONTAGEM Rudi Fehr ESTÚDIO Warner Bros DISTRIBUIÇÃO Warner Bros, 1954, 88 minutos ELENCO Ray Milland (Tony Wendice), Grace Kelly (Margot Wendice), Robert Cummings (Mark Halliday), John Williams (inspetor-chefe Hubbard), Anthony Dawson (capitão Swan Lesgate), Leo Britt (o narrador), Patrick Allen (Pearson), George Leigh (William), George Alderson (o detetive), Robin Hughes (um sargento da polícia)

JANELA INDISCRETA [REAR WINDOW]

PRODUÇÃO Alfred Hitchcock, Paramount, 1954 DIREÇÃO Alfred Hitchcock ROTEIRO John Michael Hayes, adaptado de uma novela de Cornell Woolrich DIRETOR DE FOTOGRAFIA Robert Burks, A.S.C. CORES Technicolor CONSULTOR Richard Mueller EFEITOS ESPECIAIS John P. Fulton CENÁRIO Hal Pereira, Joseph McMillan Johnson, Sam Comer e Ray Mayer MÚSICA Franz Waxman MONTAGEM George Tomasini FIGURINOS Edith Head ASSISTENTE DE DIREÇÃO Herbert Coleman ENGENHEIROS DE SOM Harry Lindgren e John Cope DISTRIBUIÇÃO Paramount, 1954, 112 minutos ELENCO James Stewart (L. B. Jeffries, "Jeff"), Grace Kelly (Lisa Fremont), Wendell Corey (detetive Thomas J. Doyle), Thelma Ritter (Stella, a enfermeira), Raymond Burr (Lars Thorwald), Judith Evelyn (srta. Lonely Heart), Ross Bagdasarian (o compositor), Georgine Darcy (srta. Torso, a bailarina), Jesslyn Fax (a escultora), Rand Harper (o rapaz em lua de mel), Irene Winston (sra. Thorwald), e Denny Bartlett, Len Hendry, Mike Mahoney, Alan Lee, Anthony Warde, Harry Landers, Dick Simmons, Fred Graham, Edwin Parker, Marla English, Kathryn Grandstaff, Havis Davenport, Mile Mahomey, Iphigenie Castiglioni, Sara Berner, Frank Cady

1955

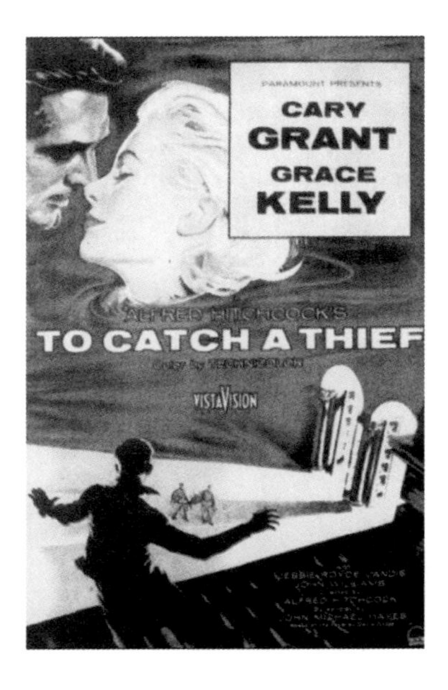

LADRÃO DE CASACA
[TO CATCH A THIEF] – Vistavision
PRODUÇÃO Alfred Hitchcock, Paramount, 1955 DIREÇÃO Alfred Hitchcock SEGUNDA EQUIPE Herbert Coleman ROTEIRO John Michael Hayes, adaptado do romance de David Dodge DIRETOR DE FOTOGRAFIA Robert Burks, A.S.C. SEGUNDA EQUIPE FOTO Wallace Kelley CORES Technicolor CONSULTOR Richard Mueller EFEITOS ESPECIAIS John P. Fulton PROCESS PHOTO Farciot Edouart, A.S.C. CENÁRIO Hal Pereira, Joseph MacMillan Johnson, Sam Comer e Arthur Krams MÚSICA Lynn Murray MONTAGEM George Tomasini FIGURINOS Edith Head ASSISTENTE DE DIREÇÃO Daniel McCauley ENGENHEIROS DE SOM Lewis e John Cope ESTÚDIO Paramount LOCAÇÕES Côte d'Azur, França DISTRIBUIÇÃO Paramount, 1955, 97 minutos ELENCO Cary Grant (John Robie, "o Gato"), Grace Kelly (Frances Stevens), Charles Vanel (Bertani), Jessie Royce Landis (sra. Stevens), Brigitte Auber (Danielle Foussard), René Blancard (comissário Lepic) e John Williams, Georgette Anys, Roland Lesaffre, Jean Hebey, Dominique Davray, Russel Gaige, Marie Stoddard, Frank Chellano, Otto F. Schulze, Guy de Vestel, Bela Kovacs, John Alderson, Don Megowan, W. Willie Davis, Edward Manouk, Jean Martinelli, Martha Bamattre, Aimée Torriani, Paul "Timy" Newlan, Lewis Charles

1956

O TERCEIRO TIRO
[THE TROUBLE WITH HARRY] – Vistavision
PRODUÇÃO Alfred Hitchcock, Paramount, 1956 DIREÇÃO Alfred Hitchcock ROTEIRO John Michael Hayes, adaptado do romance de John Trevor Story DIRETOR DE FOTOGRAFIA Robert Burks, A.S.C. EFEITOS ESPECIAIS John P. Fulton CORES Technicolor CONSULTOR Richard Mueller CENÁRIOS Hal Pereira, John Goodman, Sam Comer e Emile Kuri MÚSICA Bernard Herrmann CANTO "Flaggin' the train to Tuscaloosa" (letra de Mack David, música de Raymond Scott) MONTAGEM Alma Macrorie FIGURINOS Edith Head ESTÚDIO Paramount, e na Nova Inglaterra DISTRIBUIÇÃO Paramount, 1956, 99 minutos ELENCO Edmund Gwenn (capitão Albert Wiles), John Forsythe (Sam Marlowe, o pintor), Shirley MacLaine (Jennifer, mulher de Harry), Mildred Natwick (srta. Gravely), Jerry Mathers (Tony, filho de Harry), Mildred Dunnock (sra. Wiggs), Royan Dano (Alfred Wiggs) e Parker Fennelly, Barry Macollum, Dwight Marfield, Leslie Wolff, Philip Truex, Ernest Curt Bach

O HOMEM QUE SABIA DEMAIS
[THE MAN WHO KNEW TOO MUCH] – Vistavision
PRODUÇÃO Alfred Hitchcock, Paramount, Filmwite Prod., 1956 PRODUTOR ASSOCIADO Herbert Coleman DIREÇÃO Alfred Hitchcock ROTEIRO John Michael Hayes e Angus MacPhail, adaptado de uma história de Charles Bennett e D. B. Wyndham-Lewis DIRETOR DE FOTOGRAFIA Robert Burks, A.S.C. CORES Technicolor CONSULTOR Richard Mueller. EFEITOS ESPECIAIS John P. Fulton, A.S.C. CENÁRIO Hal Pereira, Henry Bumstead, Sam Comer e Arthur Krams MÚSICA Bernard Herrmann CANÇÕES Jay Livingston e Ray Evans "Whatever will be", "We'll love again"; cantata "Storm cloud", de Arthur Benjamin e D. B. Wyndham-Lewis, executada pela London Symphony Orchestra, sob a regência de Bernard Herrmann MONTAGEM George Tomasini, A.C.E. FIGURINOS Edith Head ENGENHEIROS DE SOM Franz Paul e Gene Garvin, Western Electric ASSISTENTE DE DIREÇÃO Howard Jospin ESTÚDIO Paramount LOCAÇÕES Marrocos DISTRIBUIÇÃO Paramount, 1956, 120 minutos ELENCO James Stewart (dr. Ben McKenna), Doris Day (Jo, sua mulher), Daniel Gélin (Louis Bernard), Brenda de Banzie (sra. Drayton), Bernard Miles (sr. Drayton), Ralph Truman (inspetor Buchanan), Mogens Wieth (o embaixador), Alan Mowbray (Val Parnell), Hillary Brooke (Jan Peterson), Christopher Olsen (o pequeno Hank McKenna), Reggie Nalder (o assassino) e Yves Brainville, Richard Wattis, Alix Talton, Noel Willman, Carolyn Jones, Leo Gordon, Abdelhaq Chraibi, Betty Bascomb, Patrick Aherne, Louis Mercier, Anthony Warde, Lewis Martin, Richard Wordsworth

1957

O HOMEM ERRADO
[THE WRONG MAN]
PRODUÇÃO Alfred Hitchcock, Warner Bros, 1957 PRODUTOR ASSOCIADO Herbert Coleman DIREÇÃO Alfred Hitchcock ROTEIRO Maxwell Anderson e Angus MacPhail, adaptado do livro *The true story of Christopher Emmanuel Balestrero*, de Maxwell Anderson DIRETOR DE FOTOGRAFIA Robert Burks, A.S.C. CENÁRIO Paul Sylbert e William L. Kuehl MÚSICA Bernard Herrmann MONTAGEM George Tomasini ASSISTENTE DE DIREÇÃO Daniel J. McCauley ESTÚDIO Warner Bros LOCAÇÕES Nova York CONSULTOR TÉCNICO Frank O'Connor (delegado no District Attorney Queens County, Nova York) ENGENHEIRO DE SOM Earl Crain Sr. DISTRIBUIÇÃO Warner Bros, 1957, 105 minutos ELENCO Henry Fonda (Christopher Emmanuel Balestrero, o "Manny"), Vera Miles (Rose, sua mulher), Anthony Quayle (Frank O'Connor), Harold J. Stone (tenente Bowers), Charles Cooper (o detetive Matthews), John Heldabrant (Tomasini), Richard Robbins (Daniel, o culpado), e Esther Minciotti, Doreen Lang, Laurinda Barrett, Norma Connolly, Mehemiah Persoff, Lola D'Annunzio, Kippy Campbell, Robert Essen, Dayton Lummis, Frances Reid, Peggy Webber

1958

UM CORPO QUE CAI
[VERTIGO] – Vistavision
PRODUÇÃO Alfred Hitchcock, Paramount, 1958 PRODUTOR ASSOCIADO Herbert Coleman DIREÇÃO Alfred Hitchcock ROTEIRO Alec Coppel e Samuel Taylor, adaptado do romance *D'entre les morts*, de Pierre Boileau e Thomas Narcejac DIRETOR DE FOTOGRAFIA Robert Burks, A.S.C. EFEITOS ESPECIAIS John Fulton CENÁRIO Hal Pereira, Henry Bumstead, Sam Comer e Frank McKelvey CORES Technicolor CONSULTOR Richard Mueller MÚSICA Bernard Herrmann, sob a regência de Muir Mathieson MONTAGEM George Tomasini FIGURINOS Edith Head ASSISTENTE DE DIREÇÃO

Daniel McCauley ENGENHEIROS DE SOM Harold Lewis e Winston Leverett TÍTULOS Saul Bass SEQUÊNCIA ESPECIAL "Designed", por John Ferren ESTÚDIO Paramount LOCAÇÕES San Francisco DISTRIBUIÇÃO Paramount, 1958, 120 minutos ELENCO James Stewart (John "Scottie" Ferguson), Kim Novak (Madeleine Elster e Judy Barton), Barbara Bel Geddes (Midge), Henry Jones (o investigador de mortes suspeitas), Tom Helmore (Gavin Elster), Raymond Bailey (o médico) e Ellen Corby, Konstantin Shayne, Lee Patrick

1959

INTRIGA INTERNACIONAL
[NORTH BY NORTHWEST] – Vistavision
PRODUÇÃO Alfred Hitchcock, Metro Goldwyn Mayer, 1959 PRODUTOR ASSOCIADO Herbert Coleman DIREÇÃO Alfred Hitchcock ROTEIRO ORIGINAL Ernest Lehman DIRETOR DE FOTOGRAFIA Robert Burks, A.S.C. CORES Technicolor CONSULTOR Charles K. Hagedon EFEITOS ESPECIAIS FOTOGRÁFICOS A. Arnold Gillespie e Lee Le Blanc CENÁRIO Robert Boyle, William A. Horning, Merrill Pyle, Henry Grace e Frank McKelvey MÚSICA Bernard Herrmann MONTAGEM George Tomasini TÍTULOS DESENHADOS Saul Bass ENGENHEIRO DE SOM Frank Milton ASSISTENTE DE DIREÇÃO Robert Saunders ESTÚDIO Metro Goldwyn Mayer LOCAÇÕES Nova York (Long Island), Chicago, Rapid City (monte Rushmore), Dakota do Sul (National Memorial) DISTRIBUIÇÃO Metro Goldwyn Mayer, 1959, 136 minutos ELENCO Cary Grant (Robert Thornhill), Eva Marie-Saint (Eve Kendall), James Mason (Philip Vandamm), Jessie Royce Landis (Clara Thornhill), Leo G. Carroll (o professor), Philip Ober (Lester Townsend), Josephine Hitchinson ("sra. Townsend", a faxineira), Martin Landau (Leonard), Adam Williams (Valerian) e Carleton Young, Edward C. Platt, Philip Coolidge, Doreen Lang, Edward Binns, Robert Ellenstein, Lee Tremayne, Patrick McVey, Ken Lynch, Robert B. Williams, Larry Dobkin, Ned Glass, John Beradino, Malcolm Atterbury

1960

PSICOSE
[PSYCHO]
PRODUÇÃO Alfred Hitchcock, Paramount, 1960 UNIT MANAGER Lew Leary DIREÇÃO Alfred Hitchcock ROTEIRO Joseph Stefano, adaptado do romance de Robert Bloch DIRETOR DE FOTOGRAFIA John L. Russell, A.S.C. EFEITOS ESPECIAIS FOTOGRÁFICOS Clarence Champagne CENÁRIO Joseph Hurley, Robert Claworthy e George Milo MÚSICA Bernard Herrmann ENGENHEIROS DE SOM Walden O. Watson e William Russell TÍTULOS DESENHADOS Saul Bass MONTAGEM George Tomasini ASSISTENTE DE DIREÇÃO Hilton A. Green FIGURINOS Helen Colvig ESTÚDIO Paramount LOCAÇÕES Arizona e Califórnia DISTRIBUIÇÃO Paramount, 1960, 109 minutos ELENCO Anthony Perkins (Norman Bates), Vera Miles (Lila Crane, irmã de Marion), John Gavin (Sam Loomis), Martin Balsam (o detetive Milton Arbogast), John McIntire (o xerife Chambers), Simon Oakland (dr. Richmond), Janet Leigh (Marion Crane), Frank Albertson (o milionário), Pat Hitchcock (Caroline) e Vaughn Taylor, Lurene Tuttle, John Anderson, Mort Mills

1963

OS PÁSSAROS
[THE BIRDS]
PRODUÇÃO Universal, 1963 PRODUTOR Alfred Hitchcock DIREÇÃO Alfred Hitchcock ROTEIRO Evan Hunter, adaptado do romance de Daphne du Maurier DIRETOR DE FOTOGRAFIA Robert Burks CORES Technicolor CONSULTOR DE FOTOGRAFIA Ub Iwerks DIRETOR DE PRODUÇÃO Norman Deming CENÁRIO Robert Boyle e George Milo CONSULTOR DE SOM Bernard Herrmann PRODUÇÃO E COMPOSIÇÃO DO SOM ELETRÔNICO Remi Gassman e Oskar Sala TREINADOR DOS PÁSSAROS Ray Berwick ASSISTENTE DE DIREÇÃO James H. Brown ASSISTENTE DE HITCHCOCK Peggy Robertson ILUSTRADOR Alfred Whitlock CRÉDITOS James S. Pollak MONTAGEM George Tomasini ESTÚDIO Universal LOCAÇÕES Bodega Bay, Califórnia, San Francisco DISTRIBUIÇÃO Universal, 1963, 120 minutos ELENCO Rod Taylor (Mitch Brenner), Tippi Hedren (Melanie Daniels), Jessica Tandy (Lydia Brenner), Suzanne Pleshette (Annie Hayworth), Veronica Cartwright (Cathy Brenner), Ethel Griffies (sra. Bundy), Charles McGraw (Sebastian Sholes), Ruth McDevitt (sra. MacGruder) e Joe Mantell, Malcolm Atterbury, Karl Swenson, Elizabeth Wilson, Lonny Chapman, Doodles Weaver, John McGovern, Richard Deacon, Doreen Lang, Bill Quinn

1964

MARNIE, CONFISSÕES DE UMA LADRA
[MARNIE]
PRODUÇÃO Alfred Hitchcock, Universal, 1964 PRODUTOR Albert Whitlock DIREÇÃO Alfred Hitchcock ROTEIRO Jay Presson Allen, adaptado do romance de Winston Graham DIRETOR DE FOTOGRAFIA Robert Burks, A.S.C. CORES Technicolor CENÁRIO Robert Boyle e George Milo MÚSICA Bernard Herrmann MONTAGEM George Tomasini ASSISTENTE DE DIREÇÃO James H. Brown ASSISTENTE DE HITCHCOCK Peggy Robertson ENGENHEIROS DE SOM Waldon O. Watson, William Green DISTRIBUIÇÃO Universal, 1964, 120 minutos ELENCO Tippi Hedren (Marnie Edgar), Sean Connery (Mark Rutland), Diane Baker (Lil Mainwaring), Martin Gabel (Sidney Strutt), Louise Latham (Bernice Edgar, mãe de Marnie), Bob Sweeney (o primo Bob), Alan Napier (sr. Rutland), S. John Launer (Sam Ward), Mariette Hartley (Susan Clabon) e Bruce Dern, Henry Beckman, Edith Evanson, Meg Wyllie

1966

CORTINA RASGADA
[TORN CURTAIN]
PRODUÇÃO Alfred Hitchcock, Universal, 1966 DIREÇÃO Alfred Hitchcock ROTEIRO Brian Moore DIRETOR DE FOTOGRAFIA John F. Warren, A.S.C. CENÁRIO Frank Arrigo SOM Waldon e William Russell MÚSICA John Addison MONTAGEM Bud Hoffman ASSISTENTE DE DIREÇÃO Donald Baer ELENCO Paul Newman (prof. Michael Armstrong), Julie Andrews (Sarah Sherman), Lila Kedrova (condessa Kuchinska), Hansjörg Felmy (Heinrich Gerhard), Tamara Toumanova (Ballerina), Wolfgang Kieling (Hermann Gromek), Gunter Strack (prof. Karl Manfred), Ludwig Donath (prof. Gustav Lindt), David Opatoshu (sr. Jakobi), Gisela Fischer (dra. Koska), Mort Mills (Farmer), Carolyn Conwell (a mulher de Farmer), Arthur Gould-Porter (Freddy), Gloria Gorvin

1969

TOPÁZIO
[TOPAZ]

PRODUÇÃO Universal PRODUTOR Alfred Hitchcock PRODUTOR ASSOCIADO Herbert Coleman DIREÇÃO Alfred Hitchcock ROTEIRO Samuel Taylor, adaptado do romance *Topaz*, de Leon Uris IMAGENS Jack Hildyard (Technicolor) MÚSICA Maurice Jarre CENÁRIO John Austin e Henry Bumstead FIGURINOS Edith Head e Pierre Balmain MONTAGEM William Ziegler SOM Waldon O. Watson e Robert R. Bertrand ASSISTENTES DE DIREÇÃO Douglas Green e James Westman ASSISTENTE DE HITCHCOCK Peggy Robertson CONSELHEIROS TÉCNICOS FRANCESES J. P. Mathieu e Odette Ferry ESTÚDIO Universal LOCAÇÕES Alemanha Ocidental, Copenhague, Nova York, Washington, Paris DISTRIBUIÇÃO (ESTADOS UNIDOS) Universal LANÇAMENTO (ESTADOS UNIDOS) dezembro de 1969 DURAÇÃO 125 minutos ELENCO Frederick Stafford (André Devereaux), Dany Robin (Nicole Devereaux), John Vernon (Rico Parra), Karin Dor (Juanita de Cordoba), Michel Piccoli (Jacques Granville), Philippe Noiret (Henri Harre), Claude Jade (Michèle Picard), Michel Subor (François Picard), Roscoe Lee Browne (Philippe Dubois), Per-Axel Arosenius (Boris Kusenov), John Forsythe (Michael Nordstrom), Edmon Ryan (McKittreck), Sonja Kolthoff (sra. Kusenov), Tina Hedstrom (Tamara Kusenov), John Van Dreelen (Claude Martin), Don Randolph (Luis Uribe), Roberto Contreras (Muñoz), Carlos Rivas (Hernandez), Lewis Charles (sr. Mendoza), Anna Navarro (sra. Mendoza), John Roper (Thomas), George Skaff (René d'Arcy), Roger Til (Jean Chabrier), Sandor Szabo (Emile Redon), Lew Brown (um oficial americano)

1972

FRENESI
[FRENZY]

PRODUÇÃO Universal PRODUTOR Alfred Hitchcock PRODUTOR ASSOCIADO Bill Hill DIREÇÃO Alfred Hitchcock DIRETOR DE PRODUÇÃO Brian Burgess ROTEIRO Anthony Shaffer, adaptado do romance *Goodbye Piccadilly, farewell Leicester Square*, de Arthur La Bern IMAGENS Gil Taylor (Technicolor) EFEITOS ESPECIAIS Albert Whitlock MÚSICA Ron Goodwin CENÁRIO Sydney Cain e Robert Laing FIGURINOS Dulcie Midwinter MONTAGEM John Jympson SOM Peter Handford e Gordon K. McCallum ASSISTENTE DE DIREÇÃO Colin Brewer ASSISTENTE DE HITCHCOCK Peggy Robertson ESTÚDIO Pinewood LOCAÇÕES Londres DISTRIBUIÇÃO Universal, junho de 1972 ELENCO Jon Finch (Richard Blaney), Alex McCowen (inspetor Oxford), Barry Foster (Bob Rusk), Barbara Leigh-Hunt (Brenda Blaney), Bernard Cribbins (Forsythe), Anna Massey (Barbara "Babs" Milligan), Vivien Merchant (sra. Oxford), Billie Whitelaw (Hetty Porter), Elsie Randolph (Glad, a empregada do hotel), Rita Webb (sra. Rusk), Clive Swift (Johnny Porter), Jean Marsh (secretária de Brenda), Magde Ryan (sra. Davison), George Tovey (sr. Salt), John Boxer (sir George), Noel Johnson e Gerald Sim (dois clientes do bar), June Ellis (a garçonete), Bunny May (o garçom), Robert Keegan (um doente do hospital), Jimmy Gardner (o porteiro do hotel), Michael Bates (o sargento Spearman)

1976

TRAMA MACABRA
[FAMILY PLOT]

PRODUÇÃO Universal PRODUTOR Alfred Hitchcock DIREÇÃO Alfred Hitchcock DIRETOR DE PRODUÇÃO Ernest Wehmeyer ROTEIRO Ernest Lehman, adaptado do romance *The rainbird pattern*, de Victor Canning IMAGENS Leonard South (Technicolor) EFEITOS ESPECIAIS Albert Whitlock MÚSICA John Williams CENÁRIO Henry Bumstead e James Payne FIGURINOS Edith Head MONTAGEM Terry Williams SOM James Alexander e Robert Hoyt ASSISTENTES DE DIREÇÃO Howard Karanjian e Wayne Farlow ESTÚDIO Universal DISTRIBUIÇÃO (ESTADOS UNIDOS) Universal ELENCO Karen Black (Fran), Bruce Dern (George Lumley), Barbara Harris (Blanche Tyler), William Devane (Arthur Adamson), Cathleen Nesbitt (Julia Rainbird), Ed Lauter (Joseph Maloney), Katherine Helmond (sra. Maloney), Warren J. Kemmerlin (Grandison), Edith Atwater (sra. Clay), William Prince (o bispo), Nicholas Colasanto (Constantine), Marge Redmond (Vera Hannagan), John Lehne (Andy Bush), Charles Tyner (Wheeler), Alexander Lockwood (o pastor), Martin West (Sanger)

ÍNDICE DE FILMES

O **negrito** indica que o filme é citado em nota ou legenda

Aeroporto [*Airport*] 331, 339
Agente secreto, O [*The secret agent*] 103-6, 219, 312
Agonia de amor [*The Paradine case*] 21, **158**, 166, 172-5, 185, 203, 217, 304
Airport. ver *Aeroporto*
Always tell your wife 36
Amants de Vérone, Les 172
Angústia de uma alma [*So long at the fair*] 118
Arabesque 30
Assassinato [*Murder*] 77-81, **158**, 203, 303
Aventure malgache 161

Baby Jane?, O que terá acontecido a [*Baby Jane*] 30
Barco e nove destinos, Um [*Lifeboat*] 155-60, 228
Barefoot contessa, The. ver *Condessa descalça, A*
Ben Hur 323
Big lift, The. ver *Ilusão perdida*
Birds, The. ver *Pássaros, Os*
Birth of a nation, The. ver *Nascimento de uma nação, O*
Blackguard, The 36, 120
Blackmail. ver *Chantagem e confissão*
Bon voyage 160, 163
Boomerang. ver *Justiceiro, O*
Bunny Lake desapareceu [*Bunny Lake is missing*] 30

Cadela, A [*La Chienne*] 322
Call northside 777. ver *Chame Norte 777*
Call of youth 5
Cantando na chuva [*Singing in the rain*] 172
Cape fear. ver *Círculo do medo*
Casal do barulho, Um [*Mr. and Mrs. Smith*] 139, 313
Céu e inferno [*Tengoku to Jigoku*] 30
Chame Norte 777 [*Call northside 777*] 241
Champagne 60-4
Chantagem e confissão [*Blackmail*] 64, 67-73, 85, **158**, 204, 327
Chapeau de paille d'Italie, Le. ver *História de um chapéu italiano*
Charada 30
Chienne, La. ver *Cadela, A*
Círculo do medo [*Cape fear*] 30
Colecionador, O [*The collector*] 30
Collector, The. ver *Colecionador, O*
Condessa descalça, A [*The barefoot contessa*] 322
Corpo que cai, Um [*Vertigo*] 21, 82, 111, **158**, 165, 185, 204, 237, 244-9, 254, 261, 303, 315, 321, 323
Correntes ocultas [*Undercurrent*] 30
Correspondente estrangeiro [*Foreign correspondent*] 132-9, 145
Cortina rasgada [*Torn curtain*] **158**, 179, 303, 309-12, 326, 329
Cousins, Les. ver *Primos, Os*
Criminosos não merecem prêmio, Os [*The prize*] 30

Dama oculta, A [*The lady vanishes*] 114-9, 125, 139, **158**
Desafio ao além [*The haunting*] 30
Dia e a hora, O [*Le jour et l'heure*] 30
Diabólicas, As [*Les diaboliques*] 30
Diaboliques, Les. ver *Diabólicas, As*
Dial M for murder. ver *Disque M para matar*
Disque M para matar [*Dial M for murder*] **158**, 209, 211-2, 227, 278, 331, 343
Downhill 54

...E o vento levou [*...Gone with the wind*] 127
Easy virtue 56, 75-6
Elstree calling 73
Em busca do ouro [*The gold rush*] 324
Espiã de olhos de ouro contra o dr. Ka, A [*Marie Chantal contre le Dr Ka*] 30
Estalagem maldita, A [*Jamaica Inn*] 119-20, 185
Estranho, O [*The stranger*] 30
Eternos desconhecidos, Os [*I soliti ignoti*] 309

Fahrenheit 451 30
Family plot. ver *Trama macabra*
Fängelse. ver *Prisão*
Farmer's wife, The. ver *Mulher do fazendeiro, A*
Festim diabólico [*Rope*] 177-81, 186, 196, 211, 228
Fireworks 30
Five miles to midnight. ver *Sombra em nossas vidas, Uma*
Foreign correspondent. ver *Correspondente estrangeiro*
Frenesi [*Frenzy*] 22, **158**, 328, 331-2, 334-5, 341
Frenzy. ver *Frenesi*
Fröken Julie. ver *Senhorita Julia*

Gângsters de casaca [*Mélodie en sous-sol*] 30
Girl was young, A. ver *Jovem e inocente*
Glass wall, The 253
Gold rush, The. ver *Em busca do ouro*
...Gone with the wind. ver *...E o vento levou*
Grande illusion, La. ver *Grande ilusão, A*
Grande ilusão, A [*La grande illusion*] 324
Grapes of wrath, The. ver *Vinhas da ira, As*
Great day, The 5
Green for danger 119
Guerra acabou, A [*La guerre est finie*] 30
Guerre est finie, La. ver *Guerra acabou, A*

Hadaka no shima. ver *Ilha nua, A*
Hatari 31
Haunting, The. ver *Desafio ao além*
História de um chapéu italiano [*Chapeau de paille d'Italie, Le*] 122
Homem da cabeça raspada, O [*L'Homme au crâne rasé*] 30
Homem do Rio, O [*L'Homme de Rio*] 30
Homem errado, O [*The wrong man*] 26, 174, 199, 237, 241, 244, 315, 331
Homem que amava as mulheres, O [*L'Homme qui aimait les femmes*] 337
Homem que sabia demais, O [*The man who knew too much*] 87, 89-94, 105, 119, 151, **158**, 191, 209, 229-33, 255, 308, 321, 323, 326, 334, 342
Homicidal. ver *Trama diabólica*
Homme au crâne rasé, L'. ver *Homem da cabeça raspada, O*
Homme de Rio, L'. ver *Homem do Rio, O*
Homme qui aimait les femmes, L'. ver *Homem que amava as mulheres, O*
House on Telegraph Hill, The. ver *Terrível suspeita*

I Confess. ver *Tortura do silêncio, A*
I see a dark stranger 119
I'm a fugitive 91
Ilha nua, A [*Hadaka no shima*] 100

Ilhéu, O [*The manxman*] 61, 64
Ilusão perdida [*The big lift*] 250
Immortelle, L' 30
Inquilino sinistro, O [*The lodger*] 15, 45, 49-54, 57, 67-8, 120, 142, **158**, 163, 334
Interlúdio [*Notorious*] 114, **158**, 165-72, 181, 184, 189, 219, 261-4, 341
Intolerance. ver *Intolerância*
Intolerância [*Intolerance*] 35
Intriga internacional [*North by Northwest*] 21, 30, 100, 105, 139, 145, 150, 249-58, 261, 263, 267, 317, 321, 323, 326, 331, 341-2
Ironia do destino [*The rake's progress*] 119

Jamaica Inn. ver *Estalagem maldita, A*
Janela indiscreta [*Rear window*] 21, 31, 77, 111, **158**, 212-24, 244, 266, 321
Jour et l'heure, Le. ver *Dia e a hora, O*
Jovem e inocente [*Young and innocent*] 105, 112, 111-4, **158**
Jules e Jim [*Jules et Jim*] 21, 206, 314
Juno and the Paycock 73-4, 76, 211, 316
Justiceiro, O [*Boomerang*] 241

King in New York, A. ver *Rei em Nova York, Um*
King Kong 338
King Solomon's mines. ver Minas do rei Salomão, As

Ladrão de casaca [*To catch a thief*] 23, 105, **158**, 219, 224-7
Ladri di biciclette. ver *Ladrões de bicicletas*
Ladrões de bicicletas [*Ladri di biciclette*] 100
Lady vanishes, The. ver *Dama oculta, A*
Letzte Man, Der. ver *Última gargalhada, A*
Lifeboat. ver *Barco e nove destinos, Um*
Limelight. ver *Luzes da ribalta*
Lodger, The. ver *Inquilino sinistro, O*
Lord Camber's Ladies 85-6
Lugar ao sol, Um [*A place in the sun*] 195
Luzes da ribalta [*Limelight*] 146

M, o vampiro de Dusseldorf [*M*] 90
Man between, The. ver *Outro homem, O*
Man on the tight rope, The. ver *Saltimbancos, Os*
Man who knew too much, The. ver *Homem que sabia demais, O*
Manxman, The. ver *Ilhéu, O*
Marguerite de la nuit 101
Marido era o culpado, O. ver *Sabotagem*
Marie Chantal contre le Dr Ka. ver *Espiã de olhos de ouro contra o dr. Ka, A*
Marie-Rose 307-9
Marnie, confissões de uma ladra [*Marnie*] **158**, 303-7, 314, 322, 324, 326, 329, 344
Mélodie en sous-sol. ver *Gângsters de casaca*
Mensageiro do diabo, O [*The night of the hunter*] 315
Meurtrier, Le 30
Minas do rei Salomão, As [*King Solomon's mines*] 250
Miragem [*Mirage*] 30
Mistério do número 17, O [*Number Seventeen*] 83-6
Monsieur Prince 34
Mountain eagle, The 46-7
Mr. and Mrs. Smith. ver *Casal do barulho, Um*
Müde tod, Der. ver *Pode o amor mais que a morte?*
Mulher do fazendeiro, A [*The farmer's wife*] 38, 59-60
Murder. ver *Assassinato*
Muriel 30

Nasce uma estrela [*A star is born*] 172
Nascimento de uma nação, O [*The birth of a nation*] 35
Naufrágio do Mary Deare, *O* [*The wreck of the* Mary Deare] 237, 249
Nickelodeon. ver *No mundo do cinema*
Night of the hunter, The. ver *Mensageiro do diabo, O*
Ninguém crê em mim [*The window*] 30
No mundo do cinema [*Nickelodeon*] 338
North by Northwest. ver *Intriga internacional*
Nossa pequena cidade [*Our town*] 153
Notorious. ver *Interlúdio*
Novo mandamento, O [*Strangers when we meet*] 30
Number Seventeen. ver *Mistério do número 17, O*
Number thirteen 36

Oeil du malin, L' 30
Oitava mulher de Barba-azul, A 322
Old acquaintance. ver *Velha amizade, Uma*
Our town. ver *Nossa pequena cidade*
Outro homem, O [*The man between*] 250

Pacto sinistro [*Strangers on a train*] **158**, 189, 191-3, 195-7, 261, 321, 327
Paradine case, The. ver *Agonia de amor*
Pássaros, Os [*The birds*] 30, 99, 101, 131, 155, 158, 199, 204, 219, 254, 257, 270, 289-300, 304, 321, 323-4, **328**
Passionate adventure, The 36
Pavor nos bastidores [*Stage fright*] **158**, 186-9, 191, 331
Place in the sun, A. ver *Lugar ao sol, Um*
Pleasure garden, The 39-45
Plein soleil. ver *Sol por testemunha, O*
Pluma do flamingo, A 250
Pode o amor mais que a morte? [*Der müde tod*] 34
Portes de la nuit, Les 101
Portrait-robot 30
Primos, Os [*Les cousins*] 30
Princesa e o plebeu, A [*Roman holiday*] 86, 318
Princess of New York, The 5
Prisão [*Fängelse*] 30
Prize, The. ver *Criminosos não merecem prêmio, Os*
Prude's fall, The 36, 38-9
Psicose [*Psycho*] 15, 30, 123, 150, **158**, 186, 199, 261, 268-85, 321, 323, 326, 328, 331, 333, 338
Psycho. ver *Psicose*

Quando fala o coração [*Spellbound*] 114, 116-7, **158**, 163-8, 179, 181, 306

R.R.R.R 307
Rake's progress, The. ver *Ironia do destino*
Rear window. ver *Janela indiscreta*
Rebecca, a mulher inesquecível [*Rebecca*] 116, 125-32, 140, 143, **158**, 179, 185, 216, 247, 304, 339
Règle du Jeu, La. ver *Regra do jogo, A*
Regra do jogo, A [*La règle du jeu*] 324
Rei em Nova York, Um [*A king in New York*] 324
Repulsa ao sexo [*Repulsion*] 30
Repulsion. ver *Repulsa ao sexo*
Rich and strange 81-3, 86
Rififi chez les hommes 23
Ring, The. ver *Ringue, O*
Ringue, O [*The ring*] 57-9, 86
Roman holiday. ver *Princesa e o plebeu, A*
Rope. ver *Festim diabólico*

Sabotador [*Saboteur*] 145-53
Sabotage. ver *Sabotagem*
Sabotagem [*Sabotage*] 103-11, 129, 145, 163, 266
Saboteur. ver *Sabotador*

Saltimbancos, Os [*The Man on the tight rope*] 250
Secret agent, The. ver *Agente secreto, O*
Sede de paixões [*Törst*] 30
Senhorita Júlia [*Fröken Julie*] 200
Shadow of a doubt. ver *Sombra de uma dúvida*
Short night, The 22, 321, 324, 339, 341
Singing in the rain. ver *Cantando na chuva*
Skin game, The 80-1
So long at the fair. ver *Angústia de uma alma*
Sob o signo de Capricórnio [*Under Capricorn*] 64, **158**, 170, **179**, 181-86, 191
Sol por testemunha, O [*Plein soleil*] 30
Soliti ignoti, I. ver *Eternos desconhecidos, Os*
Sombra de uma dúvida, A [*Shadow of a doubt*] 110, 145, 153-5, **158**, 179, 189, 197, 216, 331, 344
Sombra em nossas vidas, Uma [*Five miles to midnight*] 30
Sous le ciel de Paris 225
Spellbound. ver *Quando fala o coração*
Stage fright. ver *Pavor nos bastidores*
Star is born, A. ver *Nasce uma estrela*
Stranger, The. ver *Estranho, O*
Strangers on a train. ver *Pacto sinistro*
Strangers when we meet. ver *Novo mandamento, O*
Stromboli 322
Suspeita [*Suspicion*] 49, 125, 140-3, 192
Suspicion. ver *Suspeita*

Tell your children 5
Tengoku to Jigoku. ver *Céu e inferno*
Terceiro tiro, O [*The trouble with Harry*] 81, 94, 209, 227-9
Terrível suspeita [*The house on Telegraph Hill*] 30
Testament des Dr. Mabuse, Das. ver *Testamento do Dr. Mabuse, O*
Testamento do Dr. Mabuse, O [*Das testament des Dr. Mabuse*] 90
Thirty-nine steps, The. ver *39 Degraus, Os*
Three live ghosts 5
Titanic 339
To catch a thief. ver *Ladrão de casaca*
Topaz. ver *Topázio*
Topázio [*Topaz*] 22, **158**, 321, 328-30, 335, 337
Tora! Tora! Tora! 331
Torn curtain. ver *Cortina rasgada*
Törst. ver *Sede de paixões*
Tortura do silêncio, A [*I confess*] 64, 158, 191, 193, 197-207, 331, 344
Trama diabólica [*Homicidal*] 30
Trama macabra [*Family plot*] 22, 158, 321, 324, 336-7, 341
Três reféns, Os 303, 307
39 *Degraus, Os* [*The thirty-nine steps*] 52, 93-100, 139, 145, 150, **158**, 172, 251, 307, 323
Trouble with Harry, The. ver *Terceiro tiro, O*

Última gargalhada, A [*Der Letzte Man*] 38
Under Capricorn. ver *Sob o signo de Capricórnio*
Undercurrent. ver *Correntes ocultas*

Valsas de Viena [*Waltzes from Vienna*] 86-7, 191, 313
Velha amizade, Uma [*Old acquaintance*] 101
Vertigo. ver *Corpo que cai, Um*
Vinhas da ira, As [*The grapes of wrath*] 131

Waltzes from Vienna. ver *Valsas de Viena*
Way down East 61
What price Hollywood 172
White shadow, The 36
Window, The. ver *Ninguém crê em mim*
Woman alone, The. ver *Sabotagem*
Woman to woman 33, 36, 38, 172
Wreck of the Mary Deare, *The.* ver *Naufrágio do* Mary Deare, *O*
Wrong man, The. ver *Homem errado, O*

Young and innocent. ver *Jovem e inocente*

Z 330

ÍNDICE ONOMÁSTICO

O **negrito** indica que o nome é citado em nota ou legenda

CRÉDITO DAS FOTOGRAFIAS

Alfred Hitchcock
[produtor]
Number thirteen

Michael Balcon
[produtor]
The white shadow
Woman to woman
Pleasure garden
The mountain eagle
O inquilino sinistro
Downhill
Easy virtue

John Maxwell
British International
Pictures [produtor]
O ringue
A mulher do fazendeiro
Champagne
O ilhéu
Chantagem e confissão
Juno and the Paycock
Assassinato
The skin game
O mistério do nº 17
Rich and strange

Alfred Hitchcock
British International
Pictures [produtor]
Lord Camber's Ladies

Tom Arnold
Gaumont British
[produtor]
Valsas de Viena

Michael Balcon
Ivor Montagu
GB Prod.
O homem que sabia demais
[1ª versão]
Os 39 Degraus
O agente secreto
Sabotagem

Edward Black-Gainsborough
Gaumont British Picture
Jovem e inocente

Edward Black-Gainsborough
Picture
A dama oculta

Erich Pommer
Charles Laughton
Mayflower Prod.
A estalagem maldita

David O. Selznick
Rebecca
Quando fala o coração

Walter Wanger
O correspondente estrangeiro

Harry Edington
Um casal do barulho
RKO para *Suspeita*

Frank Lloyd
Jack H. Skirball
Sabotador

Jack H. Skirball
A sombra de uma dúvida

Kenneth Macgowan
Um barco e nove destinos

British Ministry
of Information
Bon voyage
Aventure malgache

Alfred Hitchcock
Interlúdio

David O. Selznick
Agonia de amor

Alfred Hitchcock
Sidney Bernstein
Transatlantic Picture
Festim diabólico
Sob o signo de Capricórnio

Alfred Hitchcock
Pavor nos bastidores
Pacto sinistro
A tortura do silêncio
Disque M para matar
Janela indiscreta
Ladrão de casaca
O terceiro tiro
O homem que sabia demais
[2ª versão]
O homem errado
Um corpo que cai
Intriga internacional
Psicose
Os pássaros
Marnie
Cortina rasgada

Philippe Halsman
para todas as fotos
que ilustram
as conversas
de Alfred Hitchcock
e François Truffaut

GRAFIA ATUALIZADA SEGUNDO O ACORDO ORTOGRÁFICO DA LÍNGUA PORTUGUESA
DE 1990, QUE ENTROU EM VIGOR NO BRASIL EM 2009.

OBRA PUBLICADA COM O APOIO DO MINISTÉRIO FRANCÊS ENCARREGADO
DA CULTURA — CENTRO NACIONAL DO LIVRO [OUVRAGE PUBLIÉ AVEC LE CONCOURS DU
MINISTÈRE FRANÇAIS CHARGÉ DE LA CULTURE — CENTRE NACIONAL DU LIVRE]

TÍTULO ORIGINAL
HITCHCOCK / TRUFFAUT: ÉDITION DÉFINITIVE

CAPA E PROJETO GRÁFICO
RAUL LOUREIRO

FOTO DE CAPA
ALFRED HITCHCOCK EM CAMBRIDGE (HULTON ARCHIVE / GETTY IMAGES)

PREPARAÇÃO
RAFAEL MANTOVANI

REVISÃO
ISABEL JORGE CURY
MAYSA MONÇÃO
EDUARDO RUSSO

ÍNDICES
DANIEL A. DE ANDRÉ

EDITORAÇÃO
PÁGINA VIVA

Dados Internacionais de Catalogação na Publicação (CIP)
Câmara Brasileira do Livro, SP, Brasil

Truffaut, François, 1932-1984
Hitchcock/Truffaut: entrevistas, edição definitiva / François Truffaut e Helen Scott, tradução de Rosa Freire d'Aguiar — 1ª ed. — São Paulo : Companhia das Letras, 2004.

Título original: Hitchcock/Truffaut: édition définitive.
ISBN 978-85-359-0529-8

1. Cinema — Produtores e diretores 2. Cinema — História
3. Entrevistas 4. Hitchcock, Alfred. 1899-1980
I. Scott, Helen G. II. Título

03-4730 CDD-791.430233092

Índices para catálogo sistemático:
1. Cinema: Diretores: Entrevistas 791.430233092
1. Diretores de cinema: Entrevistas 791.430233092

2024

EDITORA SCHWARCZ S.A.
RUA BANDEIRA PAULISTA, 702, CJ. 32
04532-002 — SÃO PAULO — SP
TELEFONE: [11] 3707-3500
WWW.COMPANHIADASLETRAS.COM.BR
WWW.BLOGDACOMPANHIA.COM.BR
FACEBOOK.COM/COMPANHIADASLETRAS
INSTAGRAM.COM/COMPANHIADASLETRAS
TWITTER.COM/CIALETRAS

PAPEL DE MIOLO
ALTA ALVURA, SUZANO S.A.

PAPEL DE CAPA
CARTÃO SUPREMO, SUZANO S.A.

IMPRESSÃO E ACABAMENTO
GRÁFICA SANTA MARTA